二戰

THE LAST IMPERIAL WAR 1931–1945

上

BLOOD & RUINS

•帝國黃昏與扭轉人類命運的戰爭•

RICHARD OVERY

李察・奧弗里——著　黃煜文——譯　揭仲——審定

我們迎來了古典時代最大規模的戰爭，一個民眾競相投入的科學化戰爭時代。未來的戰爭勢必前所未見。

——尼采，一八八一年

圖中描繪的是一九一一年義土戰爭期間，義大利陸軍抵達鄂圖曼帝國昔蘭尼加省班加西港。最終，義大利控制了昔蘭尼加省與的黎波里塔尼亞省，義大利征服者將這兩省重新命名為「利比亞」。義大利是十一個歐洲帝國的一員。圖源：*D and S Photography Archives/Alamy*

目次

◎上冊

◎特別收錄別冊

臺灣中文版作者序

我在撰寫本書時有一個重要企圖，我希望把第二次世界大戰視為一場真正的全球衝突，這表示在東亞、歐洲與中東發生的每一場衝突，都值得我們給予同等的重視。臺灣是亞洲戰爭的一部分，身為日本的殖民地，其資源與人力遭受日本殖民強權的剝削，這種狀況與歐洲帝國主義國家剝削殖民地與自治領的狀況並無不同。日本帝國的擴張，侵占了中國大部分地區與東南亞，如果日本的軍事行動獲得成功，那麼臺灣將成為東京有效統治下廣大領土的一小部分。一九四五年，日本帝國計畫的失敗，使臺灣陷入妾身未明的狀態，擺脫了殖民統治，卻要面對中國勝利後蔣介石國民黨政權的統治。

臺灣原本有可能在一九四五年遭美軍入侵，但美軍最後並未採納這項計畫，而是決定進攻硫磺島、沖繩，然後進攻日本本土。美國空軍從中國起飛轟炸臺灣的軍事與工業目標，但除此之外，臺灣並未像菲律賓那樣淪為戰場。一九四五年十月，日本正式宣布投降，使臺灣在歷經五十年日本殖民統治後，重新回歸中國。臺灣如何在國民政府統治下成為中國的一部分，這個過程仍有待討論，然而無論如何，當時臺灣都不可能像日本另一個重要殖民地韓國那樣取得獨立地位。臺灣成為中國的一省，並且跟大陸一樣受到恐怖統治與貪汙腐敗的荼毒。一九四七年，民眾的抗爭引發「二二八事件」，數千名臺灣人因抗議中國統治而遭到屠殺。一九四九年，國民黨政權在大陸遭中國共產黨擊敗，蔣介石只好放棄大陸，退守臺灣，並把臺灣視為僅剩的中國領土，繼續維持中國在聯合國安理會的席次。蔣介石在臺灣建立了威權獨裁體制。臺灣獨特的國際地位受到西方的支持，它除了是中國與日本從一八九〇年代到一九四五年長達五十年衝突的產物，也是西方與全球共產主義進行冷戰的結果。時至今日，臺灣依然是個潛在的衝突地區，這是第二次世界大戰與之後各種複雜因素影響遺留下來的深刻後果。

在本書中，我試圖將東亞的歷史放入漫長的帝國主義歷史架構中。日本帝國的崩潰，與一九四五年後二十年間英國、法國與荷蘭殖民帝國的瓦解，改變了整個南亞與東亞的歷史。殖民帝國的退出，為中共興起成為全球強權鋪路，也促成大陸邊緣地帶四小龍的崛起：臺灣、新加坡、南韓與香港。舊時代帝國主義的失敗，使亞洲得以邁出自己的步伐，甚至改變了全球經濟發展的均勢。這個改變的地緣政治現實，正是二戰日本及其軸心國盟邦戰敗所帶來的重要影響。

很高興看到本書的繁體中文版問世。我希望在閱讀本書之後，讀者能更瞭解上個世紀的局勢如何形塑今日的臺灣，以及臺灣所在的亞洲與世界。

李察・奧弗里，二〇二四年五月

致謝

這些年來，許多同事、研究學者、學生與我進行討論，給我建議，最終促成本書問世。對於其中一些人，我要個別地予以致謝，至於其他未提及姓名的人，我也要感謝他們對於這本二戰之書提供的批評與指教。我特別要感謝埃克塞特大學的同事湯瑪斯（Martin Thomas），他比任何人都要鼓勵我堅持從帝國角度探討二戰的歷史。想將二戰史中的極端暴力與帝國主義歷史連結在一起的人，埃克塞特大學歷史系是個理想的去處。

我要感謝莫德斯利（Evan Mawdsley）、希斯利普（Matthew Heaslip）、勞拉羅（Laura Rowe）、托伊（Richard Toye）、艾恩斯（Roy Irons）、哈蒙德（Richard Hammond）、維維歐卡（Olivier Wieviorka）、已故的霍華爵士（Sir Michael Howard）、方德萬（Hans van de Ven）、米德（Rana Mitter）、克萊門斯（Paul Clemence）、諾克斯（Lucy Noakes）、威克斯曼（Zoe Waxman）、布坎南（Andrew Buchanan）、史蒂芬李（Stephen Lee）、麥歐洛（Joe Maiolo）、施米德（Klaus Schmider）、奈采爾（Sönke Neitzel）與葛沃斯（Robert Gerwart），感謝你們在我撰寫的過程中持續給予幫助、建議與討論。感謝所有寫下珍貴作品的作者，他們的付出對我的寫作幫助極大，我也將他們的貢獻盡可能地寫進注釋裡。非常感謝企鵝叢書主編溫德（Simon Winder），他耐心等待這本書完成，

幾乎已經超過任何出版社所能忍受的限度，而且仔細看過所有內容。我要感謝我的前任經紀人吉兒（Gill Coleridge）與現任經紀人卡拉（Cara Jones），在本書漫長的孕育期間持續給予支持。最後我要感謝協助完成本書的團隊：杜吉德（Richard Duguid）、伊娃（Eva Hodgkin）、萊丁斯（Charlotte Ridings）、愛德華茲（Jeff Edwards）、珊德拉（Sandra Fuller）與哈金森（Matthew Hutchinson）。

用語說明

我在書中使用了「同盟國」（Allies）與「軸心國」（Axix）這兩個詞彙，因為這兩個詞已經成為慣用語，不使用的話會讓敘述變得很複雜。儘管如此，此處還是要指出同盟國的三個國家其實並未正式結盟，只有英國與蘇聯在一九四二年締結盟約。另一方面，軸心國也不是一致的同盟關係。「軸心國」一詞最初用在德國與義大利的關係上，而且是由墨索里尼所創。一九四〇年九月，日本簽署《三國同盟條約》與德義兩國建立同盟關係，其他已經加入對蘇作戰的國家也加入同盟——只有芬蘭是例外，芬蘭雖然跟軸心國共同對抗蘇聯，卻沒有加入軸心國的同盟。儘管日本在一九四〇年九月之前從未與歐洲軸心國建立正式關係，但此後世界輿論幾乎毫無異議地使用「軸心國」一詞並把日本也包括在內。軸心國就此出現在幾乎所有的現代史作品中。在本書中，我也採取一般的習慣用法，但我心裡清楚這個用法其實是有問題的。

我也要針對本書出現的大量統計數據進行說明。眾所周知，在大大小小的戰役中，參戰人數與武器數量往往不甚精確；同樣地，傷亡人數與武器損毀數量也隨著各國定義的戰爭長度與戰爭區域的不同而有所差異。我已嘗試使用最新與最可靠的統計數據，但我知道還有許多估計數字跟這些數據有出入。在度量方面，我比較沒那麼精確。我統一使用「噸」這個單位來衡量運量、投彈量或生產量，我並未區別英噸、公噸與美噸。這些是不同的重量單位，但我不可能每次提到都要加以解釋，而且這些單位之間的差異不是很大，因此統一以「噸」來表示還是可接受的。美國短噸等於兩千英磅，英國長噸等於兩千兩百四十英磅，公噸（一千公斤）相當於兩千兩百零四英磅。我通常使用公里，但英里也是全世界廣泛使用的單位。一英里大約等於一點六公里。

中國、阿拉伯與印度人名與地名的音譯問題，我一般會使用目前通行的譯名，但有些依然普遍使用的傳統譯名則會予以保留。從阿拉伯文音譯的名稱也有好幾種形式，同樣地我會採用目前學界公認的譯名。

一九四〇年九月二十七日，德國外交部長李賓特洛甫在帝國總理府德國、義大利與日本簽署《三國同盟條約》會場宣讀聲明。該條約確認了三國在歐洲、非洲與亞洲的帝國野心，三國想藉此建立全新的地緣政治秩序。圖源：*INTERFOTO/ Alamy*

前言

一九四五年十二月，美國前國務卿赫爾（Cordell Hull）榮獲諾貝爾和平獎，但赫爾因為病重而無法親自前往領獎。他於是寫下一段短文，呼籲在「經歷了有史以來規模最大、最殘酷的戰爭與可怕苦難之後」，人類必須致力尋求和平。[1]赫爾向來以言詞誇大著稱，但他這次的看法，不僅清楚顯示七十五年前*的局勢，也確切反映了人類時至今日的處境。赫爾身處的年代經歷了一場規模超乎人類想像的全球戰爭，當時發生的許多衝突，在今日統稱為「第二次世界大戰」，簡稱為「二戰」。這場戰爭帶來難以形容與難以計算的苦難、剝奪與死亡。在此之前或之後，沒有任何一場戰爭能與其比擬，就連第一次世界大戰也無法望其項背。就算未來會像赫爾在一九四五年所預警，發生另一場能夠「將我們文明完全毀滅抹除」的世界大戰，但至少目前這樣的戰爭尚未發生。

這場牽連廣泛的殘酷戰爭，為歷史學家帶來各方面的挑戰。一九四〇年代之後的時代變遷，使我們愈來愈難想像在這個世界上曾有超過一億名男性（與遠少於此數的女性）穿上軍服、拿著武器奔赴前線戰鬥，而這些武器的殺傷力在一戰已經得到一定程度的淬鍊，在二戰又有更驚人的表現。

---

* 編注：指原文出版的二〇二一年。

我們也很難想像各個大國能說服民眾同意將高達三分之二的國家產出投入於戰爭之中，而數億人必須承受戰爭帶來的貧困與飢餓，或在衝突永無止境的需索下，忍受自己在和平時期努力積攢下來的財富與儲蓄遭受奪取與破壞。我們同樣也難以體會轟炸、流離失所、徵用與偷竊帶來的慘重破壞、剝奪與失落。戰爭尤其對我們今日的感受構成挑戰，使我們難以理解為什麼會有數十萬人犯下如此令人髮指的殘暴行徑、恐怖主義與犯罪行為。歷史學家布朗寧（Christopher Browning）提到，這些人絕大多數都是「普通人」，他們不是虐待狂，也不是心理病態。[2]今日發生的內戰與暴亂雖然也充斥著殘暴行為，但二戰目睹的卻是如浪潮般的暴力壓迫、囚禁、折磨、驅逐與大規模種族屠殺，而且這些行徑都是由穿著制服的軍人、治安部隊、警察乃至於游擊隊員與民兵犯下的，這些加害者不只是男人，也包括女人。

過去，人們若要解釋二戰為何爆發，只需要歸咎於希特勒、墨索里尼及日本軍方在歐洲與東亞的帝國野心，如何激起了愛好和平的國家群起抵抗。無論是標準的西方敘述或蘇聯的官方戰史，都把焦點放在同盟國與軸心國的軍事對抗。這段軍事衝突確實已有許多優秀作品做出深刻探討與詳盡記載，本書因此不會在這方面多做贅述。[3]軍事結果固然重要，但過度聚焦於軍事結果只會產生更多疑問，例如引發戰爭的深層危機為何？戰時為何存在各種性質迥異的衝突？戰爭背後存在著哪些政治、經濟、社會與文化脈絡？最後，即使二戰在一九四五年正式結束，為什麼往後很長一段時間卻還是持續出現不穩定的暴力衝突？傳統觀點認為，希特勒、墨索里尼與日本軍人就是造成危機的原因，但事實卻正好相反：這些人其實只是深層危機所引發的結果。換言之，如果我們不瞭解推動這段歷史的力量，就無法合理解釋戰爭的起源、經過與結果。正是這一力量在二十世紀初的數十年間，在全球各地引發社會、政治與國際的長期動盪，最終促使軸心國採取反動的帝國領土征服計畫。唯有粉碎了帝國擴張領土的野心，世界局勢才慢慢進入一段相對穩定的時期，替殖民帝國的最終瓦解鋪平了道路。

我這部二戰史的新穎之處，奠基在四大重要論據之上。首先，傳統的「一九三九年到一九四五年」分期已不再管用。戰爭早在一九三〇年代初就已經在中國開打，一九四五年後過了十年才在中國、東南亞、東歐與中東結束。把戰爭限定在一九三九年到一九四五年，也許提供了二戰敘事的核心，但整起衝突的歷史至少可以追溯到一九三一年日本占領滿洲，往下則可延續到二戰引發的最後幾場內戰，這些衝突在一九四五年時都還打得難分難解。此外，一戰與在此之前與之後發生的暴力衝突，深刻影響了一九二〇年代與一九三〇年代的世界，充分顯示將兩場大戰場隔開來，反而無法讓我們對這些衝突有更深入的理解。我們應該要把一戰與二戰視為「第二次三十年戰爭」的前後兩個階段，*這是帝國危機進入最後一個階段時出現的世界體系重整。本書的結構反映了這種非傳統時間視角。一九二〇年代與一九三〇年代極為重要，不探討這兩個年代，就無法瞭解這場全球戰爭的性質，也無法解釋二戰何以如此進行，以及當時的人如何理解這場戰爭。

其次，應該將二戰理解為全球性的事件，而不只是一場為了擊敗軸心國的歐洲戰爭，加上太平

---

* 編注：第一次三十年戰爭指的是一六一八至一六四八年的大規模歐洲戰爭，造成歐洲境內數百萬死傷。又稱「宗教戰爭」。

洋戰爭做為點綴。我們還需要看到中歐、地中海、中東與東亞。這些地區的動盪不安，同樣危及了全球穩定，更解釋了戰火為什麼不只發生在幾個大國之間，還延燒到遙遠的地區，例如北太平洋的阿留申群島、南印度洋的馬達加斯加與中美洲加勒比地區的島嶼基地。相較於在歐洲戰場擊敗德國，亞洲的戰事及其結果對戰後世界的影響可謂有過之而無不及。現代中國的建立與西方殖民帝國的崩解，都是亞洲在經歷了兩次世界大戰之後的結果。

第三，必須將這場大戰重新定義為好幾種不同戰爭的混合。最主要的形式就是我們熟知的國與國之間的戰爭，包括侵略戰爭與抵抗侵略的戰爭，因為唯有國家才有能力動員充足資源與維持大規模武裝衝突。但除了主要軍事衝突之外，還有內戰與「平民戰爭」（civilian wars），前者諸如中國、烏克蘭、義大利與希臘的內戰，後者則可能是反抗占領軍（包括軸心國與同盟國占領軍）的解放戰爭，也可能是民眾為了自衛而進行的戰爭，特別是在面對轟炸威脅時。有時候，不同形式的戰爭會在國與國之間的戰爭中彼此重疊或匯聚，例如俄國的游擊隊或法國的抵抗運動。儘管如此，各種游擊戰、內戰與武裝暴動仍構成與二戰平行的小型戰爭，這些小型戰爭的參與者主要是平民，參戰目的是為了保衛或解放。平民動員使二戰更具有「總體戰」的特徵，也影響了二戰的進行方式。

最後，上述三個要素，時間、空間與定義，都源自以下這第四項論點：這場漫長的第二次世界大戰其實是最後一場帝國對帝國的戰爭。過往探討二戰的通史著作，絕大多數都把重點放在「強權」衝突與意識形態，卻遺漏或忽略了「領土型帝國」（territorial empire）的重要性。領土型帝國決定了這場漫長戰爭的性質，不僅戰爭必須從一九三一年起算，戰爭的終點也不是到一九四五年為止，而是延伸到一九四五年後的混亂。這不是說，我們要以狹隘的列寧式觀點來看待這場戰爭，而是必須認知到唯有全球性的帝國秩序，才能將不同地區與不同形式的衝突連結起來。這套帝國秩序的支配者主要是英國與法國，是這兩個國家激起了日本、義大利與德國的龐大野心。德義日這三個所謂「缺乏殖民地」的國家，為了確保國家存續與彰顯國家認同，開始對外征服，擴張自己的帝國疆域。直到最近才有歷史學家主張，軸心國模仿英法舊帝國的方式來創造屬於自己的全球「連結」，最終目的是要取代這些舊帝國。[4]一戰前後就已出現的帝國擴張計畫與帝國危機，已大致決定二戰的爆發方式與過程。二戰的最終結果，便是長達五百年的歐洲殖民帝國的終結與民族國家的興起。[5]歐洲恣意擴張了數百年，最後還是免不了要退回歐洲。傳統殖民統治的殘餘，在一九四五年後的數十年間迅速崩解，促使美國與蘇聯這兩個超級大國成為新全球秩序的支配者。

本書接下來將根據這四大論點來展開，並大致區分成五個敘事性章節（序章，第一章到第三章，以及終章）與七個主題性章節（第四章到第十章）。本書序章將從長期因素著手。這些因素形成了一九三〇年代的危機，導致二戰爆發，而其根源則是十九世紀晚期的帝國競爭和一戰。二戰並非不可避免，但一九二〇年代全球貿易與金融體系的崩潰，加上全球帝國體系的動搖與民粹民族主義的興起，一連串危機導致的緊張與野心很難藉由國際合作加以化解。極端民族主義意識形態、經濟危機與突然出現的機會，促使日本、義大利與德國追求帝國主義的「新秩序」，也為既有的帝國如英國、法國、荷蘭甚至比利時帶來巨大災難——這些舊帝國在一九四〇年到一九四二年間紛紛遭遇意想不到的挫敗。雖然「新秩序」國家傾向於建立自己的區域性帝國，也不願立刻與蘇聯和美國為敵，但若不打敗或摧毀這兩大強權，就無法實現自己的帝國野心。「巴巴羅薩作戰」（Operation Barbarossa）與太平洋戰爭因應而生，也因此有了針對猶太人的種族滅絕戰爭：希特勒政權指責猶太人策畫全球衝突、打擊德國的民族主張。本書第一章將會描述國際政治的動盪不安，促使新帝國想趁美國與蘇聯尚未徹底動員潛力之前取得勝利。

第二章將描述戰火如何燒遍全世界，以及這場戰爭最後如何挫敗新帝國的領土野心，代之以另一套更穩定的世界秩序。這套新世界秩序不再奠基於帝國，而是依據主權國家的原則運作，仰賴的是曾經在一九三〇年代崩潰的全球貿易與金融體系。這項轉變是由蘇聯與美國的經濟與軍事力量共同促成。更重要的是，無論主張的是共產主義還是自由主義，美蘇兩國各自的意識形態立場都是反對讓傳統殖民帝國繼續存在下去。兩大強國在反對帝國這一議題上還有一個重要盟友，那就是中國。一九四〇年代晚期與一九五〇年代，美蘇共同塑造了一個由民族國家組成的世界，主導者是冷戰的超級大國，而非領土型帝國。即便德國與日本皆曾為了不讓民族滅絕而拼戰到最後，但隨著國內追求帝國擴張的勢力遭到擊敗，德日兩民族也獲得了重生的機會。到了第三章，此時「新秩序」國家的潰敗已擺在眼前，但這些國家卻不是一開始就注定失敗。雙方最龐大的人力犧牲與資源損失都發生在戰爭的最後兩年，此時尚且沒有人能看出誰能取得最後勝利。一九四五年後，隨著戰時殘餘的政治與意識形態衝突在帝國餘暉及超級大國野心的背景下大致獲得解決，但暴力衝突仍持續存在，儘管規模已大幅降低。這就是本書終章的主題：傳統帝國終於解體，今日的民族國家於焉形成。

本書的框架將圍繞在「最後一場帝國對帝國的戰爭」下進行，同時也替後續的七個主題性章節提供整體脈絡。這幾章處理的是更廣義上的戰爭經驗，不僅針對數百萬前線將士，也包括後方支持總體戰爭的民間社會。[6]國家如何動員龐大人力與物力，這麼做會有什麼影響？投入戰爭的武裝力量如何組織與運用資源，又有哪些影響？國家、政黨或個人如何合理化他們參與的戰爭，如何讓民眾繼續投入昂貴而殘暴的戰爭，即使最後面臨的是失敗？為什麼同一時間會發展出內戰或平民戰爭，這會導致什麼樣的社會或政治後果？本書還有一章將探討戰爭對於親歷者造成的傷害，特別是對那超過一億名被動員參戰的男男女女們來說，戰爭帶來哪些情緒與心理上的衝擊。戰爭改變了人們的行為與預期，使其受到各種人類感情的驅使：一方面是恐懼、仇視、憎恨或憤怒，另一方面是勇氣、自我犧牲、焦慮與同情。這是戰時經驗的一項元素，難以透過歷史來描述，但在解釋戰爭對個人的影響時卻極為重要。在不尋常的戰時環境下，個人無論是否身處戰場，都持續承受著壓力。本書最後一個主題將探討戰爭引起的極端暴力與犯罪，如何導致數千萬人死亡，其中絕大多數是平民。這一章將帶出了兩個核心問題：為什麼二戰軍人與平民的死亡人數如此之多，幾乎是一戰的五倍？為什麼加害者願意且能夠放縱自己進行各式各樣的殘酷暴力，而且這種情況遍及所有戰場？這兩個問題顯然彼此相關，但卻不盡相同。死亡以各種面貌與理由出現，總是無情地伴隨戰爭而來。

※ ※ ※

要撰寫一部新二戰史，可以參考的資料實在太多，不可能公允地處理所有作品。我在四十年前第一次撰寫二戰史時，還有可能把絕大多數與這場戰爭有關的書籍全部看完。過去四十年來，全世界討論二戰各個面向與大戰前後幾年的歷史作品，數量上已經出現爆炸性成長。本書因此只關注與核心論點有關的歷史資料，而不敢妄稱如百科全書般蒐羅了全面廣博的內容，因為如今已不可能閱讀所有作品，也不可能有所謂「最終版」二戰全史，無論是一冊或多冊。最近出版的《劍橋第二次世界大戰史》（*Cambridge History of the Second World War*）一共三大冊，但即使如此也不能說涵蓋了二戰的所有內容。我盡量採用近年來出版的資料，因為這些著作通常已經整合特定面向的可用知識，不過我也嘗試容納許多年代久遠的重要研究。我很幸運能接觸到大量與帝國史和亞洲戰史有關的新研究，這兩個領域長久以來一直是二戰史忽略的主題。我也運用了能支持相關研究的檔案。今天的歷史學家有許多個人回憶錄可以參考，這些紀錄有些已出版成書，有些則是口述檔案，內容可以跟歷史學家描述的戰時經驗交互參照，有時可以帶來啟發，有時也會彼此矛盾。雖然我也引用了一些個人紀錄，但與最近諸多二戰史著作相比算是比較少的。本書不可避免有掛一漏萬或過於簡略之處，讀者可能也會發現一些熟悉的主題被打散到不同章節裡，以不同的視角加以敘述，明顯的例子如戰略轟炸、猶太人大屠殺與戰力分析，但我這麼做是為了清楚呈現這場戰爭的核心歷史意義。這是一本針對二戰提出大問題的歷史著作，希望藉由梳理當時的歷史脈絡，瞭解身處其中之人為什麼不得不從事各種行為。這也是一部關於死亡、恐怖、毀滅與貧困的歷史，描述著赫爾所說的「巨大苦難」。因為鮮血與廢墟，正是二戰帶來的慘痛代價。

李察・奧弗里（Richard Overy），二〇二〇年十一月

一九二五年里夫戰爭期間，法軍以火砲轟擊摩洛哥的柏柏人叛軍。這場二十世紀規模數一數二的殖民地戰爭，當地部落民從一九二一年到一九二七年持續反抗西班牙與法國軍隊，以維持自身獨立。圖源：*Photo 12 Collection/Alamy*

PROLOGUE

序　章

P

鮮血與廢墟：帝國戰爭的年代

「十九世紀熟知的帝國主義已不可能繼續下去，唯一的問題是，帝國主義將會安詳地入土，還是會埋葬在鮮血與廢墟之中。」

——伍爾夫（Leonard Woolf），一九二八年[1]

本書的原文書名「鮮血與廢墟」來自這段引文，出自《帝國主義與文明》（*Imperialism and Civilization*），作者伍爾夫是政治經濟學者，他在書中表明現代帝國主義決定了二十世紀初現代文明的樣貌。伍爾夫主張，直到一九二〇年代為止，西方世界經歷了一段不尋常的百年革命，工業、群眾政治與貴族衰微轉變了整個社會。這項轉變不僅產生了現代民族國家的概念，伴隨而來的還有帝國征服的巨大浪潮——在伍爾夫寫作之時，全世界依然受到這股浪潮的影響。伍爾夫認為這個新帝國文明是個「好戰的、狂熱擴張的、征服的、剝削的、改變他人信仰的文明」，而近年來討論帝國的歷史作品絕大多數支持這樣的看法。全球被幾個殖民帝國支配，在世界史上是相當獨特的現象。[2]對伍爾夫來說，帝國擴張是一股爆炸性的危險力量，很容易引發暴力衝突，特別是在帝國面臨崩潰的時候。正是在這樣的脈絡下，第一次世界大戰爆發，二十年後，又爆發了另一場更全球性與更毀滅性的第二次世界大戰。

伍爾夫正確指出這場蔓延全球的暴力衝突的悠久根源，其禍根早在十九世紀最後數十年就已種下。當時經濟與政治現代化的步伐快速踏遍整個發展中的世界，而最終爆發的大戰則在一九四〇年代與一九五〇年代才告終止。歐洲、北美與日本的大規模工業化與都市化，與各國民族意識的提升發生於同時，也助長了各國民族意識的發展。義大利與德國這兩個正在進行現代化的強權都是新的民族國家，前者剛在一八六一年建國，後者則是在十年後才成立。日本是亞洲唯一推動歐洲式現代化的國家，就實質意義來說，日本也算是「新」的民族國家。日本於一八六八年「明治維新」時期推翻傳統的德川幕府，在明治天皇領導下，由一群經濟與軍事改革者組成的新菁英重新打造新國家。經濟現代化，連同教育的提高、快速的社會流動與中央政府體制的發展，使得民族與國家結合成一體。這些過程也創造出新的國家認同與更清晰的國家政治，即使是歷史較為悠久的國家也是如此。社會變遷催生出群眾政治組織，民眾要求自由主義改革與更多的代表權。到了一九〇〇年，除了俄羅斯帝國之外，所有進行現代化的國家都已經設立國會（但選舉權受到限制），而且對已經成為公民的民眾依法而治。對於既有的政治與經濟菁英來說，這些變遷使他們失去了傳統賦予的社會權力與政治權威。在這個快速而不可預測的變遷環境下，發展中的工業強權掀起了新一波的領土型帝國主義，試圖瓜分或支配全球既有殖民帝國網絡尚未掌握的其他地區，而唯有從這最後一波建立帝國的強大驅力中，我們才能深入瞭解第二次世界大戰的長期根源。

在伍爾夫眼中，一九一四年一戰爆發前四十年出現的「新帝國主義」，從各方面來看都是既有帝國結構的延伸。早在「新」帝國主義出現之前，英國、法國、西班牙、葡萄牙與荷蘭已經在世界各地擁有各式各樣宛如大雜燴般的領土，例如殖民地、保護國、勢力範圍、貨物集散地與條約特權地區。但新一波的帝國卻不一樣。新帝國主義源自於進行現代化的國家彼此間與日俱增的競爭意識，一部分是因為這些國家不斷在尋找新的原料與糧食來源與新的市場，另一部分是因為「帝國」已經成為定義十九世紀民族國家的方式，民族國家必須成為進步的「文明化」媒介，將文明散布到世界其他地區，還有一部分則是帝國已經成為民族國家聲望的象徵。最後一個原因對於新民族國家來說尤其重要，這些新民族國家的認同感依然脆弱，國內各地區缺乏統一的效忠對象，社會也存在著衝突。一八九四年十二月，德國總理克洛德維希（Chlodwig zu Hohenlohe-Schillingsfürst）表示：「維持殖民屬地是民族國家榮譽的要求，也是民族國家聲望的指標。」[3]一八八五年，義大利外交大臣主張，「在這場向全世界殖民的越野障礙賽上」，義大利必須取得自己的殖民地，實現「自己身為強權的天命」。[4]對於領導新明治日本的改革者來說，某種形式的帝國主義可以成為新「國體」的核心象徵：一八七〇年代日本占領千島群島、琉球群島與小笠原群島，就是建立今日所謂「大日本帝國」的第一步。[5]半個世紀之後，也就是一九四〇年代，就是這三個想建立大帝國的國家引發了二戰。

現代民族國家認同的建立，與帝國的建立或擴大，兩者之間的連結在一九一四年之前逐漸形成普遍共識，就連東歐的傳統王朝帝國羅曼諾夫王朝與哈布斯堡王朝也認同這樣的連結，兩國對於巴爾幹半島的帝國野心，最終導致了一戰。對於想鞏固或建立海外帝國的民族國家來說，民族國家的建立與帝國主義的關連非常明顯。我們已經無法再用單純的「民族國家」（nation）一詞來形容這些爭奪領土的參與者，而應該稱之為「民族帝國」（nation-empire）。所謂的「帝國主義的民族化」，其核心特徵一直持續到一九三〇年代與最後一波以武力奪取領土的浪潮為止。[6]帝國帶有明顯的宗主國色彩，它清楚反映出公民與臣屬、文明與原始、現代與古老的明確對比，建立帝國的國家也以這種兩極化的態度來看待自己統治的百姓與疆土，而且一直維持這樣的態度直到一九四〇年代為止。所有的帝國強權都具有這種世界觀，而這種世界觀就建立在幾乎完全忽視占領地的既有文化與價值上。在絕大多數狀況下，這些國家都誇大了帝國能帶來的好處，無論是新消費者還是宗教改信者。德國史家昆德魯斯（Birthe Kundrus）所謂的「帝國幻想」，在刺激國家競爭上扮演著重要角色，即使實際上帝國的成本顯然遠高於帝國帶來的有限利益，也無法讓人停止這樣的幻想。[7]這些帝國幻想包括了在野蠻邊疆進行墾殖，尋找黃金國度（Eldorado）取得大量財富，崇高的「文明化使命」，以及實現「昭昭天命」以振興國家。這些想法形塑了往後五十年的「帝國」想像。

這些掀起新帝國主義浪潮的帝國幻想並非憑空產生。它們先是從帝國的思想與科學研究獲得啟發，而後反過來激勵更多人投入其中，成為許多有志於帝國的國家所追求的潮流。國家競爭的觀念幾乎可以說是脫胎自達爾文適者生存的理論，現代國家的相互競爭因此成了天經地義的道理。在達爾文思想的幾位傑出後繼者的主導下，這套論點在一九一四年之前備受討論，其思想核心是：「健康」的民族注定要統治其他弱小的民族。英國統計學家皮爾森（Karl Pearson）在一九〇〇年的演說〈從科學觀點看民族生命〉（National Life from the Standpoint of Science）中表示，英國若想維持一流的水準，「就必須透過戰爭來對付低等種族，對實力相當的種族則必須爭奪商路、原物料來源與糧食供給。如此才符合人類的自然史觀點。」[8]德國將領伯恩哈迪（Friedrich von Bernhardi）在一九一二年出版與獲得廣泛翻譯的作品《德國與下一場戰爭》（*Germany and the Next War*）中提到，要解釋國家競爭，就必須把許多事物視為既定的道理：「想要生存，就必須為自己爭取到最有利的生存條件，在世界的自然經濟中確立自己的地位。弱者勢必遭到淘汰。」[9]在套用達爾文理論時，最不可或缺的關鍵要素就是爭奪資源；正是為了爭奪資源，國家才會需要更多的帝國領土。一八九七年，德國地理學家拉采爾（Friedrich Ratzel）創造了一個惡名昭彰的詞彙，「生存空間」（Lebensraum），他認為現代的優越文化需要擴大領土，為增加的人口提供糧食與物質資源。而要做到這點，就只能奪取「低等」文化的領土。拉采爾撰寫《政治地理學》（*Political Geography*）時，希特勒還只是個小學生，但這本書的結論卻在一九二〇年代獲得這名未來獨裁者的青睞，希特勒經常與他的親密夥伴赫斯（Rudolf Hess）討論這本書。[10]

這種宣揚歐洲帝國主義的文化優越感也來自當時的科學理論，人們認為種族存在著自然階序，而階序的產生來自於基因的差異。雖然上述說法並無可信的科學證據，但人們認為殖民世界的原始落後或完全野蠻的狀態，意謂著當地物質資源與土地若未獲得先進國家的管理，將只會構成浪費，而先進國家的責任就是讓這些墮落的異國人民享受文明的成果。這種對比被視為理所當然，而且被當成種族歧視與永久征服的理由。一九〇〇年，英國印度總督寇松勳爵（Lord Curzon）曾說：「我管理的這數百萬人口，他們的智力還不如小學生。」在德國，這種觀點甚至延伸到帝國的東歐鄰邦上。一九一四年，《萊比錫人民報》（*Leipziger Volkszeitung*）表示，這些東歐鄰邦與「野蠻世界」無異。[11]更危險的是，種族優越的假定，無論在生物層面還是倫理層面，都被用來合理化極端暴力的使用，極端暴力因此成為新帝國主義浪潮下的一股暗流。

在奪取既有政治體領土時，幾乎免不了出現暴力或威脅。即使在一九一四年之前，人們對於美洲原住民或澳洲原住民的命運感到遺憾，卻依然認為這是白人征服下不可避免的結果。一八七〇年代之後，向非洲與亞洲擴張造成的大規模暴力也被以同樣的理由加以合理化：如果要對外輸出文明，讓受害者獲得利益，就必須動用暴力，而這樣的現象在當時並未引起任何道德上的不安。一九〇四年，在德屬西南非，一名醫生寫道：「原住民問題的『最終解決方案』（Endlösung），就是一次性地徹底將原住民完全擊潰。」最終解決方案就跟生存空間一樣，並非國家社會主義（以下簡稱納粹主義）的發明，不過還是有歷史學者認為這兩個時代可能存在著因果關係。[12]此外，在一九一四年之前，這樣的用語也不是只有德文才有。「種族」與「空間」這兩個在一九三〇年代與一九四〇年代支配帝國主義的孿生概念，其實早在一戰之前，人們熱烈討論帝國的功能與必要性時就已出現。[13]帝國在對待本土人民與殖民地臣民時也建立起兩套對比鮮明的道德宇宙：帝國人民可以享有特權，殖民地臣民則遭受壓迫與專斷的司法審判，過的生活與宗主國中心有著天壤之別。

儘管如此，這種從現代民族國家到領土型帝國的心理認知與想像，卻很難與這些新帝國建立時的歷史現實相吻合。事實上，從帝國建立到一九四五年後帝國瓦解的整段過程，帝國做為「想像的共同體」，與民族國家透過建立民族帝國來尋求現代認同所實際花費的成本與風險之間，存在著巨大落差。就連兩個主要的帝國強權英國與法國也是如此，英法都必須投入資源來征服與捍衛愈來愈廣大的領土。一九一一年，英國支配的帝國疆域高達三千一百萬平方公里，人口多達四億人；法國則是一千兩百五十萬平方公里與一億人口，總領土面積比母國大上二十倍。[14]至於那些首次踏上帝國之路的新國家，要讓國內民眾對海外殖民地產生熱情顯然要比舊帝國更加困難，因為新國家建立的殖民地遠比舊帝國來得小，資源條件也較差，因此難以吸引國內民眾前往墾殖，也很難獲得投資。一八九五年，義大利入侵衣索比亞失利，只取得部分索馬利亞與厄利垂亞（Eritrea）做為新帝國殖民地，國內民眾因此強烈反對繼續從事帝國冒險。當時義大利只有幾千人移居殖民地，卻有一千六百萬人移民到其他國家。一九一一年，義大利與鄂圖曼帝國交戰，取得的黎波里塔尼亞（Tripolitania）與昔蘭尼加（Cyrenaica），兩地即今日的利比亞。開戰之前，當時還是一名激進年輕記者的墨索里尼提出警告，任何政府想以鮮血與金錢推動征服，將會面臨總罷工。他宣稱：「國與國之間的戰爭將因此演變成階級與階級之間的戰爭。」這項觀點呼應了墨索里尼日後的帝國主義，他把國家區分成「無產階級」國家與富裕的金權政治國家，而義大利屬於前者。[15]一九一四年之前，德國對海外帝國的態度也同樣充滿矛盾。熱心追求海外殖民地的主要是商人、教士與教育者構成的資產階級圈子，到了一九一四年，德國殖民地協會估計已有四萬名會員，但實際到海外屬地墾殖的德國人卻只有這個數字的一半。[16]一九一四年之前，大眾教育與文化不斷宣傳海外殖民的異國風情與浪漫的一面，但民眾卻對想像的「東方」大陸帝國更有興趣。事實上，後者始終主導了德國人對領土擴張的態度。到了一九三〇年代與一九四〇年代，我們可以看到德國人如何積極建立歐洲帝國，這點值得詳細探究。

一八七一年建立的德國，領土涵蓋擁有大量波蘭人口的東普魯士地區，這是過去十八世紀普魯士與俄國和奧地利共同瓜分波蘭的結果。這個地區被視為抵禦如汪洋般東方斯拉夫人威脅的重要防波堤。一八八六年，德國首相俾斯麥（Otto von Bismarck）在「皇家普魯士墾殖委員會」開幕式上致詞，表示委員會的目的在於盡可能讓波蘭人口離開東部邊疆返回俄屬波蘭，鼓勵德國殖民者定居此地，抹除所有的「原始農業」（波蘭經濟的貶義說法），提供邊疆穩定的力量來抵禦可能的威脅。這種做法被稱為「內部殖民」，並且獲得了廣泛宣傳。一八九四年，東部邊疆協會成立，旨在鼓勵殖民。「種族與空間」的觀念很快就適用於東部邊疆，而且早在一九一四年之前，帝國幻想已經促使德國帝國主義進一步往東擴展。德國將東方視為適合殖民之地，相信現代文明可以為「深陷於野蠻與貧困」的東方帶來秩序與文化。[17]邊疆文學此時也開始出現，也就是所謂的「東方小說」（Ostromanen），讓德國人規避海外的帝國主義，專注於殖民東部邊疆。在東方小說中，波蘭人遭到扭曲，被描述成「深色」種族，有著深色皮膚，深色眼睛，深色頭髮。這種做法強化了殖民面向，把波蘭人定義為「他者」，與有文化的德國人形成對比。作家維比格（Clara Viebig）的《沉睡的軍隊》（*The Sleeping Army*, 1904）是最知名的一部東方小說，書中描述一名古銅色的波蘭農民哀嘆「金髮的白人入侵者」。[18]一九一四年一戰爆發前夕，內部殖民協會成立，協會刊物在比較了非洲帝國與波蘭人居住的東部邊疆之後，主張德國必須朝這兩個地區進行擴張，為健康的德國種族拓展空間。[19]

新帝國主義的發展有一項主要特色，那就是新帝國主義本身即帶有不穩定因子與廣泛的暴力傾向，從一八七〇年代到一九四〇年代的帝國擴張，可以明顯看出新帝國主義的這一特色。十九世紀晚期與一戰爆發前十年，許多支持帝國的論點都認為，民族帝國之間的自然競爭使國際關係處於動盪不安的狀態，因此帝國的建立在戰略上有其必要；另一方面，帝國主義的壓力引發地方社群的強烈反抗，因此帝國的建立也能維護國家的勢力範圍或經濟利益。有人認為一戰前的歐洲是所謂的「美好年代」（belle époque），這種說法其實是歐洲中心論建構的觀點。事實上，歐洲早在一戰之前就不斷將暴力輸出到全球各地。現代化國家的崛起，是交通連結與現代武器急速發展的結果，再加上金錢與軍事訓練，帝國強權因此更具有軍事優勢。一八六八年後，日本迅速仿效歐洲的現代兵役組織與採行最先進的科技，但在當時的亞洲或非洲也只有日本能夠做到這一點。當時世界各地僅存的傳統社會，皆遭到帝國暴力征服，無論是南非的祖魯人或馬塔貝勒人（Matabele），還是荷屬東印度征服的亞齊蘇丹國，或者是法國攻占的安南與東京（今日越南）。所有帝國關係的明顯特徵就是暴力，即使到了一九四五年後帝國最終的衰微時期，也依然擺脫不了暴力的陰影。

若從帝國史的角度來看，往後的兩次世界大戰就是彼此勢均力敵且高度發展的敵對國家為了建立帝國而產生的衝突。一戰確實爆發於一九一四年，但我們不該把那一年視為世界和平的終結之年。畢竟早在一戰之前，每隔一段時間就會爆發撼動世界穩定的大規模衝突與危機時刻，這些衝突在愈來愈全球化的時代深刻影響了歐洲強權之間的關係，也左右了亞洲的未來。後者最重要的衝突當屬日本發動的戰爭，第一場是一八九四年的第一次中日戰爭（又譯甲午戰爭），日本開始入侵中國藩屬朝鮮。這場大規模衝突由日本新建的陸海軍獲得勝利，朝鮮成為日本的保護國，而福爾摩沙（今日的臺灣）成為日本的殖民地，日本帝國一夜之間躋身殖民地競賽的重要玩家。日本發動的第二場戰爭是針對俄羅斯帝國。日本擊敗中國之後，俄國沙皇不僅聯合德法阻止日本併吞遼東半島，還進一步在中國滿洲建立利權。一九〇四年到一九〇五年，俄國不僅派出大量陸軍，還派遣俄國艦隊徒勞地從波羅的海遠航三萬公里來到日本海，結果陸海軍均遭日本擊潰，日本因此完整取得俄國在滿洲的經濟利益。日本為了日俄戰爭動員將近兩百萬人，結果有八萬一千五百人戰死，三十八萬一千人受傷，此前日本從未進行過如此大規模的對外戰爭，而這場戰爭也改變了日本在東亞的地位。[20]

一八九八年到一八九九年的美西戰爭不是一場為了建立帝國而發動的戰爭，但西班牙的戰敗卻讓美國暫時取得了菲律賓、波多黎各、關島與部分太平洋島嶼。建立「大美國」(Greater America)的想法因此甚囂塵上，但當聯邦最高法院判決新領土不屬於美國所有時，美利堅帝國的熱潮也隨之消退。太平洋基地具有戰略用途，但從西班牙奪取的其他領土地位卻懸而未決，既不屬於正式帝國的一部分，卻又處於美國占領的狀態。[21]同樣在一八九九年，英國與兩個獨立的波耳南非共和國川斯瓦與奧蘭治自由邦爆發大戰。這場一八九九年到一九〇二年的南非戰爭，是英國相隔半個世紀以來最大的一場軍事衝突。英國總共動員約七十五萬人，傷亡也達到兩萬兩千人。由於這場戰爭對抗的是同屬白人的歐洲移民，英國因此受到其他歐洲國家的指責，但最終贏得這場戰爭的英國卻藉此為自己的非洲帝國擴充了廣大領土與豐富資源，同時進一步強化了社會達爾文主義的觀點：唯有戰爭才能贏得更多的帝國領土。[22]

殖民地爭議是帝國衝突的關鍵觸發點，引發了一九一四年的世界大戰。一八八〇年代，一些國家雖然快速現代化，但政治上卻動盪不安，這些國家的國力與軍力持續成長，引發其他國家的戰略焦慮，因此組成了陣營。不僅如此，帝國之間的敵對也構成了陣營的另一項焦慮來源。日俄戰爭的失敗，使俄國的關注範圍退回到了東南歐，開始重新檢視與鄂圖曼帝國的關係。而英法在帝國殖民地上的衝突，則促使兩國於一九〇四年簽訂《英法協約》，同樣的不確定感也在三年後催生了《英俄協約》——正是英俄兩國的合作影響了日後一戰的格局。各國為了保護自己的全球利益，而不只是在歐洲的利益，因此競相擴充軍備，尤其英德的海軍競賽就是因應兩國的利益全球化而產生。事實上，德國的帝國野心源自於德國深信新民族國家必須取得帝國地位才能讓自己躋身世界強權之列，德國的思維充分表現在一九一四年之前幾起嚴峻的國際事件上，特別是一九〇五年與一九〇八年的摩洛哥危機。德國反對英國、法國與西班牙之間的協定，質疑摩洛哥保護國的權利分配。

還有一起與摩洛哥危機一樣重要的事件，那就是一九一一年義大利總理喬利蒂（Giovanni Giolitti）在國內民族主義輿論壓力下，向鄂圖曼土耳其宣戰，並且占領鄂圖曼帝國在北非的剩餘領土。民族主義者與殖民遊說團體主張，在遭受衣索比亞（又稱阿比西尼亞）的屈辱之後，*新成立的民族國家義大利必須進行帝國擴張，才能建立強權地位。民族主義者倡議者科拉迪尼（Enrico Corradini）更表示，義大利要是無法成為帝國，就會淪為「無產階級國家」——一九三〇年代的墨索里尼就是使用這一說詞合理化義大利的新帝國主義。[23] 對義大利人而言，這場戰爭的主要目標不僅是貿易或領土，更是為了建立威望，因為這場戰爭發生的時間正值義大利建國五十週年。與德國掀起摩洛哥危機一樣，義大利擔心英法會出手干預義大利在非洲建立帝國，義大利政府因此冒了與英法這兩個主要帝國強權衝突的極大風險，不過最後英法並未阻止義大利出兵。儘管如此，結果並非如義大利高層預期的是一場短期的殖民地戰爭，反而就像一九〇四年的俄國，義大利發現自己面對的是另一個強權。[24]從一九一一年十月到一九一二年十月，這場戰爭持續整整一年的時間，土耳其人最後決定割讓的黎波里塔尼亞與昔蘭尼加——這是因為獨立的巴爾幹各國利用土耳其人與義大利人交戰的機會，趁機攻擊土耳其人在歐洲的剩餘領土，顧此失彼的土耳其人只能放棄北非。義大利把新殖民地命名為「利比亞」，這是該地區在羅馬帝國統治時期的名稱。義大利很快又開始向英法施壓，希望取得東非的擴張權利。[25]在愛琴海，義大利占領土耳其的多德卡內斯群島（Dodecanese islands），目的是為了向土耳其索求更多權利。考慮到這些島嶼上面居住的也是歐洲人，義大利於是只在當地建立起半殖民地。就像日本擊敗中俄一樣，義大利征服利比亞也影響了往後一整個世代的觀念：就算面對實力堅強的對手，義大利人仍相信要建立起新的領土型帝國，就只能仰賴戰爭。

有個很好但很少被提出來的例證，可以說明義大利人在北非的狂妄行徑其實更有可能是引發一戰的原因。義大利占領北非後，巴爾幹各國也擊敗土耳其人，將其逐出絕大部分的歐洲領土，塞爾維亞因此擁有了主導巴爾幹半島的契機。然而，俄羅斯與奧匈這兩個與巴爾幹半島息息相關的帝國，雖然在國內面臨嚴峻的政治危機，卻不願放棄在巴爾幹半島的戰略利益。一八八二年以來，義大利一直是德國與奧國的盟友，義大利於一九一二年占領多德卡內斯群島，使俄國無法取得進入地中海的溫水港，俄國因此難以對巴爾幹半島採取積極的干預行動。一九一四年七月底八月初爆發的

* 編注：指爆發於一八九五年的「第一次義大利衣索比亞戰爭」，該場戰爭以義大利敗北收場。

歐戰，雖然一般歸因於歐洲強權在強大民族情感下掀起戰端，以及各主要參戰國在混雜了傲慢與不安的情緒下投入戰局，但實際上，真正能解釋歐洲各國明知一旦參戰將造成嚴重損失卻依然認為戰爭不可避免的原因，其實就在於帝國，在於當時人抱持著民族國家唯有取得帝國地位，成為民族帝國，才有資格成為現代國家的觀念。就算塞爾維亞真的在一九一四年七月接受了奧國的最後通牒，今日歷史學家在提到這起事件時，依然會認為這是一八九〇年代以來又一場短暫的帝國危機。[26]

一戰顯然是一場帝國戰爭。在一九一四年到一九一五年參戰的國家全是帝國，這些國家要不是傳統的王朝帝國，就是擁有海外殖民地的帝國。隨著這場戰爭演變成長期消耗戰，戰爭的賭注也跟著水漲船高，民族帝國進行的已不只是爭奪領土的戰鬥，而是生死存亡之爭。探討一戰歷史時，如果只把重點放在西線戰場漫長而血腥的僵局上，等於是用狹隘的民族主義觀點來看待這場戰爭。事實上，這場大戰的戰場遍及全世界，而且充滿強烈的帝國野心。[27]俄羅斯想擊敗鄂圖曼帝國，將勢力範圍擴展到東地中海與中東；鄂圖曼帝國則是在民族主義革命威脅下，於一九一四年十月向協約國（也就是英法俄三大帝國）宣戰，希望扭轉土耳其在中東與北非的頹勢。義大利曾於一八八二年加入德意志帝國與奧匈帝國成立的三國同盟，但在一九一四年時卻選擇不加入戰爭。義大利甚至在一九一五年春於倫敦簽署一項祕密協定，約定義大利將可取得巴爾幹半島與地中海部分帝國領土做為補償，義大利政府隨後便加入了協約國陣營。雖然義大利的主要訴求是奧匈帝國被擊敗之後，義大利可以取得義大利半島東北部的領土，但這仍不減義大利的帝國野心。在利比亞，義大利軍隊在一九一二年後面臨層出不窮的叛亂，這些叛亂都有土耳其人在背後搧風點火。而就在義大利討論是否參戰之際，利比亞的兩場大敗仗已造成三千名義大利人死亡。一九一四年十一月，義大利在殖民地派駐大約四萬名士兵，以防止鄂圖曼帝國在當地煽動吉哈德（jihad）。到了一九一八年，義大利已能成功固守利比亞沿海地區，但首府的黎波里依然遭到叛軍圍攻。[28]

英法進行的戰爭，規模也是全球性的。歐洲戰事才剛開打，協約國就馬上占領德國位於非洲與太平洋的殖民地。西非的多哥於一九一四年八月陷落，德屬西南非於一九一五年五月失守，喀麥隆則是一九一六年二月；德屬東非雖然從未完全遭到征服，但到了一九一六年，絕大部分地區也已經落入協約國的掌握。在太平洋地區，英國與日本在一九〇二年結為同盟，一戰爆發之後，英國要求日本占領德國在三十年前向西班牙購入的北太平洋島嶼（日本人稱為南洋），以及奪取德國海外帝國擁有的中國山東半島。日本對德宣戰，在一九一四年底奪取了德國殖民地，日本帝國勢力因此更進一步深入中國，而且首次擴展了太平洋疆域。[29]一九一五年，日本政府向中國提出「二十一條要求」，強行索取蒙古、福建與滿洲的利權，這些無理要求與一九一四年之前西方強權與中國簽訂的不平等條約如出一轍。[30]日本知道列強正深陷歐戰泥淖，無力干預亞洲事務，因此趁此機會擴大勢力範圍。「二十一條要求」包括了中國不得將沿岸港灣與島嶼讓與或租借給歐洲列強，這類要求成為往後數十年日本帝國持續滲透中國的模式。

中東是一戰前期除了歐洲以外，帝國衝突最激烈的地區。以埃及為基地（埃及於一八八四年遭英國占領，一九一四年成為英國的保護國），大英帝國對鄂圖曼帝國發動了長期且複雜的戰爭，企圖奪取從東地中海到波斯（今日的伊朗）的控制權。這個地區如果落入其他強權手裡，就會對英國的全球帝國構成威脅，而這也成為英國帝國政策關注的焦點，這也是為什麼英國會在一戰期間想盡辦法，就是要控制從巴勒斯坦到阿富汗這條延伸整個南亞與阿拉伯世界的弧形地帶。[31] 協約國最初的計畫是一九一五年一月提出的《賽克斯—皮科協定》（Sykes-Picot agreement），把鄂圖曼帝國劃分成幾個勢力範圍：俄羅斯帝國取得君士坦丁堡與土耳其的核心地帶安納托利亞、法國取得範圍尚未明確的大敘利亞地區、英國則掌控巴勒斯坦到波斯的廣大地帶。但在實現這項計畫之前，首先必須擊退鄂圖曼帝國對蘇伊士運河的攻勢，因為這條運河是大英帝國的命脈。等到大英帝國擊敗土耳其人，使其退回到敘利亞與伊拉克北部時，俄羅斯已然因為布爾什維克革命而退出戰爭，整個中東因此由英法兩個帝國瓜分。鄂圖曼土耳其試圖在德國盟邦的支持下穩住帝國。德國不僅提供武器裝備與軍官顧問團，也在英法帝國境內或勢力範圍內煽動宗教或民族主義叛亂，特別是在印度、阿富汗、北非與伊朗。[32] 但德國的努力終究失敗，到了一九一八年，情勢已十分明顯，整個中東地區即將落入英法的支配，接下來或許將遭到兩國瓜分。英法一旦能掌控這個關鍵地區，兩國的帝國霸權將進一步獲得擴大與鞏固。[33]

對德國而言，喪失所有海外殖民地與本土遭受協約國海上封鎖，只是加深了德國帝國主義者建立更龐大歐洲帝國的決心，特別是在東方建立更遼闊的疆域。這點對當時的德意志帝國來說並不是幻想。因為到了一九一五年，德軍已經深入俄屬波蘭，同時占領俄屬波羅的海國家。德國在戰前為了抵禦「斯拉夫民族」，認為必須在東方建立殖民地，一戰時則持續往東推進，促使斯拉夫人的疆界東移。在東方的德國軍事占領區，當地的統治模式十分類似於歐洲治理海外殖民地的方式，特別是區分公民與臣民的不同。占領區的民眾被一套截然不同的法律制度統治，被迫向經過的德國官員行禮鞠躬，還必須強制勞動。[34]一九一七年，德國祖國黨成立之後，在東方建立廣大殖民地的想法逐漸受到德國民眾歡迎。在一篇為德國青年撰寫的愛國故事裡，主人翁如此直白表示：「我看到我的祖國成為歐洲的帝國，國力達到鼎盛。」[35]隨著德國士兵出現在俄羅斯的帝國領土上，德國民眾的偏見也跟著強化，開始認為俄國是個原始政治體，適合德國殖民，而占領者使用的語言完全呼應了海外帝國的殖民語彙。一九一四年從東部戰線傳來的報告表示，沒有任何文字可以形容俄國邊境居民的「粗俗與野蠻」。[36]

德國在一戰時期的帝國野心於一九一八年三月達到巔峰。德意志帝國政府與革命的布爾什維克政府簽訂了《布列斯特—立陶夫斯克條約》（Treaty of Brest-Litovsk），使其占領區涵蓋整個俄羅斯帝國西半部，包括白俄羅斯、波羅的海國家、俄屬波蘭、烏克蘭與黑海的高加索沿岸地區。事實上，德國在此刻獲得的領土已經超越二十五年後希特勒與納粹軍隊的成果。這項條約的可能後果將成為大英帝國的惡夢：一個牢不可破的德意志、鄂圖曼、哈布斯堡帝國陣營，將支配歐亞大陸的心臟地帶與中東地區。一九一八年三月，德軍在西線戰場發動最後一場攻勢，使局勢更加惡化，協約國軍隊被迫後撤，眼看就要釀成災難性的失敗。英國政府軍事顧問亨利．威爾遜爵士（Sir Henry Wilson）警告：「我們已經接近失敗邊緣。」大英帝國殖民地總督米爾納勳爵（Lord Milner）告訴首相勞合喬治（David Lloyd George），看來同盟國即將成為「全歐洲還有北亞與中亞的主人」。陷入恐慌的英國人開始想像德國人併吞比屬剛果之後，將能建立一個從大西洋延伸到印度洋的德屬非洲帝國。[37]這場危機不僅顯示一戰的帝國向度與全球尺度，也說明這場戰爭拼搏的不只是國家的存亡，還有帝國的未來。

英國的帝國惡夢並未應驗。德國的三月攻勢失敗後，其他國力較弱的盟友紛紛於一九一八年潰敗。美國在一九一七年四月向同盟國宣戰，而在美軍協助下，西歐的協約國終於成功將德軍趕回德國境內。一九一八年十一月十一日，歐戰結束，德意志、奧匈與鄂圖曼三大帝國瓦解，還要加上一九一七年滅亡的俄羅斯帝國。英法都將自己的勝利視為帝國的勝利。英國的海外帝國貢獻了母國需要的大量人力、金錢與資源以投入全球戰場。由白人開拓的殖民地派出一百三十萬人，印度動員一百二十萬人，非洲殖民地也提供數十萬名工人，其中估計有二十萬人死亡。[38]法蘭西帝國派出五十萬名士兵（絕大多數來自法屬西非與北非）與超過二十萬名徵召的工人，此外還耗費十六億法郎與五百五十萬噸的補給物資。[39]帝國上下一心成為戰時宣傳的主軸，英法兩大帝國都希望這場戰爭能讓民主世界存續，但矛盾的是，它們也希望這場戰爭能讓不民主的海外帝國繼續存在。這項矛盾有助我們理解一九一八年後所有帝國面臨的兩難，也解釋了何以帝國主義在二十年後再次引發重大衝突。

戰後依然存續的帝國，面臨著如何調和民族原則與帝國觀念的重大難題。這項挑戰主要與美國民主黨總統威爾遜（Woodrow Wilson）有關，他在一九一八年一月十八日於美國國會發表的演說，後來被稱為「十四點原則」，裡面針對新國際世界秩序提出一套構想。威爾遜的演說一夜之間傳遍世界，因為他的十四點原則提出「國家無論大小，都應擁有政治獨立與領土完整」的權利；在演說末尾，威爾遜還重申所有人民與民族「都有權利過著自由而安全的生活」。雖然威爾遜從未使用民族「自決」一詞，但他的演說模稜兩可，予人解釋的空間，威爾遜因此收到殖民地居民寄來的大量請願書，許多遊說團體與代表團也要求接見，殖民地居民錯誤解讀威爾遜的說法，以為這是他們尋求解放的機會。[40]事實上，從威爾遜演說產生的「自決」觀念，最早的提倡者其實是一九一七年俄國的革命分子，他們在一九一七年三月沙皇政權被推翻後開始高喊民族自決口號。革命後建立的俄國臨時政府仍想繼續作戰，並且於一九一七年四月九日宣布臨時政府主要的戰爭目標是「根據民族自決原則建立永久和平」。一年後，布爾什維克（俄國社會主義運動的激進派共產主義者）奪取了權力，推翻臨時政府。新政府主席列寧呼籲「解放所有殖民地，解放所有從屬的、受壓迫的與無主權的民族」。[41]俄國共產主義者很快就在一九一九年成立共產國際，他們的民族自決訴求讓帝國強權起了戒心。一九一八年到一九一九年，各帝國派出軍隊干預，協助「白」俄的白軍對抗布爾什維克的紅軍。曾與俄國起過衝突的日本，也於一九一八年派遣七萬名士兵前往西伯利亞。日本原本還打算加派軍隊到二十五萬人，建立一個從屬於日本的西伯利亞省分，以利日本帝國北進。但布爾什維克的軍事勝利與日本的國內不安最終促使日本於一九二〇年撤軍。[42]

民族自決的觀念為帝國帶來迫切的危機。這場危機的第一波徵兆隨著和平到來而出現：帝國轄下的各個民族認為自己貢獻一己之力協助協約國取得勝利，預期協助宗主國作戰可以為他們換取政治權力，另一些人則期待威爾遜的十四點原則能為他們除去令人不快的帝國枷鎖，包括那些最近才加諸的束縛。一九一九年春，威爾遜總統率領代表團參加巴黎和會，許多請願者藉此機會向他提出請求或是向他遞交大量請願書，這些人一方面希望取得完整主權，另一方面也要求帝國必須放棄傲慢心態，不要再認為從屬民族沒有自治能力。請願的民族包括波斯、葉門、黎巴嫩、敘利亞、突尼西亞、法屬印度支那（今日的越南、寮國與柬埔寨）、埃及與朝鮮。印度民族主義者拉伊帕雷（Lala Lajpat Rai）是美國印度自治同盟（India Home Rule League of America）的創立者之一，他發電報給威爾遜，感謝他「為世界上所有弱小、從屬、受壓迫的民族」提出自由的新憲章。拉伊帕雷堅稱，美國的介入「讓歐洲帝國強權蒙上陰影」。[43]這些請願並未獲得期待中的回應。在一戰結束後的幾年間，許多反抗帝國的抗爭接連出現。在朝鮮，一九一九年三月的抗議遊行遭到當局無情鎮壓；在印度，阿姆利則（Amritsar）的暴動同樣遭當局開槍掃射，造成三百七十九人死亡；在埃及，民族主義領袖遭到流放，八百人在反英暴動中被殺。「這難道不是最醜陋的背叛？」一名埃及代表向巴黎提出呼籲，「這難道不是徹底否認了民族自決原則？」[44]只有愛爾蘭的民族主義者成功抵抗了部署在當地的十一萬英軍，於一九二二年取得某種形式的獨立地位，成立了愛爾蘭自由邦。

到頭來，巴黎和會的首要目標其實是在東歐與中歐建立幾個主權國家，取代瓦解的王朝帝國：波蘭、南斯拉夫、捷克斯洛伐克、芬蘭、愛沙尼亞、立陶宛與殘餘的奧地利。民族自決原則並未擴及到歐洲以外的地區。英國與法國代表團不僅說服威爾遜在起草《國際聯盟盟約》（Covenant of the League of Nations，國際聯盟將成為未來國際秩序的重要組織）時將「民族自決」一詞去除，還要求威爾遜承諾維護現有國家的領土完整與政治獨立。[45]一九一九年英法的政治施壓成功限制了威爾遜及其帝國批評者提出的自由主義計畫。根據《凡爾賽條約》（Treaty of Versailles），戰敗的德意志帝國將遭受嚴厲懲罰，除了喪失所有海外領土、亞爾薩斯—洛林、連結東普魯士的「波蘭走廊」、一部分西利西亞、割讓少部分領土給比利時與丹麥，還必須完全解除武裝，而德國做為率先開戰的元凶，還須賠償一千三百二十億金馬克。戰爭罪的指控使德國全體社會無論黨派一致反對和平條約，同樣地，面對戰勝國指責德國殖民主義過於殘暴與剝削，因此德國人沒有資格繼續擔負「文明開化的使命」而得被剝奪所有的殖民地，這類主張對德國人而言不過是一種虛偽的說詞。

不令人意外的是，和平條約的主要受益者都是戰勝的帝國。一九一九年一月，協約國在巴黎開會，首先通過的就是由英法占領德國與鄂圖曼的帝國領土。英法並非直接併吞這些海外領土，而是以託管國的地位管理這些「沒有能力在現代世界艱苦環境下自立」的人民。一九二一年，國際聯盟常設託管委員會成立，託管制度正式施行。委員會由瑞士學者拉帕德（William Rappard）擔任主席，負責監督託管國，確保託管國協助託管地人民最終獲得自治。然而實際上，託管國卻把託管地視為帝國新取得的領土，如英國保守黨政治人物張伯倫（Neville Chamberlain）日後所言，所謂「託管制度」其實就是用「口語」的方式在稱呼帝國殖民地。中東託管地是英法兩國激烈爭論後達成的協商結果，英法過去曾經給予阿拉伯領袖承諾以換取他們支持對土作戰，但戰後兩國卻不講信用，直接瓜分整個中東地區，法國取得黎巴嫩與敘利亞，英國取得外約旦、伊拉克與巴勒斯坦。德國的前非洲殖民地也接受託管，大部分地區仍由英法瓜分，比利時取得剛果東部盆地的盧安達與蒲隆地。[46]日本成為德屬北太平洋島嶼的託管國，澳洲取得德屬新幾內亞，紐西蘭取得西薩摩亞。這些地區的居民都反對這樣的安排。一九一九年十月，貝爾（Joseph Bell）在前德屬喀麥隆寫道：「法國政府逼迫我們接受他們的統治，但我們的國家不想要法國政府。」位於日內瓦的託管委員會再次收到大量請願書，但支配國際聯盟的託管國對於這些請求視若無睹。託管委員會有九名委員，絕大多數是外交官或殖民地官員，其中八名是帝國的代表，包括四個掌控託管國的帝國。[47]

一戰後，帝國之所以抵擋得住國際主義者與民族主義者的壓力，在於帝國願意以暴力抗拒威脅。事實上，對於所有帝國強權來說，面對當前這樣一個政治動盪與不穩定的世界，帝國反而變得更加重要，因為帝國有助於界定與鞏固民族帝國，同時壓制非洲、中東與亞洲各民族完全獨立的權利。一夕之間聲名大噪的威爾遜總統，其實從沒想過要用自己的原則來推翻帝國的世界。威爾遜認為，帝國強權既然身為託管國，就必須將文明的利益帶給當地的原始住民，使他們有能力建國，就像美國在菲律賓與其他從西班牙獲得的領土一樣。一九一九年，威爾遜在巴黎以消極態度對待非歐洲人的請願，充分顯示了前述立場，但美國輿論卻認為威爾遜未能遏止歐洲與日本的帝國主義，完全是一種偽善。同年，美國參議院否決了《凡爾賽條約》，也拒絕加入為了維持相關條約而成立的國際聯盟。[48]美國的決定並未如一些人所言，使美國遠離了國際事務，但美國的決定確實讓國際聯盟完全受到大國掌控，而這些大國都是帝國的既得利益者。

在存續下來的帝國中，最強大的當屬英法兩國。一戰後，法蘭西帝國在宗主國的文化中扮演了更重要的角色，也帶來了更龐大的經濟優勢。在取得託管地之後，法蘭西帝國擁有了有史以來最遼闊的領土，又稱為「大法蘭西」。戰時海外領土的貢獻，讓一些人產生帝國應集中與鞏固權力，才能從海外領土取得最多資源的想法，這種想法的主要倡導者是法國殖民地部長薩羅（Albert

Sarraut）。一九二三年，薩羅在他的暢銷作品《法國殖民地的發展》（*La mise en Valeur des colonies françaises*）中提出帝國的廣義目標：「增加海外法國的實力與財富」將能保障「未來母國的強大與繁榮」。一名商人表示，只要擁有帝國，法國將成為「世界上舉足輕重的國家」。[49]往後幾屆法國政府都致力於創立一個與宗主國經濟緊密連結的帝國。一九二八年後，法國頒布一套全新的法規「基爾榭關稅」（Kircher tariffs）來維繫這套帝國經濟體制，並且在整個帝國內部發行共同貨幣。到了一九三九年，法蘭西海外帝國已吸收了法國出口量的四成，供應了百分之三十七的法國進口量。同年，法國也有超過四成的海外投資是在其海外殖民地。[50]

當然，現實不一定與民眾的想像相符，因為在法國帝國主義歷史上，一九二〇年代與一九三〇年代其實是經常發生暴力衝突的時期。最激烈的衝突是當屬摩洛哥的「里夫戰爭」（Rif war）與鎮壓敘利亞叛亂的行動，這兩場衝突都發生在一九二五年到一九二六年間，而一九三〇年到一九三一年又發生了殘酷鎮壓印度支那共產主義暴亂的事件。根據當時的估計，在鎮壓共產主義暴亂的行動中，大約有一千名抗議民眾被射殺或炸死，一千三百座村子被摧毀，六千人被拘禁、拷問或處決。參與這場暴亂的種植園工人，一天要工作十五到十六小時，這些工人遭受武裝衛兵看守，完全不准踏出村落一步。[51]與英國相比，法蘭西帝國（無論是法國中央政府還是殖民地當局）都不願向殖民地民族主義做出任何政治讓步，哪怕是表面的安撫也不願意。在法國本土，帝國殖民地吸引了大量民眾關注。到了一九二〇年代晚期，已經有超過七十種期刊與報紙討論殖民地議題。一九三一年，當全世界經濟正值最不景氣的時候，巴黎的萬塞訥卻主辦了一場盛大的殖民地展覽，在專門為此次展覽興建的殖民地展場裡，裝飾了各種充滿異國情調的壁畫與來自各個海外領土的象徵物。為期五個月的展覽時間，總共售出了三千五百五十萬張票。這場展覽雖然想呈現帝國上下一心的氣象，但展出的內容卻把殖民地的世界當成「他者」，強化了帝國實際存在的階序觀念。[52]

大英帝國依然是世界最大的帝國，遙遙領先居次的法蘭西帝國。無疑地，正是因為其海外帝國的存在，才使英國能夠成為全球經濟強權。從一九一〇年到一九三八年，當世界其他地區的市場萎縮或封閉時，英國對海外帝國領土的出口總額反而從占總貿易量的三分之一上升到將近一半；一九三八年時，帝國海外領土也占了英國進口的百分之四十二；一九三〇年時，英國更有將近六成的海外投資是在帝國的海外領土。帝國雖然尚未形成封閉的貿易區，但帝國在進行商業往來時顯然偏重於內部貿易。與法國一樣，英國工業的相對衰退，可以透過向帝國海外領土出口溢價商品獲得補償，而英國海外投資提供的錫、橡膠、石油、銅等原物料也使英國的貿易公司與各項產業在世界市場上欣欣向榮。帝國深植於英國的大眾文化中，即便對許多英國人而言，帝國依然是個遙遠的現實，一個想像的共同體。就像法國人一樣，這個想像共同體源自於「帝國和諧」與「家父長形象」的政治宣傳，對於帝國年復一年在海外領土持續實施的緊急狀態與壓迫行為隻字不提。「帝國日」是大英帝國行事曆上的重要節日，創立於一九〇三年，與維多利亞女王的生日同一天。到了一九二〇年代，帝國日已成為英國幾乎所有學校都要慶祝的節日。一九二四年到一九二五年，在倫敦溫布利舉辦的帝國展覽會吸引了兩千七百萬名觀眾前來參觀。在這個占地兩百一十六英畝的展覽會場中，有著「常駐的各地種族」，就像動物園裡的動物一樣供人觀看。[53]

不是每個帝國都能享受到這種經濟利益，德國、義大利與日本等十九世紀晚期才加入帝國爭霸的新興帝國就缺乏這樣的經濟優勢。於是我們便不難想像，到了一九三〇年代全球經濟崩潰而國際主義趁勢興起之時，這三個強權便在戰前的「民族帝國」觀念下掀起新一波以武力搶奪領土的帝國主義。德義日對於一九一九年後世界秩序的看法，雖然理由各自不同，卻同樣對一戰的結果懷著強烈憎恨的態度，也憎惡西方強權支配戰後和約訂定與主導此後國際政治事務的討論。與德國不同，義大利與日本屬於協約國陣營，兩國在一九一九年時都是戰勝國，在戰後也都保留了原有的殖民地，但兩國依然感到不滿。德義日三國的民族主義者發現，一戰使英法這兩個全球帝國取得空前廣大的領土。英法在國聯與國際主義論調的支持下，一方面運用自身的全球力量壓制其他國家從事帝國主義，另一方面卻充分利用自己身為「民族帝國」的地位。事實上，英法愈是大力宣揚統一帝國可以為國家帶來強大與繁榮的幻想，處於不利地位的國家就愈是認為取得更多土地是提升國家地位與保護自己人民免於經濟風險的唯一手段。這些國家也理所當然地認為唯有透過戰爭才能取得更多領土。從一八九八年的美西戰爭、南非戰爭、日俄戰爭、對利比亞的二十年征服戰爭，到一九二〇年代在摩洛哥、敘利亞與伊拉克發生的重大帝國衝突，近年來的歷史皆是這一不滿的有力證明。這些國家由於怨恨無力決定自身未來，因此不願接受以和平合作與民主政治為基礎的「西方」或「自由主義」價值。基於前述原因，我們便不難理解德義日這三個國家的民族主義情緒為什麼傾向於認為新領土可以解決所有問題，使它們擺脫永遠臣服於領土廣大與資源豐富的英法兩大帝國與美國的命運。

日本的不滿源自於日本擴張的歷史。日本在一戰結束時，已經躍升為東亞與太平洋的區域強權，但這個地位卻未得到協約國陣營的充分承認。雖然日本受邀參加巴黎和會且成為「十人委員會」的一員（由協約國主要成員組成），但關鍵問題依舊只能由西方強權協商決定。日本要求在《國際聯盟盟約》增列「種族平等」條款，卻遭到大國拒絕，因為這些大國並不打算推動這項原則。在日本眼中，國際聯盟依然是西方的產物，無法用來推動「國家救亡圖存」計畫。一九二〇年代中期，日本建議另設更能反映日本利益的國際聯盟亞洲分部，結果依舊未獲採納。日本外務大臣本野一郎表示，原本期望從戰爭獲得的收益，「在東方取得優越地位」，已逐漸化為泡影。[54]除此之外，西方大國很快又於戰後奪回了中國市場。一九一四年，日本取得德屬山東半島，舉國歡騰，但戰後日本被迫同意將山東半島歸還中國政府。一九一七年，美國原本在《藍辛—石井協定》（Lansing-Ishii agreement）中承認日本在中國享有特殊利益，但一九二二年又否認這項協定。英國與日本原本於一九〇二年簽訂的英日同盟也於一九二三年廢除。參加巴黎和會的日本代表發現，「所謂的美利堅主義正不斷向世界傳播。」[55]一九二二年到一九二三年，日本不得不在華盛頓限武會議上接受五比五比三這個對英美有利的海軍噸位比例，而同樣的屈辱在一九三〇年的倫敦海軍會議上又重演了一次。[56]而對日本來說最關鍵的問題是，西方各國開始援助新成立的中華民國國民政府（一九一二年大清帝國滅亡之後，中國一度陷入軍閥割據，而後逐漸由國民政府再次統一全國）。西方這一做法惹惱了日本，因為中國被視為是日本民族帝國未來發展的核心利益所在。日本確實簽署了一九二二年在華府協商的《九國公約》（Nine-Power Treaty），該公約堅持對中國採取門戶開放政策，等同於間接反對日本在亞洲的特權。批評這套國際體制的日本評論家表示，日本應該要以「東方思想」為基礎，在亞洲建立新秩序，反對西方的和平、資本主義與自由主義民主模式，因為這套模式在本質上與日本的戰略與政治利益並不相容。[57]

在甲午戰爭與日俄戰爭中付出的「鮮血與犧牲」，若不能成就帝國，究竟有何意義？這是日本民族主義分子的核心問題，也是義大利的核心問題。一九二〇年代初，民族主義政治宣傳的重點在於「以死者之名」建立新義大利，因為一九一九年的巴黎和會看在義大利人眼裡，形同對眾多犧牲者的嘲弄。雖然義大利在一戰中死傷一百九十萬人，但義大利在巴黎和會中卻被當成一個貢獻微薄的盟友，未能得到對等對待。一戰期間，義大利的民族主義者希望戰後義大利能夠併吞達爾馬提亞，甚至取得土耳其部分領土；義大利殖民地官員也希望建立一個從利比亞延伸到幾內亞灣的義屬非洲。[58]一九一九年一月，義大利殖民學會召開大會討論義大利的和平條件，一名與會代表堅持義大利「必須取得與英法對等的海外領土」。[59]義大利政府希望英法至少應遵守一九一五年為了說服義大利參戰而在倫敦簽訂的祕密領土協議。協議中承諾讓義大利取得達爾馬提亞與控制阿爾巴尼亞、承認義大利在地中海的利益，同時讓義大利能從德意志帝國與鄂圖曼帝國取得「公正的補償」。[60]

義大利代表團的運氣不佳，與會的威爾遜總統對協約國私下訂定的《倫敦條約》極為不滿，因此拒絕接受該條約的束縛。英法原本就不願意履行承諾，便以威爾遜不願妥協為由，拒絕向義大利讓步。義大利國內對於條約的公正性出現意見分歧，甚至無法整合出一致的立場要求英法履行《倫敦條約》。[61]四月，義大利首相奧蘭多（Vittorio Orlando）突然離開巴黎和會現場，等到五月他再度返回巴黎時，已經無法挽回局勢。除了前奧匈帝國位於義大利半島東北部的領土外，義大利無法得到任何額外的土地，甚至也拿不到託管地。這個結果在義大利創造出所謂「殘缺的勝利」（la vittoria mutilata）這一說法。奧蘭多在回憶錄中表示：「從來沒有任何一場和平留下如此強烈的憎惡與恨意，戰敗國對戰勝國是如此，戰勝國對自己的戰勝國盟友也是如此。」[62]正是這股憎恨導致墨索里尼與他剛創立的義大利法西斯黨能在一九二二年十月成立激進的民族主義政府。雖然法西斯政權的產生，與墨索里尼口中義大利民眾對英法美「金權政治與資產階級聯盟」的深惡痛絕有密切關係，但在義大利嚴重仰賴外資與控制僅有的利比亞與東非殖民地都感到吃力的狀況下，法西斯政權能做的其實極為有限。一九二〇年代大部分的時間，義大利與日本一樣在國際上缺乏自主性，因此急切地想尋找機會在巴爾幹半島、地中海與非洲推動更積極的擴張政策。然而義大利的帝國幻想曾一度在巴黎和會受挫，面對各種風險，政府也不敢輕舉妄動。[63]

德國的狀況與義大利、日本不同。德國是個戰敗的帝國，被剝奪了所有海外殖民地，也失去了內部殖民的波蘭屬地。與義大利或日本相比，德國產生的憎恨更多來自於戰敗的恥辱，社會各階層對此也有著強烈的共鳴，因此也產生出更危險的政治與文化觀點。戰後初期，大規模的饑荒、失業、惡性通膨與政治暴力（包括與波蘭接壤的東部邊疆出現的暴力），在一整個世代的德國人心中留下傷痕。德國在一九二〇年代蒙受的艱困與屈辱，幾乎不是其他帝國強權所能比擬的。戰爭中全國軍民的共同犧牲，使德國形成一股難以化解的受害感。[64]德國人認為自己的存在出現危機，全都要歸咎於戰勝的西方強權，是西方將和約強加在德國人身上。德國國內所有的政治光譜，全對德國遭受的指控感到憎恨，因為只有德國承擔了戰爭罪，必須割讓領土與解除武裝，甚至被認定是不人道與無效率的殖民者。最後一個說法出自巴黎和會，在一九二〇年代形成一套所謂的「殖民地的謊言」（Koloniallüge）：這是一個精心策畫的侮辱，用來合理化協約國接管德國殖民地，同時限制日後德國在歐洲的地位。一九一九年三月，當協約國提出的和約內容在威瑪德國的國民議會進行討論時，主要由社會主義者與自由主義者組成的國民議會代表以四百一十四票對七票之差，反對和約中的殖民地條款並要求「重建德國的殖民權利」。[65]十年後，成長迅速的國家社會主義黨（簡稱納粹黨）領袖希特勒，就在選舉時嚴詞抨擊：「認為德國人沒有能力管理殖民地之說完全是荒謬的謊言，是對我們民族榮譽的不合理攻擊。」一九二〇年代的德國民族主義者要求重建殖民權利的觀點，把德國受到的和約限制解釋成某種另類的殖民主義：德國的未來受制於英法等帝國強權的經濟與政治利益，因此如希特勒所言成了「附庸與被剝削的殖民地」。[66]激進的民族主義者沒有能力挑戰西方對權力的壟斷，只好將憎恨的矛頭轉向國內的猶太人與馬克思主義者。他們認為德國在一九一八年是被猶太人與馬克思主義者「刀刺在背」，才讓西方得以在德國的心臟地帶殖民。

用當時的觀點來理解，重建殖民權利就是重建德國被視為「文化民族」（Kulturnation）的權利，這一觀點主張德國與其他帝國一樣有能力擔負文明化與現代化的殖民任務，而這一觀點也在一九二〇年代成為反覆討論的話題。一九二六年，德國外交部長贊助了一部宣導影片，片名叫《世界史即殖民史》（*World History as Colonial History*），影片不僅闡述殖民地可能帶來的經濟效益，也質疑起協約國宣稱德國沒有能力統治從屬民族的主張。[67]雖然德國現在已是「後殖民」國家，但部分國內組織與政治宣傳仍持續呼籲重建德國的海外帝國，這使得德國與殖民過往仍保有藕斷絲連的關係。德國殖民地協會為許多宣傳殖民權利的小型組織提供保護傘；協會擁有三萬名會員，兩百六十個地方分會，而且贊助發行各種殖民期刊。這些刊物廣泛報導德國前殖民地與其他主要帝國的新聞。在前殖民地營運的德國公司取得了補貼與投資，這些公司的數量從一九一四年的七十三家，增加到一九三三年的八十五家。戰前設立的殖民學校仍持續運作，一九二六年更設立了殖民女校，兩所學校旨在為未來的帝國訓練行政官員與專家。一九二五年，柏林舉辦了殖民地展覽會，對於沒有殖民地的德國來說，這樣的活動有些不合時宜。外交部長史特雷斯曼（Gustav Stresemann）利用這次展覽，強調西班牙、葡萄牙與丹麥等其他歐洲帝國與德國的對比，藉此說明德國是歐洲唯一「沒有空間的民族」。[68]

史特雷斯曼認為，德國人在一九一九年後的不滿，主要來自於德國人身為進步與有文化的強健民族，卻沒有足夠的領土來發揮所長與養育不斷增長的人口。無論在德國的民族主義圈，還是圈外討論，都認為領土擴張定義了現代民族國家，相信領土擴張可以讓現代民族國家統治其他較低等的從屬族群——這一想法成了德國人回顧德意志帝國往昔與展望未來時的標準思維。此處的關鍵字是「空間」。地理學家拉采爾過去曾提出生存空間是必需的自然條件，而這項主張在一九二〇年代在德國開始流行，特別是《凡爾賽條約》使德國失去大量領土之後。一九三一年，另一名德國地理學家表示，《凡爾賽條約》「毫無理由也毫無根據，不由分說就剝奪了我們的生存空間」。[69]政治學家豪斯霍夫（Karl Haushofer）等學者提倡的地緣政治學在一九二〇年代深受德國民眾歡迎，但民眾會注意到這門新興學科，並不是因為該學科本身（畢竟其內容抽象難懂），而是因為「生存空間」一詞，這個詞彙明顯呼應了當時德國的處境。前殖民者格里姆（Hans Grimm）寫的小說《沒有空間的民族》（*Volk ohne Raum*）大受歡迎，一九二六年出版以來賣出三十一萬五千冊，其暢銷的原因就在於書名，出版商故意選擇這個書名來呼應德國遭限縮的殖民權利。德文的「空間」（Raum）要比英文的「空間」（space）有著更豐富的意涵，這個詞彙代表著民族（德文Volk，英文people，前者同樣難以用後者概括描述）將自己的特殊文化內涵與生物種族屬性灌注在特定一片土地上，同時去除其他從屬民族或外來民族的影響。根據某些激進民族主義者的說法，最需要排除的就是猶太人，因為他們是四海為家的「反民族」原型。[70]

豪斯霍夫認為，讓種族相同且文化優越的民族統治或支配額外的領土，這是德國在歷經「流血犧牲的慘痛」戰爭後應得的補償。[71]豪斯霍夫的說法得到德國社會的普遍共鳴，然而問題在於，即便德國自認遭受不公平對待而應該得到補償，這一補償又要從何處取得呢？德國的殖民遊說團體雖然規模龐大且組織完善，卻也瞭解在一九二〇年代的大環境底下，要取得海外殖民地不過是癡心妄想，於是他們退而求其次，希望西方強權能在未來某個階段允許德國與各國合作，共同推動殖民計畫。德國的民族主義圈子思考「種族與空間」的問題時，絕大多數仍秉持戰前的帝國主義思路，認為唯有東擴才能讓德國取得真正合理的空間。一九一八年德意志帝國曾短暫在烏克蘭建立殖民地，這段歷史也加強了德國民族主義者的信念。到了一九三〇年代，德國法哲學家施密特（Carl Schmitt）進而主張，德國也許可以在中歐與東歐建立一個由德國支配的「大空間」（Grossraum），以此與其他列強保持距離。「東方」雖然從未被清楚界定，但總是伴隨著「空間」的討論出現。地緣政治學者尤其強調，德國除了目前的有限疆域，還有一片在歷史上曾經受到德國影響的區域，無論從語言、農業模式、法律傳統乃至於房屋建築形式，都可以合理認為東方屬於「德國空間」。這種德國式的「種族與文化領土」概念，具體表現在小學課本或政治宣傳使用的各種地圖上。地理學家彭克（Albrecht Penck）與菲舍爾（Hans Fischer）繪製的德國文化與種族地區地圖，獲得當時德國人的競相仿效與廣泛傳播，這幅地圖顯示的德國空間一路延伸到烏克蘭與俄羅斯，從北部的拉多加湖一直到烏克蘭南端的赫爾松（Kherson），最終深入到「窩瓦德意志人」（Volga Germans）的居住地區：窩瓦德意志人是十八世紀移居當地的德意志人，他們的後代如今生活在蘇聯的統治之下。[72] 一九二一年，年輕的希姆萊（Heinrich Himmler）在聆聽了關於德國未來領土目標的演說之後，在日記裡寫道：「西方已經不可能了，東方對我們來說最為重要。我們必須在東方奮戰與殖民。」[73] 希姆萊後來成為德國親衛隊（Schutzstaffel, SS）領袖，在波蘭與蘇聯實施了殘暴的帝國主義。在一九二〇年代，這類觀點並非納粹黨獨有，而是德國社會普遍的想法。

就像義大利幻想著建立地中海帝國，或日本懷抱著獨占亞洲的野心一樣，德國也夢想著翻轉一戰的結果與《凡爾賽條約》。這三個國家的夢想早在一戰前數十年就已經存在，且儘管在一九二〇年代依然停留在空想層次，但並未遭到放棄。這三個國家並不是非得掀起二戰不可，事實上，這三個國家雖然因為不滿而產生了各種帝國幻想，卻不表示這種不滿情緒普遍存在於這三個國家之中。隨著一九二〇年代中期世界秩序因為美國領導的經濟復甦與帝國對非歐洲民族主義的壓制而漸趨穩定，德義日三國也不得不承認，自己其實可以在既有的國際體制下進行跨國的政治與經濟合作。在德國與日本，爭奪更多領土或許是民族主義者關切的重點，但絕大多數民眾對此並不感興趣。在義大利，激進民族主義分子與中間派、左派的激烈鬥爭，導致民主制度垮臺，墨索里尼上臺後的首要政治任務就是穩固自己的統治與促使義大利經濟復甦。一九二〇年代，德義日都仰賴西方強權帶動下世界貿易與投資經濟的緩慢復甦，這三個國家對於國聯體現的國際主義精神也抱持著敷衍應付的心態。一九二五年，戰勝國與戰敗國簽署《羅加諾公約》(Locarno Pact)，確保了在《凡爾賽條約》所擬定的西歐疆界。一九二六年，德國獲准加入國聯。一九二七年，德國甚至在法國與比利時強烈反對下獲准加入常設託管委員會，負責督導德國的前殖民地事務。德國推薦德國產業聯合會主席卡斯特爾（Ludwig Kastl）擔任託管委員會委員，而非選擇另一位激進的殖民遊說團體領袖。德國堅持遵守託管條款，包括致力於讓前殖民地最終獲得獨立。一九三二年，德國針對已經進行的託管過程創造了一個新詞，「去殖民化」(Dekolonisierung)。[74]

然而，這些和解終究是短暫的。許多人都將戰後局勢的穩定視為充滿不確定的暫時現象。史特雷斯曼推動「履行條約」的外交政策，希望以此證明德國的善意，他認為這是取消條約內容的最佳方式，但他也不排除從根本上改變條約的可能。在日本，立憲民政黨於一九二〇年代晚期執政，推動限武以及與西方合作的政策，立憲民政黨認為這才是讓日本能實現目標與促進經濟發展的合理途徑。[75]一九二〇年代中葉，日本甚至推動睦華政策，試圖改變過去十年來中日兩國對立的狀態。在義大利，墨索里尼提出了「新義大利」的觀念，試圖挑戰西方的價值與利益，但即使如此，墨索里尼卻也認為目前仍必須「在口頭上維持和平」，而非冒著發生衝突的危險。對墨索里尼而言，義大利的新帝國野心要得到實現，就必須等待「歐洲的混亂」。[76]更何況，義大利還必須先應付眾多的殖民地問題，包括平定索馬利亞與厄利垂亞。當地駐軍從兩千五百人增加到一萬兩千人，這場地區暴亂足足花了十年才鎮壓成功。在利比亞花費的代價更是高昂：一九二二年在墨索里尼上臺之前，義大利與阿拉伯部族曾為了爭奪利比亞沙漠腹地發生大戰，這場戰爭在歷經數年的野蠻鎮壓之後才在一九三一年告終。換言之，若要在現有帝國尚未站穩腳根之前就拓展新的領土，恐怕只會帶來嚴重的風險。話雖如此，義大利的殖民地戰爭經驗卻讓義大利更加相信，唯有軍事征服才能獲取帝國殖民地。[77]

這段短暫的和解時期，最終因為一九二八年到一九二九年的全球經濟衰退而倏然終止，並在接下來的十年間出現一連串災難性的結果。歷史學家普遍同意經濟危機使一九一九年後重建全球秩序的努力化為泡影，也讓國際主義的各項投入難以為繼。從各方面來看，相較於一九一四年或一九一九年，全球經濟的崩潰是更重要的轉捩點，這場危機最終導致了一九四〇年代的二戰。[78]如今對這場經濟危機的前因後果已有相當清楚的探討，但此處值得一提的是這場災難的規模。經濟大恐慌重創了世界經濟，使其從一九二〇年代中期短暫的貿易與投資榮景一路走弱到一九二〇年代結束為止。到了一九三二年，世界各大工業經濟體有紀錄的失業人數已高達四千萬人以上，另有數千萬人因為價格與產出暴跌而被迫縮短工時甚或遭到解僱。一九二九年到一九三二年經濟大恐慌期間，世界貿易量劇減了三分之二。經貿衰退使世界上部分較貧困的地區陷入赤貧，因為其生計來源只仰賴一到兩種出口產品。資金斷鏈也造成大規模破產，就連德國也差點在一九三二年破產。這場經濟危機引發全球恐慌，因為經濟大規模衰退似乎應驗了共產黨過去在歡欣鼓舞下做的預言：資本主義即將終結。德國的民族主義者同樣感到雀躍，他們認為經濟衰退象徵著「世界經濟的黃昏」，而支撐世界經濟且令人痛恨的西方體制也將隨之步入尾聲。[79]

早在經濟大恐慌之前的十年間，就不乏有作品提出西方式經濟合作與國際主義終將沒落的說法。提出這一見解的現代先知中，最知名的就是史賓格勒（Oswald Spengler）的大作《西方的沒落》（*Der Untergang des Abendlandes*）。一九三二年夏天，國際聯盟大會主席呼籲各成員國通力合作度過難關：「全世界正因一場可怕的危機而飽受折磨、信心盡失。世界最後的希望正掌握在我們的手中。」[80]然而國際聯盟雖然提出減輕經濟危機的方案，卻無力阻擋經濟民族主義的熱潮。隨著危機逐漸擴大，各國似乎寧可保護本國經濟，也不願與其他國家互助合作。一九三〇年六月，美國課徵《霍利─斯姆特關稅法案》（Hawley-Smoot Tariff），形同切斷了外國貨物對美國市場的進口。一九三一年十一月，英國也在經過長期政治辯論之後放棄了自由主義貿易，開始課徵一連串關稅，更於隔年八月實施帝國特惠制，讓大英帝國海外殖民地的進口貨物享有優惠關稅。法國同樣推出了降低殖民地貨物稅的基爾榭關稅，進而提高了其他國家貨物的關稅。[81]經濟危機促使各國建立特殊的貿易機制與美元、英鎊與法郎等貨幣區。世界最強大的幾個經濟體原本可以設法保護自己長久以來賴以獲利的國際經貿體系，但它們卻沒有這麼做，結果導致其他國家跟著受害。

這種經濟民族主義式的新關稅政策，嚴重衝擊了其他較為弱小的國家，使它們蒙受慘痛的政治後果。在日本，經濟衰退造成災難：出口額（尤其生絲）減少了百分之五十三，進口額減少了百分之五十五；日本龐大的農業產業原已在一九二〇年代陷入停滯，此時又蒙受更嚴重的衰退，農業收入減半，數百萬農民陷入貧困。[82]接受西方體制證明有害無益，日本國內因此激起了強烈的反西方情緒，最終導致溫和的立憲民政黨政府垮臺。民族主義掀起反對全球體制的浪潮，最終讓軍方支配了日本政府，一九二〇年代的民主實驗也告結束。[83]相較於其他經濟體，義大利受經濟衰退的影響較小，墨索里尼政權認為可以利用這場危機在國內再次發起法西斯革命，同時也可以趁各大國都在實施保護主義政策之際，在國外積極推動帝國政策。在德國，民眾將經濟衰退解讀為戰勝國對德國的又一次懲罰。法國在一九三一年反對德國與奧國達成關稅協議之事，就成了戰勝國懲罰的又一例證。在經濟衰退期間，每五個德國人就有兩個人失業，工業生產減少四成，出口額減少超過一半，而德國仍必須償付戰爭賠款與支付一九二〇年代積欠的鉅額國際債務利息。過去人們哀嘆德國已經淪為殖民地，經濟大恐慌更讓德國人覺得這樣的說法並非空穴來風。一九三〇年，希特勒的納粹黨逐漸成為不可忽視的政治力量。納粹黨是德國最激進的民族主義政黨，對全球化經濟與西方的處處掣肘深惡痛絕。到了一九三二年，納粹黨已成為德國最大黨，更在一九三三年一月成為德國執政黨，希特勒就任德國總理。德國與義大利、日本一樣，曾於一九二〇年代提出「種族與空間」帝國幻想的民族主義者，此時終於可以高喊他們的路線正確。世界的天秤開始危險地朝他們的方向傾斜。

在這樣的大環境下，首先是日本，其次是義大利，最後是希特勒的德國，這三個國家重新燃起蓄積已久的不滿，於一九三〇年代再度掀起領土型帝國的擴張浪潮。在經濟危機的驅使下，人們相信必須重新修改全球的政治經濟秩序。已經運作數十年的國際主義已不再管用，取而代之的則是由強大宗主國支配的封閉式帝國經濟，例如英國與法國的案例。[84]人們比過去更加相信帝國強權是民族國家存續不可或缺的手段，因此必須恢復在十九世紀晚期建立的帝國典範。日本外務大臣有田八郎表示，這是不得已的選擇：「小國沒有別的路可走，只能盡全力組織自己的經濟帝國，或者是建立強大的國家，以免自身的存續遭受危險。」[85]人們重新相信有必要爭奪額外的領土與確保資源，若有必要更訴諸戰爭，於是一切似乎又回到過去的帝國時代。在當時經濟發展幾乎未受到世界景氣衰退影響的蘇聯，獨裁者史達林（Joseph Stalin）敏銳察覺到，無論是貿易戰爭、貨幣戰爭、「搶奪市場的競爭」還是極端經濟民族主義，「都是在把人們推向戰爭，使戰爭成為重新劃分世界與勢力範圍的手段。」歷史學家對於史達林的判斷力一向評價不高，但這一回他的看法卻成了先見之明。[86]

請飲 Coca-Cola
可口可樂
屈臣氏汽水

Coca-Cola

淞滬會戰中，日軍士兵躲在沙包後面，上方剛好是可口可樂的廣告招牌。上海是中國最繁華的對外港口，因此成為日軍進攻的首要目標。一九三七年十一月，在與中國國民革命軍激戰之後，日軍成功攻占上海。圖源：*CPA Media Pte Ltd/Alamy*

CHAPTER

第一章

1

民族帝國與全球危機

（1931-1940年）

「……中國士兵蠻橫炸毀北大營西北方的滿鐵鐵路並且攻擊鐵路守衛隊。我們的守衛隊立刻反擊，出動砲兵砲轟敵方軍事基地。我軍現已占領一部分北大營……。」

——《朝日新聞》，大阪，一九三一年九月十九日[1]

日本大報《朝日新聞》在頭版文章描述的這段中國軍隊偷襲日軍的景象，深植於日本民眾心中，認為這是日本隨後入侵與占領中國滿洲的真正原因。然而事實並非如此。當時駐紮在滿洲、負責保護日本帝國經濟利益的日本關東軍派出一小隊工兵，於一九三一年九月十八日晚間在鐵路上埋設炸藥，藉此尋釁滋事，出兵入侵中國，引發了持續到一九四五年的戰爭。從全球角度來說，這只不過是一起微不足道的事件，但這起事件造成的影響卻極其深遠。這是世界面臨嚴峻經濟危機時的轉捩點，有國家率先以暴力手段創造出新的帝國與經濟秩序。北大營的槍聲，昭示著一九三〇年代新帝國時代的先聲。

日本政府將這起事件稱為「滿洲事變」，整起事件的大環境源自於全球經濟危機與日本為了解決國內不斷加劇的貧困與經濟孤立而決定放手一搏。關東軍的名稱源自於日本在中國滿洲沿海的關東州租借地，多年來，關東軍一直謀畫要將日本帝國的勢力延伸到中國大陸。經濟危機的持續惡化，加上中國高漲的民族主義威脅，使得關東軍司令官決定不理會東京方面的命令，單獨採取行動。關東軍先自行炸毀日本滿鐵的一小段鐵路，然後開始猛攻駐防瀋陽的中國軍隊。日軍根據事前仔細擬定的計畫，在奪取瀋陽的同時，也從關東州大舉出兵，攻打鐵路沿線主要城市，將張學良統率的三十三萬裝備不佳的東北邊防軍趕出滿洲中部與南部地區。到了一九三二年初，日本已經完全占領滿洲。關東軍部署十五萬人，以損失約三千人的代價征服大約十分之一歐洲大小的領土。儘管關東軍明目張膽違抗中央的命令，但兩天後，日本裕仁天皇還是追認了這次行動。日本帝國幾乎可以說在一夜之間，國土面積與財富有了驚人的提升。[2]

「滿洲事變」並非導致八年後第二次世界大戰爆發的直接原因，但它確實開啟了新一波的帝國擴張，這次擴張不僅延續了一九一四年之前的「新帝國主義」，也承接了一戰結束後的帝國墾殖。德義日三國雖然是新帝國主義的代表，但它們一開始並沒有明確的擴張計畫或藍圖，每個國家都只是在既有的利益範圍內見機行事。這三個國家彼此的行動並未協同一致，只是密切觀察彼此的成果，從彼此的成功中獲得激勵。雖然德義日的領袖在實現帝國計畫的同時，也希望避免全面戰爭，但他們各自推動計畫造成的動盪局勢，最終還是在一九三九年到一九四一年間在全球點燃戰火。

新帝國時代

對德義日來說，關鍵在於領土。控制領土，無論正式或非正式，乃是帝國的核心。這種「領土至上」原則導致德義日在接下來長達四十年的時間裡，不斷以武力進行領土擴張與迅速談和，這種模式早在一九三〇年代之前就已出現，而且一直延續到一九三〇年代之後。事實上，只有在這種長期脈絡下，我們才能理解東京、羅馬與柏林當局決定發起區域性侵略戰爭的歷史意義。十九世紀晚期以來的「種族與空間」論述一直支持帝國的建立，如今這種論述還是能夠解釋一九三〇年代掌權者的想法。雖然這種帝國主義形式回顧起來似乎是一種時代錯置或甚至是妄想，但它建立的帝國典範卻讓人感到熟悉與親近。一九一九年到一九二三年的領土重分配，或一九二九年後經濟大恐慌的後果，只是讓當時人更加堅信，奪取更多領土與資源是拯救民族國家、建立強大經濟與滿足優越文化不可或缺的手段。

儘管所有證據都顯示，民族主義野心、經濟成本高漲與政治上的動盪不安，都使得全球性的帝國計畫難以維繫，但日本、義大利與德國的領導高層依舊相信帝國時代尚未結束，而且並不是只有這三個國家如此作想。德義日領導高層無視傳統帝國逐漸衰微的事實，反而主張這個世界需要更多帝國，需要有自己國家特殊性的帝國存在。過去分析二戰的起源時，也經常會討論到軍備競賽、外交危機與意識形態衝突等因素，但這些應該屬於新一波帝國浪潮帶來的影響，而不是產生這股浪潮的真正原因。國際聯盟中的大國也許能勉為其難地接受意識形態差異，或是向一些執意增加軍事預算的國家讓步，但這些帝國強權無法容忍新一波的帝國浪潮。因為這股浪潮毫不掩飾的領土野心，勢必與既有帝國強權產生衝突，也跟圍繞著傳統帝國觀點建立的新國際主義語言格格不入。

關鍵問題在於，既然擁有帝國會帶來許多壞處，例如安全風險急遽升高與民族主義反抗情緒的日漸高漲，為什麼德義日依然要奉行「領土至上」原則，進而在一九三〇年代冒險挑戰既有國際秩序？事實上，國際環境到了一九三〇年代已經與一九一四年之前有很大的不同，國家已不再能不受外力干預下透過南非戰爭或義土戰爭這類軍事衝突來征服領土，因為這個時期各國幾乎都是主權國家與國聯會員國，至少在理論上都受到集體安全原則保護。這一環境變化也讓德義日建立帝國的決策更加令人費解。這個問題沒有簡單的答案，而且德義日三國所面臨的狀況也大不相同，儘管如此，這三個國家在擴張領土時所採取的說詞卻是極為類似。世代因素是另一個可能。在一九三〇年代成為德義日政治與軍事領袖的世代，皆成長於一個充滿帝國幻想的世界，周遭圍繞著強調現代化與「先進」國家應肩負起文明開化使命的文化，相信應該征服那些發展落後或原始的民族，更不用說這個世代也普遍深受戰爭經驗與建立現代民族國家這一強烈主張的影響。義大利法西斯黨領袖博塔伊（Giuseppe Bottai）曾於一九三六年短暫擔任衣索比亞首都阿迪斯阿貝巴（Addis Ababa）市長，他便曾表示帝國「使我產生了渴望，時時刻刻想著戰爭……我這輩子有二十多年的時間『身處』於戰爭之中」。[3]

弔詭的是，要解釋德義日為什麼要建立領土型帝國，我們反而必須先從民族國家說起。對這三個國家來說，建立帝國與實現民族國家自主幾乎是同一件事，這意謂著要讓國家的發展不再受既有國際秩序的限制或掣肘，如一本日本小冊子所言，要擺脫「大國的干預與壓迫」。[4]日本滿鐵官員解釋，在日本民族主義者眼裡，滿洲「就是日本的生命線，如果日本想繼續存在，就絕不能撤出滿洲」。[5]有學者將這種現象稱之為「想像災難式民族主義」（catastrophic nationalism），這些憂心民族國家自主性可能遭到消滅的民族主義者，因此急切地主張國家應承擔起民族發展的使命。[6]墨索里尼不斷重申，控制地中海屬地的英國得以「圍堵與圍困義大利」，扼殺了義大利民族的發展。[7]要保護本國民眾，就必須維護民族與國家利益，保障民眾的經濟未來與繁榮發展，使民眾對於自身國家認同更有信心，將民族國家建立成強大的民族帝國，而非從屬的小國。一九三七年，戈林（Hermann Göring）與英國友人談到德國民族未來所遭受的阻礙時表示：「我們需要一個帝國。」[8]

德義日的民族主義論述都將自己描述成特殊的民族，自認注定要成為區域支配者與領導者。「在歐洲，一個民族必須主張自己有凌駕於其他民族之上的權威，」德國政治評論家史塔佩爾（Wilhelm Stapel）寫道：「唯有德意志民族才能成為新帝國主義的推動者。」[9]不僅如此，一國的民眾也必須證明自己能為民族復興做出貢獻。一九三三年，墨索里尼宣稱：「我們正在成為，而且也將成為一個軍事大國。」[10]在德國，伴隨一九三三年納粹主義革命而來的「民族覺醒」，與全國民眾必須展現自身真實力量的觀念緊密結合，德國民眾必須提防自己不要受到猶太人、馬克思主義者與自由主義者提出的國際主義與世界主義觀念蠱惑與威脅——希特勒擔心這些思想會讓德國淪為「瑞士第二」。[11]在日本，從一九三一年起便由軍人掌控全國政治。軍人大規模宣傳，要求民眾瞭解領土擴張的必要，灌輸民眾對領土擴張的熱情，在「保衛國家」的口號下，號召民眾爭取國家榮譽與為國犧牲。對這類宣傳提出批評的人，就跟義大利與德國的異議分子一樣，會遭到祕密警察與審查人員的打壓。日本跟歐洲一樣，實現國家自主成了追求新帝國主義的藉口，並且以創造新秩序為由，將國家與人民緊密結合起來。[12]帝國成為民族活力與種族價值的核心象徵，為了建立帝國，任何傳統道德規範都可棄之不顧，就像十九世紀一樣。

德義日想建立領土型帝國的第二個理由更為實際，那就是與新帝國主義息息相關的經濟野心。

建立帝國是為了掙脫既有全球經濟與領土結構的限制，獲取額外的「生存空間」來解決人口壓力與土地短缺，確保原料與糧食供應，建立經濟貨幣區，讓貿易與投資可以由帝國中心控制，而非掌握在各地商業社群手裡。德義日都致力於發展由國家掌控的計畫經濟，敵視西方的自由資本主義模式與這套模式背後的西方價值。希特勒早期曾在納粹黨大會上表示，資本主義「必須成為國家的僕人，而非成為國家的主人」，而且「人民的經濟」服務的是人民社群，而不是國際商業利益。[13]就算是經濟帝國主義，也必須優先滿足人民的需求。經濟利益顯然對德義日三國極具誘惑力。對義大利來說，征服利比亞與衣索比亞能為國內一百五十萬到六百五十萬農民創造新農地，國內農民因此可以前往帝國的海外領土墾殖，而不用移民到新世界。義大利於一九三九年併吞的阿爾巴尼亞，由於人口稀少，據說可以容納兩百萬義大利人。[14]在義大利，「生存空間」（lo spazio vitale）一詞也跟德國一樣普遍。衣索比亞被描繪成充滿大好良機的寶地，是遍布未開採礦石的黃金國。阿爾巴尼亞的報告則指出，當地可能有尚未探勘的石油來源。[15]另一方面，日本對滿洲的野心，始於日本希望到了一九五〇年代時，能讓至少五百萬名日本貧困農民前往滿洲墾殖。滿洲的原料豐富，加上日本在入侵前已在當地進行投資，使得滿洲工業十分發達，隨著未來貿易發展與原料取得日漸困難，滿洲因此成了日本未來發展的核心：一九二六年到一九三一年，日本的海外投資有九成位於滿洲。當時的日本人認為，如果日本無法確實掌握在滿洲的資產，就不可能讓經濟持續現代化，也不可能發展出足以捍衛帝國的力量。[16]

德國的狀況也是一樣。確保更多生存空間是希特勒發展德國的核心理念。一九二〇年代與一九三〇年代，德國人普遍把國內經濟衰退歸咎於德國沒有適當資源與無法取得市場，德國需要生存空間的說法因此甚囂塵上。德國向民眾大肆宣傳其他歐洲國家的母國與帝國海外領土的懸殊對比：法國因為海外領土而使面積擴大了二十二倍，荷蘭六十倍，比利時八十倍，大英帝國的領土據估計是本土的一百零五倍以上。反觀德國於一九一九年失去部分領土及所有殖民地之後，現在的國土面積還比過去小。[17]因此，創建與支配一個中東歐經濟區，擁有可掌控的貿易與自給自足的資源與糧食，不僅是希特勒政權經濟政策的核心，也是德國民眾普遍的想法。一九三七年，戈林在與英國友人的對話中還指出：「經濟空間必須等同於我們的政治空間。」[18]希特勒自己也有著粗略的帝國經濟觀點。一九二八年，希特勒在他未出版的《第二本書》（*The Second Book*）中回顧英國帝國主義時指出，英國表面上說是輸出文化與文明，其實骨子裡還是「需要為自己的貨物尋找市場與原料來源，因此運用政治權謀的手段來確保這些市場」。無論如何，國家的繁榮意謂著對外征服，要從「戰爭的艱困中贏得自由的麵包」。[19]

促成德義日建立領土型帝國的第三個理由，則是「機會」。一九二〇年代的猶疑與挫折，到了一九三〇年代逐漸被戰後秩序的危機掩蓋，德義日覺得可以利用這個機會自行建立新秩序，卻又不至於引發更大的危機。在解釋新一波帝國主義浪潮時，我們不能忽略德義日在這個時期做的盤算。國際社會無力解決全球經濟衰退，各國紛紛自行尋找解決危機的方案，國際合作因而瓦解，我們可以從一九三三年六月倫敦世界經濟會議的失敗清楚看出這一點。[20]全球危機帶來的結果之一，就是國聯的大國因經濟衰退而無力維持國際安全，因此不願採取任何有風險的行動。國聯對於日本占領滿洲僅僅做出譴責，而未採取任何實際措施，這種狀況被解讀為集體安全體系在面對國聯主要會員國時完全起不了作用。日本領導高層日後志得意滿地表示，日本是「預示國聯即將崩解的使者」，如果不是日本主動暴露國聯的「顢頇無能」，德國與義大利就不會有機會推動各自的侵略政策。[21]實際上也是如此。四年後，義大利入侵衣索比亞，德國於一九三五年公開宣布重新武裝，之後又於一九三六年三月將萊茵蘭邊境地區再軍事化，這一連串違反《凡爾賽條約》的行動都未遭到國聯的強力反對。每踏出成功的一步，就讓德義日更加相信，英法兩大帝國與國聯各成員國不會阻擋它們朝建立帝國之路邁進。一九三六年，一名義大利記者在衣索比亞首都阿迪斯阿貝巴對一名英國記者說道：「我們覺得日內瓦只是一群老太太聚集在一起開會，我們都這麼想，從以前到現在都這麼認為。」[22]最後這三個國家都退出國聯：日本於一九三三年三月退出，德國是一九三三年九月，義大利則是一九三七年十二月。

一九三六年到一九三九年，英法既無法阻止德國與義大利軍事支持佛朗哥將軍（Francisco Franco）在西班牙發動國民軍叛亂，也未能阻止一九三八年德國占領奧地利或一部分捷克斯洛伐克。英法的毫無作為，鞏固了德義日的信念，最重要的是讓希特勒因此相信，一旦德國入侵波蘭，英法將重蹈覆轍，只會不斷地「虛張聲勢」而不會採取任何軍事干預行動。[23]然而，對這三個國家來說，真正關鍵的是它們必須在美蘇兩國有能力或有意願參與更多世界事務之前採取行動。蘇聯在一九三〇年代透過五年計畫大力發展重工業與軍備，德日兩國都清楚意識到蘇聯將成為未來帝國擴張的潛在敵人。日本能否順利占領滿洲，除了要考量占領滿洲後與蘇聯接壤且共享漫長的國界，更重要的是日本必須建立穩固的防衛來抵禦蘇聯可能的入侵，以保障滿洲的戰略資源。[24]希特勒在建立獨裁統治之後，也在一九三六年八月草擬了一份重要的戰略文件，即所謂的《四年計畫備忘錄》。希特勒在備忘錄中強調，紅軍將在十五年後構成威脅，德國必須在此之前解決生存空間的問題。[25]相較於蘇聯，美國則是個未知數。經濟大恐慌對美國造成災難性影響，使美國退回到相對孤立的狀態，主要仰賴海軍來防衛其所處的半球。顯然，美國只會在更遙遠的未來構成威脅，但威脅畢竟還是威脅。從過去的歷史來看，美國對於各個帝國總是抱持著批判立場，不過此時的美國民眾還沒有意願透過武力干預來阻止帝國主義。[26]對於帝國時代來說，無論是舊帝國還是新帝國，列寧與威爾遜的陰影總是如影隨形，因此必須趕在這兩股力量成形之前建立帝國，愈快愈好。

即便當時人覺得有可能在新一波領土型帝國主義下建立新秩序，並不意謂著這是個容易的決定。儘管戰後許多人認為德義日高層擬定過一套征服全球的計畫，但從日本奪占滿洲、義大利進攻衣索比亞與德國入侵捷克斯洛伐克及波蘭的背景脈絡來看，顯然當時三國政治領袖都對帝國野心抱持著猶豫且謹慎的態度。無論他們喜不喜歡，都需要得到國聯大國的「默許」才能出兵。墨索里尼說服軍方與黨內同志入侵衣索比亞的關鍵，就在於他宣稱已獲英法口頭允諾不會干涉（但結果並非如此）。而在占領阿爾巴尼亞之前，墨索里尼也十分擔憂其他國家的可能反應（不過國聯只是把阿爾巴尼亞的抗議登記在案，實際上並未採取任何行動）。[27]我們一般都把一九三八年九月三十日的《慕尼黑協定》（Munich Agreement）視為希特勒霸凌外交的一大勝利，使德國兵不血刃地占領捷克斯洛伐克的德語區，但這位德國獨裁者本人卻對此大感惱火，因為他原本想藉由一場短暫戰爭徹底擊敗捷克人，無奈卻遭到西方強權以協定的方式攔阻。一年後，希特勒在對波蘭開戰前明確向幕僚表示，絕不會再讓第二個慕尼黑事件發生。[28]

無論是既有舊帝國，或是德義日等新帝國，都必須對其帝國計畫相對謹慎的另一個原因，是帝國衝突的能見度到了一九三〇年代大為增加。這主要是因為現代媒體發展的緣故，例如遍及全球的新聞報紙、愈發流行的新聞影片與廣播。國際聯盟雖然被外界認為軟弱無能，但國聯依舊提供了一個具有大眾能見度的平臺，能夠針對日本非法奪取滿洲或墨索里尼攻打衣索比亞等國家主權遭到侵害的問題進行公開辯論。[29]國際的辯論迫使德義日必須替自己的侵略行為提供合理的解釋，而三國也分別提出了似是而非的理由，例如入侵是為了不讓這些失敗國家損害它們的利益。國聯針對滿洲問題進行辯論時，日本代表堅稱，以「有組織的單一中央政府」做為國家標準來看，中國不過是個「虛構之物」，實際上並不存在。日本代表也宣稱，無論從任何形式來看，滿洲都不是日本的殖民地，而是一個已經「獨立」的國家，叫做「滿洲國」，其領導人是已經遜位的滿洲皇帝溥儀。[30]墨索里尼為攻擊衣索比亞提出的理由是，衣索比亞不過是「一群野蠻部族的集合體」，因此實際上「不是國家」。[31]希特勒則解釋德國只是將原本捷克領土中的波希米亞與摩拉維亞納入保護國，而且這不過是因為捷克這個民族國家已經無法有效運作——哪怕捷克斯洛伐克從任何角度來看都是一個現代歐洲國家而非殖民地。在希特勒的例子中再次出現了「保護國」一詞，這個詞長久以來都是歐洲帝國主義用來掩蓋實際控制的一種說法，彷彿保護國享有一定程度的政治自主權（實則不然）。[32]當希特勒在一九三九年九月一日清晨對波蘭宣戰時，宣戰理由也是波蘭人並沒有建立民族國家，所以若德國不前來統治，「最糟糕的野蠻主義將會在此盛行。」這種說法無意間呼應了一九三五年墨索里尼對衣索比亞人的指控。[33]

德義日三國領袖不僅因為國際局勢而對開戰極為謹慎，他們還需要考慮到國內政治與軍事菁英的態度，要對於未來政策凝聚共識。這個問題在日本尤其明顯。日本國內政治充滿了各種衝突，有政府文官與軍方的衝突，有陸軍與海軍的衝突，甚至連陸軍內部也有派系衝突。一九三一年九月，當關東州的陸軍指揮官下令入侵滿洲時，他們的舉動其實已經違反了文人政府的命令。隨後陸軍與政治人物的僵局導致立憲民政黨內閣總辭，實際上終止了文人政府對陸軍帝國主義的箝制，但陸軍本身的派系衝突則一直持續到一九三〇年代中葉。[34]日本海軍與陸軍的爭論主要圍繞在北進或南進政策上：海軍認為應優先防衛太平洋，一有機會就進一步奪取歐洲在東南亞資源豐富的殖民地，這個選擇日後證明是一場災難；陸軍則關注北方蘇聯的威脅，希望先鞏固陸軍在中國北部的大陸戰略，建立強大而自給自足的工業與貿易區，進一步擴大日本的軍事力量與捍衛日本帝國。一九三六年八月七日公布的「國策基準」擱置了陸海軍的爭論，但並未徹底解決，國策基準一方面支持在亞洲大陸建立強大的帝國防衛，另一方面也要求海軍做好帝國南向擴張的準備。[35]

無論日本在戰略上是出於何種原因抱持謹慎態度，日本都依舊在一九三〇年代毫不猶豫地朝中國大陸擴張。日本占領滿洲之後，非但未從滿洲撤軍，反而將滿洲當成日本進一步擴張的跳板。日本的心態之所以轉趨積極，部分是為了穩固與中華民國國民政府的疆界，另一部分是為了確保更多的資源與交通樞紐，最後則是因為日本陸軍與他們在東京的政治支持者胃口愈來愈大，希望進一步擴大帝國版圖。日本接下來的領土擴張並未像入侵滿洲那樣引起國際關注（就連今日的史家也經常只將焦點放在滿洲上）。一九三三年二月十七日，兩萬名日軍入侵並占領了熱河省，熱河省位於滿洲南方，屬於內蒙古的一部分。這次入侵使得關東軍逼近中國舊都北平。一九三三年三月到五月，日軍發動「長城戰役」，往南奪取更多土地，直抵長城防線甚至入侵冀東，最後中日訂定了《塘沽協定》。一九三五年，日軍再入侵內蒙古察哈爾省，六月中日訂定《秦土協定》，中國同意撤離在北平周圍的河北省駐軍。日本占領更多的內蒙古領土之後，仿照滿洲國模式在當地建立第二個「獨立國家，名義上的領袖是內蒙古的德王，但與滿洲國一樣，實際的主導者是日軍。一九三六年一月，東京政府發布《處理華北綱要》，日軍計畫完全切斷國民政府與中國最富庶地區的連結，使其喪失主要的稅收來源。奪取滿洲後的四年間，日本持續朝遼闊的亞洲大陸擴張，過程中也連帶轉變了日本的帝國經濟性質。[36]

日本取得滿洲與華北其他地區之後，終於有機會挑戰亞洲既有的經濟秩序。日本的目標是減少其他貿易大國對整個亞洲的影響，並且改變亞洲資源的流向，使其轉而支持日本的產業。關鍵是利用滿洲國與華北的資源進行經濟發展。滿洲過去一直是中國的工業重鎮，供應中國百分之九十的石油、百分之七十的鐵、百分之五十五的黃金與其他重要資源。[37]一九三二年到一九三八年間，日本在滿洲投資了十九億日圓。日本軍方與政府堅定地推行國家經濟計畫與訓令，確保投資目標能夠實現。一九三三年三月，日本公布「滿洲國經濟建設綱要」，最終針對個別商品設立了二十六家企業。中國銀行要不是被接管，就是與日本銀行協調經營，建立以日圓為主的單一貨幣區，鐵路長度也增加了一倍。一九三八年，日本設立華北開發公司，依照日本計畫的經濟利益來開發華北地區，將華北併入日圓區。[38]有了新領土的資源，日本鋼鐵產量從一九三〇年的兩百萬噸增加到一九三八年的五百六十萬噸；同時期的煤產量也從三千一百萬噸增加到四千九百萬噸。然而，日本的經濟擴張完全被軍事需求吞噬。在一九三七年大綱中，日本帝國陸軍決定擴大軍隊規模，希望到一九四〇年代初能擁有五十五個師團的兵力。一九三四年，日本國防支出已占政府總預算的百分之十四，到了一九三八年一口氣增加到百分之四十一。日本曾在一九三四年透過《天羽聲明》對外宣示，新經濟區是專屬於日本的特殊利益區。一九三八年，日本首相近衛文麿提出警告，東亞新秩序已然確立，任何第三國都將被排除在外。根據陸軍大綱，工業成長到一九四一年時便足夠供應帝國國防所有的必要資源與「強化我們領導東亞的力量」。[39]

無論日本陸軍有過怎樣的規畫，日本對中國採取的整體軍事戰略卻十分模糊。日本與蔣介石領導的國民政府，以及與蔣介石合作的北方軍閥接壤的疆界經常出現爭端，誘使日軍不斷侵占領土，但日本相對有限的兵力又難以控制遼闊的區域，導致日本無法在占領區內建立穩定的秩序，從而難以充分利用占領區的資源。對日本政府來說，首要之務是透過政治與軍事手段牢牢控制華北，而非向南方的國民政府發起大規模戰爭。一九三七年七月與八月爆發的中日戰爭，其實並不在日本政府的計畫之內。這場戰爭由中國方面掌握了主動權，而這也是中國唯一一次在雙方衝突中掌握先機。蔣介石的戰略原本是攘外必先安內，也就是先消滅中國共產黨，再對抗日本侵略，但這項戰略在一九三六年底遭遇挑戰。蔣介石到陝西省西安市巡視時，遭東北軍將領張學良扣留，他要求蔣介石

是他的天命所在。[40]獲釋返回首都南京。蔣介石在南京表示，在短暫拘禁期間他曾看到異象，他相信拯救中國對抗日本與共產黨合作，共同抗日。然而在國內外的壓力下，其中尤以蘇聯的史達林反對最力，蔣介石最終

改變策略的時機在出乎意料的狀況下出現，起因是日本與中國士兵在北平近郊發生的一起小衝突，當時這類小摩擦可說是持續不斷，但蔣介石卻利用其中一次爭端對日本長久以來侵犯中國主權的行為做出反擊。一九三七年七月七日晚間，日本在中國駐屯軍一個小隊的士兵在盧溝橋（位於北平近郊的一座古石橋）附近進行夜間軍事演習，當晚便發生了所謂的「盧溝橋事變」。日軍在演習時曾一度傳出槍響，之後便有一名士兵失蹤，日軍於是要求進入中國宛平縣城搜索。中國拒絕日方的要求，日軍隨後攻擊宛平縣城，造成兩百名中國士兵死亡。中日的駐地指揮官為了避免事態擴大引發戰爭，於是要求停火。[41]然而，危機仍持續升高，反映出中日兩國在一九三〇年代累積的深刻矛盾已難以善了。在東京，陸軍大臣杉山元一改近衛內閣的謹慎態度，決定增援三個師團以完全控制中國的平津地區。七月十六日，北平被圍；七月二十六日，日軍開始進攻北平，兩天後北平陷落，鄰近的港口城市天津也於七月三十日淪陷。至此，日本的計畫已經擴大為最終解決「華北事變」，也就是消滅蔣介石主力部隊，如果可能的話，就進一步推翻蔣介石政權。然而，這並不表示日本想進行一場大戰，但蔣介石卻反過來將這起事件擴大為「全國性事件」，因為他認為盧溝橋事變已威脅到中華民族的生存。七月七日過後不久，蔣介石在日記中寫道：「決心應戰，此其時乎。」之後又說，這場危機是「生死存亡的最後關頭」。[42]北平失守之後，八月七日，蔣介石召開「國防最

高會議與黨政聯席會議」，要求國民政府所有重要政治與軍事領袖共同抗日，與會者毫無異議支持抗戰。蔣介石向全國廣播，宣布抗戰開始：「中國為日本無止境之侵略所逼迫，茲已不得不實行自衛，抵抗暴力。」蔣介石也派出自己的精銳部隊前往上海，他認為這裡將是第一場重要戰役發生之地。[43]

日軍打算進行閃擊戰，也就是「速戰速決」，先摧毀蔣介石的重要軍事資源，然後往南占領中國直到長江下游。日本陸軍高層希望在一個月內達成這個目標，其他人則認為最多三個月就可完成。日軍「三月亡華」的計畫與日後德軍的巴巴羅薩作戰都犯了相同的錯誤，兩國都讓軍事傲慢凌駕於軍事與地理現實之上。日軍數量不如中國軍隊，但裝備、訓練與機動性較佳，儘管如此，日軍的軍事推進計畫卻未考慮到他們即將進攻的地區空間有多麼遼闊、地形有多麼複雜。日軍進攻的速度很快就慢了下來。中國軍隊敗退之後可以撤退到廣大的後方進行重整，日軍因此遲遲無法取得決定性的勝利。日本陸軍從一九三七年夏天只有幾個師團開始，同年底不得不擴充到二十一個師團，一年後再增加至三十四個師團，到了一九四一年更達到五十一個師團。[44]日軍愈是深入華中地區，後勤補給就愈是困難；日軍占領的土地愈大，部隊就愈是分散。這場「抗戰」的爆發，也讓蔣介石的聲望隨之提高。日本侵略中國犯下的殘暴罪行，包括毒氣戰與細菌戰（炭疽病、鼠疫、霍亂），更使中國人同仇敵愾。蔣介石原本曾在一九三〇年代初期致力營造民眾的統一意識，卻未能成功，如今日本人的入侵反而有助於這種統一意識的建立。日本預期蔣介石面臨軍事上不敵日本的現實，很快就會選擇投降，然而蔣介石反而更堅定了抗戰的決心。日本光是在一九三八年就提出了十一次停戰要求，都遭到蔣的拒絕。

然而，中國方面的抵抗其實並非鐵板一塊。一九三七年八月，日本中國駐屯軍更名為華北方面軍，這批日軍在控制北平之後，遂由此地分別往西往南沿著主要鐵路線進軍，控制鐵路線對於維持軍隊的機動性與後勤至關重要。日軍與滿洲一部分關東軍往西進攻察哈爾省與山西省，蔣介石於八月十五日派湯恩伯駐守南口，但不久這個重要的鐵路交通樞紐便遭日軍拿下。[45]國民政府在華北的防務必須仰賴宋哲元等地方軍閥的合作，然而宋哲元卻在七月的平津戰事中輕易撤守，蔣介石因此認為，比較好的戰略應該是在距離國民黨中央軍較近且日軍較弱的地區主動攻擊日軍。蔣介石選擇上海做為主要戰場，一方面是希望解除日本對中國主要稅收來源的威脅，二方面是藉此對日本占領北平做出適切回應，甚至獲得外國支持。但蔣介石真正的目的，如同他對軍事領袖所言，是粉碎日本三月亡華的意圖，使日軍陷入長期消耗的泥淖。當蔣介石的軍隊在上海集結時，日本的陸海軍也將上海的兵力擴增到五個師團，並且駐紮了三十二艘海軍艦艇。這場淞滬會戰開打之後，八月十四日，為數不多的中國空軍試圖空襲日本旗艦，結果卻造成災難性的結果，意外炸毀了上海的飯店與遊樂場，造成超過一千三百名平民死傷。起初中國軍隊靠著數量優勢壓制日軍，使其後撤到濱海地帶，但隨後攻擊陷入遲滯。日本投入大量增援部隊，以海軍封鎖中國沿海。八月十五日，日本海軍航空隊針對中國軍事基地、港口與城市進行長時間轟炸。

八月最後一個星期，日本在上海附近發動大膽的兩棲登陸作戰，海軍也協同進行岸轟。到了九月十三日，面對水路交錯與中國軍隊臨時布置的防線，日軍已經做好在這些困難地形作戰的準備。日軍直到十一月十二日才獲得勝利，但兩方都付出極高的傷亡代價：日軍傷亡四萬零三百人，中國軍隊傷亡十八萬七千人（包括蔣介石的年輕軍官團也損失四分之三）。[46] 日本大本營（最高司令部）想控制整個長江下游地區，包括中國首都南京，希望藉由這個決定性戰果來結束這場戰爭。淞滬會戰獲勝的日軍，在進攻南京途中一路搶掠，除了追擊潰退的中國軍隊，也焚燒村落屠殺居民。在此之前，蔣介石已經下令將政府遷往中國西部的重慶，總司令部則轉移到長江中游的武漢。蔣要求南京守軍進行象徵性的抵抗，但很快就被日軍擊敗，日軍對士兵與平民進行無差別的殺戮。十二月十三日，松井石根與朝香宮鳩彥王率領日軍攻陷南京，日軍連續數日進行劫掠、強姦與屠殺。[47] 到了一九三七年底，日本已經占領華東與華中大部分地區，但代價十分高昂，而且未能達成七月預期的速戰速決戰略。一九三八年一月十六日，日本首相近衛文麿宣布，日本將不再與蔣介石政權接觸。此舉形同正式宣戰，不過卻是遲來的宣戰。

儘管遭受重大軍事損失與武器嚴重短缺，蔣介石與他的將領，以及來自中國南方的桂系軍閥，仍為接下來可能發生的重大戰役做好準備。第一場重大戰役，也是中日戰爭中規模數一數二的戰役，戰場位於南京北方的徐州，這裡是重要的鐵路交通樞紐，雙方參戰兵力超過六十萬人。日軍採取鉗形攻勢，分別從南北夾擊徐州。在淞滬會戰中獲勝的日軍此時已重新改編為華中派遣軍，與華北方面軍分道進攻，於一九三八年五月攻下徐州，但未能成功圍殲中國軍隊的四十個師。在沙塵暴與濃霧掩護下，中國軍隊分成小股順利逃出包圍圈。四月初，當日軍進逼徐州時，中國軍隊在桂系將領李宗仁與白崇禧領導下，於徐州以北的台兒莊罕見地以戰術擊敗人數處於劣勢的日軍部隊，不過還是無法扭轉戰局。徐州的陷落對中國來說是個重大挫敗，武漢與整個長江華中平原因此門戶洞開。日本希望在取得武漢與鞏固華北、華中占領區後，能夠「結束戰爭」，建立一個新的親日政府，使日本能夠「控制中國」。徐州會戰獲勝，使日本能夠騰出兵力防衛北方大敵蘇聯，而此時的蘇聯也持續供應現代武器給蔣介石的陸軍與空軍。[48]面對日本對武漢的威脅，蔣介石採取了無情的反制措施。他下令炸毀黃河堤防，造成廣大的黃泛區，阻止日軍南下攻擊武漢與華中地區。蔣介石的動機完全出於戰略層面，「用水來代替士兵」，但他的做法卻讓當地民眾傷亡慘重，而這也是當時國民政府普遍採行的方式：藉由焦土政策來阻止日本運用占領區資源。在毫無預警下，五萬四千平方公里的低窪農地遭到淹沒，戰後估計有八十萬到九十萬人死亡（最近的研究認為死亡人數接近五十萬人），超過四百萬人淪為難民。[49]

黃河氾濫固然阻止日軍快速攫取武漢，但日本海軍也能利用黃泛區運送軍隊到內陸與提供火力掩護。一九三八年八月，日本第十一軍奉命進攻武漢。在炎熱天氣下，日本軍中開始流行瘧疾與痢疾，此外糧食與後勤也出現短缺，日本士兵只能艱難地徒步或乘船前往武漢。武漢會戰雙方投入的兵力將近兩百萬人，最終日本於一九三八年十月二十一日占領武漢。蔣介石將權力中樞遷移至重慶，憑藉著崇山峻嶺與日本占領區相阻隔。更往南，日軍在一九三八年十月二十六日發動兩棲登陸，成功奪取重要港口廣州，隔年二月，日本海軍攻占海南島，之後更進一步控制了東京灣與法屬印度支那。一九三八年的占領推進潮使日本取得中國最富庶的工業區，包括滿洲、北平、上海、武漢與廣州，這些地區的生產力約占整個中國的百分之八十七。[50]日本此時已占領了廣大的華中與華東地區，軍隊推進的速度不可避免慢了下來。一九三九年，日本開始把矛頭轉向湖北與湖南這兩個新邊境省分。然而，在經歷兩年大戰之後，日本雖然已經取得中國的主要生產地帶，而且一次又一次地消滅大量中國軍隊，卻遲遲無法結束這場「中國事變」，更不用說順利讓中國成為日本帝國的海外領土。

中日戰爭的特殊之處，在於沒有任何一方穩操勝券，而且隨著戰事延長，更難看出誰能獲得最終勝利。蔣介石決定以長期抗戰來耗盡日軍力量，但這種做法只有在日軍與日本政府決定放棄對中國的帝國領土野心時才有意義，但當時的日本看來並無放棄的跡象。中國軍隊存在許多劣勢：缺乏現代武器、訓練不足、缺乏有實戰經驗的軍官、殘餘空軍完全仰賴外援，此外幾乎沒有海軍。若以一九三〇年代的世界標準來衡量，日本確實擁有一支現代陸軍、可觀的陸海軍航空隊、規模在世界上數一數二的海軍，在國內還擁有龐大的軍事生產基地，軍官團也具備豐富的作戰經驗——但儘管擁有如此實力，日軍依然只能在中國取得局部勝利。中國領土之廣大與地形之複雜，日軍即使能夠占領也無法真正取勝：農村地區短期內雖然能加以控制，但只要日軍一離開，馬上就會喪失控制權。由於後勤問題始終無法解決，日軍只能仰賴占領區的糧食維生，但農村居民很快就學會將糧食藏匿在地窖裡，使日軍不僅要與中國軍隊作戰，連糧食供應也成了他們奮戰的目標。農村如果早一步在日軍抵達前得到預警，所有村民就會帶著他們的糧食躲進森林或到附近的山區藏匿，也就是所謂的「堅壁清野」，日軍在報告裡提到這點。[51]占領區的治安維護困難重重，許多抗日分子因此有機會在敵後建立基地，不斷騷擾日軍。這些抗日分子除了有來自中國西北的共產黨員，也有蔣介石政權滲透到日本占領區的游擊隊員。一九三九年，日本絕大多數軍事作戰都是針對占領區的抗日分子，而非與中國正規軍交戰，而且在夏季期間，日本還與蘇聯在滿洲的諾門罕高地爆發嚴重邊境衝突，兩國最後在九月協議停戰。一九三九年十二月，蔣介石集結七十個不足額的師，出乎意料地在北方、長江流域與廣州附近發動反擊，只不過未能產生決定性的結果。到了一九四〇年，中日雙方都面臨僵局。為了創造蔣介石可以被取代的假象，日本於一九四〇年三月在南京扶植偽「中華民國國民政府」，由國民黨叛黨黨員汪精衛領導。汪精衛傾向於與日本合作，不贊成繼續戰爭，但汪精衛根本無法代表中國與日本訂定和約，他的存在只是確認日本目前擁有的占領區。[52]日本政府先前並未預期也不想打一場長期戰爭，更不希望承受如此龐大的經濟與人力損失，但這場為了打造亞洲新秩序而產生的衝突既然已經開啟，就沒有停止的理由，日方也不可能承認自己的戰略已經失敗。到了一九四一年，在中國的戰爭已經造成日本十八萬人死亡，三十二萬四千人受傷。中國的傷亡人數遠遠比日本更多，但很難加以精確估算。

※　※　※

在墨索里尼統治下，義大利的帝國野心要比日本來得節制，但領土征服依然是關鍵要素。墨索里尼早在一九一九年就已經宣稱，帝國主義是「亙古不變的生命法則」，而在他獨裁統治期間，墨索里尼從未放棄讓新義大利成為地中海與非洲帝國的核心，也就是打造現代版的古羅馬帝國。[53]墨索里尼最初想在歐洲擴大領土，他想取得一九一五年《倫敦條約》承諾給予義大利，卻在巴黎和會遭到拒絕的南斯拉夫領土。但義大利軍事高層在國王埃馬努埃萊三世（Vittorio Emanuele III）支持下反對墨索里尼的主張，因為他們擔心此舉可能引發大戰。一九三〇年代初，國際秩序陷入危機，墨索里尼與法西斯黨激進分子決定不顧反對追求積極的帝國主義。墨索里尼一度動過奪取法屬科西嘉島的歪腦筋，但最後還是把擴張目標先鎖定在東非。數年來，義大利一直試圖將勢力範圍從厄利垂亞與索馬利亞這兩個殖民地延伸到仍保有獨立地位的衣索比亞。法西斯黨的其他重要領袖、軍方與國王都認為必須謹慎行事，反對入侵衣索比亞，就連墨索里尼自己也擔心軍事作戰可能損及他的政治地位。但墨索里尼最終還是獨排眾議，他注意到日本不顧國聯的反對成功入侵滿洲，於是他下令軍方擬定計畫，準備於一九三五年秋天征服衣索比亞。義大利開始為入侵大肆準備，大量部隊與軍需進駐厄利垂亞與索馬利亞；滿載軍隊與車輛的義大利艦艇不斷穿越蘇伊士運河，引起了英國人的注意。[54]對墨索里尼來說，衣索比亞只是個起點。他在一九三四年曾私下表示義大利必須征服埃及，無視當時埃及是在英國的控制之下（「如果我們能得到埃及，我們將成為偉大的國家」），然後墨索里尼又在一九三五年三月把蘇丹納入未來的征服名單。他命令巴里廣播電臺與羅馬廣播電臺開始在阿拉伯世界宣傳反英訊息，並且利用與葉門簽訂的一份長達十年的商業與友好條約來羞辱在鄰邦亞丁建立保護國的英國人。[55]在由英國控制的馬爾它島，當地的義大利法西斯分子開始宣傳馬爾它是被英國殖民者控制的義大利島嶼，未來必將回歸祖國懷抱；義大利海軍也擬定應變計畫，準備攫取這座島嶼。[56]在墨索里尼的帝國願景中，東地中海與東北非都是新羅馬帝國的踏腳石。

墨索里尼希望入侵衣索比亞能在短期內解決，也就是進行一場義大利版本的閃擊戰，但墨索里尼並未對征服之後制定計畫，也對於他想統治的衣索比亞人民一無所知。與此同時，墨索里尼開始受到英法兩國的壓力。英法提出各種方案，希望能化解戰爭危機，包括讓義大利在衣索比亞事務上有更多的發言權，甚至將衣索比亞部分領土交由國聯有限託管。然而，墨索里尼之所以採取打造新帝國的行動，目的就是不願在國聯大國指示下獲得補償，於是在九月二十二日，儘管義大利國王與殖民地大臣都有所保留，墨索里尼仍悍然拒絕國聯的提案。事實上，就算決定接受有限解決方案也為時已晚，因為義大利已經在非洲之角擁擠的殖民地上密密麻麻駐紮了五十六萬人與三百萬噸的軍需物資。[57]十月三日，義大利以衣索比亞挑釁為藉口，在博諾將軍（Emilio De Bono）指揮下，出動義大利陸軍與空軍，分別從衣索比亞的北方與南方發動進攻。在衣索比亞首都阿迪斯阿貝巴，衣索比亞皇帝塞拉西（Haile Selassie）在皇宮前面擂起帝國傳統戰鼓，召喚他的人民奮起抵抗。這是一場不對稱的戰爭。墨索里尼希望迅速結束戰事以避免國際情勢轉趨複雜或引起國聯干預，然而戰爭很快就陷入膠著。塞拉西皇帝知道雙方實力懸殊，因此下令軍隊利用地形與義大利人難以辨識當地方位的優勢進行游擊戰：「藏匿、奇襲、進行游牧民族式的作戰、偷襲、狙擊與一個一個地幹掉對方。」[58]

這是南非戰爭之後三十年來最大的一場殖民地戰爭。結果理論上不難預期，但在博諾指揮下的義軍進展緩慢。到了十二月，墨索里尼不得不思考只占領一部分領土的可能性。英國與法國聯合向墨索里尼施壓，希望犧牲衣索比亞部分主權來換取停戰，然而當所謂的《霍爾—拉瓦爾協定》

（Hoare-Laval Pact，霍爾是英國外交大臣，拉瓦爾是法國總理，該協定是兩人的建議，故以兩人為名）曝光時，外界對於英法打算犧牲衣索比亞主權之事一片譁然，此事只能不了了之。十一月，義大利改由巴多格里奧將軍（Pietro Badoglio）接替博諾擔任總指揮官；十二月，格拉齊亞尼將軍（Rodolfo Graziani）由索馬利亞北上進攻衣索比亞，在多洛（Dolo）打了勝仗，並且在墨索里尼直接命令下首次使用毒氣。衣索比亞的將領未聽從皇帝的建議，而是選擇與義軍正面會戰，結果導致衣索比亞的五萬軍隊在騰比恩（Tembien）兩次交戰後，於阿拉達姆山（Amba Aradam）遭到義軍擊敗。義軍使用具殺傷性的炸彈與毒氣（芥子氣與光氣）來瓦解衣軍的抵抗，致使衣軍士崩瓦解，士氣完全崩潰。[59]墨索里尼一開始仍認為可以像日本建立滿洲國一樣，在衣索比亞建立保護國或傀儡政權，依然由塞拉西擔任皇帝，但當義軍於一九三六年五月攻陷衣索比亞首都之後，墨索里尼決定直接併吞衣索比亞。五月九日，墨索里尼在羅馬威尼斯廣場向欣喜若狂的群眾宣布：「義大利終於擁有自己的帝國。」[60]

墨索里尼顯然宣示得太早，因為義大利其實尚未完全征服衣索比亞。為了肅清衣國全境，艱苦的戰事又持續了一年。義大利軍隊為此付出高昂的代價：一萬五千人死亡，二十萬人受傷。這場戰爭動用了八十萬名義大利陸軍與空軍，這才締造了所謂的「義屬東非」。在戰火中死亡的衣索比亞潰散軍隊與平民估計達到二十七萬五千人。[61]但死亡並未隨著義大利勝利而結束。墨索里尼下令處死拒絕承認或不願與新義大利政府合作的衣索比亞貴族，此外也殺害宗教領袖、巫覡與傳統上在衣索比亞社會旅行散布消息與傳言的地方「吟遊詩人」。一九三七年二月，義大利總督格拉齊亞尼遭暗殺未遂，義大利當局於是在阿迪斯阿貝巴展開大規模報復，至少造成三千名衣索比亞人死亡，婦女遭到強姦，房屋遭掠奪一空。[62]新政權隨即推行種族差異政策：衣索比亞人只能是臣民，無法獲得公民身分。一九三七年十二月，當局禁止義大利人與衣索比亞人通婚，在電影院、商店與公共交通工具都要進行種族隔離。一九三九年，義大利頒行法令，對違反種族差異原則的人嚴加懲罰，該法名稱叫《義屬非洲原住民違反種族威望制裁法》。[63]

墨索里尼原本希望這場戰爭能速戰速決，結果卻演變成漫長的消耗戰。他必須在衣索比亞駐紮大軍與支付龐大軍費：到了一九三九年，東非仍駐紮著二十八萬名義軍士兵。衣索比亞的反抗勢力不斷挑戰義大利的宗主權，使得傷亡人數持續上升。這三年艱苦肅清衣索比亞全境，導致九千五百五十五名義大利人死亡，十四萬名義大利人生病與受傷，受害的衣索比亞人更是不計其數。[64]一九三二年到一九三三年的義大利國防開支是五十億里拉（占政府支出的百分之二十二），一九三六年到一九三七年是一百三十一億里拉（百分之三十三），一九三九年到一九四〇年更高達兩百四十七億里拉（百分之四十五）。衣索比亞戰爭的總軍費大約五百七十億里拉，以舉債與稅金支付；之後義大利干預西班牙內戰又花了八十億里拉。[65]為了維護新殖民地治安而興建兩千公里的現代道路，幾乎拖垮了殖民地的預算。[66]

擴大的軍事支出無法藉由帝國擴張帶來的經濟利益加以彌補。與日本的滿洲經驗不同，義大利與衣索比亞的貿易始終只有單向。義大利本土對帝國海外領土的出口，從一九三一年的二億四千八百萬里拉，增加到一九三七年的二十五億里拉，但主要都是用來滿足軍事需求。義大利希望光靠衣索比亞的糧食生產就能滿足當地義大利人的需要，甚至還有剩餘輸往義大利，然而這完全是幻想：一九三九年，由於衣索比亞農產量減少，導致義大利還必須出口十萬噸小麥到衣索比亞。到了一九四〇年，衣索比亞的糧食自給率仍只有百分之三十五。雖然義大利計畫讓數百萬名義大利人移居衣索比亞，讓當地的農業現代化，但到了一九四〇年，只有四百名農民願意前往衣索比亞，其中也只有有一百五十名膽子比較大者願意攜帶家人一同前往。[67]前往衣索比亞的工人比農民多，雖然在東非營運的義大利公司多達四千家，但絕大多數是軍需產業，或者是尋求快速短期利潤的投機企業，這類公司的存在無助於新非洲帝國的經濟轉型。義大利也試圖在衣索比亞探勘石油與礦藏，但一無所獲。義大利派駐衣索比亞哈拉爾省（Harrar）的總督哀嘆「掏金熱」為當地帶來腐敗與自私自利，儘管實際上在這個新殖民帝國的心臟地帶並沒有多少財富可供義大利人尋求。[68]征服衣索比亞無法為義大利帶來額外的糧食來源，最終義大利的糧食問題還必須仰賴在國內實施嚴格的自給自足或「封閉經濟」（autarky）政策才得以解決。一九三〇年到一九四〇年，義大利的小麥進口量減少了三分之二，國內小麥生產則增加了將近三分之一。與建設和防衛新帝國有關的產業投資大量增加，但這些投資只能仰賴國內資源。與日本一樣，這些投資也愈來愈受到國家計畫產業發展的干預。[69]

義大利的新帝國除了掀起短暫的民族主義熱潮，並未得到任何益處。儘管如此，墨索里尼依然認為自己已經成為獨立自主的新民族帝國領袖，可以堂而皇之地干預國際事務。墨索里尼挑戰西方大國的權威，在歷時三年的西班牙內戰期間，派遣空軍與陸軍支持佛朗哥的國民軍叛亂。一九三七年八月，義大利派往西班牙的志願軍有三萬人，最後將有七萬六千名義大利士兵、飛行員與法西斯民兵加入國民軍的行列，而與之對抗的則是支持西班牙共和國的義大利反法西斯流亡分子。在西班牙內戰中喪生的義大利人有三千兩百六十六名，使得一九三〇年代因戰爭而死亡的義大利人達到兩萬五千人以上。[70] 墨索里尼與希特勒的關係，因為義大利與德國「志願軍」在西班牙並肩作戰而拉近，不過義大利政府高層在帝國擴張上仍想維持自己的路線，不願與德國扯上任何關係。尤其墨索里尼很快就開始思索新的帝國目標。在一九三八年的一次私人談話中，墨索里尼描繪了他想支配巴爾幹半島南部乃至於遠到伊斯坦堡的野心，他也想奪取法屬突尼西亞與科西嘉島，以及併吞英法在非洲之角的索馬利殖民地。一九三九年二月，墨索里尼甚至想像自己奪取蘇伊士運河、直布羅陀、馬爾它與賽普勒斯，將大英帝國逐出地中海地區。[71] 墨索里尼的野心，在今日看起來也許荒誕不經，但當時的墨索里尼已在義大利獲得一定程度的成功，他愈來愈相信自己能夠取代「垂垂老矣」的舊帝國。若從這點來看，他的想法似乎也沒那麼荒謬。一九三八年，義大利反猶太主義分子英特蘭迪（Telesio Interlandi）如此表示，在法西斯時代，每個人都充滿著「建立帝國的意志」。[72]

這種建立帝國的意志也展現在義大利入侵阿爾巴尼亞上。與衣索比亞一樣，義大利併吞阿爾巴尼亞也是意料中的結果。阿爾巴尼亞曾在一九一七年到一九二〇年短暫成為義大利的保護國，但後來義大利在國際壓力下放棄阿爾巴尼亞，阿爾巴尼亞也成為國聯的會員國。一九二六年，義大利與阿爾巴尼亞締結防守同盟，義大利除了實質掌控阿爾巴尼亞的國防，也逼迫阿爾巴尼亞統治者佐格國王（King Zog）與其締結緊密的經濟紐帶關係。儘管如此，佐格與他的政治盟友仍希望維持獨立地位。一九三〇年代，義大利希望讓阿爾巴尼亞再次成為自己的保護國，但並未取得任何進展。[73]到了一九三〇年代晚期，隨著義大利新帝國主義逐漸確立，墨索里尼與他的外交大臣暨女婿齊亞諾（Galeazzo Ciano）開始著手把對阿爾巴尼亞的非正式影響力轉變成直接統治。這麼做可以讓義大利取得戰略利益，因為控制阿爾巴尼亞就能讓義大利同時控制亞得里亞海的兩岸。墨索里尼從一九二〇年代就希望在歐洲建立帝國，阿爾巴尼亞是個潛在據點，可以讓義大利帝國帶有一定的歐洲面向。義大利依然保有一九一二年從土耳其取得的多德卡內斯群島，這個群島被一九二三年的《洛桑條約》（Treaty of Lausanne）確認為義大利屬地。多德卡內斯群島離蘇伊士運河不遠，義大利在島上加派駐軍與興建機場，而且任命一名總督全權治理。該群島使義大利朝建立一個涵蓋歐洲與黎凡特地區的帝國邁進，也為統治阿爾巴尼亞提供先例。[74]

在墨索里尼看來，若能把阿爾巴尼亞納入帝國的一部分，義大利就將擁有大好前景，其統治範圍將從亞得里亞海一路延伸到愛琴海。一九三八年五月，義大利開始擬定併吞阿爾巴尼亞的計畫，計畫中謊稱阿爾巴尼亞擁有豐富的石油與鉻礦，可以滿足義大利的戰時經濟。到了一九三九年初，義大利已做好準備。一九三九年三月，德國占領布拉格，但西方沒有任何干預動作，齊亞諾因此認為這是動手的好時機。墨索里尼再次猶豫，因為國王與軍方都對這項計畫不感興趣，他們認為義大利在衣索比亞與西班牙已經耗費太多軍力，現在無力再進行一場戰爭。也是在一九三九年三月，西班牙內戰結束，義大利李托里奧師（Littorio Division）攻陷西班牙共和國最後一個據點阿利坎特（Alicante），義大利終於可以騰出兵力進攻阿爾巴尼亞。四月五日，義大利向佐格國王遞交最後通牒，要求阿爾巴尼亞成為義大利的保護國，而阿爾巴尼亞一如預期拒絕這項要求。四月七日清晨，兩萬兩千名義大利士兵，搭配四百架飛機與三百輛小型戰車，開始進攻阿爾巴尼亞。這場軍事作戰過於倉促，並未做好完善組織。結果就是不會開車的士兵負責騎摩托車，不懂摩斯電碼的參謀人員被分配到通信單位。我們甚至可以在歷史照片中，看到義大利步兵在灘頭上騎著自行車進行戰鬥，與德軍進入布拉格的壯盛景象形成強烈對比。[75]

義大利對於作戰暴露的缺失隻字不提，反而大肆宣傳這是一場現代武器的勝利，但義大利的成功只是因為阿爾巴尼亞幾乎未進行任何抵抗。義大利的傷亡人數一直存在爭議，官方公布死亡十二人，但阿爾巴尼亞估計死亡人數落在兩百人到七百人之間。佐格國王逃離首都，四月十三日，義大利國王接任阿爾巴尼亞國王。雖然阿爾巴尼亞與滿洲國一樣，形式上不是殖民地而是傀儡國，但實際上卻被當成殖民地來剝削。義大利在阿爾巴尼亞設立總督，透過義大利顧問支配整個阿爾巴尼亞政府，而且阿爾巴尼亞經濟必須以義大利的利益為依歸，在公共場合還必須優先使用義大利語。阿爾巴尼亞雖然出現抵抗運動，但不久便遭到義大利鎮壓。齊亞諾本人也因為征服阿爾巴尼亞而獲得龐大利益，其中還有不少是貪汙所得，但就連他也抱怨義大利的新官員「苛待當地民眾」與「懷有殖民心態」。只不過，對於一個以粗糙手法進行領土擴張的威權國家來說，產生這樣的結果完全不令人意外。[76]

※　※　※

日本與義大利從事的帝國主義，最終讓兩國進行大規模軍事動員，並且在一九三〇年代發動一連串戰爭。也就是說，早在二戰爆發前，已經有數十萬名日本與義大利青年經歷長年戰火的洗禮。日本軍隊是從一九三一年開始，義大利陸軍與空軍則從一九三〇年到一九三一年的肅清利比亞開始，一直到一九三九年入侵阿爾巴尼亞，幾乎可以說是戰事連連。對比之下，希特勒的德國比較晚才開始推動擴張計畫，而在一九三〇年代絕大部分時間，德國一直是透過一連串兵不血刃的政變取得領土。唯有在一九三九年入侵波蘭時，德國士兵才真正為帝國打了一場規模與中國或東非戰場相當的戰爭。對於德國這個被解除武裝與陷入貧困的國家來說，要實現國家自主比義大利與日本困難得多。希特勒執政初期，主要的重點是扭轉一九二〇年代德國曾短暫實施的「履行」《凡爾賽條約》的策略。一九三三年十月，德國代表退出日內瓦限武會議，抗議各國未能達成限武協定。同年，希特勒政府停止償還主要國際債務且正式拒絕支付賠款。一九三六年，德軍進駐萊茵蘭非軍事區，撕毀一九二五年《羅加諾公約》。然而，儘管德國公然挑戰《凡爾賽條約》與《羅加諾公約》震驚世界，但德國領導高層知道德國的軍力依然不足，因此仍採取謹慎策略。一九三六年三月七日，當德國重新駐軍萊茵蘭時，希特勒顯得十分焦慮，他擔心此舉可能對外展現出過多的野心。當天，年輕建築師史佩爾（Albert Speer）與希特勒一起搭火車前往慕尼黑，他日後回憶：「元首全身散發著一股緊繃的氣息。」史佩爾表示，希特勒每次回想萊茵蘭再軍事化時，都認為那是他人生中「最大膽」的決定。[77]

對希特勒來說，在建立帝國生存空間之前，還有兩件重要的事情要做：首先是讓德國從經濟危機造成的災難處境中恢復，其次是讓德國再軍事化，使德國能夠重建大國地位，並且讓希特勒政權在決定未來方向時有操縱空間。一九三三年，德國祕密重新武裝，一九三四年推動五年計畫，進一步擴大武裝，一九三五年，希特勒公開宣布將無視《凡爾賽條約》的限制讓德國重新武裝。德國軍費從一九三三年到一九三四年的十二億帝國馬克，暴增為一九三六年到一九三七年的一百零二億帝國馬克。到了這個階段，德國絕大多數軍事基礎設施都已恢復，而武器製造與徵兵訓練等長期計畫也已在進行。與日本和義大利一樣，德國提高國防支出的同時，也必須考量其他經濟產業的狀況以避免經濟危機，而且必須控制消費支出，因為德國民眾歷經數年的貧困與失業，如今在經濟復甦之後也想增加支出。德國試圖做到糧食與原料自給自足，避免仰賴可能對德國不利的世界市場，同時在中歐與東南歐建立由德國支配的貿易區，以此建立安全網來抵禦國際危機。一九三四年到一九三九年，德國與羅馬尼亞、南斯拉夫和匈牙利的貿易往來，使東歐貿易餘額對德國大為有利。德國購買石油與糧食，使一九三三年到一九三八年羅馬尼亞對德國出口從百分之十八增加到百分之三十七。[78]西班牙內戰爆發時，德國透過援助佛朗哥將軍來確保貿易利益，進一步擴展德國的「非正式」經濟帝國。德國占西班牙出口的比例，從一九三六年底的百分之十一，到了兩年後增加到將近四成，西班牙提供德國軍火產業最需要的金屬。[79]希特勒深信經濟封鎖在第一次世界大戰中扮演著舉足輕重的角色，並因此認為德國必須在歐洲貿易區控制足夠資源，就像日圓區一樣，才能讓德國在面對未來衝突時抵禦外來的經濟壓力。

一九三六年，龐大的國防支出造成的負擔與國際貿易的復甦緩慢，在德國引發了一場危機。軍方高層與曾主導德國經濟復甦計畫的經濟部長沙赫特（Hjalmar Schacht），都希望減少軍事支出及鼓勵貿易。但希特勒對於限制德國軍事力量成長的想法感到不滿，尤其是此時他終於有足夠的自信在帝國擴張上推動更積極的政策。一九三六年八月，希特勒在戰略備忘錄中表達他對經濟與軍事未來的看法。面對蘇聯日益增長的威脅，希特勒希望德國盡可能做好軍事準備，而且要加快自給自足的腳步。希特勒認為，如果無法粉碎布爾什維克的威脅，最終將導致「德國人的毀滅，甚至滅絕」；因此他的結論是，要找到能餵飽德國人的資源與滿足未來鬥爭所需的原料，唯一的辦法就是「擴大德國人的生存空間，特別是原料與糧食基礎」。[80]備忘錄造成的直接影響，就是於一九三六年十月宣布進行第二次四年計畫（第一次是再就業計畫），由納粹黨領袖與德國空軍總司令戈林擔任總負責人。這項計畫象徵德國政策出現劇烈的轉折：國家開始控制價格、薪資水準、進出口、外幣交易與投資。這種經濟模式稱為「統制經濟」，就像日本與義大利的國家經濟計畫一樣，目的是為了在加速重新武裝的需求與國內經濟穩定之間求取平衡。[81]這項計畫將對合成替代材料（石油、紡織品、化學製品、橡膠）進行大規模投資，為大規模軍事生產提供經濟基礎。到了一九三九年，產業投資已有三分之二都用來生產戰略物資，軍事支出吸收了國民生產總值的百分之十七（一九一四年時僅占百分之三），而且占了政府支出的一半。[82]其他額外的資源，未來將由發展自德國「生存空間」的新歐洲帝國來提供。

然而，對於希特勒計畫要在東方建立「生存空間」，以及他在一九三三年二月向軍方高層表示此一生存空間的長期目標乃是無情推動「日耳曼化」，這些說法的確切與具體內容為何，卻沒有人真正清楚。[83]儘管歷史學家努力在希特勒《我的奮鬥》(*Mein Kampf*)與其他零零碎碎的寫作中尋找他的意圖，但除了他確實表現出在歐亞大陸擴展德國未來生存空間的強烈欲望外，希特勒幾乎未留下任何具體的計畫內容。我們只知道希特勒在一九二〇年代接觸到「種族與空間」的論述且深受影響，往後他的主張基本上都遵循這條思想路線。希特勒從德國帝國主義思想中借用了征服「東方」這項隱喻，這類說法的起源至少可以往回追溯到四十年前的十九世紀末。然而令人挫折的是，希特勒除了堅定主張反共與三不五時就表示德國人的未來在「東方」之外，從一九三〇年代提出在東方建立生存空間開始，希特勒從未清楚表示他的最終目標是什麼，也未明確定義在他心目中所謂的「東方」到底是哪裡。有人認為希特勒的最終幻想是「支配全世界」，但這完全出於臆測。希特勒清楚表示過的，只有德國擴張是為了奠定帝國基礎，使德國能與英國或法國這兩個全球霸權抗衡，甚至能與美國一較高下。[84]對希特勒來說，所謂「實際可行」指的是見機行事，而不是一套具體計畫。他的策略總是傾向於機會主義與短視近利，善變的他，唯一不變的就是深信德國人需要生存空間。

到了一九三〇年代中期，已可清楚看出誰是希特勒的朋友，卻很難預期誰會成為希特勒的敵人——猶太人是例外，因為在希特勒眼中，猶太人始終都是德國人努力實現民族自主的大敵。一九三六年，日本與義大利這兩個帝國侵略者開始與德國親善。該年十一月，日本與德國簽訂《反共產國際協定》(Anti-Comintern Pact)，共同對抗國際共產主義，義大利則於一九三七年加入。一九三八年，德國與義大利雙雙承認日本扶植的滿洲國傀儡政權。一九三六年十月，義大利與德國訂定非正式協定，這項協定後來又稱為《軸心協定》(Axis pact)，因為墨索里尼主張歐洲必須繞著羅馬與柏林這條「軸心」旋轉。希特勒在會議向義大利領導人保證，地中海將是「義大利的海」，而德國的野心則「在東方與波羅的海」。[85]義大利無視國聯大國，出兵征服衣索比亞之事，讓德國民眾留下深刻的印象。一九三七年，德國國內出版了許多書籍讚揚義大利在利比亞與衣索比亞殖民成就，同時也有許多書籍批評大英帝國是「海盜國家」、「掠奪了半個世界」。作家鮑爾（Hans Bauer）在《殖民地與第三帝國》（*Colonies and the Third Reich*）中對義大利推崇備至，認為德國可以仿效義大利征服衣索比亞的模式，撕毀《凡爾賽條約》，取得自己的殖民生存空間。[86]

德國內部對於希特勒的策略走向也存在各種猜測，遊說團體每隔一段時間就會提出海外殖民的主張，每次都能獲得眾多響應與支持。不久，隨著《凡爾賽條約》名存實亡，曾在一九二〇年代高喊海外殖民的熱心人士，此時也希望希特勒能想辦法恢復德國失去的非洲與太平洋領土，或者乾脆另尋新的殖民地。一九三四年，納粹黨設立殖民地政策辦公室，由前殖民地官員（與納粹黨領導人）埃普將軍（Franz Ritter von Epp）擔任長官。到了一九三六年，殖民地政策辦公室與既有的殖民組織「合併」為新的帝國殖民地同盟，由埃普擔任主席。殖民遊說團體原本在一九三三年只有三萬名支持者，但到了一九三八年的帝國殖民地同盟卻已有一百萬名會員，一九四三年的會員人數更是超過兩百萬人。[87]殖民地的宣傳文學也快速增加，一九三〇年代初只有幾本出版品，往後十年卻增加到每年推出四十五到五十本作品。德國年輕人成為英雄殖民地探險小說與電影的受眾，例如《希特勒青年的殖民地教學手冊》就專門教導德國年輕人如何做好準備打造殖民地的未來。[88]在經濟部長沙赫特的鼓吹下，當時許多討論都提到德國只要取得非洲領土，就能解決稀有金屬短缺的問題，也能提供更多異國糧食。這位經濟部長在萊比錫演說時指出：「顯而易見的事實事，一個工業國家必須擁有殖民地原料才能擴大本國經濟。」[89]儘管希特勒政權曾在一九三六年到一九三七年試圖破壞英法關係，但德國民眾對於海外殖民地的熱潮卻無法打動德國的新領導高層，因為希特勒的領土野心其實放在歐陸，而不是傳統意義下的海外殖民地。一九三七年二月，戈林對為他傳遞消息的英國人表示，「我們想擁有在東歐自由發展的權利」，相對地也會尊重英國的海外帝國利益。[90]直到一九四〇年夏天舊帝國一度看似被擊敗時，建立海外非洲帝國的想法才又重新浮上檯面。

一九三七年十一月五日，在帝國總理府的一場會議中，希特勒首次提出明確的擴張計畫，而這項計畫也因為希特勒的副官霍斯巴赫（Fritz Hossbach）留下的《霍斯巴赫備忘錄》而惡名昭彰。希特勒召集武裝部隊總司令與外交部長紐賴特伯爵（Konstantin von Neurath），向他們解釋自己針對德意志民族的未來所擬定的策略，可以如何解決德國的「空間問題」。希特勒認為，德意志民族的數量與種族完整性，使他們「有權利擁有更大的生存空間」，因此德意志民族的未來，「完全取決於能否解決空間需求」。希特勒表示，海外殖民地不足以解決這個問題：「我們可以在歐洲找到更有用的原料產地，就在與我們接鄰的地方。」大英帝國已經衰弱，不可能出手干預，少了英國，法國也不會有意見。希特勒告訴與會者，奧地利與捷克斯洛伐克這兩個國家可以提供空間，可以多養活五百萬到六百萬德國人，如果國際環境許可，那麼合併這兩個國家的時間大概會在一九三八年。軍方與外交部長對此不表樂觀，他們擔心這麼做會危及德國迄今為止在經濟與軍事上復甦的成果。[91]軍事高層與紐賴特的冷淡反應引發了一場重大的政治革命。一九三八年二月，軍事高層遭到撤換，戰爭部也被廢除。希特勒親自擔任武裝部隊最高統帥並且創立「國防軍最高統帥部」這個特殊機構以鞏固自己的新地位。外交部長紐賴特遭到解職，職位由納粹黨外交事務發言人李賓特洛甫（Joachim von Ribbentrop）接任。經濟部長沙赫特依然認為進一步重新武裝將帶來風險，此外也不願意放棄在非洲取得殖民地的主張，最後沙赫特也遭到撤職，由黨的新聞官、對戈林唯命是從的馮克（Walter Funk）接任。[92]

儘管希特勒終於清楚說明了他的新方向，但這套策略該如何實行依然充滿不確定性。希特勒知道德國能否擴張完全取決於其他大國的態度，以及這些大國是否會因為忙於因應日本、義大利或蘇聯的威脅而無暇顧及德國。但最後希特勒還是決定在一九三八年這個時間點動手。霍斯巴赫會議結束後一個月，陸軍接獲命令，要求擬定應變計畫，準備占領奧地利與捷克斯洛伐克。一九三八年三月，希特勒判斷情勢對德國有利，決定採取行動。沒有人能預料得到這項行動會產生什麼後果，也就像進軍萊茵蘭一樣，希特勒在決定前也曾感到猶豫。最後，奧地利終於在戈林的帶頭脅迫下屈服，並於三月十二日允許德軍進駐。德奧合併沒有引起嚴重的國際關切，促使希特勒馬上開始下一項計畫。五月二十八日，希特勒召開軍事高層會議，批准了「綠色計畫」這項臨時計畫，也就是入侵與征服捷克斯洛伐克。參謀總長貝克將軍（Ludwig Beck）提到希特勒對眼前時機所做的評估：「俄國不會參與，俄國還沒有做好戰爭的準備。波蘭與羅馬尼亞擔心俄羅斯派兵支援，因此不會採取行動反對德國。英國此時正顧慮東亞，因此只會採取謹慎態度。」希特勒認定這是採取行動的大好良機：「機會稍縱即逝……現在必須閃電入侵捷克斯洛伐克。」在中歐採取決定性的強迫行動，就像義大利入侵衣索比亞一樣，等於是昭告世人，德國已經無視舊的國際秩序，而想單方面地建立新的國際秩序。

接下來發生的事眾所皆知。英法出面干預並於九月三十日訂定《慕尼黑協定》，允許德國占領捷克斯洛伐克境內大部分由德國人居住的地區。雖然希特勒想打一場速戰速決的帝國戰爭，特別是要媲美日本與義大利進行的戰爭，但發生在歐洲的危機顯然要比遙遠的滿洲與衣索比亞更能引起國際關注。九月二十七日，英國首相張伯倫派赫拉斯．威爾遜爵士（Sir Horace Wilson）前往德國向希特勒解釋，入侵捷克斯洛伐克將導致戰爭。次日，在戈林與紐賴特的勸說下，希特勒勉為其難地同意以分階段的方式併吞捷克。一些高階將領對於希特勒的冒進感到憂心，於是從一九三八年秋天開始籌畫政變，打算推翻希特勒的獨裁政權，不過這場政變一直要等到六年後、德國經歷數次重大戰役失敗之後才得以實現。最後，希特勒決定放棄發動這場小規模戰爭而接受了妥協方案。十月一日，德軍兵不血刃進駐捷克蘇台德（Sudeten）德意志人居住區。捷克人必須承認另一半國土上的斯洛伐克人擁有實質自治權，而且必須與德國簽訂不平等的經濟協定。六個月後的一九三九年三月十五日，捷克總統哈卡（Emil Hácha）被召喚到柏林，在被德國領導人施加了沉重而難以抵抗的壓力之後，德軍進駐了布拉格。第二天，希特勒宣布在波希米亞與摩拉維亞兩省建立保護國。斯洛伐克則淪為傀儡政權。

這類併吞帶有明顯的帝國特徵，只不過這種帝國主義與二十年前統治過相同地區的傳統帝國（奧匈帝國）的帝國主義大不相同，更類似於歐洲在海外施行的帝國主義。即便是舉行公投且幾乎無異議同意併入大日耳曼國的奧地利，仍無法逃脫被後者這種帝國主義統治的命運。奧地利人發現自己必須接受並非由自己制定的法律體制統治，而德國將奧地利改名為「東部邊疆」（Ostmark），也正好呼應了一九一四年之前德國提出的內部殖民概念，當時用來內部殖民的地區就叫做東部邊疆。奧地利的過去遭到毀滅，被德國的現在取而代之。同樣地，蘇台德區透過《慕尼黑協定》併入大日耳曼國之後，當地說德語的民族主義者想建立蘇台德自治區的夢想也化為泡影。在捷克，波希米亞與摩拉維亞保護國形同日本的滿洲國：由德國主掌捷克的外交與國防事務，設立負責警察事務、地方行政與執法的各區行政長官（Oberlandräte），一切完全聽命於柏林政府。捷克政府依然被保留下來，首長仍是前總統哈卡，其職責是維持保護國的日常政務運作，但根據三月十六日法令，捷克政府的一切活動都必須與「德國的政治、軍事與經濟需要一致」。一萬名德國官員被派到當地，負責監督四十萬名捷克官員。[93]軍方進行分層監督，分別對關鍵戰略資源、民防、新聞媒體與政治宣傳、徵召捷克德意志人入伍進行管理。在所有被兼併的地區與保護國，公民身分的取得是以種族為依據，未取得公民身分的人只能成為臣民，這點與衣索比亞一樣。在奧地利與蘇台德區，德意志人可以取得公民身分，猶太人與非德意志人則被歸類為臣民；在保護國，捷克籍的德意志人可以申請德國公民身分（但有可能不被批准），捷克人依然屬於保護國的臣民身分，至於猶太人則連這種有限權利也喪失了。與捷克人結婚的德國人將喪失公民身分，這等於變相鼓勵保護國進行種族隔離。公民與臣民分別接受兩種不同的法律體制統治：公民遵守的是德國法，捷克人遵守的是總督公布的法律與命令。捷克的抵抗運動遭到像義大利在衣索比亞、日本在中國一樣無情的鎮壓。[94]

無論是在奧地利、蘇台德區或保護國，關鍵的經濟資源都被德國國有企業或德國銀行接收，黃金與外匯，無論是國家所有還是猶太人私人所有，都被德國中央銀行沒收充公。[95]關鍵機構是「戈林帝國工廠」(Reichswerke Hermann Göring)，這是一家設於一九三七年六月的國有企業，以國家力量控制德國的鐵礦供應。戈林帝國工廠強迫私人企業賣出股份，以此快速控制了奧地利重要的鐵礦產地與機械工程產業。德國在併吞蘇台德區之前，已在四年計畫中將該區重要的礦場標定出來，併吞該國後戈林帝國工廠立刻控制了褐煤供應，褐煤在當時可用來生產合成燃料油，其生產重鎮在布呂克斯（Brüx）。[96]保護國提供的不只是額外的礦藏資源與數量龐大的鋼鐵廠，還有歐洲重要的武器生產商斯柯達（Škoda）與捷克軍火工廠。到了一九三九年底，戈林帝國工廠已經擁有能夠控制這兩家公司的股份。在德國，早在希特勒獨裁政權成立之時，就已經立法將猶太人的商業利益「雅利安化」，因此奧地利猶太人或捷克猶太人擁有或部分持有的公司此時也無法倖免於難，紛紛被沒收充公。羅斯柴爾德（Louis Rothschild）被德國占領者脅持做為人質，被迫簽署文件，把保護國境內羅斯柴爾德家族的龐大財產轉讓給德國之後才得以獲釋。戈林帝國工廠的資本資產最終達到五十億帝國馬克，是德國第二大企業化學巨擘法本公司的五倍以上。德國獲取的這些資源，就像日本控制的滿洲國資源一樣，有助於維持龐大的軍事生產，而且這一切都能在封閉的經濟區內進行，這個經濟區不僅完全由柏林控制，還提供了殖民剝削的資本。[97]

兼併後的奧地利與捷克並不完全符合希特勒理解的「生存空間」。雖然希特勒在霍斯巴赫會議上提到要從奧地利驅逐一百萬人，從捷克斯洛伐克驅逐兩百萬人，但實際上的人口轉移主要是德國、奧地利與捷克之間的猶太人。德國占領奧地利與捷克之後，明白宣示了種族重塑計畫，猶太人紛紛外逃，總數約有五十萬人。管理新領土的德國官員經常討論接下來的政策應該是要根據種族同化原則還是種族隔離原則。二戰爆發之後，希特勒政權開始思考把所有無法被「日耳曼化」的捷克人驅逐出去，估計數量達到總人口的半數，同時把保護國視為德國人移民墾殖的地區。[98]當局一開始先小規模地奪取捷克農民的財產，把他們的土地交給德國人開墾，之後規模愈來愈大。到了一九四五年，總共已有一萬六千處占地共五十五萬公頃的農地遭到沒收。[99]

我們不清楚希特勒是在何時決定把波蘭當成下一個東方生存空間。直到一九三八年底為止，德國人仍認為波蘭人是德國領導的反蘇維埃陣營的潛在盟友，他們相信波蘭人即將歸還從《凡爾賽條約》取得的德國土地與自願成為德國的衛星國。然而波蘭政府屢次拒絕德國興建穿越波蘭走廊的域外鐵路與公路，也反對讓國聯管理的但澤自由市回歸德國，希特勒因此決定對波蘭發起他在一九三八年未能如願的小規模戰爭，以武力奪取波蘭的資源。波蘭擁有西利西亞這塊蘊含豐富煤鐵礦的前德國領土，此外也有廣大的土地供德國人墾殖，農業生產剩餘也足以養活德國人口。一九三九年五月二十三日，希特勒在會議上把攻打波蘭的意圖告知軍事高層：「但澤不是這次行動的目標。我們真正的重點是在東方取得足夠的生存空間，確保我們的糧食供給。」希特勒又說，糧食供給只能來自於東方，因為東方人口稀少，德國的農業技術將使東方的農業生產力增加數倍。[100]

然而，就像一年前的捷克危機一樣，對波蘭發動戰爭也可能引起其他歐洲國家的干預。如果波蘭默默接受德國的威脅，那麼希特勒應該也會同意繼捷克之後讓波蘭成為第二個保護國。然而狀況與希特勒的預期正好相反。到了一九三九年三月底，英法已公開表示要維護波蘭的主權完整。整個夏季，德國軍方審慎備戰，外交人員則試圖離間波蘭與英法，以及英國與法國之間的關係，皆未能成功。德國對內宣傳，鼓動民眾支持對波作戰，阻止波蘭對境內德意志人施加暴行，並以此做為入侵波蘭的藉口。由於英法對波蘭的支持十分堅定，希特勒試圖與蘇聯簽訂協定，確保蘇聯不會與英法共同阻礙他的小規模戰爭。一九三九年八月二十三日，德蘇兩國簽訂《德蘇互不侵犯條約》，希特勒以此向周遭人士證明，西方國家絕對不敢干預這場戰爭。雖然許多人認為希特勒在一九三九年尋求的是一場全面戰爭，因為重新武裝的成本對脆弱的德國經濟造成沉重的負擔，希特勒必須趕在德國經濟崩潰之前趁早對西方發動戰爭，然而幾乎所有證據都指出，希特勒想進行的是一場局部性戰爭，用來支持在東方擴展生存空間，而非與英法兩大帝國發生嚴重衝突。希特勒希望能為十年來建設帝國的行動劃下句點，而非延長戰事使其擴大成為世界大戰。[101]希特勒顯然具有奪取更多土地與資源的經濟動機，但這一經濟動機不等同於想在此時此刻發動世界大戰，因為一旦真的發生大戰，他獲取的額外資源也會消耗殆盡。希特勒有預想過大戰應該會發生在一九四二年到一九四三年，屆時德國已完成重整軍備計畫。[102]八月二十一日，希特勒只授權進行有限的經濟動員，目的是進行局部與短期的衝突。他是直到英法宣戰後，才下令德國經濟總動員。[103]

隨著計畫入侵的日期逐漸逼近，風險也開始升高。希特勒再度猶豫。入侵原訂八月二十六日展開，卻因為傳出英國與波蘭締結軍事同盟的消息而推遲，此外義大利也表示如果德國發動的是全面性戰爭，那麼義大利將不會依照五月簽訂的《鋼鐵條約》（Pact of Steel）與德國並肩作戰。從倫敦傳來的情報顯示，這次英國將不會是虛張聲勢。[104]希特勒最後還是克服內心的疑慮，於八月二十八日下令進軍，戰役預計在九月一日清晨開始。希特勒長久以來一直相信英國與法國正走向衰敗，加上這兩個帝國在面對日本在東亞與義大利在東非的野心時毫無作為，更讓他堅信，一旦德軍入侵波蘭能勢如破竹，英法自然就會找個藉口放棄波蘭。希特勒的一名副官提到，希特勒清楚表示他想與波蘭交戰，但「不想與其他國家為敵」。二戰之後，戈林信誓旦旦地向審問他的人表示，希特勒相信他能與西方就波蘭問題達成協議，就像之前的捷克斯洛伐克一樣。「就我們來看，」戈林說道：「他實在太堅持己見。」[105]希特勒不願接受任何與他觀點相反的建言，因為他不希望自己在首場帝國戰爭中顯露出他在領導統御上的瞻前顧後與過度焦慮。希特勒對他的外交部長李賓特洛甫說道：「我最終決定不要仰賴他人的意見，這些人已經有好幾次給過我錯誤的建議，我必須仰賴自己的判斷，從過去的例子〔從萊茵蘭到布拉格〕可以證明，我的看法比那些能力超群的專家好得多。」[106]

希特勒獨排眾議做出這項大膽的決定，與一九三五年的墨索里尼有很多類似之處，當時許多人也曾勸告墨索里尼不要冒險入侵衣索比亞，但墨索里尼完全不理會那些膽怯的忠告。與墨索里尼的非洲冒險一樣，希特勒在戰前努力重整軍備，要他放棄戰爭並非易事。許多德國軍事將領對於入侵波蘭樂見其成，他們認為這是一戰之後（這些將領有許多人曾參與過東線戰役），德國首次重新向東方發展。部分從一戰戰場復員的士兵曾在一九一九年到一九二〇年參加過自由軍團（Freikorps），在戰後的新德波邊界與波蘭人奮戰，這次入侵波蘭讓他們再有機會重新上戰場。波蘭被視為「只存在一季的國家」，是和平條約的私生子，是未來供德國墾殖的地區。[107]一九三九年春天，陸軍參謀總長哈爾德將軍（Franz Halder）在軍事學院演說時表示，他「鬆了一口氣」，因為對波戰爭終於排上了時程，他又說：「我們不只要擊敗波蘭，還要愈快消滅波蘭愈好。」[108]一九三九年夏天，德國士兵接到訓示，他們面對的敵人「既殘忍又狡猾」。武裝部隊一份關於波蘭人的報告指出，波蘭農民「殘忍野蠻、毫無信義且滿口謊言」。哈爾德認為波蘭士兵是「歐洲最蠢的士兵」，德國軍官也輕信任何反波蘭的偏見。在入侵前夕，一名步兵師將領告訴他的士兵，波蘭阻擋德國往「古日耳曼土地」擴張，因此波蘭的毀滅是必然的，「這是德意志民族的生存空間。」[109]希特勒同樣不認為即將來臨的戰爭是一場傳統的強權衝突，而是一場對抗野蠻敵人的戰爭，絕不能留情。八月二十二日，希特勒告訴軍事將領，這場戰爭必須「極其殘酷暴力，不能有任何憐憫之心」。同日稍晚，希特勒又表示，必須將波蘭人從土地上徹底消除，「將上面的人清理乾淨之後，就可以讓德國人去開墾。」[110]

八月三十一日下午四點，希特勒下令，隔天早晨開始入侵行動。「英法不會出兵」，他如此向哈爾德保證。希特勒的宣傳部長戈培爾（Joseph Goebbels）在日記裡寫道：「元首不認為英國會干預。」[111]晚間，德軍展開代號「希姆萊」的軍事作戰，模擬波蘭攻擊德國邊界哨站：親衛隊在霍赫林登（Hochlinden）邊界哨站留下六具穿著波蘭軍服的集中營犯人屍體，同一時間會有人在格萊維茨（Gleiwitz）無線電站用波蘭語發送模糊訊息，並在無線電站留下一名死亡的波蘭犯人屍體。這些都被視為波蘭人侵犯德國領土的「證據」，因此構成德國開戰的理由。這種手法跟一九三一年日軍破壞滿洲鐵路一樣粗糙。九月一日清晨將近五點時，第一架德軍飛機攻擊波蘭小鎮維隆（Wieluń），同一時間在但澤執行任務的德國訓練艦什列斯威・霍爾斯坦號（*Schleswig Holstein*）也向港內波蘭要塞進行砲擊。對德軍而言，接下來的戰役必須速戰速決，讓西方國家只能面對既成事實。「白色計畫」從四月開始實施，到了九月一日已經有一百五十萬德國士兵駐紮在東普魯士、德國東部與斯洛伐克，此外還有一千九百二十九架飛機與三千六百輛戰甲車支援，絕大多數戰甲車都隸屬於十個摩托化步兵師與五個新創設的裝甲師。這些高度機動的聯合作戰單位擁有數量龐大的戰車，還有轟炸機與俯衝轟炸機深入波蘭境內支援作戰，這些部隊可以做為傳統步行與騎馬部隊的箭頭，當波蘭軍隊被這些裝甲鐵拳重擊之後，再由傳統部隊尾隨其後收割戰果。

波蘭為了避免觸怒德國人，直到當天稍晚才開始對陸軍全面動員。從帳面上看來，波蘭的陸軍沒有比德國遜色多少，至少有一百三十萬人處於備戰狀態，但飛機只有九百架，而且多半是老舊機型，戰甲車只有七百五十輛。[112]波蘭軍方根據傳統的作戰經驗進行戰爭準備，希望陸軍能夠在邊境附近擋住德軍的攻擊，等到全面動員完成之後，再有序撤退到各個防禦據點進行固守。波蘭空軍首先遭到擊敗，戰爭開始的第一個星期就有半數飛機被毀，剩餘一百架飛機奉命飛往鄰邦羅馬尼亞的基地，以避免全軍覆沒。[113]德軍前進時不斷受到各地波軍的抵抗，但在一個星期之後，他們已來到距離波蘭首都華沙六十五公里處。很多人會把這場戰爭稱為不對稱戰爭，但實際上並不完全是如此。九月十三日到十六日，德軍在進入華沙之前於布楚拉河進行了一場激烈戰鬥，德國損失的戰甲車與飛機的數量開始增加。到了九月十七日，在德國要求下，一百萬蘇聯軍隊從東面入侵波蘭，蘇軍根據德蘇祕密簽訂的互不侵犯條約，占領了條約分配給他們的波蘭領土。波蘭陷入兩面作戰這個極端不利的情勢，戰敗只是時間的問題。波蘭拒絕宣告華沙為不設防城市，九月二十二日，華沙開始遭到德軍的密集砲轟與空軍轟炸。五天後，華沙投降，波蘭最後一個要塞莫德林要塞（Modlin）於九月二十九日投降。零星戰鬥一直持續到十月初。波蘭軍隊大約有六十九萬四千人被德國俘虜，大約二十三萬人被蘇聯俘虜，另外還有八萬五千到十萬人逃到羅馬尼亞與匈牙利。波蘭軍隊有六萬六千三百人死亡，十三萬三千七百人受傷；德軍有一萬三千九百八十一人死亡與失蹤，三萬零三百二十二人受傷，大約與義大利入侵衣索比亞的死傷人數相同。蘇聯紅軍由於面對的是兵力單薄、士氣低落的波蘭軍隊，因此只有九百九十六人死亡，兩千人受傷。[114] 儘管德國空軍的數量與水準都遠高於波蘭空軍，但德國飛機仍出現可觀的損失：兩百八十五架遭擊毀，兩百七十九架遭擊傷，約占投入戰鬥飛機總數的百分之二十九。[115] 九月二十八日，蘇聯與德國代表簽訂第二項協定，《德蘇友好合作與邊境劃定條約》。波蘭這個現代國家經過四個星期的抵抗，最後還是無法免於滅亡的命運。

九月三日，英法信守對波蘭的承諾對德宣戰，但這項宣示並未影響德國短期結束戰爭的計畫。儘管如此，英法宣戰當天的德國街頭，與一九一四年德國宣戰全國民眾充斥的熱情完全不同，此時的德國人似乎感到擔憂而面色凝重。只不過希特勒依然自信滿滿，英法宣戰後過了幾個星期，他相信英法只是虛張聲勢，一旦波蘭被德蘇瓜分之後，英法就會找個理由脫身。事實上，西方國家並未給予波蘭軍事或物資援助，只是私底下表示等日後戰爭勝利，波蘭就能復國。

籠罩在希特勒不願見到的大規模戰爭陰影之下，已經在捷克推行的帝國計畫，此時更加無情地在波蘭展開；曾經在一九一四年以前大量使用的殖民語言，此時也再度出現，用來定義與合理化對波蘭老百姓的征服。雖然在西方宣戰後，衝突的性質已經改變，但德國的政策規畫者、安全部隊與經濟官員仍著手建立對波蘭的長期帝國墾殖計畫與因應戰時的各項需求。一名來自東普魯士的德國官員在入侵波蘭當天表示，我們的目標就是「全面殖民」。[116]弗朗克（Hans Frank）是納粹黨律師協會主席，受命擔任波蘭殘餘領土的長官，也就是波蘭總督。弗朗克把他的轄區當成「殖民統治的實驗室」，雖然柏林當局不願把波蘭稱為殖民地，但弗朗克轄下的經濟局長埃莫里希（Walter Emmerich）卻認為德國的統治是「殖民政策中一種特別的歐洲版本」。[117]

如何安排被占領區的制度，引起了德國當局的熱烈討論。德國將被征服地區臨時劃分成幾個區塊：曾在一九一九年和約中被割讓給波蘭的波森省（Posen），如今改名為新的行政區「瓦爾特蘭」（Wartheland）；位於北方波羅的海沿岸地區的前普魯士地區則改為「但澤—西普魯士帝國大區」（Reichsgau）；剩下的領土，包括華沙在內，則併入波蘭總督府，首府位於克拉科夫。上西利西亞於一九二〇年舉行公民投票脫離德國，此時又再度併入德國。上西利西亞的工業資源由德國託管，許多都交由戈林帝國工廠管理監督。總數二十萬六千家的波蘭工業與商業公司被接管與分配給德國私人或國有企業。[118]瓦爾特蘭與但澤大區是「被併吞的東方領土」，是受到特別管制的邊境地區，與德國其他地區無法自由交流，以避免波蘭人輕易進入帝國境內。以瓦爾特蘭來說，波蘭人占總人口的百分之八十五，擁有壓倒性的多數，反觀德國人只占百分之六點六，在新首府波森更是只占百分之二。[119]然而，各個大區的新統治階級卻都是德國人。德意志人必須別上用來識別的標章（因為從膚色無法辨識出種族差異）。波蘭人則被當成殖民地的臣民，波蘭人在人行道或小路上看到德國人經過時必須脫帽讓路，波蘭人不許進入德國人專用的戲院與公共建築物。一些德國婦女原本在德國北方城鎮倫茨堡（Rendsburg）的婦女殖民學校受訓，為未來的海外帝國做準備，但現在卻被派到東方工作，她們學習的技能原本是以非洲人為對象，此時卻變成了波蘭人。[120]波蘭人是臣民，不是公民。波蘭人由各地方的總督統治，總督管理地區政府並且充當中央與地方的連結，地方治安則由希姆萊的親衛隊手下負責。

德國帝國政策的首要目標，就是摧毀倖存的波蘭民族與文化生活，重新塑造整個地區的種族組成。在入侵波蘭之前，希姆萊的副手海德里希（Reinhard Heydrich）就已設立了五支特別行動隊（Einsatzgruppen）。特別行動隊由大約四千兩百五十名警察與安全人員組成，他們的任務除了維護前線後方地區的治安，更重要的是追捕與處決波蘭的政治、文化與民族主義菁英，他們的行為與義大利軍警在衣索比亞所做的如出一轍。[121]剷除波蘭菁英的目的，是為了讓波蘭社會的整體知識文化水準下降，使其符合「東方」的殖民想像，同時也為了貫徹希特勒在八月時向軍事高層下達的訓令：「摧毀波蘭。」[122]這些特別行動隊發起「坦能堡作戰」（Operation Tannenberg），殺害數萬名波蘭人。確切男女受害人數已無法確知，但估計最多可能達到六萬人。被害者有些是猶太人，但這項政策主要針對的還是波蘭菁英。哈爾德在與海德里希開會後表示：「猶太人、知識分子、教士、貴族，空間清除。」[123]儘管猶太人在這個時期尚未遭到有系統地屠殺，但德國占領下的波蘭猶太人依舊遭到五花八門的方式迫害，如遭到毆打或羞辱，有時遭到殺害，財產被德國官員攫取或遭到德國士兵掠奪。到了十月，許多猶太人被成群送進最早建立的幾個大型猶太區（ghetto，又譯隔都），或者是從被兼併的領土送到波蘭總督府。[124]

德意志帝國的最終理想，是把無法被「日耳曼化」的猶太人與波蘭人從整個殖民地區予以「清除」，以德國移民取代。但在理想實現之前，以「文化捍衛者」自居的新帝國主人「只能」先採取種族隔離與種族打壓的政策。[125]一九三九年十月七日，希特勒任命希姆萊為「強化德國民族性帝國專員」，要求他「用人口取代的方式組織新的殖民領土」。[126]希姆萊長久以來一直支持以德國移民墾殖的方式來開拓東方帝國。希姆萊新職位的頭銜是他自己取的，他在上任後馬上擬定計畫，將波蘭人逐出東方農地，把這些土地交給德國人開墾。為了辨識波蘭人，希姆萊實施了種族登記制度，結果發現波蘭人的外表特徵帶有一定的德意志人血統。希姆萊於一九三九年十二月表示，他希望建立一個「金髮國度」，不能讓「蒙古人種在新殖民的東方繼續發展」。[127]與一九一四年之前一樣，各種二分法的帝國詞彙，諸如文明與野蠻、熟悉與異國、有文化與沒文化，全都被用來強調差異或「他者」的角色。

※　※　※

我們該如何理解德國入侵波蘭？傳統觀點認為這是德國想開啟二戰戰端。但若從長期的視角來看，這其實是德國在一九三〇年代為了建立新領土型帝國所採取一系列缺乏協調行動的最後階段。建立新帝國秩序的野心使日本、義大利與德國的命運緊緊相連，這三個國家都想在各自所在區域建立領土型帝國。德義日三國在歷經多年的民眾不滿與民族挫折之後，逐漸形成建立帝國的民族主義共識，三國的領導高層都反映了這樣的觀點（儘管這一觀點不完全源自於高層推動）。這三個新帝國國家逐漸限縮戰略選項，透過脅迫手段讓國內敵視或批判新帝國主義的人士噤聲，進而冒險取得自己想要的領土。這些帝國主義者獲取的領土愈多，就愈有可能實現重塑全球秩序的長期目標：打造一套由新羅馬帝國、大東亞帝國與中東歐日耳曼帝國領導的新秩序。結果，這一野心卻使三國面臨戰略困境。諷刺的是，帝國計畫原本是為了確保國家安全及利益，最終使宗主國的民眾富足，但與絕大多數帝國主義一樣，這些計畫反而帶來更高的風險與成本。這三國的領導者認為值得冒險一搏，因為舊國際秩序似乎已在崩潰邊緣。換言之，如果當時其他大國能在一開始就對滿洲、衣索比亞與捷克遭到入侵進行干預，那麼世界局勢很有可能就會遭到改寫。

所有帝國擴張都存在著一個問題，那就是這些擴張一旦開始便難以停止。新的征服會產生難以逆轉的動態效果，就像一九一四年之前絕大多數帝國建立的過程一樣，對外征服只會引發更進一步的衝突。日本攫取滿洲，反而促使日本更進一步鞏固自己在華北的戰略利益，最終引發與蔣介石國府政權的大戰。義大利順利占領衣索比亞，刺激了墨索里尼的胃口，任何能以相對較小代價取得的殖民地都讓他躍躍欲試。希特勒尋求生存空間，但他眼中的生存空間顯然是個伸縮自如的概念，只要一有機會就會無限延伸，入侵波蘭最終使他捲入了他不想面對的國際大戰。日本與德國都對於蘇聯未來的威脅感到憂慮，然而兩國的對外擴張卻適得其反地取得與蘇聯接壤的漫長邊界。以日本來說，結果就是在一九三八年與一九三九年夏天與紅軍發生兩起嚴重的邊境衝突。一九三九年的衝突以日軍失敗告終，但當時歐洲的局勢動盪不安，雙方都不想引發全面性的戰爭，兩國因此於九月十五日簽訂停火協定。[128]希特勒藉由《德蘇互不侵犯條約》延緩與蘇聯的潛在衝突，但他知道德國占領波蘭之後便與蘇聯有了共同邊界，而這個邊界不可能長期維持。除此之外，位於遙遠大西洋彼岸的美國正注視著新帝國的擴張，其態度也難以預測。義大利、德國與日本的共同連結在於三國都不願意放棄到手的領土。對這三個國家來說，這些領土是透過征服取得的成果，這些「鮮血的犧牲」可不能像一戰後那樣遭到放棄。除非發動大規模戰爭，否則其他國家不可能將這些新帝國主義者逐出其新領土。領土至上原則因此是一把雙面刃，帶來禍福相倚的結果。

英法走向二戰的曲徑

二戰的最終爆發，其實是倫敦與巴黎當局的決定，是英法決定對德宣戰，而非反過來。希特勒希望鞏固征服波蘭的成果，完成德國對中歐與東歐的支配，他不願與兩個西方帝國爆發大戰。然而事與願違，一九三九年的英法已有足夠的信心，兩國自認軍事與經濟力量長期而言可以擊敗德國，而且兩國民眾過去十年來一再面臨類似的重大國際危機，因此已逐漸相信唯有重拾一九一八年的路線再次與德國開戰，才能一勞永逸地解決這個問題。對英法來說，一旦宣戰，後果將會比德義日三國進行的小規模侵略戰爭更加嚴重，因為英法的戰爭將會是一場全球戰爭，勢必衝擊它們分布在各大陸的帝國利益。更不用說英法面對的威脅不僅限於一個戰場，而是三個戰場。而英法之所以首先針對德國，部分是因為突如其來的波蘭危機，但主因還是英法這兩個一戰戰勝國認為一九一九年和約留下的待解難題，使得第二回合的歐洲戰爭無可避免。兩國都希望戰後能建立更具韌性的國際秩序，使歐洲與歐洲殖民帝國的和平都能獲得永久的保障。

這是英法兩國在忍受長年動盪後做出的決定，但在一戰的慘痛經驗下，這依舊是一項極為困難的重大決定。雖然德義日的領導高層預料未來將與挑戰自己帝國野心的國家發生嚴重衝突，卻也都不希望這場衝突在一九三〇年代發生。另一方面，英法的政治家則深信，如果爆發新的大戰，那就將是一場全新的「總體戰」，更加致命，代價也更加高昂，因為新武器殺傷力更強，戰爭對經濟穩定也將帶來更深刻的威脅。因此，只有在帝國安全與民族存續遭受嚴重且無可挽回的威脅時，英法才認為有理由開戰。英法認定軸心國的日趨好戰與軍事成長都是針對自己而來，是一九一四年強權爭霸的延續。然而，德義日三國對戰爭的看法卻與英法不同，它們對戰爭抱持著功能性的觀點，認為戰爭是帝國為了確保區域支配的必備手段。德國是軸心三國中最令英法恐懼的，不只是因為德國潛在的軍事與經濟實力，更是因為希特勒本人體現了對西方文明觀與價值觀的敵視。整個一九三〇年代，西方主要民主國家都希望自己對危機的判斷是錯誤的，也希望自己反對的那些新世代威權政治家能跟自己一樣厭惡一戰的可怕流血衝突重演，因此不會做出英國政治人物喜歡形容的「瘋狗行為」。[129] 這些是英法的主要關切，也解釋了兩國處理一九三〇年代國際危機時何以採取謹慎態度，以及到了一九三九年終於必須面對災難時，兩國為何最終做出了宣戰的決定，無論這項決定將造成什麼後果。

英法政府不願在一個世代內裡發起第二場世界大戰，這樣的猶豫心態也反映在廣大民眾身上。在戰間期，英法兩國的輿論都對「以戰爭解決未來衝突」的心態抱持敵意，害怕戰爭可能造成的後果。民眾對戰爭的憂心遍及各年齡層，從曾經歷經過壕溝戰而不想再看到任何戰爭的退伍軍人，到一九三〇年代的年輕社會主義者與共產主義者，對他們而言，和平是一項政治承諾。就算絕對的和平主義（在法國稱為「完整和平主義」）只占反戰運動的一小部分，但絕大多數人依然反對開啟新戰端。最主要的反戰團體是英國國際聯盟聯合會，名義會員有一百萬人，該會在英國各地鼓吹和平，反對戰爭威脅。一九三六年，和平主義會議在布魯塞爾盛大召開，會中決定整合西歐的反戰團體與和平主義團體，共同推動國際和平運動；這場運動的英國代表是塞西爾勳爵（Lord Cecil），他是國際聯盟聯合會主席，也是體制內的重要人物。[130]直到一九三九年為止，反戰的遊說團體持續推動和平方案。英國全國和平會議於一九三八年進行請願，要求召開「新和平會議」，他們後來還趕在英國首相張伯倫發表歷史性宣告，表示英國將保證波蘭主權完整的前幾天，蒐集了一百萬份和平連署書呈交給英國政府。[131]反戰運動之所以廣獲支持，主要是因為民眾普遍相信未來的衝突必將針對平民進行攻擊，包括使用各種大規模殺傷性武器，如空襲、毒氣戰乃至於細菌戰。對於空襲的恐懼如此強烈，使英法部分政治人物甚至為此表示，必須盡一切努力避免爆發全面性戰爭，特別是針對德國，否則結果將是脆弱城市遭到毀滅性的空襲。[132]從一九三八年四月開始擔任法國總理的達拉第（Édouard Daladier），同樣認為轟炸是「對文明本身的攻擊」，他的外交部長邦內（Georges Bonnet）是和平主義的忠實支持者，邦內在一九三八年召開慕尼黑會議前表示，「戰爭時的空襲」

將導致革命爆發。[133]捷克危機前夕，張伯倫告訴內閣，當他從德國飛回英國且行經倫敦上空時，他想像德國的高爆炸藥與毒氣彈像冰雹一樣落在首都時的景象：「我們絕不能忘記，今日戰爭對於全國每一位民眾的家都構成直接威脅。」[134]

英國與法國這兩個帝國在全球所面臨的安全威脅，加上戰爭可能造成龐大花費與風險，使兩國對於再度開戰興趣缺缺。我們也不能忘記，英法雖然是國聯體系的領袖，而且直到一九三〇年代中期為止仍是世界上軍力最強大的強權，但兩國畢竟與一九九〇年代的美國不同：英法相對而言是正走入衰退的國家，不僅在全世界都擔負義務，在國內也有不滿的選民不願輕易支持戰爭，兩國經濟才剛從經濟衰退中逐漸恢復，因此任何將資源移轉到大規模軍事支出的決定都必然導致社會需求的犧牲，難以符合國內民眾對經濟發展的期待。在這種狀況下，要維持既有國際秩序與帝國安全，又要避免大戰，就必須採取極為複雜的平衡手段。與德義日這三個侵略國不同，英法可以從既有世界秩序獲得許多既得利益，所以即便在當時與今日都有許多人批評英法應該積極干涉，但若兩國真的早一步對這波新帝國主義發動戰爭，反而會讓人感到驚訝。畢竟對於英法這兩個全球帝國來說，在一個快速變遷的世界裡貿然放棄和平發動戰爭，冒的風險實在太大。英國海軍參謀總長在一九三四年表示：「我們已經取得世界絕大部分地區，或世界上最好的地區，我們唯一要做的就是守住已有的一切，阻止任何人奪走。」[135]一九三六年，當英國國會討論是否要將坦加尼喀（Tanganyika）託管地交還給德國時，當時的殖民地大臣艾登（Anthony Eden）表示反對，他認為「所有領土移轉都存在著巨大的道德與法律障礙」。[136]一九三八年的英法民意調查顯示，絕大多數民眾都反對讓渡海外領土，高達百分之七十八的英國受訪者寧可戰爭也不願放棄任何英國託管的前德國殖民地。當義大利要求取得突尼西亞與科西嘉時，法國總理達拉第於一九三八年十一月公開回應：法國「寸土不讓」。[137]直到一九四〇年五月的極端危急時刻，英法兩國才考慮放棄領土以換取義大利在法國戰役保持中立。儘管如此，當英國戰時內閣討論是否要將馬爾它交給義大利時，多數人依然反對，雖然差距只有一票。[138]

儘管英法在一九三〇年代不斷強調帝國統一的重要性，以及各種形式的帝國統治可以帶來的利益，帝國的海外領土依然是造成內外部麻煩的源頭。好比英法在中東的託管地與法屬北非持續爆發阿拉伯人的抗爭。英國在一九三二年同意讓伊拉克託管地自治（但英國仍擁有非正式的控制權），又在一九三六年與埃及簽訂條約，承認埃及實質獨立與兩國共管蘇伊士運河。英國還需要在巴勒斯坦維持兩個師的部隊編制，以鎮壓阿拉伯人暴動或遏止阿拉伯人和猶太人之間的衝突。巴勒斯坦問題是英國戰間期面臨的最大軍事衝突，英國的強硬鎮壓導致阿拉伯人至少有五千七百人死亡與兩萬一千七百人重傷，安全部隊不經審判便囚禁民眾與恣意進行拷問。[139]在印度，英國也在一連串暴亂與暗殺之後實施了「戒嚴法」，更在一九三〇年到一九三四年的高壓統治時期逮捕了民族主義與共產主義反對者入獄，政治犯的總數達到八萬人。面對罷工與抗爭，殖民軍警的因應方式就是開槍。一九三一年三月在孔坡（Cawnpore）有一百四十一人被殺，一九三五年三月在喀拉蚩（Karachi）有超過四十七人被殺。[140]印度最終於一九三五年獲得有限自治，但只有百分之十五的人口獲得投票權，主張完全獨立的印度國大黨雖然獲得國會多數，但依然對現狀感到不滿。英國在非洲與加勒比的殖民地受到經濟衰退重創，頻繁爆發罷工活動與勞工抗爭，此外還有坦加尼喀、北羅德西亞、黃金海岸與千里達需要治理。在非洲銅礦帶，一九三〇年代中葉的罷工潮導致許多工人被殺；一九三七年在加勒比殖民地巴貝多也出現民眾抗議經濟艱困，結果有十四人被槍殺與遭刺刀捅死。[141]

帝國內部的抗爭，部分來自於一九一九年興起的民族主義運動。對於民族主義者，帝國有時以讓渡有限主權的方式進行攏絡，如伊拉克或伊朗，有時則以簡易程序加以逮捕，打壓反帝國組織與出版品，如一九三九年法國針對整個帝國發布戒嚴令。除此之外，許多窮困工人與農民的抗爭都被歸咎於當地的共產主義運動，而帝國對於共產主義者的打壓一向不遺餘力，往往毫不留情地予以流放、囚禁與壓迫。[142]共產主義是一種國際運動，在意識形態上致力於終結殖民帝國，這也是為什麼英法對於共產主義如此焦慮。當英國空軍部於一九三〇年代中期開始計畫「理想」的遠程轟炸機時，軍方考量的依據不是德國的威脅，而是與蘇聯的可能衝突：要讓飛機能夠從大英帝國的空軍基地起飛，轟炸蘇聯的城市與工業區。這種長距離轟炸也有助於「帝國鞏固」，對抗共產蘇聯的威脅。[143]對共產主義的恐懼，也能夠解釋英法對西班牙內戰的矛盾態度：兩國選擇了不干預政策，不對民主的共和政府伸出援手。由於民眾普遍害怕全面戰爭，加上全球帝國遼闊，難以適當地因應外來威脅與內部的政治抗爭，因此減少風險便成了一九三〇年代英法的戰略核心。

這種避免風險的策略，經常被後世定義為「綏靖主義」（appeasement）。然而，正如綏靖主義的支持者英國首相張伯倫日後所言，這是個不幸的詞。每當西方回應獨裁政權的方式遭受批判與帶有敵意的分析時，「綏靖主義」一詞往往就會成為替罪羊；只要西方未能以堅定態度回應安全威脅，也會被冠上綏靖主義。[144]然而，用綏靖主義形容英法一九三〇年代的戰略其實是嚴重的誤解。首先，綏靖主義意謂著英法之間有著共同利益，兩國負責戰略判斷的官員、政治人物與軍方有著共通的想法。但在實際上，當時並不存在一成不變的綏靖主義政策。英法的政策反映出兩國的各種假定、希望與期待，回應情勢變化而隨之調整。政治決策者有各式各樣的選項，但目標都是為了維繫英法戰略的關鍵要素：帝國安全、經濟力量與國內安定。事實上，我們其實更適合用二十年後冷戰時期常見的兩個詞來描述一九三〇年代的英法戰略，那就是「圍堵」（containment）與「嚇阻」（deterrence）。[145]英法在一九三〇年代處理國際問題的方式並非軟弱無能或一味推卸責任，而是持續努力解決（儘管有時前後矛盾）與日俱增的國際不安與維持帝國現狀。

圍堵有多種形式，從法國在東歐維持的同盟體系，到一九三五年《英德海軍協定》（Anglo-German Naval Agreement）對德國海軍軍備加諸的限制，都能算是圍堵的展現。我們今日或許會把圍堵視為一種「軟實力」。經濟特許或協定也是圍堵策略的重要部分，而貿易協定或借款通常能緩和潛在敵人的敵意或贏得友好關係。英國尤其認為，歐洲若想達成全面的和解（張伯倫稱之為「大和解」），列強就必須坐下來一起修改《凡爾賽條約》與之後的各項協定。雖然這項想法從未經過嚴格檢驗，但它顯示英國願意有彈性地修改戰後秩序，前提是各方必須在相互接受的基礎上進行協商。在美國，羅斯福總統的圍堵觀念反映在他的「世界新政」（New Deal for the World）之上：他認為唯有孤立侵略國後，才能以和平手段進行協商。一九三〇年代的西方試圖圍堵危機，但終告失敗，西方國家不斷嘗試要控制德義日造成的損害，反而引起這三個國家的憎恨不滿，與西方國家的關係日趨惡化。這一切光用「綏靖主義」一詞並不足以形容箇中的複雜。[146]

在羅斯福主政下，美國政府也傾向於圍堵新帝國主義者，而美國的首要目標在於防止新帝國主義者入侵西半球。羅斯福出乎意料地嚴肅看待日本或德國入侵的可能，他認為這兩國可能經由中美洲與南美洲威脅美國。防衛西半球因此成為美國最重視的戰略，因為這項戰略讓美國既不用積極向海外派兵，又能滿足國內孤立主義的輿論。孤立主義政治人物在一九三五年與一九三七年在國會推動《中立法案》（Neutrality Laws），限制總統的權限，但《中立法案》並未限制美國對西半球的威脅進行圍堵，因此一九三八年的《文森法案》（Vinson Act）才得以將美國海軍規模擴充到一九三〇年《倫敦海軍條約》的上限。[147]美國擔心德國飛機可以從南美洲起飛轟炸巴拿馬運河，也憂慮日本人可能出兵奪取運河，於是擴充巴拿馬運河的美軍基地，最後總計設置了一百三十四處陸海空軍事設施。[148]美國為了反制日本與德國在西半球進行政治宣傳與獲取經濟利益，於是資助親美報紙與搶先購買侵略國需要的稀有原料。在巴西，關於德國可能併吞巴西德裔居民居住區的傳言甚囂塵上，華府於是與巴西簽訂武器協定，之後又於一九四一年保證協助巴西抵禦任何外來威脅。[149]然而這些措施與協定都與干預世界衝突無關，因為美國在海外並無託管地。一九三六年，美國首次進行的實驗民調顯示，百分之九十五的受訪者希望美國遠離所有戰爭。一九三九年九月，只有百分之五的受訪者願意協助英法。[150]

圍堵的另一面是嚇阻。早在核子僵局出現之前，一九三〇年代已經廣泛使用嚇阻一詞。

一九三九年波蘭危機前夕，張伯倫對他妹妹說的一句話就總結了嚇阻的意義：「你不需要充足的進攻兵力來贏得非凡的勝利，只需要充足的防守兵力，讓進攻方不可能取勝，或即便能夠取勝卻得不償失。」[151]整個一九三〇年代，英法兩國都從原本僅有有限的軍事支出，轉換成大規模與昂貴的軍事準備。英法的重整軍備不是因為德國入侵捷克斯洛伐克與波蘭才突然做出的回應，這項政策至少早在一九三四年就已經開始，而且在國內遭受強烈的反對。一九三六年之後，英法重整軍備的速度開始加快。英國政府在一九三〇年代中期已經察覺到來自各方的潛在威脅，促使他們進行大規模重整軍備。一九三三年十一月設立的國防需求委員會於一九三六年提出建議，為了防衛帝國就必須大幅增加軍事支出，而且必須優先擴充皇家海軍與建立一支可攻可守的強大空中武力。英國推動了為期大約四年的計畫，軍事支出從一九三六年的一億八千五百萬英鎊，增加到一九三九年的七億一千九百萬英鎊。英國情報單位認為，英德至少要等到一九三〇年代末才有可能開戰，因此英國與德國國防支出的增加都呈現相同的上升軌跡：只不過英國是從一九三四年就開始提升，甚至比德國還早。[152]

除了本土防禦，英國也針對海外領土做準備。英國軍隊駐紮在整個中東地區，包括伊拉克、約旦、埃及、賽普勒斯與巴勒斯坦。埃及的地位尤其重要，蘇伊士運河更被視為「帝國的中心」，因為運河是聯絡英國歐亞領土的海上樞紐。一九三六年的《英埃條約》允許英國在蘇伊士運河駐兵一萬人，並以亞歷山卓港做為海軍基地。為了防守大英帝國位於蘇伊士運河以東的領土（大約占了大英帝國領土的七分之五），英國國會於一九三三年批准在新加坡興建大型海軍基地，耗資六千萬英鎊，於五年後完工。[153]在日本大舉入侵中國下，遠東的局勢構成更大的挑戰，要在香港防禦日軍顯然是不可行，但英國持續借款與提供物資給中國軍隊，使英國得以進行所謂的「代理人戰爭」來捍衛英國與中國的利益。[154]儘管如此，對於在日軍威脅下逐漸陷入孤立的澳紐來說，這些防禦投資並不能緩和紐澳兩國的焦慮。但英國別無選擇，海外領土的幅員廣大，英國即使不斷加強防衛兵力，但分攤到帝國各地的結果，只是讓軍力更形單薄。

法國也在一九三〇年代大舉擴軍，法國的陸軍規模遠大於英國，海軍也相當可觀。一九三〇年代中期的經濟危機使法國縮減軍事支出，但到了一九三六年，在德國重新駐軍萊茵蘭的刺激下，法國新選出的「人民陣線」（Popular Front，結合左翼與中間偏左政黨）政府決定推動大規模重整軍備計畫，就像英國與德國一樣，法國計畫在一九四〇年達到軍力的巔峰。法國的軍事支出從一九三六年的一千五百一十萬法郎增加到一九三九年的九千三百六十萬法郎。對法國來說，首要之務是建立馬奇諾防線，並在防線上駐軍與設立軍事設施。法國相信建立馬奇諾防線是必要的，因為法國與德國的人口有一段差距。對於部署在馬奇諾防線以外的陸軍，法國總司令部根據一九一八年成功擊敗德軍的戰役發展出一套理論。這套理論以強大火力為中心，主張以強大火力協助攻擊或壓制來犯敵軍，並且由機動性有限但仍被視為「戰爭之后」的步兵逐步占領土地。火力運用是一種「有序戰爭」（methodical battle），需要高度集權與依照上級指示行事。在這種戰爭邏輯下，戰車與飛機只是輔助性武器，是戰爭的配角，而非用來進行機動戰。大砲與機關槍是作戰關鍵，步兵只會在「彈幕」掩護下前進。[155]這種作戰理論是以法國本土做為預設戰場，這意謂著法國決策者有意忽略帝國海外領土，因此殖民地必須負擔自己的國防支出。阿爾及利亞人必須支付二億八千九百萬法郎，來為凱比爾港海軍基地換裝現代化設施；印度支那完全未設置任何重要的海軍基地，時任海軍總司令的達朗海軍元帥（François Darlan）否決了在金蘭灣興建潛艦基地的計畫。達朗明白表示，法國沒有能力在開戰後保護位於亞洲的海外領土。[156]

嚇阻政策的基本架構可以在一九三八年九月慕尼黑危機期間清楚看出，一年後這樣的做法則更加明顯。圍堵與嚇阻是一體兩面，透過這兩種策略，英法不僅可以避免戰爭，還可以維持強大的武力維護自身的全球經濟與領土利益。然而必須一提的是，早在一九三九年九月歐戰爆發之前，英法這兩個重要民主國家就曾數度與新帝國主義國家瀕臨開戰邊緣。英國在中國的華南地區與日軍維持著脆弱的停戰狀態，雙方的緊張關係隨時可能一觸即發；英國也在一九三五年到一九三六年的衣索比亞危機做好與義大利發生衝突的準備，避免義大利威脅英國在中東與非洲的帝國利益。一九三五年八月，英國派出二十八艘軍艦與勇敢號（*Courageous*）航空母艦前往亞歷山卓港，藉此警告義大利人不要輕舉妄動。英國也增強了位於中東的英國皇家空軍，並派出更多陸軍增援部隊。當地的英國海軍將領一度打算先發制人，但英國帝國參謀本部與法國政府都想避免戰爭，因為真正開戰反而可能損害帝國在該地區的利益。[157]到了一九三八年與一九三九年時，輪到法國有了迅速擊潰義大利艦隊的機會，但這一次是英國出面阻止，因為英國希望以謹慎的外交手段離間墨索里尼與希特勒的關係。

這種透過達到戰爭邊緣來逼迫對方讓步的「邊緣政策」（brinkmanship），最清楚的例證就是一九三八年的捷克斯洛伐克危機。在慕尼黑會議中，德國的威脅與英法的背叛，迫使捷克政府允許德國占領說德語的蘇台德區，這起事件經常被當成綏靖主義欺瞞與軟弱的明證。但事實上，慕尼黑會議成功阻止希特勒為了取得生存空間而發動戰爭的野心，因為當時希特勒認為與英法發生大規模衝突的風險實在太高。從當時的視角來看，希特勒確實被迫接受英法允許的領土變更，這算是圍堵政策獲得的成果，儘管最後犧牲了捷克的利益。在慕尼黑會議召開前的一個星期，英法武裝部隊已經進入警戒狀態。皇家海軍接到動員令，倫敦的公園也迅速挖好壕溝做為臨時空襲避難所。九月二十四日，法國發布動員令，一百萬人進入戰備狀態，不過法國與英國帝國參謀本部都覺得此時透過戰爭恐怕也無法阻止德國，因為重整軍備計畫只進行了一半，而馬奇諾防線也尚未完成。[158]

考慮到軍事動員曾是一九一四年扣動一戰的扳機，因此英法動員一事大為出乎希特勒的意料之外。就在計畫入侵捷克斯洛伐克的前幾天，希特勒還向憂心忡忡的軍事將領們保證英法絕不會干預。英法確實擔心就算對德開戰可能也無法取勝，但英法兩國都不想讓德國輕易地入侵與征服捷克。到了一九三八年九月二十五日，希特勒「因為張伯倫展現的堅定立場而退縮」，柏林當局對這位英國領導人有了非常不同的看法。[159]兩天後，當希特勒也打算跟進下達動員令時，張伯倫派了個人使節赫拉斯．威爾遜爵士向希特勒傳達訊息，威爾遜甚至向口譯員重複兩遍以確保希特勒瞭解訊息內容。威爾遜爵士表示，如果德國攻擊捷克斯洛伐克，法國將依照條約出兵攻打德國。威爾遜又說，在這件事情上「英國基於道義必須支持法國」。[160]希特勒憤怒地表示，若真是如此，那麼歐戰將在一個星期內爆發。話雖這麼說，這場會議卻讓希特勒喪失了信心。第二天早上，法國大使重申中立場，表示法國將反對德國入侵捷克。當天稍晚時，戈林帶著一批代表團前來會見希特勒，藉此詢問希特勒是否無論如何都將發動一場全面戰爭。希特勒回道：「你是什麼意思？什麼叫無論如何？我當然不想發動戰爭！」[161]在這個關鍵時刻，墨索里尼在英國慫恿下向希特勒提議召開會議解決爭端，希特勒雖然感到不悅，但還是同意了這項建議。希特勒的副官在日記裡寫道：「元首不想戰爭」與「元首最不希望的就是與英國開戰」。柏林當局明顯做了讓步。九月二十七日的另一則日記裡寫道：「元首已經讓步，而且是徹底讓步。」兩天後更補上一句：「元首做出重大讓步。」[162]

歐洲成功在一九三八年避免了一場戰爭，不只是因為英法政府害怕戰爭，也是因為希特勒不敢跨過戰爭的門檻。值得一提的是，當英國首相張伯倫會後搭車行經慕尼黑街頭時，受到德國群眾的熱烈歡呼，大家都因為不用開戰而鬆了一口氣。英法也感到如釋重負，認為和平獲得了保全。法國婦女縫製手套給張伯倫，讓他搭機往返英德時不會著涼，巴黎的一條街隨即改名為「九月三十日街」，還有人發明了一種名叫「張伯倫」的新舞蹈，不過發明者原意可能是為了諷刺張伯倫。[163]慕尼黑會議結束後的隔天，法國媒體《時報》（*Le Temps*）表示法國肩負著全球帝國的重任，對和平有著「深刻而絕對」的需要。[164]英法兩國是否可能在一九三八年對德宣戰？這個問題恐怕只能停留在猜測階段，但至少我們可以確定的是，由於希特勒認為風險太大，英法因此得以免於開戰。當一年後又出現德國威脅波蘭主權的危機，此時的英法同樣接受了可能開戰的現實，但兩國仍希望希特勒能再次在嚇阻下懸崖勒馬。英法在九月一日德國入侵波蘭的前一刻仍然認為，如果兩國能清楚表明開戰的決心，希特勒應該會再次避免冒險。

從一九三八年九月到一九三九年九月的這一年間，許多因素出現了變化，使得英法國政府更有信心對德國威脅波蘭之事採取強硬立場。捷克危機並未導致戰爭，眾人暫時放下心中大石，但張伯倫與達拉第並未因此抱持幻想。兩人明白若希特勒繼續向東歐擴張，兩國必將動用武力加以阻止。然而英法也不排除使用外交途徑或經濟協定，這兩種做法也可能阻止德國進一步擴張，而且英法在一九三九年也確實嘗試過這兩種做法。然而，當德軍於一九三九年三月十五日占領捷克並在當地建立保護國時，民主國家已經明白下一步就是戰爭。張伯倫很快就從情報單位得知德國即將攻擊波蘭，於是便於三月三十日在下議院主動提出保證波蘭主權完整的聲明。幾天後，法國也呼應英國的聲明保障波蘭獨立，還另外加上羅馬尼亞與希臘兩個國家。波蘭本身對英國或法國而言並不是那麼重要，也並非英法與德國攤牌的根本原因，幾乎是在偶然之間才成為雙方衝突的觸發點。英法並不知道波蘭曾在一九三九年初拒絕向德國讓步，當時德國要求波蘭歸還但澤自由市與建立「波蘭走廊」使德國能連結前普魯士領土，而波蘭的拒絕促使希特勒於該年四月下令軍事準備，計畫在八月底出兵消滅波蘭。如果德國真的入侵波蘭，那麼英國與法國將不可避免捲入這場戰爭。從捷克危機到波蘭危機這段期間，英法兩國終於同意協調彼此的行動。法國原本在一九三〇年代並不確定英國是否會在歐洲有事時從旁協助，因此在出兵上有所顧忌。一九三九年二月，英法終於同意兩國進行參謀人員對話，並於三月擬定「戰爭計畫」，基本上遵循一九一八年的致勝策略：前三年先透過法國要塞、經濟封鎖與空中行動來壓制德國，希特勒就算不願投降，也將缺乏資源抵抗英法的後續進攻。這項計畫的結論是，只要能夠「讓英法兩大帝國傾盡全力，我們對戰爭的結果就充滿信心」。[165]

一旦戰爭真的在一九三九年爆發，英法兩國都必須確保海外的帝國領土都會齊心協力投入這場戰事。對英國來說，帝國的其他成員是否願意投入戰爭仍有變數，因為絕大多數自治領都曾在捷克危機時表達不支持戰爭的立場。但到了一九三九年春，加拿大總理麥肯齊・金（Mackenzie King）在國內民眾的支持下，表態支持英國進行歐戰，澳洲與紐西蘭政府也隨後跟進——部分是因為新加坡海軍基地於一九三八年落成，部分是因為大英帝國內部開始出現「團結一致」的呼聲。南非的阿非利卡人（Afrikaner）社群強烈反對戰爭，且直到歐戰真正爆發時，南非白人對於是否參戰依然看法不一。直到新任南非總理史莫茲（Jan Smuts）說服議會，主張宣戰可以保護南非自身的利益，避免德國新殖民主義的威脅，南非才正式加入英國參戰。而在印度，英國印度總督林里斯戈勳爵（Lord Linlithgow）直接在戰爭爆發時宣布，無論印度民眾有何看法，印度都將參戰。[166]法國急欲推動歐陸優先的戰略，因此法蘭西帝國的海外領土對於一九三九年歐戰的支持便顯得格外重要。這種急迫感部分反映在官方的政治宣傳口號「帝國救法國」（le salut par l'empire）之上，尤其在戰爭爆發前的幾個月更是明顯。達拉第總理一方面下令加緊打壓殖民帝國的政治異議人士，另一方面卻又在官方宣傳刻意強調「擁有一億多人的法蘭西帝國絕不可能被擊敗」。政府計畫在殖民地徵集大量士兵到法國服役，或者是將駐防海外的法軍調回國內，包括西非的五個師，印度支那的一個師，北非的六個師。到了一九三九年，從海外調回本土的軍隊總數已達到五十二萬人。[167]雖然法國無法整合海外帝國經濟以生產更多戰爭物資，但至少有能力讓海外領土供應更多的原料與糧食來支持戰爭。相較於海外補給線隨時可能被英法海軍切斷的德國，英法的優勢之一便在於有帝國海外領土做為後盾。

最後一項變化便是民間心態的轉變。英法兩國的民眾在《慕尼黑協定》後一度如釋重負，然而隨著軍事與戰略局勢的變化，老百姓的情緒也開始出現轉變。就在《慕尼黑協定》簽訂後沒多久，民調便已顯示絕大多數民眾傾向於不再對德國讓步。一九三八年十月，法國的民調顯示高達七成民眾不願讓步。一九三九年的跨國民調更顯示，高達百分之七十六的法國受訪者與百分之七十五的英國受訪者支持使用武力維護波蘭但澤自由市的地位。[168]更重要的是，英法國內反戰團體的態度也出現一百八十度的轉變。英法民眾對於歐洲危機的反應不同於一九一四年的民族主義熱潮，而是植根於更深刻的信念：他們相信國際主義的崩潰與軍國主義獨裁政體的興起，將對西方文明造成嚴重的挑戰，而他們不願坐視這樣的事情發生。這是一種莫可奈何的情緒，因為民眾顯然不希望發生戰爭，但基於對民主價值的責任感，以及不願看見今日許多作家所說的黑暗時代降臨，因此不得不面對即將戰爭的現實。一九三九年，英國學者伍爾夫在《門口的野蠻人》（*Barbarians at the Gate*）中向自己的同胞提出警告，人們眼中視為理所當然的現代世界，其實遠比想像中還要脆弱。[169]

一九三九年民眾心態的轉變還不至於讓戰爭難以避免，然而一旦波蘭成為德國入侵的目標，想要避免戰爭就變得相當困難。法國政府希望能與蘇聯達成協議，藉此形成包圍德國的態勢，此外也希望從美國獲得援助。法國政府於一九三八年與一九三九年向美國下了大筆訂單，訂購了大量飛機與航空發動機。儘管法國保守派懷疑蘇聯的動機，但兩國還是在一九三九年夏末針對軍事協定進行磋商。由於最終無法說服波蘭政府與總司令部同意讓蘇聯駐軍波蘭，協商最後不了了之。英法軍事高層都認為紅軍不是可靠的軍事盟友，也誇大了波蘭陸軍的潛在實力，波蘭在一九二〇年擊敗紅軍的歷史更加深了他們的錯誤印象。當德蘇於八月二十四日宣布簽訂互不侵犯條約時，張伯倫痛罵「俄國背信棄義」，但張伯倫一向不熱衷於與蘇聯軍事合作。對英法來說，《德蘇互不侵犯條約》的簽訂並不影響兩國保護波蘭不受德國侵略的承諾。[170]史達林接下來是否會進一步跟德國締結軍事同盟，引起了各方揣測，但至少當時尚未成為定局。[*]比起納粹德國，《德蘇互不侵犯條約》其實對史達林與蘇聯更為有利，也符合蘇聯在意識形態上支持的資本主義與帝國主義國家之間的戰爭。一旦雙方真的開戰，共產蘇聯就可以漁翁得利。

希特勒有沒有可能被英法迅速重整軍備及民主國家普遍興起反法西斯浪潮這兩件事給嚇阻？這樣的推測不見得完全沒有根據。畢竟希特勒也曾在一九三八年因情勢不利而打消開戰的念頭。英法情報也顯示德國內部出現嚴重的經濟危機，甚至有出現反希特勒政變的可能。即便是在一九三九年九月一日德國入侵波蘭之後，張伯倫還是給予希特勒機會，希望他會自行撤軍，以免引發世界大戰。九月二日，義大利高層一度提出開會協商的建議，如同一九三八年九月墨索里尼出面干預那樣。英國外交大臣哈利法克斯勳爵（Lord Halifax）告訴義大利外交大臣齊亞諾，英國的和談條件是「德軍必須撤出波蘭」，但這卻是一個德國方面不可能接受的條件。[171]過去曾有歷史學家試圖證明張伯倫直到最後一刻都想要擺脫對波蘭的承諾來避免戰爭，但最終未能找到可信的證據。當時德國唯有完全接受英法的要求，從波蘭撤軍，才有可能避免第二次世界大戰。然而到了九月一日，這樣的可能性已經趨近於零，此時無論是圍堵還是嚇阻都已經不管用。九月三日早上十一點十五分，張伯倫宣布英國進入戰爭狀態，同一天下午五點，達拉第也宣布法國進入戰爭狀態。帝國主義菁英與民主派反法西斯主義者的暫時結盟共同促成了這場新世界大戰。英國陸軍參謀總長在日記裡記下：「我們不能輸。」[172]

帝國之戰：西線戰場

英法在一九三九年九月對德宣戰，徹底改變了一九三〇年代的對抗本質。希特勒自認對波蘭發動的有限戰爭是為了替德國爭取生存空間，在他的眼裡，這樣的戰爭完全站得住腳，因為在此之前存在的歐洲大型帝國也是透過戰爭取得帝國的領土。十月六日，也就是波蘭投降後的一個星期，希特勒向民主國家提出「和平要求」，他嘲弄這些國家指責他搶奪數十萬平方公里的土地，卻忘了自己在全世界統治四千萬平方公里的土地。[173]另一方面，英法把這場衝突視為對抗新一波帝國建立浪潮，即使英法尚未對義大利與日本宣戰，但兩國已經把這場危機視為全球性的戰爭。英法只希望義大利與日本不會趁自己在歐洲對德作戰的時候繼續擴張，正如英法希望蘇聯不會利用《德蘇互不侵犯條約》反過來對英法遼闊的海外領土施加壓力。與此同時，英法也尋求美國的道德支持，以及帝國海外領土積極提供人力、金錢與補給。決定二戰未來樣貌的，不只是德國對東歐的野心，雖然德

＊ 編注：當時西方尚不曉得德蘇之間另外訂有瓜分東歐勢力範圍的密約。

國入侵波蘭確實觸發了這場衝突，但真正的關鍵還是英法在九月三日對德宣戰。從德國人的觀點來看，這場戰爭因此是外在力量強加在德國身上。英法宣戰的第二天，希特勒在廣播中向德國民眾發表演說，他並未指責英法該為德國面臨的戰爭負責，而是將這一切歸咎於「猶太與民主的國際敵人」，是他們在背後指使英法宣戰。[174]如今對希特勒來說，這場戰爭已經變成兩場戰爭：一個是對抗第三帝國的帝國敵人，另一個是對抗猶太人。

英法宣戰後的情況與一九一四年大不相同。一戰爆發時，衝突一開始就有數百萬人趕赴戰場，傷亡人數也極其巨大。但在一九三九年，英法明知德國忙於入侵波蘭而無暇分兵進攻西方，但英法卻無意派兵到波蘭協助抵抗。事實上，英法兩國已私下認定波蘭無可挽救，法軍總司令甘末林將軍（Maurice Gamelin）只向波蘭做了有限承諾，表示法軍將在動員後十五天發動攻擊。九月十日，甘末林告訴波蘭駐外武官，法國半數陸軍已經開始進攻德國西部的薩爾區（Saarland），然而這並非事實。少數法軍部隊推進了八公里，殺死了一百九十六名德國人，然後隨即撤退。[175]甘末林告訴作家莫洛亞（André Maurois），他「絕不會在戰爭一開始就打一場凡爾登會戰」，讓步兵猛攻德軍要塞。他計畫依照法國陸軍的有序作戰理論，打一場「科學戰爭」。[176]西方國家的毫無作為（第一名英軍士兵於十二月九日陣亡，原因竟是踩到法軍地雷），使希特勒重新燃起戰前的希望，也就是同盟國宣戰「只是做做樣子」。史佩爾在回憶錄中提到，西方國家「太軟弱，太無力，太頹廢」，根本無法作戰。[177]波蘭戰役開始的前幾個星期，希特勒下令西線軍隊必須極度克制，他相信只要能快速征服波蘭，就能讓英法接受既成事實。

然而希特勒也認為，一旦德軍在波蘭取勝，在西線也不能只採取守勢。九月八日，希特勒首次提出秋季在西線發動攻勢的想法。九月二十六日波蘭投降前夕，希特勒召集陸軍與空軍將領開會，他強調，到了一九四〇年夏季，同盟國就會在法國集結大量軍隊，德軍必須在盟軍做好準備之前經由低地國早一步攻擊法國，確保空軍與海軍基地以攻擊英國，同時保護脆弱的魯爾工業區使其免於盟軍的攻擊與轟炸。這項計畫於十月九日公布，稱為第六號作戰訓令，又叫「黃色計畫」。但在計畫實施之前，希特勒先行採取一連串動作讓同盟國不得不接受波蘭已經不可能挽回的事實，也就是德國與蘇聯這兩個獨裁政權共同瓜分了波蘭。[178]希特勒十月六日的演說與和平要求在西方產生了各種不同的反應，當時西方依然有遊說團體鼓吹接受現實與德國妥協。達拉第要張伯倫忽視希特勒的說法，「對希特勒置之不理」，但英國仍舊花了數天時間思考如何回應。當時擔任海軍大臣的邱吉爾（Winston Churchill）希望草擬一份「留有協商空間」的聲明，而最後底定的版本雖然主張任何侵略行為都不能獲得原諒，但還是破例給予希特勒機會，只要他願意退出波蘭，就不會遭到任何懲罰。[179]英國的反駁使德國領導高層轉而將英國視為主要敵人，希特勒對他的海軍總司令說道：英國想「消滅德國」。戈培爾命令德國的報章雜誌不許將張伯倫描繪成一個無助而可笑的人物，而應該將其描繪成「邪惡的老人」。[180]

儘管希特勒認為對西方採取速戰速決才是最安全的做法，卻受到陸軍高層的極力勸阻。波蘭戰役顯示，德軍如果要冒險進攻法國，必須做更多訓練、擁有更齊全的裝備與對戰場戰術做更周詳的思考，德軍也需要先休養與重整。陸軍參謀本部軍需處長斯徒普納格（CarlHeinrich von

Stülpnagel）建議，應該要等到一九四二年再發動大規模戰爭。[181]希特勒依然堅持己見，把進攻日期訂在一九三九年十月二十日到二十五日之間。結果視天氣狀況讓想延後開戰的陸軍高層如願以償。一九三九年冬天是二十世紀最寒冷的冬天，入侵時間因此延後到十一月十二日，之後又延到十二月十二日，然後又延到一月一日，最後延到春天的未定日期。與此同時，希特勒的計畫也做了變更。一九三九年十月，希特勒重新檢討是否要直接從平坦的歐洲北部發動攻擊，而他決定集中裝甲師的兵力，改從更南方的位置發動攻擊。只不過希特勒並未因此訂定新的計畫，充分顯示他的猶豫不決。陸軍A集團軍參謀長曼斯坦少將（Erich von Manstein）也認為如果要對法國施予決定性的一擊，那麼就應該在更南方的位置集中德軍裝甲部隊，趁法軍往比利時推進時一舉從南方突破防線，包圍北方的法軍，此即所謂的「鐮割計畫」（又稱「曼斯坦計畫」）。曼斯坦的想法不被上級接受，反而因此被派往東方負責組建軍級單位，上級是想藉此讓他不再發言。一九四〇年一月十日，一架運送文件的德國飛機在比利時緊急迫降，黃色計畫的原始資料就此流入同盟國手中，希特勒與軍方高層對於接下來的攻擊走向因此更加茫然。就在這個時候，希特勒身旁的副官不經意地向他提起曼斯坦的想法。二月十七日，曼斯坦被召回柏林，親自向元首說明他的計畫。希特勒對於曼斯坦的計畫深感興趣，於是下達新的訓令。到了一九四〇年五月，德國已做好在西線開戰的準備，而且採行的就是曼斯坦的「鐮割計畫」。[182]

在同盟國這邊，唯一確定的就是戰爭已經開打，但除此之外的其他考量全都充滿了不確定性。英法原本希望波蘭能抵抗幾個月，然而最後波蘭只抵抗了幾個星期就宣布投降。不過英法起初就計畫打一場長期戰爭，希望像一九一八年一樣，透過經濟匱乏、民眾不滿與最終的軍事對決來擊潰德國，因此即使德軍在擊潰波蘭之後將兵力移轉到西方，英法仍認為不需要急著採取行動。同盟國的情報單位與一般常識都認為德國最早也要等到一九四〇年初才能發動進攻，不過當時依然有不少人擔心德軍會在一九三九年秋末就採取行動。法國總司令部推測德軍可能採取的攻勢與德軍原本的計畫大致相同：馬奇諾防線將迫使德軍進攻比利時狹窄且容易防守的前線，屆時德軍將遭到正面出擊的盟軍擊敗或遲滯。同盟國相信時間站在自己這一邊，因為盟軍正逐漸集結必要的軍力與經濟資源。[183]就像一九一八年一樣，同盟國於一九三九年九月初由軍方與文官高層組成最高戰爭會議，讓英法的合作制度化。同盟國在思考最佳作戰方式時顯然深受一戰經驗影響。十一月同盟國表示將「充分利用一九一四年到一九一八年的經驗」，同時從通訊、彈藥、石油供應、糧食、運輸與經濟戰來對抗德國。[184]

英法之間的軍事合作顯然是更令當時人困擾的問題。經過幾個月的懸而未決之後，甘末林堅持在法國的英軍必須由法國東北前線總司令喬治將軍（Alphonse Georges）指揮。十一月，甘末林擬定作戰計畫，預定盟軍主力將在德軍發動攻勢時同步進入比利時，沿著埃斯科河（Escaut River）或戴爾河（Dyle）一線布防。甘末林最後選擇了戴爾河計畫，因為這條防線能夠保護法國東北部的工業區，但風險是盟軍需要八天抵達戴爾河，之後才能在當地構築堅固的防線。數量不多的英國遠征軍也將隨同法軍開赴比利時。最大問題出在比利時的中立地位。比利時在一九三六年廢除了《法比防禦條約》，堅持不與同盟國進行參謀人員對話，也不允許盟軍進入比利時境內以避免破壞自己的中立地位，這種狀況直到德軍攻入比利時境內才出現變化。[185]比利時堅守中立地位的結果，就是造成盟軍的戴爾河計畫勢必得在倉促下執行。*儘管如此，甘末林仍堅持採取這項計畫，他相信在比利時建立有序作戰的攻守戰略防線仍是法國的最佳選擇。一九四〇年一月，盟軍取得德軍原訂的計畫，但盟軍並未因此重新思考戰略布局，反而因此更加深信在比利時建立防線是正確的決定。[186]

今日我們稱這段同盟國相對無所作為的時期為「假戰」，而此事就連在當時也備受批評。英法兩國輿論都需要一場軍事勝利，否則難以在國內凝聚戰爭共識。法國雜誌《兩個世界的評論》（*Revue des Deux Mondes*）抱怨說，「為和平而戰爭」乾脆直接代換成「為戰爭而和平」。一九三九年十月的《紐約時報》標題寫著：「三十八名戰地記者正在尋找戰爭。」[187]當波蘭在十月遭到擊敗且希特勒提出和平要求時，法西斯右派與和平主義左派都試圖鼓吹妥協換和平，就算他們的比例相對少數，英法國內確實也開始普遍出現對戰爭幻滅的情緒。英國蓋洛普民調在一九三九年十月與一九四〇年二月進行的調查顯示，受訪者願意和談的比例已從百分之十七增加到百分之二十九。[188]一九三九年冬天，同盟國動員大量部隊駐紮在法國邊界，士兵們忍受嚴寒，日復一日的等待使他們感到乏味與士氣低落，也讓人喪失對戰爭的熱情。當時也在前線的法國哲學家沙特（Jean-Paul Sartre）哀嘆說，他與其他士兵每天只是吃、睡與躲避寒冷：「就這樣……我們就像牲畜一樣。」一名被徵召的英國士兵在寒冷的駐地閒晃，感慨「眼前的景象已經演變成一場鬧劇」。[189]

儘管英法努力延續一戰共同合作的經驗，但兩國之間的互信程度仍有待加強，特別是法國政府與總司令部都懷疑英國是否真會為了防衛法國而全力投入陸戰。英國在帝國海外領土的關鍵地區保留了一定的兵力與裝備，這種做法與法國徵調大量殖民地軍隊防守法國本土背道而馳。從英法進行討論之初，就可以明顯看出英國遠征軍建軍的速度十分緩慢，有可能來不及因應德國即將在一九四〇年發動的攻擊。法國動員的部隊達到八十四個師，另外還要算上駐紮在馬奇諾防線的二十三個要塞師。法國情報單位（錯誤地）估計德國可以派出一百七十五個師，因此認為英國必須派出一定數量的兵力才能彌補雙方的數量差距。[190]然而英國派出的部隊在比例上明顯失衡，因為該國在一九三〇年代優先增援空軍與海軍，陸軍則相對受到忽視。宣戰後四個月，英國只派了五個師到法國，等到德軍於隔年入侵時也僅加派八個師前往法國，而且還是裝備相對不足的國土防衛軍（Territorial Army）。戰爭開打之後，英國才派遣第一個也是唯一一個裝甲師到法國參戰。英國帝國參謀本部表示，就算到一九四一年底，英國最多也只能派出三十二個陸軍師前往法國。[191]英國皇家空軍對法國戰役的支援也非常有限。一九三〇年代，英國生產戰鬥機與轟炸機主要是為了保衛不列顛群島，而轟炸機則是為了報復德國的攻擊。英國皇家空軍不願放棄戰鬥機與轟炸機的戰略搭配，結果造成絕大多數英國戰機都停留在英國本土。一九四〇年五月，大約有兩百五十架可用的英國皇家空軍戰機駐紮在法國，只比比利時空軍擁有的一百八十四架戰機多一點。[192]

英法所做的戰爭準備主要以德國做為假想敵，但實際開戰後，沒有人能確定其他各國會出現什

＊ 編注：盟軍必須先等德軍先發動西線攻勢、真正入侵比利時後，才能執行戴爾河計畫，從法國北部出發前往比利時境內構築防線。

麼樣的反應。墨索里尼在一九三九年九月明確宣布義大利為「非交戰國」（墨索里尼選擇這個詞是因為相較於宣布「中立」，「非交戰國」比較不會傷害軸心國的同盟關係），但義大利實際的立場依然難以判斷。法國海軍其實很早就對義大利的貿易進行封鎖，但到了九月十五日，法國卻解除封鎖，並與義大利達成經濟協定，由義大利出口飛機、航空發動機與飛雅特卡車給法國武裝部隊以換取外匯與原料（不過墨索里尼拒絕提供飛機給英國）。義大利外交大臣齊亞諾告訴法國大使，「打幾場勝仗，我們就會站在你們這一邊。」[193]英國確實開始增兵蘇伊士運河，儲藏戰備物資準備因應可能出現的第二戰場。同盟國認為墨索里尼是個投機分子，而他之所以還沒動手，只是因為機會還不夠誘人。[194]日本的動向同樣也難以捉摸。一九三九年夏天，華南的日軍對英法的海外領土施壓，迫使同盟國停止對華南進行貿易，而在歐戰爆發後，日本又進一步限縮貿易。法軍與英軍撤出天津租界，皇家海軍中國艦隊也遷往新加坡。香港被日軍封鎖，定期往返中國大陸與香港的中國船隻也遭日本海軍擊沉。英國不想與日本全面開戰，而此時的同盟國之所以能保有在中國的利益，是因為中國在一九三九年冬天仍能對日軍持續進行抵抗。[195]

在各種不確定中，最危險的就是蘇聯的態度。一九三九年八月，德蘇訂定互不侵犯條約，從那時起，英法就把蘇聯當成潛在敵人，把互不侵犯條約視為實質的同盟關係。我們今日已經知道，史達林當時確實希望互不侵犯條約可以形成以蘇聯與德國為軸心的新歐洲「均勢」。史達林告訴李賓特洛甫，「德蘇合作形成的力量，將使其他國家的聯合相形見絀。」[196]蘇聯入侵與占領波蘭東部，接著又施壓波羅的海國家使其同意蘇聯駐軍，同盟國因此開始為最壞的狀況做準備。張伯倫與達拉第都極為敵視共產主義，他們擔心一旦開始對德作戰，可能會誘使蘇聯侵奪英法在中東或亞洲的海外領土。十月，英國駐莫斯科大使提出長篇報告，分析英國與蘇聯開戰的可能，雖然英國帝國參謀本部反對任何擴大衝突的風險，但仍將對蘇作戰列為同盟國可能必須面對的偶發事件。[197]十一月三十日，在芬蘭政府拒絕將基地讓渡給蘇聯軍隊之後，蘇聯決定出兵攻打芬蘭，這起事件引發英國與法國的強烈抗議。英法都撤回駐莫斯科大使，並於十二月十四日提案將蘇聯逐出國聯。在倫敦，蘇聯大使麥斯基（Ivan Maisky）在遭受反蘇報章雜誌連日批評之後，不禁自問：「究竟誰才是英國現在的頭號大敵？是德國，還是蘇聯？」[198]

蘇芬戰爭意外將斯堪地那維亞半島捲入二戰，也讓同盟國注意到這個地區的戰略地位，無論是蘇聯還是德國取得斯堪地那維亞，都將對局勢產生重大的影響。斯堪地那維亞蘊含重要的戰略原料，特別是高品質的鐵礦，挪威的沿岸地區則適合興建海空軍基地以攻擊英國。英法提供芬蘭有限的軍事援助（大約一百七十五架飛機與五百門大砲），英國還提出了兩個代號為「雅芳茅斯」（Avonmouth）與「斯特拉特福」（Stratford）的作戰計畫，這兩項計畫都在一九四〇年二月獲得最高戰爭會議批准。雅芳茅斯作戰將派遣少量英法部隊到挪威的那維克港（Narvik），從這裡進入瑞典境內，控制當地的鐵礦產地；斯特拉特福作戰則另外派出三個師的兵力在瑞典南部建立防線。然而挪威與瑞典都不同意英法的計畫，到了三月，儘管法國強力施壓要求軍事介入，英國戰時內閣還是否決了這兩項作戰行動。[199]最後，在同盟國未能實施任何作戰計畫之下，芬蘭不得不在三月十三日尋求對蘇停戰，而芬蘭的戰敗也首次讓斯堪地那維亞議題在同盟國內部引發重大政治危機（之後還會有第二次）。法國總理達拉第在一九四〇年春開始面對愈來愈激烈的政治反對聲浪，反共人士指責他未能積極對抗蘇聯，中間派與左派則認為他未能找到對付德國的策略。達拉第因此在眾人面前留下臨事不斷、猶豫不決的負面印象。三月二十日，達拉第被迫下臺，但仍擔任國防部長。總理一職由達拉第的財政部長雷諾（Paul Reynaud）接任，他的名聲與達拉第完全相反——衝動、積極、好戰。雷諾一上任就立即寫信給張伯倫，表示為了扭轉芬蘭戰敗帶來的心理與道德衝擊，現在必須「大膽而立即地」採取行動。[200]

然而，雷諾想採取行動的地點卻遠離直接面對德國的前線地區，這點與達拉第原本提出的構想並無不同。雷諾希望由英國主導，在斯堪地那維亞德國運送鐵礦砂的路線上埋設地雷，他還希望英法共同在伊拉克與敘利亞部署轟炸機，轟炸蘇聯的高加索油田，這樣也能切斷德國一部分的石油供應來源。不過高加索計畫的重要性似乎遭到誇大：當時一份英國報告指出，只要派出三個轟炸機中隊就能炸毀油田與「癱瘓蘇聯的戰爭機器」，但這種說法完全缺乏證據支持。最後是因為英國戰時內閣考慮到這麼做可能會引發與蘇聯的全面戰爭，這才阻止這項轟炸計畫繼續進行。[201]雷諾尤其堅持必須在挪威採取行動，但英國卻傾向於把重心擺在西線威脅，英國的方案是沿著萊茵河設置水雷以遲滯德軍的部署。法國內閣拒絕了英國的提案，因為他們擔心德國為了報復也會在法國的河川設置水雷。英國政府最後選擇了折衷方案：如果法國願意在一九四〇年接下來的時間在萊茵河布雷，那麼英國就會在挪威水域布雷，這才化解了僵局。盟軍將在挪威沿岸地區布雷的行動稱為「威爾弗賴德爾作戰」（Wilfred），時間訂在一九四〇年四月八日。[202]

一個月後，挪威行動因張伯倫去職而終止。與達拉第一樣，張伯倫也是盟軍斯堪地那維亞戰略無能的受害者。英國與法國的情報單位未能事先察覺德國也將在四月九日清晨對丹麥與挪威發動攻擊。路透社四月八日傍晚報導，一支德國艦隊正朝向北海航行。原來德國早在幾個月前就已經計畫對斯堪地那維亞採取行動。一九三九年十二月十二日，德國高層下令研究在德國有限的海軍資源下，占領挪威與確保鐵礦輸入的可能性。希特勒一方面擔心挪威可能被英國占領，另一方面也關注對斯堪地那維亞垂涎已久的蘇聯有可能出兵占領挪威北部。德國於一九四〇年一月擬定了作戰代號「威塞演習」（Weserübung），由法爾肯霍斯特將軍（Nikolaus von Falkenhorst）出任該場作戰的陸海空三軍行動總司令。[203]德國高層希望挪威的納粹支持者奎斯林（Vidkun Quisling）能在挪威內部引發政治動亂，讓挪威不戰而降，但他們顯然高估了奎斯林的影響力。由於同盟國對斯堪地那維亞的關注持續升溫，希特勒於是在一九四〇年三月一日發布「威塞演習」訓令。[204]當時德國軍事準備的主要重心仍位於西線，要進行威塞演習作戰是一項複雜且風險極高的任務。然而希特勒卻認為盟軍有可能從北面進行側翼包圍，如此將對德國造成極大的危害。

四月二日，希特勒下令一個星期後開始行動。就在英國於四月八日著手進行布雷行動的同一時間，德國的潛艦、運輸艦與軍艦已在海上準備支援對挪威特隆赫姆（Trondheim）與那維克的登陸作戰，德國傘兵也已準備好首次行動，目標是挪威首都奧斯陸。四月九日清晨，德軍越過丹麥邊界，在短暫交火並造成十六名丹麥士兵死亡後，丹麥政府宣布投降。德國傘兵與空降部隊迅速奪取挪威南部幾座主要機場，搭載部隊與後勤補給的運輸艦則在挪威南部海岸登陸。往後兩個月，德國的海空補給總共運送了十萬七千名士兵、兩萬零三百三十九輛車輛與十萬零一千噸軍需物資支持這次入侵行動。到了五月初，已有超過七百架飛機在北歐支持德軍作戰。[205]雖然挪威出現意想不到的激烈抵抗，但德軍還是很快控制挪威絕大部分南部與中部地區。四月十五日到十九日，英國、法國與波蘭的聯合部隊分別在挪威海岸三個地點登陸，盟軍的兵力超過德軍並很快就控制那維克。雖然德國海軍承受的傷亡人數比例較高（三艘巡洋艦、十艘驅逐艦、四艘潛艦與十八艘運輸艦沉沒），但這場戰役還是顯示出德國三軍部隊唯一一場大規模聯合兵種作戰的強大力量。密接空中支援、步砲協同作戰與有效通信，不僅放大了德軍火力，也讓盟軍士氣低落，絕大多數盟軍士兵從未見過崎嶇的山地地形，更不用說在這樣的地形作戰。四月二十六日，英軍棄守特隆赫姆，盟軍士兵則堅守那維克直到六月八日，之後剩餘的兩萬四千五百人全數撤回英國，但德軍早在五月初就已確立在挪威的勝局。德軍死亡與失蹤三千六百九十二人，盟軍死亡三千七百六十一人。[206]

挪威的失敗讓雷諾大感憤怒，身為新任總理，他把自己的政治前途賭在這場戰爭的勝利上。雷諾在四月底抱怨說，英國人「全都是不敢冒險的老人」。在英國，隨著失敗的消息傳出，民眾也轉而反對張伯倫。雖然盟軍的準備不足與執行不力主要應歸咎於海軍大臣邱吉爾，但五月初的新聞媒體都把矛頭指向首相本人。這場政治危機在五月八日達到高峰，致使下議院針對挪威問題展開辯論。根據一名目擊者的說法，張伯倫憤怒地為自己過去的作為辯護，看起來「心力交瘁」。當反對的工黨要求表決時，原本支持首相的人很多都轉而投票反對他，第二天，張伯倫決定辭職。[207]反對黨唯一願意合作的保守黨政治人物只剩下邱吉爾，五月十日，邱吉爾因而成為新政府領導人。短短六個星期之內，英法這兩個民主國家都為了斯堪地那維亞而各自經歷了一場重大政治危機。但最值得一提的是，即便在斯堪地那維亞遭遇失敗，英法之間仍然存在一個團結兩國的共同信念：那就是英法都相信這場戰爭最終會由同盟國勝出，對德國的軍事圍堵也必將成功。此時的英法政府完全無法預料到兩個月後即將來臨的巨變。

就在邱吉爾就任首相的同一天，德軍在西線開戰。對於這場戰役，盟軍情報單位做的準備遠比挪威戰役充分，因為盟軍的戰略是以防禦德軍攻擊為基礎，而非發動攻勢，但情報部門對於德軍作戰的預估卻完全錯誤，這項誤差很快就讓盟軍的軍事準備陷入嚴重混亂。戰事的順利令德軍高層大吃一驚。與盟軍將領一樣，許多德軍將領認為，一旦鐮割計畫失敗，戰事就將演變成類似一戰西線的膠著狀態。結果德軍居然只以損失兩萬七千人的代價控制了整個荷蘭、比利時與法國。這場戰爭與雙方將領在二十五年前經歷的一戰西線戰場可說有著天壤之別。無論在戰爭期間還是二戰結束之後，同盟國一直試圖以德國擁有壓倒性軍力做為盟軍屈辱戰敗的理由：是經過數年重整軍備的德國，對上行動遲緩而未能協調合作的西方國家。然而，這項說法受到許多歷史學家的挑戰，指出同盟國實際上擁有比德國還要多的軍事資源，而且某些方面的差距還不小。位於法國東北前線的法國、比利時、荷蘭與英國陸軍總共有一百五十一個師，德國陸軍只有一百三十五個師，其中還包括四十二個師的總預備隊；盟軍火砲有一萬四千門，德軍只有七千三百七十八門；盟軍戰車有三千八百七十四輛，德軍只有兩千四百三十九輛，而且盟軍戰車絕大多數火力與裝甲都比德軍戰車來得優越。即使在空軍戰力，人們總認為一九三〇年代末的德軍已經遠遠超前，但實際上盟軍仍具有優勢：盟軍飛機估計在四千四百架到五千四百架之間（包括數量可觀的預備隊），反觀五月十日西線戰場開打當天，德國第二與第三航空軍團可以作戰的飛機只有三千五百七十八架。[208]

雖然這些數字正確無誤，卻會在幾個重要方面造成誤導。首先，盟軍的陸軍與空軍數字包括了比利時與荷蘭的軍隊，但這兩國的小規模陸軍卻未能與法國協調作戰，兩國的小規模空軍也同樣未與英法合作，結果比利時與荷蘭的空軍在開戰第一天就直接在自己的空軍基地裡遭到殲滅。英國與法國的空中均勢也是統計上的幻覺。到五月十日西線開打為止，法國總司令部在直接面對德軍的前線地區只部署了八百七十九架可用飛機，英國雖然在法國部署了四百一十六架飛機，但只占英國皇家空軍一千七百零二架戰機的一小部分，絕大部分戰機都部署在英國本土，用來防衛不列顛群島。剩下的法國飛機，有許多在一九四〇年已過於老舊，只能停放在法國本土遠離前線的維修工廠或基地裡，另外還有四百六十五架飛機位於北非，防範義大利的入侵。法國部署在最前線的飛機也分散到陸軍各單位，並未集中一處，與德國空軍集中統一指揮形成強烈對比，也使雙方差距進一步惡化。事實上，英法在前線部署的飛機只有約一千三百架，德國則有三千五百七十八架。

在火砲方面，雙方差距也不像數量顯示的那麼大。法國仰賴大量的一九一八年火砲，到了一九四〇年五月，法國仍缺少現代的四十七公釐戰防砲，受過訓練懂得使用這種火砲的士兵也不多，許多部隊仍在使用一戰留下來的三十七公釐戰防砲，而這種砲根本無法對抗現代戰車。法國的防空砲也相當短缺，只有三千八百門，德國則有九千三百門。[209]雖然英法最好的戰車火砲口徑比德國最好的戰車大，裝甲也較厚，但這類戰車只占英法戰車部隊的一小部分，部分法國戰車的速度非常緩慢且大量耗油。更重要的差異在於戰車部隊的組織方式。德軍把所有戰車編入十個裝甲師與六個摩托化師，使其力量集中，充當開路先鋒，以突破敵軍防線與瓦解敵軍組織，後面跟著以步兵與馬匹運輸為主的陸軍部隊；反觀法國即便擁有三個輕機械化師與三個裝甲師，絕大多數戰車依然用於步兵戰鬥，被用來協助阻止敵軍突破，而非自成獨立的攻擊單位。法國的兩千九百輛戰車中，只有九百六十輛屬於機械化部隊，其餘全分散到常規的步兵師。與德國陸軍不同，法國陸軍顯然從未看過或經歷過現代戰車戰。[210]我們因此能對雙方兵力的對比下一個重要結論：德軍在最攸關戰局的地方擁有局部優勢。

此外，這些差異也因為雙方選擇的戰略不同而被更加放大。由於法國戰敗是二戰的轉捩點，因此法國戰役值得我們詳細檢視。先前提到德國在黃色計畫上曾有過的爭論，到了一九四〇年三月已完全獲得解決。德國武裝部隊分成三個集團軍：B集團軍有三個裝甲師，經由荷蘭與比利時進攻法國，目標是引誘英法主力部隊在比利時進行反擊；C集團軍以西牆（Westwall）防線為依托，牽制駐紮在馬奇諾防線的法軍三十六個師；關鍵是倫德斯特將軍（Gerd von Rundstedt）指揮的A集團軍，擁有七個裝甲師，面對比利時南方的阿登（Ardennes）森林與盧森堡。A集團軍必須快速穿過森林，在開戰的第三天渡過繆斯河，再往東北方進攻，直抵英吉利海峽。A集團軍在包抄盟軍部隊與消滅其反抗力量的同時，還必須防守自身暴露的左翼。這項計畫能否成功，取決於法軍主力是否受到穿越比利時北部的B集團軍的引誘，以及這項精心布局的佯攻計畫在執行時能否讓法軍誤以為B集團軍真的是德國進攻的主力。

從結果來看，德國的策略其實是多餘的，因為甘末林與法國總司令部很早就決定進軍比利時。三月，甘末林修改原本的戴爾河計畫，改而提出新的「布拉達衍生計畫」（Breda variant）。這項計畫將使盟軍承擔更大的風險，目標是希望法國精銳的第七軍團能在英國遠征軍支援下迅速穿過比利時，與荷蘭軍隊會合，共同建立一條防線。相較於戴爾河，布拉達離法國邊界更遠，但甘末林孤注一擲，他相信盟軍三十個師可以及時趕到荷蘭防線阻止德軍突破。這項計畫導致戰線北部的整體兵力對比是盟軍六十個師對德軍二十九個師，但在南部防線則反過來，盟軍十八個師對德軍四十五個師。法國多年來一直認為阿登森林對現代軍隊來說是無法穿越的，因此只交由輕裝的比利時掩護部隊與七個裝備不足的預備役師來防守。[211]雙方對這場戰役都冒著很大的風險，可見一戰經驗對雙方都造成深遠的影響，只不過產生的結果正好相反：甘末林獲得英國將領的支持，他想建立綿延不絕的戰線與進行有序作戰，並且相信這麼做可以拖垮德國，重現一九一八年的結果；相反地，德軍將領則擔心重演一九一八年的結局，因此大膽進行快速突破與包抄，避免一戰西線戰場的僵持態勢。

當德軍在西線發動攻擊，摧毀敵方機場、大膽使用傘兵奪取比利時的艾本艾美爾要塞（Eben-Emael）時，甘末林表示，這「就是他在等待的機會」。[212]連同英國遠征軍，法國第一與第七軍團終於獲准進入比利時境內，朝戴爾河防線與布拉達推進。法國第九與第二軍團分別位於色當南北，如果德軍從南方推進，這兩個軍團將會負責阻擋德軍。然而，甘末林的計畫並未達成任何成果。當盟軍部隊朝布拉達推進時，卻發現荷蘭軍隊早已棄守此地且將部隊往更北移動。五月十四日，荷蘭大城鹿特丹遭到轟炸，德軍持續朝城內推進；第二天，荷軍總司令在表示「這場懸殊的戰鬥必須停止」

後宣布投降。與此同時，比利時在東部亞伯特運河（Albert Canal）布置的防線在德軍猛攻下迅速崩潰，比利時軍隊只得撤退到法軍推進的路線上。盟軍試圖沿著戴爾河建立防線抵禦人數居於劣勢的德軍，但建立防線的工作並不順利，因為大量難民（最終估計約有八百萬到一千萬名法國與比利時平民）阻塞了交通要道，使軍隊無論推進還是撤退都極為困難。[213] 五月十六日，法國東北前線總司令喬治將軍命令戴爾河前線守軍盡速撤回法國邊界，因為南方原本認為無法通過的阿登森林已遭德軍突破，法國整個防線陷入混亂。

盟軍往比利時推進之舉正中德軍下懷，德軍的作戰計畫也得以順利實行。希特勒將司令部設在明斯特艾費爾（Münstereifel）一座改裝的防空地下碉堡。希特勒認為法國將在六個星期內戰敗，之後他將與英國和談，他相信英國領導人不想「冒著失去帝國的風險」繼續抗戰。[214] 五月十日，A集團軍穿過盧森堡與阿登森林進行攻擊的各項訊息開始傳回司令部。裝甲部隊分成三個箭頭，第一個箭頭由擁護裝甲作戰的古德林中將（Heinz Guderian）指揮，負責進攻色當；第二個箭頭由雷因哈特中將（Hans Reinhardt）指揮，負責進攻色當北方的蒙提梅（Monthermé）；第三個箭頭由霍斯將軍（Hermann Hoth）指揮，負責攻擊比利時城市第特南（Dinant），他必須保護前面兩個箭頭的側翼。然而部隊行進的速度很快就慢了下來，因為裝甲師與步兵師全擠在狹窄的道路上。四萬一千一百四十輛車輛與十四萬人造成嚴重的交通堵塞，隊伍綿延達兩百五十公里，德軍將領不得不努力解決這個問題。經過審慎的後勤規畫，終於一定程度緩和了這場危機。德軍沿途設立燃料站，派出三個卡車運輸大隊尾隨裝甲師運送燃料、軍火與補給品。一旦補給行動順利達成，後勤供應就能提供部隊快速的機動力。這些油料就像為口渴的馬拉松選手提供的飲料，戰車在加了油之後又可以繼續前進。[215]

這場戰役最關鍵的時刻發生在五月十一日到十三日之間，德軍裝甲部隊走到一半突然停滯不前，成為盟軍空軍眼中靜止不動的目標。然而幾乎沒有任何盟軍飛機前來攻擊這些裝甲部隊，一方面是德國空軍在上空提供保護傘，另一方面是盟軍飛機此時正專注於往北推進，無暇顧及南部防線。不過確實有少數法國飛行員注意到阿登出現川流不息的車潮，並且將訊息回報，然而他們的情報並未受到重視。當德軍穿過盧森堡與阿登森林南部，與比利時邊防部隊和法國騎兵師交戰時，法軍還是沒有人回報喬治或甘末林這可能是德軍的主力部隊，因為法國的作戰計畫完全鎖定在北部的法蘭德斯平原，法國軍事高層認定此處才是主要戰場。儘管穿越阿登森林成了德軍的後勤惡夢，但到了五月十三日，三個德軍裝甲箭頭都已抵達了繆斯河畔，而跨越繆斯河便成了此次戰役的重頭戲。法軍炸毀橋樑，並且在河對岸固守。德國於是出動大量飛機攻擊法軍陣地，八百五十架轟炸機與俯衝轟炸機沿著河岸進行地毯式轟炸。法軍第五十五師與攻占色當的古德林對峙，他們手裡只有一門防空砲。雖然之後發現損失比預期來得小，但持續轟炸造成的心理衝擊仍讓法國守軍感到恐慌與士氣低落。[216]古德林的三個師在重砲轟炸與機關槍掃射下奮勇渡河，到了晚間十一點，古德林已在對岸建立立足點並開始搭建第一座橋樑，戰車也陸續順利渡河。在更北一點的地區，隆美爾將軍（Erwin Rommel）親自率領第七裝甲師在第特南附近的烏鎮（Houx）渡河，儘管遭遇法軍猛烈反擊，隆美爾還是在傍晚時分推進了三公里，在對岸建立橋頭堡；雷因哈特的兩個裝甲師在蒙提梅遭遇更頑強的抵抗，法軍藉著地形之便，與德軍奮戰兩天，之後雷因哈特才成功突破法軍口袋，占領繆斯河西岸。德軍成功跨越繆斯河，不僅讓實力較弱的法國預備役師感到恐慌，也終於讓法國總司令部產生警覺，他們此時才開始正視這個先前一直深信不可能發生的狀況。

五月十三日到十四日的深夜，詳細情報終於傳回喬治將軍的司令部。喬治痛哭說：「色當的防線被突破！這下完了！」[217]接下來發生的事完全與甘末林計畫的有序戰爭相反。洪齊格將軍（Charles Huntziger）的第二軍團預備役師陣前潰散，駐紮在更北的柯拉普將軍（André Corap）第九軍團也面臨相同的危機。由於法國總司令部從未想過進行機動作戰，因此面臨這樣突如其來的態勢，法軍完全無法組織有效反擊。通信不良，加上法軍戰車與卡車未能得到燃料補給，導致數百輛法軍車輛面對德軍裝甲師的推進完全動彈不得。法軍部隊被迫長途而快速地行軍，等到抵達戰場時早已疲憊不堪，而武器設備又普遍短缺。在比利時，法軍的倉促推進最終演變成防禦性的撤退，法軍離開時甚至捨棄了大量珍貴的軍需物資與燃料庫。當然，實際戰況並非如某些人所言是德軍輕鬆獲勝，德軍確實在零星地區遭遇極為頑強的抵抗，但這些抵抗往往缺乏組織計畫，跟法軍原先規畫的有序作戰完全相反。五月十六日，邱吉爾在倫敦表示：「有人認為一百六十輛戰車就能征服法國，這種想法實在太荒謬。」但當他第二天飛往巴黎，在法國外交部與甘末林見面時，他發現法軍參謀人員已經開始焚燒文件。邱吉爾問甘末林，法國的預備隊在哪裡？他得到簡潔的答覆：「沒有預備隊。」[218]

隨著法軍將領與法國政治人物逐漸察覺前線戰況，危機的規模也開始緩慢擴大，戰場迷霧的不確定性與訊息的難以取得更是加快了崩潰的節奏。德軍跨越繆斯河之後，照理應該放慢步調，鞏固陣地，以防法軍反攻，但法軍的反擊缺乏組織且零星，於是德軍三個裝甲軍決定依照曼斯坦計畫，轉而朝英吉利海峽的港口城市加萊、布洛涅與敦克爾克快速推進。裝甲軍的決定一時間在德軍司令部引起騷動。經過一個星期的連番勝利，希特勒擔心裝甲師持續推進暴露的漫長側翼將引來法軍強力反擊。五月十七日，希特勒與幾個將領爭論是否該放慢攻擊步調。「元首非常緊張，」德國陸軍參謀總長哈爾德說道：「他因為成功而感到恐懼，他不想因為冒險而失去戰果，因此寧可阻止我們繼續進攻。」[219]五月十八日，C集團軍獲准攻擊馬奇諾防線，以確保三十六個法國邊防師不會離開原來的位置。此時盟軍發動了兩次小規模的反擊，讓希特勒大感焦慮，一次是五月十八日英國遠征軍的戰車部隊從北部的阿拉斯（Arras）進行反攻，另一次是五月十七日法國戴高樂上校（Charles de Gaulle）率領剛組成的第四裝甲師從蒙科爾內（Montcornet）進行反攻。但現實與希特勒所想的不同，德軍推進造成的震撼與盟軍反擊的雜亂無章，充分顯示德軍機動作戰的強大。雖然德軍裝甲師兩度被驚慌的希特勒下令停止前進（分別是盟軍在阿拉斯與蒙科爾內反攻時），但德軍裝甲師在過去短短一個星期已經席捲大片土地，裝甲師將領都急欲往海岸推進，收緊法蘭德斯口袋，包抄法國第七與第一軍團、英國遠征軍與比利時軍隊。但延遲決定性一擊的其實不是很多人所說的希特勒「停止命令」，而是緊張的A集團軍司令倫德斯特，是他下令裝甲師重整序列、進行整補與休息，並且將部分裝甲師調往南方進行第二階段的作戰計畫，也就是「紅色計畫」，目標是擊敗其他地區的殘餘法軍，另外一些裝甲師則派往敦克爾克。希特勒批准倫德斯特的命令，讓他自行決定德軍繼續推進的時間。五月二十八日，比利時國王宣布投降，受困的二十一個比利時師放棄抵抗。就在兩天之前，德軍終於獲准殲滅圍困的二十五個法國師與英國師，這些軍隊僅憑薄弱的防線仍與德軍做困獸之鬥。

希特勒總部一時間的驚慌與騷動，與壓倒盟軍的龐大危機相比，簡直是小巫見大巫。隨著戰況逐漸明朗，法國政府必須面對他們難以相信的現實。五月十五日早上七點三十分，雷諾不抱希望地打電話給邱吉爾說：「我們失敗了，我們打輸了這場戰爭。」[220]五月二十日，甘末林被一向與他不和的雷諾總理解職，接任的是法國在敘利亞的指揮官魏剛將軍（Maxime Weygand），他是一戰的退役將領，也是雷諾的盟友。一九一六年領導法國打贏凡爾登會戰的貝當元帥（Philippe Pétain），此時擔任駐馬德里大使，雷諾也將他召回，任命他為副總理，希望他能提振法國民眾萎靡的士氣。魏剛與貝當返國任職短暫提升了倫敦與巴黎的信心：魏剛擬定了一份計畫（相當程度繼承了甘末林的想法），準備由北向南攻擊德國的漫長側翼，只可惜他的計畫完全與現實脫節。魏剛還有另一項比較務實的策略，他準備讓法軍撤退到索穆河與埃納河一線，要求從前線敗退的軍隊在此重整，並且跟先前一樣建立「連續不斷的防線」。[221]然而前線潰敗造成的損失實在過於巨大。法國只剩下四十個師來固守新防線，只有三個摩托化預備隊用來填補德軍打開的缺口。英國戰時內閣與帝國參謀本部開始得出明確結論。五月二十五日，前內閣祕書漢基（Maurice Hankey）設立的委員會針對「特定結果下的英國戰略」提出報告。漢基的結論是，這場全球戰爭不會受到法國失利的影響，最終成敗將取決於美國、英國海外領土的支持與英國海空軍的保護，英國可以單獨繼續這場戰爭。[222]

五月十八日，西線戰事才爆發一個星期，英國與法國就已在考慮撤離。由於德軍暫時停止推進，使英國遠征軍司令官高特少將（John Gort）得以在法蘭德斯口袋的南北兩側建立陣地，並且由殘餘的法國第七與第一軍團負責防守。五月二十六日，加萊與布洛涅開始進行「發電機作戰」(Operation Dynamo)。參戰的士兵終於可以獲得較多從英國南部基地起飛的英國皇家空軍噴火戰鬥機與颶風戰鬥機的空中掩護。就在突破口袋的戰役在受困士兵的四周開打之際，三十三萬八千六百八十二名士兵分別搭乘八百六十一艘各式船隻撤離敦克爾克，其中英國士兵有十九萬八千人，法國與比利時士兵有十四萬人。法國方面也在同步進行海上撤離，然而英國人撰寫的敦克爾克歷史卻總是少寫這一段。法國海軍部載運四萬五千名士兵到英國，四千名士兵到利哈佛（Le Havre），此外還有十萬名士兵被運往法國北部港口瑟堡與布勒斯特，之後這些士兵又重新加入索穆河的戰鬥行列。[223]發電機作戰於六月四日結束，總共損失兩百七十二艘船，包括十三艘驅逐艦，盟軍遺棄了所有的重裝備，包括六萬三千輛車輛、兩萬臺摩托車、四百七十五輛戰車與裝甲車、兩千四百門大砲。[224]日後有人寫道，英法軍隊離開該地後留下的，「舉目所見，淨是斷垣殘壁……成堆的軍需物資散亂棄置各處」。儘管英國並未在一九四〇年六月投降，但比利時與法國的戰役必須理解為一場大敗，而非英雄式的撤離。一九四〇年六月，留守英國的軍隊只有五十四門戰防砲與五百八十三門火砲。英國正規軍此時儼然成了手無寸鐵的戰鬥隊伍。[225]

五月底，盟軍東北防線的抵抗持續敗退，英法兩國開始思考兩個星期前從未想過的可怕場景：投降。儘管魏剛尚未死心且充滿活力，但他還是在五月二十五日告訴法國內閣應該考慮放棄戰鬥，雷諾則是首次說出了「停戰」二字——但就像德國人在一九一八年十一月發現的那樣，停戰是個模稜兩可的詞彙。根據英法在一九四〇年三月二十五日的協定，同盟國不可單獨與敵國議和，因此法國想要停戰必須獲得英國同意。五月二十六日，雷諾飛往倫敦，向邱吉爾解釋法國可能必須考慮放棄戰鬥。然而雷諾不知道的是，英國戰時內閣才剛在當天早上討論了外交大臣哈利法克斯轉交的義大利駐英大使提案，內容是墨索里尼希望能召開會議。義大利的動機依然不明，因為到目前為止，墨索里尼一直都在等待宣戰的時機，他想利用法國即將被征服之際謀取利益。經過三天的辯論，英國決定拒絕義大利的請求。這場辯論經常被視為歷史的轉捩點，因為綏靖主義者差點在這場辯論中獲勝，但戰時內閣本來就應該針對全面戰敗的後果進行討論，而且就連主和派的哈利法克斯也不贊同在損害英國重要利益下進行和談。最後，主戰派的邱吉爾獲得當時還是戰時內閣成員的張伯倫支持，因此在辯論中獲勝，決定不與墨索里尼接觸。此時英國領導高層已經考慮在沒有法國的狀況下單獨進行戰爭。邱吉爾對其他同僚說：「如果法國無法保衛自己，那麼讓法國退出戰爭或許是一件好事。」[226]

法國又繼續抵抗了三個多星期，然而情勢急遽惡化。停戰依然是最有可能的選項，但法國政府仍不放棄其他方案。五月底，法國內部有人提出建立「布列塔尼要塞」的想法，認為法軍（或許再加上新增援的英軍）可以在法國西北部的布列塔尼與瑟堡建立防線，法國政府於是對這項計畫的可行性進行研究。[227]還有一些人則寄望可以在海外的北非領土繼續抵抗，法國在此之前為了防止義大利從利比亞發動先制打擊，已經先在北非部署大批軍隊，現在法國政府也可以考慮從本土運送更多法軍前往北非。六月初，雷諾計畫將八萬名兵力運往法屬摩洛哥。而在蒙科爾內反攻獲勝後接任戰爭部長的戴高樂，也在六月十二日要求法國海軍部在三個星期之內運送八十七萬名士兵前往非洲。然而當時只有英國海軍才有如此的運送能力，而英國海軍在協助敦克爾克大撤退後，此時正忙於撤離法國西部剩餘的英國軍隊（與一萬九千名波蘭士兵）。六月十四日，英國下令進行「天線作戰」（Operation Aerial），也就是撤離法國，這項作戰在十天後結束。這次撤離只損失六艘驅逐艦與百分之三的運輸艦，並成功運載十八萬五千人返回英國。[228] 六月二十二日，魏剛詢問法國北非總司令諾蓋將軍（Charles Noguès），以北非現有的軍力進行抵抗有多大勝算。當時法國絕大多數海軍艦艇與大約八百五十架飛機都駐紮在法蘭西帝國的非洲領土上，但當地只有一百六十九輛現代戰車，現有的十四個師能戰鬥的也只有七個。雖然諾蓋的兵力足以守住北非，但魏剛認為僅以非洲的軍力進行抵抗，就跟堅守法國本土一樣不切實際。六月二十六日，諾蓋終於「死心地」接受法蘭西帝國停止抵抗的事實。[229]

然而無論法國政府做出何種選擇，法國的命運早已被德軍的全面勝利所決定。六月五日，德軍已經準備好進行第二階段的戰鬥，也就是前述的紅色計畫，目標是擊敗殘餘法軍與迫使法國政府投降。法軍匆促在索穆河、埃納河與瓦茲河（Oise）布置防線，總兵力只有四十萬，迎面而來的德軍卻有一百一十八萬。到了這個階段，德國龐大的步兵隊伍終於追上裝甲箭頭，德軍前線因此獲得大量生力軍。喬治將軍對魏剛說，他們現在還在作戰只是為了榮譽，因為勝利的機會已經十分渺茫：「沒有預備隊，沒有解圍的部隊，沒有外援……沒有騎兵，沒有戰車。悲慘的處境……絕望的奮戰，我們在做困獸之鬥。」[230] 儘管與德軍實力懸殊，但相較於最初幾個星期的潰退，此時法軍組織與作戰意志都顯著提升，但依然無法改變最終的敗局。六月九日，德國A集團軍抵達盧昂（Rouen），六月十二日，德軍逼近巴黎，逼迫法軍向南北退卻。六月十日，魏剛告訴雷諾，前線「完全崩潰」已經是遲早的事。

法國政府決定放棄首都，先是遷往羅亞爾河流域，然後遷往波爾多。六月三日，位於巴黎的空軍基地遭到轟炸，巴黎宣布為不設防城市，六月十四日，德軍凱旋進入巴黎。在六月十二日的部長會議上，魏剛表示已到了該停戰的時候；雷諾仍猶豫不決，但六月十五日喬治與法軍將領開會時，大家都同意必須停戰。[231]雷諾感到挫折且身心俱疲，他不得不向現實屈服，並且在隔日辭職，總理一職由主張停戰的貝當元帥接任。然而即使到了這個地步，停戰的問題仍未能底定，因為魏剛仍把停戰視為「暫時停止戰鬥」的手段，藉此為法軍爭取重整的時間。另一方面，貝當在六月十七日中午透過廣播宣布停戰，他告訴法國人民：「我們必須停止戰鬥。」魏剛則要喬治對外表示，他只是決定「暫時停止戰鬥」，並且命令所有將領仍要繼續戰鬥。[232]法國戰役不是在貝當宣布停戰當天就停止，這場戰役真正結束是在八天之後。雖然整場戰役明顯已經結束，無數士兵開始離開部隊返鄉，但在法國西部與中部仍有一些完好的部隊堅持戰鬥，不過這些部隊的精力與武器畢竟有限。弗雷爾將軍（Aubert Frère）率領第七軍團的十二萬名士兵據守羅亞爾河流域，隨著德軍進逼，他們試圖封鎖每一段河道。第七軍團直到六月二十五日才停止戰鬥。[233]

一九四〇年五月，義大利墨索里尼決定加入希特勒共同對抗民主國家，他的決定使停戰協定變得更加複雜。墨索里尼在一九三九年九月曾宣布義大利為「非交戰國」，因為義大利在歷經過去十年的戰爭之後，無論在經濟還是軍事上都尚未做好與英法對抗的準備。墨索里尼對於這一狀況自然深感不滿。一九三九年十二月，墨索里尼給予希特勒一個模稜兩可的承諾，他表示最終會履行身為軸心國的責任。一九四〇年三月，墨索里尼寫道，義大利如果整場戰爭一直保持中立，那麼義大利將淪為「十倍大的瑞士」。[234]但義大利國王與軍方高層一直箝制墨索里尼，不讓他冒險介入義大利顯然無法應對的衝突。義大利總司令巴多格里奧元帥告訴墨索里尼，軍事準備工作最快要到一九四二年才能完成，而這還是最樂觀的估計。我們很難判斷墨索里尼對這項建言的重視程度，因為他顯然對於自己構築的義大利軍事潛力願景極為沉迷。墨索里尼不確定德國是否真的會攻擊西方國家，或是德國真的出兵，他也不知道這場戰爭會持續多久。[235]當希特勒要求義大利派出二十到三十個師與德國一起進攻隆河流域時，義大利陸軍司令部馬上予以回絕。墨索里尼與他的黨羽想進行的是一場「平行」戰爭，「不是『為』德國而戰，也不是『與』德國並肩作戰」，如戰爭副大臣索杜（Ubaldo Soddu）所言：「是為**我們自己**而戰。」[236]然而，當德軍告捷的消息不斷傳來，墨索里尼認為義大利不能再袖手旁觀。五月十三日，墨索里尼宣布將在一個月內宣戰，當他在五月二十八日得知比利時投降後，便決定將宣戰日設定在六月五日，以免自己錯過開戰的機會，到最後「連跟進參戰的資格也失去了」。後來，宣戰時刻再度延後到六月十日。當墨索里尼在羅馬威尼斯宮陽臺上宣布開戰之時，底下的群眾卻沒有表現出任何一絲熱情。[237]

雖然墨索里尼發布開戰宣言，但這並不表示義大利已經準備好參戰，反而先引來英法轟炸機的報復。兩天後，義大利北部的杜林與熱那亞遭到盟軍轟炸。真正迫使墨索里尼採取行動的是貝當要求停戰的消息。三天後，墨索里尼下令西部邊境的義大利陸軍開始進攻法國。墨索里尼接著趕往慕尼黑，與希特勒商討停戰協定。在開往德國的火車上，墨索里尼表示他要提出最大的要求，包括占領法國全境，接收法國艦隊，占領突尼西亞、法屬索馬利蘭與科西嘉島——但當他抵達慕尼黑時，他卻告訴齊亞諾自己感覺到「我不過是個二流角色」。[238]希特勒希望簽訂一個比較不嚴苛的停戰協定，這樣可以讓德國不受制於未來可能簽訂的和平條約，也可以避免逼迫法國人再次加入英國陣營。根據德國外交部長李賓特洛甫的說法，停戰協定也提供一個機會，讓德國可以把歐洲猶太人全部趕到法國的馬達加斯加殖民地上。[239]然而，希特勒不同意與義大利一起簽訂共同停戰協定。六月十九日，法國總司令部得到德國駐西班牙大使的通知，希特勒已經開始考慮停戰條件，第二天，法國代表搭車穿過前線抵達貢比涅，也就是二十三年前德國被迫簽訂停戰協定的地方。六月二十二日，在一九一八年簽訂停戰協定的火車車廂裡舉行簡單儀式之後，德法同意停戰，但協定要等到義大利也同意停止交戰狀態後才生效。[240]

由於義大利軍隊六月二十日才倉促開戰，因此墨索里尼不得不等待數天，等到前線軍隊獲得一定戰果後才能停戰。二十二個兵員不足與裝備不佳的義大利師進攻法國東南邊境，面對防守嚴密且決心抵抗的法國守軍，義大利毫無進展。義大利最後只占領了一座小鎮芒通（Menton），除了死亡一千兩百五十八人與凍傷兩千一百五十一人之外，義大利三天的戰鬥可說徒勞無功。[241]儘管如此，義大利還是勉為其難地同意停戰，六月二十三日，法國代表抵達羅馬，在因齊薩別墅（Villa Incisa）簽訂停戰協定。雖然法國代表知道自己毫無選擇，但停戰畢竟代表法國在軍事上敗給了義大利，對此法國人難以接受。墨索里尼信守他對希特勒的承諾，停戰協定的內容遠比他先前表露的極端野心寬容許多，然而無論是德法還是義法停戰協定，內容其實都跟當初德國簽訂的《凡爾賽條約》差異不大，某方面來說甚至還更為嚴苛。法國實際上喪失了主權，因為法國的北部與西部都遭到占領；法國軍隊縮減為十萬人，但殖民地仍保有一定數量的軍隊以確保英國無法輕易占領法國的海外領土；海軍基地與要塞都得非軍事化，武器全部上繳，艦隊不許出海。義大利協商代表也堅持義大利停戰委員會對科西嘉島、法屬北非、法屬索馬利蘭與敘利亞擁有司法管轄權。[242]貝當統治的法國，首都位於溫泉小鎮維琪，僅擁有有限的獨立地位，領土也僅限於未被占領的法國中部與南部地區。

一九四〇年同盟國的失敗，轉變了整場戰爭的性質。義大利與日本大受激勵，在歐洲帝國面臨嚴重危機之際開始加快侵略腳步。同盟國的失敗也震撼了史達林，他原本預期這會是一場長期戰爭。一九四〇年七月，史達林對英國大使克里普斯（Stafford Cripps）表示，這個結果意謂著「舊均勢」已一去不復返。[243]秉持這樣的觀點，蘇聯開始入侵東歐領土，兼併波羅的海國家與羅馬尼亞的北布科維納（Northern Bukovina）與摩爾多瓦（Moldova）兩個省分。同盟國的失敗也加速美國的重整軍備計畫，讓美國輿論充分警覺到軸心國帶來的威脅。但對希特勒來說，最大的影響則是讓他意識到歐洲軸心國可以在整個歐洲建立「新秩序」，同樣地，日本領導高層也抓住歐洲同盟國戰敗這個從天而降的機會，準備在亞洲打造新秩序。一九三〇年代，軸心國還不存在建立世界新秩序的計畫，這種想法的產生其實是英法宣戰的意外結果，也讓軸心國高層獲得了非比尋常的戰略機會。還在持續抵抗的英國，就成了軸心國新秩序的主要障礙。六月十八日，希特勒與墨索里尼開會時表示自己無意摧毀大英帝國，他仍認為大英帝國是「維持世界均勢的重要因素」。話雖如此，如果一九四〇年西方仍不願簽訂和約，那麼這場戰爭就會是「全面、絕對與無情的戰爭」。[244]

瀑布般的災難

一九四〇年八月二十日，邱吉爾在下議院起身發表演說，他簡短而令人難忘地提到英國皇家空軍戰鬥機司令部的「少數人」，並且用緩慢的聲調簡要描述一九四〇年夏天襲擊西方的這場災難。「一場如瀑布般的災難，」邱吉爾對國會議員們說道：「可信賴的荷蘭人被打倒……比利時遭到入侵與擊潰，我們的精銳遠征軍被包圍，差點被俘……我們的盟友法國已經退出戰爭，義大利還參戰對抗我們……。」僅僅三個月前，「有誰會相信」最後會是這樣的狀況。[245]雖然邱吉爾在演說中也慷慨激昂地呼籲眾人繼續抵抗，但在下議院裡並未獲得多少熱情回應。邱吉爾的祕書柯維爾（Jock Colville）在旁聽席聆聽，他發現議場裡每一個人都無精打采。他日後甚至想不起來自己是否聽到「少數人」那句名言。[246]蘇聯駐倫敦大使麥斯基也在旁聽席上，雖然他覺得這場演說並不是非常精采，「邱吉爾今天並未拿出最佳表現」，但他也發現英國人即便面臨一場如瀑布般的災難，國會休息室裡卻依舊充滿著「重新找回的信心」。[247]幾個星期之前，邱吉爾的兒子藍道夫（Randolph）曾向麥斯基解釋，在法國崩潰之後，英國繼續作戰主要是為了維持帝國：「如果我們失去帝國，我們不是成為二流國家，而是十流國家。我們將一無所有，活活餓死。所以我們別無選擇，只能奮戰到底。」

真是虎父無犬子，麥斯基心裡大概這麼想。[248]

當英國對德宣戰時，完全沒想到日後會遭遇邱吉爾提到的一連串災難。邱吉爾的首相參謀長伊斯美（Hasting Esmay）日後提到，如果英國帝國參謀本部在一九三九年八月能早一步想到有這種結果，「他們一定會毫不猶豫地警告內閣，參戰將帶來巨大災難。」只不過伊斯美又說，帝國參謀本部不僅將反對參戰，還會建議做出「屈辱的讓步」。[249]現在，大英帝國將獨自面對一場世界大戰。在法國戰敗與英國軍隊被趕出歐陸之後，大英帝國的命運頓時成為國際矚目的焦點。各國都不看好大英帝國的未來，而這並不令人意外，畢竟英國參與的法國戰役以慘敗收場，而英國在本土遭受威脅的情況下，要防守帝國的海外領土也十分困難。「說真的，我們的未來會如何呢？」英國國會議員錢農（Henry Channon）在一九四〇年七月的日記寫道：「真是一團糟……我們的統治正逐漸走向結束，而我對此深感遺憾。」[250]一份印度輿論的報告提到，當英國戰敗的消息傳到印度時，民眾感到「困惑」與「沮喪」，但反帝國主義者卻認為這是帝國即將崩解的前兆。「大英帝國即將崩解，」印度國大黨領袖尼赫魯（Jawaharlal Nehru）寫道：「國王所有的騎兵與軍隊都無法使其恢復原狀。」[251]各國都把英國可能崩解視為理所當然。蘇聯評論者認為德國將會入侵英國，還會輕易地占領英國。美國輿論雖然同情英國，但此時也突然對英國能否存續感到懷疑。就連英國的盟邦法國也出現反英浪潮，因為法國人認為英國在法國戰役中貢獻甚微，同時也認為英國的世界秩序即將破產。維琪的新法國政府成員都對英國抱持著敵視態度，其中新總理拉瓦爾（Pierre Laval）與他的繼任者達朗海軍元帥都認為英國的帝國主張是失落年代的空洞回音。拉瓦爾在一九四〇年七月寫道：「英國的時代已經過去，無論現在發生什麼事，英國都會失去她的帝國。」[252]

邱吉爾的新政府也很清楚英國的處境危殆。邱吉爾雖然希望激勵英國民眾為帝國與帝國象徵的理想繼續戰鬥，但就連他本人也在私底下哀嘆：「我們不堪一擊、顯頇、無法控制局面與喪失鬥志。」[253]儘管如此，大英帝國很快就改用正面的態度來面對法國戰敗的事實。張伯倫認為法國「不過就是戰略負債」，英國單獨作戰還比較好；邱吉爾在主掌海軍部時也曾私下表達類似的觀點。[254]針對英國單獨作戰進行的民意調查顯示，受訪者有四分之三願意繼續抗戰，超過五成對於戰爭結果深具信心。[255]「單獨」作戰成為凝聚英國軍民的口號，而此時的英國也把自己視為當代的大衛，對抗著法西斯主義的巨人歌利亞。但對邱吉爾及其政治支持者說，「單獨」指的不只是英國本土，還包括整個大英帝國。邱吉爾對於帝國有著很深的情感，史家納米爾（Lewis Namier）當時提到，邱吉爾選擇的內閣成員全是「吉卜林式的帝國主義者」，他們對帝國全有著情感上的羈絆。[256]對邱吉爾來說，帝國的存續是核心要務，他在一九三八年表示：「我只關心幾件重要的事，我想看到大英帝國的力量與榮光還能再多維持幾個世代。」[257]

儘管如此，在法國戰敗之後，英國已沒有多少戰略選項。當務之急是生存，這表示必須避免被德軍消滅或擊敗，而此時的德軍勢力分布於從挪威北部延伸到法國大西洋沿岸的廣大地區。一九四〇年夏天，英國仍有人主張與德國妥協以換取和平，也就是承認英國無法擊敗軸心國。支持這項觀點的人並不多，而且我們很難估計這些人實際上有多少影響力，儘管如此，這項少數觀點在政治上仍具有代表性。支持協商和平的人當中，最重要的人物莫過於在一戰期間擔任首相的勞合喬治。勞合喬治雖然不斷表示邱吉爾領導的英國至少比張伯倫擔任首相期間更能有效進行戰爭，但他在報章雜誌與國會發言時卻也都直言不諱，他傾向於支持與德國簽訂某種形式的和約。張伯倫覺得勞合喬治根本就是英國版的貝當元帥，認為他在一旁伺機而動，準備一有機會就取代破產的英國政府。一九四一年五月，邱吉爾在國會回應勞合喬治的演說時也曾針對這點加以嘲諷，而這也成為勞合喬治最後一場重要演說。[258]勞合喬治因為人們拿他跟貝當相比而大受刺激，但與貝當一樣，勞合喬治確實可能受到一戰造成的可怕代價影響，因此希望和平可以讓英國擺脫戰前的對抗狀態，轉而在德國監督下重新建立國家認同。無論如何，英國在一九四〇年並未接受和談。邱吉爾堅信自己在五月接任首相，並不是為了在幾個星期之後恥辱地結束戰爭。就連飽受批評的張伯倫也在六月底的全球廣播嚴正表示，英國「寧可因戰敗而毀滅，也不願接受納粹的支配」。[259]

一九四〇年夏天的英國並非毫無防禦能力，不過在敦克爾克撤退後，英國陸軍暫時縮減為一個小國的規模。英國依然擁有世界最強大的海軍，不過兵力必須分散到四個戰場：本土水域、大西洋、地中海與亞洲。英國皇家空軍的防衛能力持續提升，除了增加飛機數量，也整合了管制與通信系統，使英國能以較少數量的戰鬥機有效對抗來襲敵機。英國的全球貿易、金融經濟與大量商船，意謂著英國可以運用遠方資源來維持戰時經濟，在武器生產上足以超越德國。一九四〇年八月，英國向美國下了大量訂單，雖然美國在一九三〇年代通過了《中立法案》，但美國企業依然提供英國兩萬架美國飛機與四萬兩千部航空發動機，此外也提供高辛烷值燃油，這使英國戰鬥機的性能超越了德國對手。[260]七月，英國根據自身能力擬定戰略，從三方面對德國與義大利進行戰爭。首先是封鎖與經濟戰，這也是一九三九年英法戰爭計畫重要的一環；其次是對軸心國占領的歐洲進行政治戰，也就是進行政治宣傳與破壞行動（邱吉爾的說法是「在歐洲放火」）；第三是對德國與義大利進行遠距離「戰略轟炸」，目標是轟炸範圍內的工業中心。

然而這三種做法在實際執行時，成功的希望都不是很大。封鎖難以產生效果，因為德國與義大利出人意表地支配了絕大部分歐陸，可以取得豐富的原料與糧食資源。法國投降之後，德國企業與軍方馬上協調將取得的原料與糧食投入戰爭。政治戰與破壞行動能有多少效果，完全要看運氣。廣播與傳單內容往往缺乏一致性，因為每個宣傳組織都有自己的目標，而這些目標有時會出現彼此矛盾與對立的現象。情報單位認為，雖然歐洲占領區有許多民眾適合做為宣傳對象，但要藉由這種方式掀起普遍抵抗或在各地引發叛亂是幾乎不可能的事。儘管如此，由經濟戰大臣道爾頓（Hugh Dalton）負責的特別行動執行處（Special Operations Executive, SOE）依然組織團隊進行訓練，等待滲透機會的出現。一九四〇年夏天，英國幾乎把希望全寄託在轟炸德國上面。邱吉爾在該年七月給飛機生產大臣比弗布魯克勳爵的信上，提出一項著名說法：唯有藉由「重型轟炸機造成的巨大破壞與毀滅性攻擊」才能打倒希特勒政權。一九四〇年五月十一日到十二日深夜，英國開始轟炸德國的魯爾與萊茵蘭工業區；直到年底為止，只要情況許可，英國每晚都會進行轟炸。轟炸並未對德國造成重大破壞，不過空襲卻迫使成千上萬德國人在夏夜裡躲進防空洞，德國民眾因此廣泛要求德國空軍進行報復。英國的情報單位起初樂觀地認為轟炸破壞了德國的工廠與士氣，但這種樂觀的想法不久就破滅了。等實際消息傳回來時，才知道只有一小部分飛機找到了目標區，實際命中目標的又更少。[261]雖然戰後描述總是強調轟炸有激勵英國士氣的效果，但其實早期的空襲並未引起太多關注。

除了前述行動，英國政府也向海外尋求援助。在美國，民眾不僅對於英國能否支持下去意見分歧，對於美國是否應該主動介入歐洲戰爭也呈現兩極看法。爭取美國支持是邱吉爾的首要目標，但他也小心翼翼不想透露太多訊息。一九四〇年夏天，面對德國入侵危機，英國開始討論把皇家海軍移往新世界的可能，邱吉爾告訴英國駐美大使洛錫安勳爵（Lord Lothian），「要讓美國打消沾沾自喜以為可以趁機撿拾大英帝國殘骸的念頭……。」[262]然而，動不動就把帝國掛在嘴邊，反而會讓美國的政治人物打退堂鼓。在美國，無論政治上屬於哪個黨派，都不願支持帝國。美國參議員范登堡（Arthur Vandenberg）對哈利法克斯勳爵坦白說道：「如果你們英國人能不要再提大英帝國，我們應該可以相處得融洽一點。」[263]英國自認可以得到大英帝國海外領土的協助，但在一九四〇年夏天同盟國戰敗之後，帝國的角色已變得模糊起來，倫敦方面提出的振奮之詞也因此淪為一廂情願。若要充分動員帝國的人力與工業資源，就會需要更多時間，但這些資源最後大多用來防守海外領土，而非運往英國本土。開戰後有十五個月的時間，英國自身負擔了九成的帝國軍事需求。[264]

帝國人力的動員因地而異。白人自治領起初毫不思索地拒絕再次派兵海外，他們不願像一戰那樣犧牲，並且認為應該把軍隊留下來保護自治領。澳洲政府最後勉為其難地同意派兵前往中東；加拿大政府的動員也獲得國會同意，但條件是法語區的加拿大人不能被徵兵也不能派駐海外。在南非，英國人與阿非利卡人也存在類似的緊張關係，準備到海外作戰的南非志願軍，軍服上會配有醒目的橘色肩章，提醒人們荷蘭與南非的深厚歷史淵源。儘管白人自治領在一九四〇年夏天持續支持英國抗戰，但澳洲總理孟席斯（Robert Menzies）卻傾向於協商和平（不過他後來改變了立場），加拿大則針對英國皇家空軍在自治領設置訓練機構的條件進行激烈辯論，而且也對首批加拿大部隊在英國營區被迫接受的不良待遇提出強烈抗議。[265]愛爾蘭雖然在一九三七年獨立，卻仍是大英帝國的自治領，愛爾蘭總理瓦勒拉（Éamon de Valera）即使面對能夠統一全愛爾蘭的條件（他為此已奮鬥了二十年），卻仍堅持愛爾蘭應保持中立。一九三九年九月二日，瓦勒拉在愛爾蘭議會表示，我們愛爾蘭人「知道強國以武力對付弱國是怎麼一回事」。邱吉爾對於愛爾蘭人「面臨戰爭卻逃避責任」深感不滿，但愛爾蘭政府在大戰期間一直堅決維持中立。[266]

大英帝國的非白人領地對於參戰有著相對不同的反應。印度的狀況尤其微妙，印度的政治人物，不管來自什麼政治背景，都心照不宣地相信只要支援英國作戰，未來將可得到政治改革做為回報，甚至有可能獲得獨立。印度軍隊被派到帝國在亞洲的邊緣地區進行支援，如伊拉克、肯亞、亞丁、埃及與新加坡等地，此外印度也在國內籌措數量龐大的資金來協助保衛印度。即使印度各主要黨派都反對法西斯主義，他們也希望印度的參戰能讓英國人給予他們可接受的政治回報。一九四〇年六月二十九日，甘地要求印度能夠完全獨立。邱吉爾政府只同意在德里設立戰爭諮詢委員會，委員會由印度人與更廣大的執行委員會組成，但關鍵的國防、財政與內政事務仍牢牢掌握在英國人手裡。十月，印度國大黨發起公民不服從運動，於是繼五百名印度共產黨領袖之後，七百名國大黨領袖也被捕入獄。為了讓印度殖民政府能夠宣布國大黨為非法組織並且徹底擊潰國大黨，倫敦的戰時內閣打算通過《革命運動條例》（Revolutionary Movement Ordinance），但對於是否要真正行使該法仍感到猶豫。儘管如此，到了一九四一年春仍有七千名國大黨黨員被判有罪，四千四百人遭到監禁。就連支持參戰的印度人，英國也因為優先滿足本土防衛需求而只能給予非常有限的資源。印度最終貢獻了超過兩百萬名志願軍，但印度軍隊在開戰之初的軍事條件仍相當簡陋。戰爭爆發時，整個印度次大陸完全沒有現代戰鬥機，只有一門防空砲；將近兩年後，在日本入侵東南亞前夕，印度軍隊仍沒有現代戰鬥機、戰車或裝甲車，只有二十門防空砲與二十門戰防砲。[267]當印度軍隊移動到其他戰場時，幾乎完全得仰賴英國的補給。英國在亞洲的力量極其薄弱，因此當日本於一九四〇年七月要求英國關閉滇緬公路以切斷蔣介石軍隊的後勤補給線時，邱吉爾為了避免「與日本開戰的風險」而不得不照辦。[268]

埃及是另一個嚴重問題。雖然根據一九三六年條約，埃及名義上已經是獨立國家，但英國仍在該國擁有重要的政治與軍事影響力，而且享有駐軍蘇伊士運河以維持通往亞洲海外領土生命線的特權。一九四〇年五月與六月，英國在歐洲戰敗，埃及的馬希爾（Ali Maher）政府不僅拒絕參戰，甚至主動要求終止英國在埃及擁有的一切特權。英國考慮像一戰一樣強制將埃及納入保護國，或者宣布戒嚴，但最終靠著鐵腕威脅就足以迫使埃及的法魯克國王（King Farouk）撤換馬希爾，另外任命親英的政治人物薩布里（Hasan Sabry）擔任首相。雖然薩布里願意提供英國的各項需求，但他也不同意埃及參戰；埃及政府最終是一直等到一九四五年二月二十五日才對已經顯露敗象的軸心國宣戰，藉此確保在未來成立的聯合國組織中獲得席位。英國把埃及視為全球戰略的重要據點，甚至不惜違反一八八八年的《運河條約》，在蘇伊士運河兩端港口增兵與裝設重砲。[269]強化運河的防禦雖然能夠阻止德國與義大利船隻在戰時進入蘇伊士運河，卻與優先防衛本土的戰略需求有所矛盾，因此在往後兩年，蘇伊士運河始終處於嚴重的威脅之下。至於蘇伊士運河以東的帝國領土，就只能仰賴英國的軍事保護來維繫；但只要德國入侵英國的危機一天不解除，英國就無法派兵保護位於亞洲的海外領土。一九四〇年十一月，德國情報單位從印度洋沉船取得一份祕密文件，並且將這份文件交給日本人。文件上清楚表明，如果發生最糟糕的狀況，英國將無力維持在東南亞的帝國地位。對於一九四〇年的英國而言，海外帝國能提供的資源仍然十分有限，但對海外帝國與眾多海外據點來說，英國能提供的資源也同樣不足。

這種難堪局面與同盟國其他三個殖民帝國面臨的現實形成強烈對比：荷蘭、比利時與法國這三個帝國都被德國征服。比利時與荷蘭的海外領土完全與母國斷了聯繫。德法停戰協定允許維琪政府保有對海外帝國的控制，但戰爭基本上徹底破壞了法國的帝國統治，導致海外帝國情勢脫離法國本土的掌握。一九四二年，維琪政府殖民地部長布雷里耶（Jules Brérié）終於辭職：「我的角色已經謝幕，因為我們不再擁有帝國。」[270] 這三個國家實際上已無法管理自己的帝國。由於軸心國此時尚不確定要在歐洲建立什麼樣的新秩序，海外領土的命運也在未定之天。一九四〇年六月中，墨索里尼、希特勒與兩人的外交首長齊亞諾與李賓特洛甫，四個人開會討論瓜分西方帝國殘留的非洲領土：義大利取得北非與西非，德國取得撒哈拉以南非洲。這些極具野心的計畫只能等到擊敗英國之後才能實際執行，但至少在一九四〇年夏天，德國建立非洲帝國的想法再度浮上檯面。除了有殖民地遊說團體在外交部與德國海軍部進行熱心遊說，殖民地同盟也努力想促成此事，同盟領導人埃普也在六月被任命為臨時殖民地部長。[271]最初在空想下產生的計畫，是要建立一個以德國為中心的海外帝國，領地包括前法國殖民地、比屬剛果、奈及利亞，甚至包括南非與羅德西亞，甚至打算讓法屬馬達加斯加島成為歐洲猶太人的半自治家園。[272]德國決定讓法國保有海外帝國，但這個決定也只是暫時的，德國只是想以此換取法國不與英國重建友好關係——不過最終英法兩國的親善並未實現，因為英國始終將維琪法國視為敵人。

比利時、荷蘭與法國這三個前殖民帝國並不確定英國是否會利用其戰敗的機會，將勢力範圍延伸到自己的疆域，無論英國這麼做是基於短期戰略需要，還是深思熟慮下擬定的長期計畫。一九四〇年五月，英國搶在德國之前占領丹麥統治下的冰島，而且隨即以慣用的殖民模式統治島民，逮捕與驅逐冰島少數的共產主義者與控制冰島貿易。[273]然而，英國的帝國作風受到美國的強烈反對。美國國內的反殖民遊說團體倡導未來殖民帝國都應該委託國際組織管理，就像一九一九年的託管制度一樣；更激進的反帝國主義者則認為歐戰是個機會，可以讓所有前殖民帝國的屬地獲得獨立。當英國在冰島的統治遭遇愈來愈激烈的反彈時，美軍便在一九四一年六月接管冰島。兩年後，冰島宣布成為獨立共和國。一九四二年，美國國務卿赫爾要求訂定國際憲章，保證戰後在國際託管制度下讓殖民地人民獲得獨立。[274]從殖民帝國的角度來看，一九四〇年確實是個關鍵轉捩點：讓全球的帝國統治陷入危機，戰敗的宗主國再也無法維繫其原本的帝國統治。

對比利時與荷蘭來說，一九四〇年的戰敗造成複雜的政治局勢。兩國都與自己的帝國斷絕聯繫，陷入前所未有的處境：本土遭到占領，從原本的統治者淪為異國的臣民。比利時國王決意留在布魯塞爾，這項決定使流亡海外的比利時流亡政府失去正當性，也讓比屬剛果的憲法地位懸而未決。由於剛果擁有豐富礦藏，包括世界最大的鈾礦，因此列強都對剛果的命運深感興趣。法德曾經對於共同取得剛果進行討論，德國當局也想施壓比利時轉移其殖民地礦產公司。一九四〇年五月，英國政府拒絕承認剛果的中立地位，因為英國同樣希望運用剛果豐富的礦藏來支援同盟國進行戰爭。為了維護比利時主權，比利時國王命令流亡海外的殖民地大臣弗雷施豪爾（Albert De Vleeschauwer）必須讓剛果與盧安達、蒲隆地等殖民地維持中立，但在英國的壓力下，弗雷施豪爾於一九四〇年七月同意讓同盟國使用剛果的資源。一年後，剛果的貨幣與貿易已完全整合到英國的經濟區。[275]美國也對剛果感興趣。到了一九四一年八月，美國已在剛果駐紮了一千兩百名士兵，包括黑人部隊——不過，美國最終還是在比利時流亡政府的堅持下撤離黑人部隊，因為流亡政府擔心殖民地人民會以美國黑人做為爭取解放的榜樣。面對英美的干預，弗雷施豪爾努力維持比利時在剛果的主權，但到了一九四三年，各種跡象皆顯示戰後美國必定會推動前殖民地走向國際，再使其獨立。[276]

荷蘭的處境也一樣嚴峻。荷蘭威廉明娜女王與流亡政府一同逃往倫敦，但流亡海外的荷蘭政府在維繫帝國之事完全使不上力。荷蘭位於加勒比地區的殖民地古拉索（Curaçao）與蘇利南（Surinam）遭英美託管，兩地的命運已非荷蘭所能掌控。[277]位於西印度群島的荷蘭殖民地政府與英國海軍共同封鎖了德國的海外殖民經濟計畫，前者監禁了在殖民地生活的兩千八百名德國人與五百名荷蘭納粹黨成員，德國政府為了報復，也在荷蘭逮捕了五百名荷蘭社會賢達，將他們送往布亨瓦德（Buchenwald）集中營。對殖民地未來的關注，成為荷蘭民族認同的關鍵元素，而德國人最終認為這對自己的統治構成了政治威脅。荷蘭最主要的政治運動，荷蘭同盟（Nederlandse Unie），到頭來也逃不了遭當局禁止的命運。[278]與此同時，荷屬東印度很快也受到日本政府施壓，日本要求當地政府提高石油、橡膠、錫等原料的供應量以滿足日本的戰爭需求。日本政府威脅東印度群島的殖民地政府，若允許其他國家妨礙日本的商業利益，日本就會出兵干預。巴達維亞（今日的雅加達）殖民政府直到一九四一年為止都能拖延日本大使的要求，但日本早已認定這些東印度群島是日本亞洲新經濟秩序的一部分，最終於一九四二年初武力奪取荷蘭在東亞的整塊殖民地，形同消滅了荷蘭的海外帝國。[279]

法蘭西帝國的狀況又與比利時、荷蘭不同，但最終命運卻與比利時及荷蘭的經驗相近。德國人對維琪政權的態度，讓人以為法蘭西帝國有可能在宗主國被征服後仍然倖存下來。法國的非洲領土首先必須滿足德國的經濟需求，但這些需求並不如事先預想的那樣嚴苛，德國也允許法國繼續在帝國境內駐軍以維持當地秩序。[280]貝當元帥認為要在法國建立新秩序，海外帝國依舊不可或缺。維琪政府宣揚母國與殖民地一體的觀念，並且把貝當塑造成「帝國的拯救者」。殖民遊說團體「海上與殖民地同盟」的組織成員在戰時增加到原來的三倍，超過七十萬人。維琪法國為海外帝國的經濟發展制定了宏大的十年計畫，包括鋪設穿越撒哈拉的新鐵路，某些路段還是強徵猶太人勞動完成。維琪法國甚至推動憲政計畫，暗示未來將成立帝國議會與賦予帝國公民身分。用法國歷史學家阿傑隆（Charles-Robert Ageron）的話來說，海外帝國成了法國彌補戰敗恥辱的神話。[281]然而，法蘭西帝國的現實並不容樂觀。在德國支持下，維琪法國得以拒絕義大利的領土要求，但顯然墨索里尼總有一天會再度要求法國割讓領土。在法屬印度支那，日軍向法國施壓，要求允許他們在越南北部部署軍隊與飛機，對此法國也無法拒絕。一九四〇年九月，日本駐紮六千名士兵到法屬印度支那並建立五個空軍基地，逐步控制當地。[282]或許最弔詭的是，一九四〇年法蘭西帝國完整性的最大威脅反而不是軸心國，而是前盟友英國。因為此時的軸心國為了維持與法國的關係，在領土要求上仍有所節制，反觀已經成為敵對陣營的英國則是毫不留情。

英國在一九四〇年六月對於盟邦法國的政策，主要仍寄望法國政府能動用帝國境內的飛機、部隊與艦艇，繼續與英國並肩作戰。六月十九日，英國殖民地大臣洛伊德勳爵（Lord Lloyd）奉命前往波爾多，希望法國承諾繼續在北非抵抗，以及讓法國地中海艦隊前往北非支援。法國起初同意，但不久便違反承諾。[283]德法停戰協定簽訂後，法蘭西帝國也隨之放棄抵抗。法國留給英國的只有已經被帶到英國的少數部隊與戰爭部次長戴高樂。六月十八日，戴高樂獲准在倫敦廣播，呼籲法國人繼續戰鬥；十天後，邱吉爾政府承認戴高樂是「戰鬥法國」領導人。然而，被帶到英國的法國部隊卻毫無繼續抗戰的熱忱。在一萬一千名水兵中，高達九千五百人想返回法國，只有兩千名士兵響應戴高樂的號召。雖然戴高樂僅有少數支持者，但英國決定把戴高樂視為真正的法國盟友，並且拒絕與維琪的新政權來往。維琪法國則在戴高樂缺席審判的狀況下，認定他犯了叛國罪並將他判處死刑。[284]

英國當局與維琪政府的對立，牽動了法國艦隊的命運。英國帝國參謀本部不希望法國艦隊落入德國人手裡，因為這會讓地中海的海軍均勢朝德國傾斜。雖然感到兩難，但英國戰時內閣還是決定必須奪取法國艦隊，否則就應該搶先一步予以摧毀。七月三日，英國皇家海軍對法國海軍發起「投石機作戰」（Operation Catapult）。約有兩百艘停在英國港口內的法國艦艇遭到登船與奪取，而停在埃及亞歷山卓港內的法國海軍船隻也被解除武裝，在西非達卡港更有一艘法國戰鬥巡洋艦遭英軍魚雷擊沉。法國的凱比爾港海軍基地位於阿爾及利亞的奧蘭附近，該港口很快就遭到英國薩默維爾海軍中將（James Somerville）率領的英國分遣艦隊封鎖。薩默維爾向法軍指揮官瓊蘇爾海軍上將（Marcel-Bruno Gensoul）下達最後通牒，如果他不自沉船隻或將艦隊開往英國、美國或加勒比地區的港口，就只能接受戰鬥的後果。在等待了十一個小時之後，英國軍艦終於開火，擊沉法國戰鬥艦布列塔尼號（*Bretagne*）與擊傷另外兩艘軍艦。七月六日，敦克爾克號（*Dunkerque*）戰鬥艦被一枚魚雷擊中，遭受重創。法國海軍總計死亡一千兩百九十七人，受傷三百五十一人。幾天後，維琪政權與英國斷交，派出轟炸機空襲英國位於直布羅陀的海軍基地。[285]

法國艦隊遭受攻擊的消息震撼了法國民眾，但這只是英國針對法蘭西帝國進行的其中一部分海軍戰略。接下來，英國的封鎖將擴大到整個法國與法國的非洲殖民地，切斷北非貿易，輸入法屬非洲殖民地的糧食與石油因此大為減少，輸入阿爾及利亞的石油陡降到戰前的百分之五。更不用說英國軍艦還會攻擊維琪法國的護航船團。這些行動使得非洲當地出現糧食危機，導致維琪政權與親維琪殖民主義者憎恨英國與反對英國干預。[286]凱比爾港攻擊事件之後，達朗海軍元帥曾經考慮由義大利與法國海軍聯手攻擊英國的亞歷山卓港，但這個方案被墨索里尼否決。[287]英國也對法國殖民地施加壓力，迫使其支持戴高樂。起初只有太平洋的新赫布里底群島響應，但在一九四〇年稍晚，加彭、喀麥隆、查德與大溪地也陸續跟進，法蘭西帝國因此分裂成兩個武裝陣營。[288]八月，英國希望拉攏塞內加爾加入自由法國，於是英國與戴高樂共同發起第二次行動，代號「威嚇作戰」(Menace)，目的是攻擊塞內加爾首都達卡。法國戰鬥艦黎希留號（*Richelieu*）當時正停泊在港內，波蘭與比利時的國家黃金儲備也存放在此處。這一次，英國皇家海軍遭遇維琪守軍的頑強抵抗，許多船隻受損嚴重，作戰完全失敗。這次軍事作戰雖然中止，卻讓各歐洲帝國看到英國的決心，顯然英國已準備好要將自己的戰時利益無情地加諸在其他國家的殖民地之上。一九四〇年秋天，謠傳法國即將單獨與德國締和，整個法蘭西帝國即將加入以英國為主要敵人的泛歐洲陣營。邱吉爾嚴厲斥責法國，他威脅一旦維琪法國加入德國，英國將會對維琪法國展開空中轟炸。[289]在荷蘭，當地的法西斯主義領袖繆塞特（Anton Mussert）表示，三百年來，英國帝國主義才是歐洲真正的敵人，他呼籲南非的荷蘭移民再次發動波耳戰爭。[290]

對歐洲軸心國來說，大英帝國是重新塑造歐陸與地中海政治秩序的絆腳石，但德義兩國卻從未致力協調彼此的戰略來擊敗英國或迫使英國投降。德國擊敗法國之後，眼前突然浮現出各種機會，但也顯示德國在此之前並未仔細規畫接下來該採行的戰略。儘管如此，羅馬與柏林當局仍對於共同規畫戰略依舊是興趣缺缺。墨索里尼堅持自己進行的是一場「平行戰爭」，而不是與希特勒並肩作戰。在德國的壓力下，義大利只能對法國提出有限的領土主張，這點令墨索里尼頗為不悅。墨索里尼也不同意德國讓維琪政權在北非保有部隊對抗英國的決定，因為這些部隊也可以用來對抗義大利。[291]德義對於即將來臨的新秩序顯然有著不同的看法。對墨索里尼來說，義大利必須建立一個歐洲帝國，就跟希特勒擊敗法國後在歐陸北部建立的帝國一樣，義大利不能只局限在非洲或中東建立帝國。另一方面，希特勒則樂於見到墨索里尼在地中海地區發展，但他指示軍方絕不能向義大利人透露他的真實想法。一九四〇年六月底，墨索里尼主動提出義大利願意派出遠征軍參與希特勒對抗英國的任何戰役，卻遭到希特勒禮貌而明確地回絕。墨索里尼為此也回絕了希特勒派德國空軍轟炸蘇伊士運河的提議。「顯然，」齊亞諾在日記裡抱怨道：「相信我軍與相信我軍的可能性並不是一件過分的事！」[292]德義兩國曾在一九三九年五月簽訂《鋼鐵條約》建立同盟關係，但這一關係顯然只具有宣示性的意義。在一九四一年春天之前，這兩個盟邦基本上處於各自為政的狀態。

希特勒與軍事高層若想在一九四〇年夏天結束西線戰爭，他們手上只剩下兩個戰略選項可以選擇：一、找到英國願意接受的政治解決方案。二、以軍事手段終結英國反抗。但這兩個選項都不容易。第一個方案難在德國並不清楚英國有哪個主和黨派具有足夠的政治權力可以簽訂和平協定，第二個方案難在無論是封鎖還是入侵，德軍手邊沒有任何一種可能的軍事選項可以保證成功。希特勒最後兩種方案都嘗試，希望其中一項能夠成功。邱吉爾於六月十八日發表演說，誓言英國將獨自作戰，在這個背景下似乎難與英國有政治解決的空間。希特勒私底下一直不瞭解英國為什麼要持續作戰，陸軍參謀總長哈爾德記錄了七月十三日與希特勒的會議：「元首一直想著這個問題，英國為什麼不想和談？」[293]更讓希特勒困擾的是，英國內部也流出了非常模糊的訊息，暗示協議有可能達成。整個一九四〇年間，檯面下一直有居間調停者表示英國有些具影響力的人物可以協商和平條件。六月底，戈培爾在日記裡提到英國「有兩大黨，一個主戰，一個主和」，他在幾天後又寫到：「英國傳來的和談氣息愈來愈濃厚了。」[294]

七月初，希特勒決定再次公開呼籲英國和談。希特勒計畫在七月十九日在帝國議會演說，並在演說前幾天對幕僚解釋：他不想毀滅大英帝國，因為德國人若為此流血，得利的將是美國人與日本人。[295]歷史學家理所當然會對這段描述感到懷疑，但希特勒在情感上確實跟邱吉爾一樣尊崇大英帝國的輝煌歷史。一九三〇年代乃至於在戰爭期間，希特勒不只一次表示大英帝國是德國殖民計畫的範本，其他的德國帝國主義者也如此認為。[296]這種對敵人的精神分裂觀點就反映在七月十九日的演說上。希特勒一開始就表示，他可以預見一個帝國的毀滅，但「他無意毀滅甚或損害」這個帝國，接著簡短地訴諸理性：「我看不出有任何理由要繼續這場戰爭。」[297]希特勒對戈培爾說道，這個訴求只是個「簡要的提議」，沒有詳細的內容，但他「言盡於此」。[298]邱吉爾拒絕回應。當內閣外交顧問范西塔特（Robert Vansittart）問邱吉爾為什麼不回應時，邱吉爾表示他對希特勒無話可說：「跟這種人多說無益。」[299]幾天後，外交大臣哈利法克斯勳爵正式回絕了這項提議，希特勒只能接受這是英國「最後的拒絕」。[300]

對希特勒來說，英國若願意停戰當然最好（儘管保留大英帝國有違義大利、日本與蘇聯等盟友的利益），但他也預料有可能會遭拒絕。事實上，早在發表演說之前，希特勒已於一九三九年十一月再次發布訓令對英國進行海空封鎖，他也授權軍方針對入侵英國南方擬定計畫。一九四〇年七月十六日，希特勒發布入侵訓令，準備進行「海獅作戰」（Operation Sea Lion），計畫登陸英國東南方海岸。進行這項行動的前提是壓制英國皇家空軍，使其「不足以對德國的登陸作戰進行攻擊」。[301]在帝國議會演說的前幾天，希特勒曾與幕僚討論，他首次提出一個更激進的軍事手段來解決英國反抗的問題。希特勒一直想找出英國堅持不和談的原因，而他慢慢開始懷疑英國也許與蘇聯達成某種協議。就在希特勒向英國提出和平呼籲的兩天後，他在各級軍事長官的會議中吐露心聲，這些心聲正逐漸化為一場可能的戰爭。「必須提防俄羅斯，」希特勒的空軍副官記錄下這句話：「必須開始計畫對俄羅斯的攻擊行動，而且必須極機密地進行。」希特勒找來蘇芬戰爭的新聞影片，好讓自己更深入瞭解俄羅斯這個假想敵。[302]七月三十一日，希特勒終於確定戰略，並向軍方將領們說明：由於英國不放棄戰爭，因此必須做好準備先對蘇聯發動攻擊，讓英國進行兩線作戰的最後希望落空。此時希特勒提出的還只是暫時方針，而非擴大戰爭的明確訓令，但這個想法日後卻逐漸成為希特勒的信念。他深信要徹底擊敗大英帝國，就必須從東方下手。

希特勒的這項決定，時常被解讀為一年後德國對蘇聯發動大規模作戰的源頭，彷彿已清楚顯示希特勒的目標已不再是入侵或擊敗英國。這樣的解讀完全悖離事實。此時的德國最高統帥部依舊將目標擺在迫使英國投降，無論是透過封鎖、入侵還是政治手段。希特勒在七月二十一日與各級軍事長官開會時也提到，他不希望英國「從他手中奪走主動權」。[303]選擇攻擊蘇聯，最初其實是針對英國不願和談而做出的反應，而非要以蘇聯為主要攻擊目標。希特勒在一九四〇年夏天的首要目標依然是結束英國的抵抗，而不是將帝國疆域擴展到俄國。英國與蘇聯戰略是互補的，而非兩個完全不同的選項。儘管如此，希特勒對於蘇聯的野心也確實懷有疑慮。史達林利用德國與西方國家交戰的機會，於一九三九年八月推進自己的主張，兩國因此祕密簽訂了互不侵犯條約。之後，蘇聯又逐步鯨吞蠶食德國未來想在東方建立的帝國疆域。一九四〇年六月，當邱吉爾任命激進的社會主義政治人物克里普斯爵士擔任駐莫斯科大使時（邱吉爾日後表示這簡直就像「一個瘋子到一個全是瘋子的國家」），柏林當局不禁懷疑，邱吉爾此舉很可能是為了促成英蘇親善。[304] 七月二十一日，希特勒對他的軍事幕僚表示「搞不清楚英國在想什麼」。戈培爾則是在幾天後指出，需要幾記重拳「才能讓英國清醒一點」。[305]

德國非常認真地擬定對英國的軍事作戰計畫，絲毫不敢大意。德軍雖然深知蘇聯是潛在威脅，卻仍花了將近一年的時間在海上與空中與英國交戰，到了一九四一年春天，甚至還對英國進行了陸戰。如果希特勒早在此時就決定把蘇聯列為頭號目標，又為什麼要花這麼大的力氣在英國身上？一九四〇年夏天，德國縮減了陸上武器的生產量，將資源轉移到飛機與艦艇生產，德國最高統帥部也針對兩棲作戰擬定訓令與準備必要物資。德軍的作戰計畫十分周詳，這種規模的入侵行動不可能只是為了對英國領導高層施加壓力，而是真的打算執行侵略計畫。德軍事前沒有料想到的是，為了創造渡海攻擊的有利條件，海軍與空軍必須承擔這麼沉重的責任。在入侵英國之前，海軍從未進行過大規模兩棲作戰，而空軍也從未進行過遠距離空戰。德國海軍在先前的挪威戰役中損失慘重，此時也沒有足夠潛艦能反制英國的海上干預。因此，入侵英國的重任就落在德國空軍肩上，德國空軍必須確保進攻英國的海上航道的安全，還要壓制英國的空軍力量。此處的難題在於，雖然德國空軍在一九三九年與一九四〇年協助地面部隊攻擊波蘭、北歐與西歐時曾有過極佳表現，但德國空軍毫無遠距離獨立作戰的經驗。要重新調整空軍進行大規模海外空戰與建造合適的機場需要時間。德國空軍這次面對的是一場遠比波蘭與法國戰役更為龐大的戰鬥，他們必須摧毀敵人的空軍，在兩棲入侵之前先破壞敵軍的軍事設施，然後為入侵部隊建立保護傘以對抗敵人的海軍，同時還要對地面的軍事作戰提供戰術空軍支援。[306]

英德雙方都知道空優是決定一九四〇年夏日勝敗的關鍵。七月，英國帝國參謀本部表示：「此戰的核心在於空中優勢。」[307]到了夏末，英德雙方爆發這起戰役的第一場大規模空中衝突。英德空軍有著不同的組織方式。德國空軍編組成大型航空軍團，每個航空軍團擁有轟炸機、戰鬥機、俯衝轟炸機與偵察機等多種戰機，英國皇家空軍則是依照功能進行編組，分成戰鬥機司令部、轟炸機司令部、海岸司令部，並未針對支援陸軍或海軍行動建立聯合作戰機隊。德國空軍將第二與第三航空軍團的大部分戰力部署於法國，總數達七十七個作戰中隊；實力較弱的第五航空軍團（六個中隊）則部署於挪威，其任務是攻擊英國的東部與東北部海岸。八月初，德國空軍在進行空襲前夕擁有八百七十八架可用的梅塞施密特Me－109單座戰鬥機、三百一十架梅塞施密特Me－110雙引擎戰鬥機、九百四十九架可用的轟炸機與兩百八十架俯衝轟炸機。同一時間的皇家空軍則擁有七百一十五架可用的戰鬥機（十九個中隊的超級馬林噴火戰鬥機與二十九個中隊的霍克颶風戰鬥機），必要時還可於一天內另外調動四百二十四架飛機。英國轟炸機司令部規模遠比德國小得多，一九四〇年七月時只有六百六十七架轟炸機，而且同年夏天英國轟炸機百分之八十五的攻擊任務都不是針對德國空軍基地、倉庫與入侵艦艇，而是德國境內的其他目標。[308]與德國空軍相比，皇家空軍儲備了較多的戰鬥機飛行員，生產戰鬥機的速度也較快：在不列顛空戰期間，英國工廠總計生產了兩千零九十一架戰鬥機，德國工廠只生產了九百八十八架。這場戰役的關鍵在於戰鬥機之間進行的空戰，其結果將決定英國南部戰事的勝負。英國本土部隊總司令布羅克中將（Alan Brooke）對皇家空軍下達一道簡單命令：「不要讓敵軍取得空優。」[309]

德國並未立刻出動大規模兵力爭奪空優。六月底到七月，德國只派出少數飛機不分晝夜進行試探性攻擊，除了測試英國的防衛能力，也讓飛行員熟悉英國上空的狀況。然而這些試探無法窺破英國戰鬥機司令部的組織祕密。英國戰鬥機司令部仰賴一套複雜的通信網路，除了針對來襲敵機提出預警，也能協調各地戰鬥機做出回應。這套網路的核心是運用一九三〇年代中期研發的雷達（無線電偵測與定距）：從最西部的康瓦爾一路延伸到蘇格蘭北部，英國總共設置了三十座偵測高空飛行器與三十一座偵測低空飛行器的雷達站，此外還有三萬名地面觀測團成員分布在一千個觀測點協助監視。雷達站與觀測站以電話線和戰鬥機司令部與無數航空站聯繫，使其可以在幾分鐘內預警，讓戰鬥機緊急起飛應戰。雖然戰鬥機司令空軍上將道丁（Hugh Dowding）日後抱怨這套系統經常提供「不準確與不充分的情報」，但這些情報已足以讓一定數量的戰機升空抵抗來襲的敵機，節省了戰機例行巡邏的時間。[310]經過一個多月的準備與試探，德國空軍總司令戈林決定出動大量機群攻擊英國戰鬥機司令部各處基地，來測試皇家空軍的抵抗能力。這次作戰行動的代號是「鷹日」（Eagle Day），戈林希望四天後便能徹底擊潰英國的空防。八月一日，希特勒總部下達爭奪空優的命令，並且將鷹日作戰定於八月五日。[311]然而，惡劣的天候狀況使出擊時間延後超過一個星期，鷹日作戰又改成八月十三日。結果當天濃密的雲層導致出擊不利，英國戰鬥機司令部沒有任何一座基地遭到直接攻擊。德國損失四十五架飛機，皇家空軍只損失十三架。

不列顛之役的開場極為混亂，然而這種混亂局面在往後幾個星期也絲毫沒有改善。戈林根據一九三九年與一九四〇年德軍快速獲勝的前例，認為這次只需四天就能擊潰皇家空軍，但結果證明他的承諾不可能兌現。不列顛之役開打後的前三個星期，德國空軍對皇家空軍基地發動五十三次空襲。八月的最後十天，因為天候轉好的關係，德軍加強了攻擊的力度。在空襲中，有三十二次是針對戰鬥機基地，其中三十次目標都是部署在英國東南方的皇家空軍第十一聯隊，但只導致三座基地暫時無法起降，這些基地都是接近海岸的前線機場。儘管主要機地遭到破壞，仍然有其他周邊的小型機場可供飛機起降，這些分散到各地的飛機全做了周密的掩護。雷達站在八月初曾短暫受到轟炸，但因為德國人低估雷達站的重要性，因此雷達鏈的損害相對輕微。後世有許多人強調這場戰役中雙方戰力的懸殊比例，彷彿英國空軍是以寡擊眾，邱吉爾那句戰鬥機司令部的「少數人」名言更是渲染了這項觀點，然而在實際上，從八月中旬到九月初，戰鬥機司令部的規模並未受到太大減損，飛行員人數也從未出現不足的狀況。九月六日，戰鬥機司令部還有七百三十八架可用飛機，反觀德國戰鬥機的平均可用數量已降到五百架。[312]到了這個階段，容克斯Ju-87俯衝轟炸機與雙引擎Me-110幾乎都已經撤離英國戰場，因為這些戰機太過脆弱，不能冒險用來與高性能的單引擎戰鬥機對抗。雙方確實都承受了龐大損失，這是一場激烈而艱困的對抗，但英國的空防體系確實派上了用場。

就連身為敵方的德國空軍也認為英國皇家空軍只不過是「少數人」。到了八月底，德國情報單位認為英國已有十八座戰鬥機基地被毀，而戰鬥機司令部頂多只剩下三百架左右的戰機。德國在廣播中宣稱已經「支配英國空域」。[313]飛行員回報他們看到起火的建築物與坑坑巴巴的跑道，經常性地誇大他們擊落的飛機數量，因此當他們聽到廣播時，也認為與自己的經驗相符。這解釋了德國為什麼在八月底之後不再攻擊英國的空軍基地，轉而襲擊其他的軍事與經濟目標，希望藉此更進一步削弱英國的防衛力量，以利接下來的兩棲登陸作戰。希特勒總部接到前線傳來的消息，誤認為德國空軍已經掌握了制空權。九月三日，德國國防軍最高統帥部的日誌寫道：「英國戰鬥機的防衛力量嚴重受損，接下來的問題是英國還能不能繼續戰鬥。」[314]入侵前空襲計畫的最後階段是大規模轟炸倫敦，給予英國首都最大的威脅，使其陷入恐慌。九月二日，德國空軍的目標已因此改成轟炸倫敦，但希特勒等了三天才下令攻擊，他仍希望德軍掌握制空權的消息正確無誤。九月五日到六日深夜，德軍轟炸倫敦的三十個自治市，從南部的克羅伊登（Croydon）到北部的恩菲特（Enfield），德軍鎖定了軍事、運輸與公用設施做為轟炸目標。[315]

後來有人認為，希特勒更改攻擊計畫及決定在九月七日轟炸倫敦，是為了報復皇家空軍在八月底轟炸柏林，而且這一計畫改變使得英國戰鬥機司令部保住一線生機。這其實是一項缺乏根據的迷思。事實上，德軍轉而攻擊倫敦與其他軍事及工業目標完全是依照原本擬定好的軍事計畫，而且轟炸倫敦早在九月七日前一個多禮拜就已經開始進行，包括九月五日到六日深夜的大規模轟炸。[316]希特勒是趁機利用了這一機會來安撫德國西部民眾，因為他們已經被皇家空軍轟炸了四個月。九月四日，希特勒在向全國播送的演說中承諾德國民眾，他會將英國城市夷為平地，但這些話純粹只是用來安撫人心。為了癱瘓倫敦而進行的轟炸，按理只會持續一個星期，之後就要展開兩棲入侵行動。希特勒把入侵日期定在九月十五日，屆時潮汐對於登陸較為有利，而且也可能出現好天氣。九月三日，希特勒把日期改為九月二十日到二十一日。戈林則不斷主張，皇家空軍已經快撐不下去。他對戈培爾說，三個星期之內就可以結束對英國的戰爭。[317]

過去幾個月來，英國早已針對德國入侵進行準備。英國的政軍高層在法國戰敗後也預期德國將在幾個星期內入侵英國並帶來一場災難。英國本土部隊總司令布羅克在七月表示，受過訓練的人員與設備「極其缺乏」，畢竟英國陸軍在敦克爾克喪失了百分之八十八的火砲與百分之九十三的各型車輛。[318]一九四〇年六月到八月，英國又徵召了三十二萬四千人入伍，但來不及訓練與裝備這些士兵。英國還有三十萬支一戰時期的步槍，足以裝備二十二個陸軍師，但這些陸軍師只有一半能投入於因應德國發起的機動作戰。[319]情勢如此危急，就連克里普斯前往莫斯科時也銜命向蘇聯政府提出購買飛機與戰車的要求，卻遭到蘇聯當局婉拒。[320]此時如果德國發動入侵，英國將毫無因應之道。雖然後世歷史學家普遍懷疑德國是否真有入侵的意圖，但當時的英國政府確實相信德國一定會發動攻擊。根據國土情報局報告的說法，英國民眾在夏初時仍懷抱希望，並不如想像中不安，他們因為空戰的捷報而受到鼓舞——當時英國的戰報就跟德國一樣，總是故意誇大敵軍損失。九月初，情報部發現民眾的情緒「異常高昂」，尤其反映在酗酒人數的減少之上。[321]九月初，從偵察照片與破譯德國空軍「謎式密碼」（Enigma）*訊息得到的證據，顯示德軍即將入侵。九月七日，英國當局下達代碼為「克倫威爾」的訓令，所有軍事組織皆進入最高度警戒狀態以因應未來十二小時可能發生的入侵行動。然而入侵行動並未發生。下一次警報發生在下週末，也就是史稱「入侵週末」的九月十四日到十五日，因為此時的潮汐最適合德軍進攻。英軍士兵接到指示必須穿著軍服睡覺，以便在聽到警報時可以立即起身應戰。[322]

九月十四日恰好也是希特勒與各級司令官開會討論是否執行海獅作戰的日子。整個九月，希特勒不斷收到與入侵可行性相關的各項情報，其中好壞參半。希特勒的作戰部長約德爾（Alfred Jodl）支持希特勒在夏天提出的間接作戰路徑，也就是「繞一圈從俄羅斯前往英國」。[323]海軍總司令賴德爾海軍元帥（Erich Raeder）起初支持海獅作戰，但到了九月也覺得這項計畫的風險太高。戈林依然堅稱他的空軍已經依照時程達成所有要求。希特勒瞭解這次入侵必須一次就成功，因為失敗造成的政治後果將會毀了這一整年的成果。直到九月十四日這天，根據他的空軍副官所述，希特勒依然認為「成功的『海獅作戰』才是擊敗英國的最好辦法」。[324]關鍵還是在於空戰。入侵計畫能否成功，完全取決於能否取得制空權。儘管戈林再三保證，但到了九月中旬，國防軍最高統帥部還是發現英國的空中抵抗力量並未遭到擊潰。入侵行動非常需要空軍保護，讓部隊跨越英吉利海峽時能不受英國海軍攔截，此外還需要空軍支援，讓部隊登陸後能建立最初的橋頭堡。希特勒決定在九月十七日重新檢視海獅作戰的可能性，然而到了十七日當天，德國空軍已在兩天前日間空襲倫敦的行動中遭遇重

* 又稱為「極機密」（Ultra），首次於一九四〇年五月進行破譯。

創。在這場英國人的「不列顛日之役」（Battle of Britain Day）中，德國空軍損失將近四分之一的戰力。海獅作戰為此再度延後。十月十二日，希特勒決定直到年底之前都不考慮該項行動，預計隔年春天再重新考慮是否有必要重啟計畫。

一九四〇年，大英帝國並未崩潰也不認輸，而這一年也成為歐洲帝國主義漫長歷史的一個轉捩點。法國、比利時與荷蘭在歐洲戰敗與遭占領之事，使這些宗主國無法繼續掌控遙遠的海外領土。對大英帝國來說，這場危機也對未來帶來棘手的難題。儘管如此，英國政府一方面強調海外帝國能夠支援英國進行戰爭，另一方面又派兵鎮壓印度的政治自治運動並在埃及實施戒嚴法，這兩種做法顯然是矛盾的，而英國政府卻無意解決這個矛盾。對英國而言，首要之務還是守住本土。而當時無論德國還是英國，都無法找到一套迫使對方和談的戰略，也無法取得決定性的軍事成果。然而幾乎可以確定的是，如果希特勒未將矛頭轉向東方，那麼擁有一百八十個陸軍師與已經征服歐陸大部分領土的德國，應該有機會在一九四一年結束西線的戰爭。反過來說，英國則毫無戰勝德國的可能：英國兩度被逐出歐洲，一次在挪威，另一次在法國，又在非洲遭遇危機，經濟持續下滑，必須努力維持與世界經濟的連結。在這種狀況下，英國面臨著戰略破產的窘境。英國確實在法國陷落之後持續進行了一年的戰爭：空防優先、擁有一支強大的海軍與較少的海外帝國衝突。這是一場英國早在一九三〇年代就開始準備的戰爭，一場由張伯倫負責準備、而邱吉爾被迫進行的戰爭。

一九四一年六月二十二日，巴巴羅薩作戰開始，一群疲倦的德軍士兵在蘇聯烏克蘭某處的道路兩旁休息。絕大多數德軍是靠步行或騎自行車穿越蘇聯的鄉野地區。圖源：*World of Triss/Alamy*

CHAPTER

第二章

2

帝國的幻夢與現實

（1940-1943年）

「德國、義大利與日本政府認為永久和平的先決條件，是世界上每個民族都應取得其應得的空間……三國政府的主要目的是建立與維持新秩序……。」

——《三國同盟條約》，一九四〇年九月[1]

一九四〇年九月二十七日下午一點，在第三帝國總理府宴會廳，德國外交部長、義大利外交大臣與日本駐柏林大使坐在鑲金箔的桌子前面，身旁的人都穿上華麗軍服，眾人在此正式簽訂德義日《三國同盟條約》。在總理府外，大批學童揮舞著日本與義大利國旗，不過義大利外交大臣齊亞諾伯爵卻覺得一切「沒什麼說服力」。齊亞諾覺得宴會廳裡的氣氛比他預期的還要冷淡，但他把柏林人的煩躁與健康不佳歸咎於柏林長期遭受英國的夜間轟炸，導致柏林人每晚都必須躲進防空洞。[2]在日本要求下，條約以英文書寫以加速流程。待三國代表在條約上簽字，宴會廳入口便響起了三聲沉重的敲門聲。廳門開啟，希特勒以浮誇的姿態走了進來，他一語不發，逕自在桌前坐下，等待三名代表發表預先準備的演說，再向全世界發布。在地球另一端的東京也舉行了儀式，只是不像柏林那麼鋪張盛大。日本天皇批准條約僅是一個星期之前的事，這解釋了為什麼必須倉促地以英文擬定條約以避免翻譯錯誤。日本外務大臣松岡洋右在條約上簽字，他日後表示，這份條約是為了「締造而非毀滅世界和平」。[3]條約為期十年，規定三國若遭遇未參與當前衝突的國家攻擊時，應相互提供軍事協助——這項聲明顯然是針對美國而來。不僅如此，條約也讓三個帝國瓜分舊世界：德國取得歐陸，義大利取得地中海與非洲，日本取得東亞。三個帝國將鞏固與擴大所謂的新秩序。這份地緣政治協定充分顯示，此時的德義日三國已有信心宣布，幾個世紀來由英法支配的舊帝國秩序終於走到了尾聲。

英國問題

雖然德義日三國大肆宣布新政治秩序的建立，但還有一個問題懸而未決，那就是尚未承認戰敗的大英帝國。「英國問題」困擾的不僅是軸心國，還包括英國自己。對軸心國而言，英國雖然看起來脆弱，卻成了德義日鞏固新秩序的障礙。但對英國而言，問題就在於如何既阻止德義日野心，又避免過度耗費資源與在戰場上持續失敗，以保住整個帝國。

德國推遲海獅作戰一事，暴露了德國仍不確定要以什麼方式結束與英國的戰爭。希特勒的政治與軍事幕僚提出兩條途徑：一是建立「歐陸陣營」，讓英國瞭解除了協商和平，沒有別的政治途徑可走。二是採取邊緣戰略，以軍事手段切斷英國與地中海的連結，因為英國為了防禦本土，只留下薄弱兵力防守地中海。第一項戰略在法國投降後就已開始進行，一旦實現，柏林就將能完全支配歐洲經濟。德國的經濟學家與官員開始討論建立大經濟區，範圍不只局限於東歐，而是涵蓋整個歐洲。這個大經濟區要整合所有市場，建立以帝國馬克為基礎的共同貨幣區，推動共同貨幣清算機制，德國經濟將因此滲透到歐洲所有的產業與銀行。[4] 此外還要重建經濟，將柏林打造成歐洲的金融與商業首都，以此來挑戰倫敦的支配地位。這是從政治層面上孤立英國的初步做法，而這種做法也反映出戰前新全球經濟區秩序的思維，日本的領導高層也接受這種觀念。想要建立歐陸陣營，不僅需要爭取維琪法國與佛朗哥的西班牙加入軸心國，還必須鞏固藉由《德蘇互不侵犯條約》建立的德蘇關係。到了一九四〇年秋天，在無法擊敗英國的狀況下，希特勒才有了建立「能有效對抗英國的強大同盟」的想法。[5]

一九四〇年十月底，希特勒進行了一次對他來說相當罕見的巡訪行程。以往歐洲政治人物必須到柏林跟希特勒見面，但這次不同，希特勒搭乘元首列車，親自到各國舉行一連串高峰會，首先是佛朗哥將軍，然後是貝當元帥，最後是他的盟友獨裁者墨索里尼。希特勒想試探是否有可能建立共同對抗大英帝國的歐陸與地中海陣營。我們不清楚希特勒對於這趟巡迴訪問抱持多少期望，但國防軍最高統帥部的參謀與空軍和海軍的總司令都都認為，擊敗英國最好的做法是直接占領直布羅陀及蘇伊士運河，前者使英國無法從非洲基地運補，後者可以切斷英國與亞洲領土的連結，德國還能透過運河航路取得中東石油。德國軍方已經擬好了「菲利克斯作戰」（Operation Felix）訓令，準備攻占直布羅陀，墨索里尼也在埃及部署了大軍，但這項計畫能否實施取決於能否與西班牙、法國和義大利能否訂出孤立英國的政治協定，並且協調彼此的軍事行動。然而，帝國議題卻讓這項計畫注定胎死腹中。佛朗哥同意合作的代價是取得一部分法國的非洲領土與一筆可觀的補助金——且就算能取得，佛朗哥也沒有鬆口是否會對英國宣戰。十月二十三日，希特勒與佛朗哥在法西邊境的昂代伊鎮（Hendaye）會面，希特勒很快就發現自己無法從佛朗哥身上獲得任何承諾。如果要求維琪法國割讓部分非洲領土給佛朗哥，維琪法國將會與德國對立，「歐陸陣營」自然就沒有成立的可能。十月二十四日，貝當在蒙圖瓦爾（Montoire）表示法國對此一提議缺乏興趣，他還擔心西班牙與義大利對法國的海外領土造成威脅。十月二十八日，希特勒與墨索里尼在佛羅倫斯會面，墨索里尼強烈反對成立一個會承認法蘭西帝國現狀的陣營，也反對向西班牙讓步。[6]而就在同一天，墨索里尼在未事先告知希特勒的情況下就出兵入侵希臘，顯示墨索里尼根本不願意與希特勒進行政治協調。

蘇聯是德國成立反英陣營的最後希望。同年夏初，蘇聯已經與墨索里尼的義大利恢復關係。[7]十一月十日，蘇聯外交部長莫洛托夫（Vyacheslav Molotov）抵達柏林，想進一步延長前一年簽訂的瓜分波蘭協定。李賓特洛甫希望在過去協商成功的基礎上，順利說服蘇聯朝大英帝國的亞洲與中東領土擴大勢力範圍，特別是這兩個地區現在正承受政治壓力，可能很快就會因為蘇伊士運河被攻占而與英國本土失去聯繫。當時也有傳言史達林可能加入反英的《三國同盟條約》。然而當李賓特洛甫提起此事時，莫洛托夫卻表示除非德國做出重大讓步，否則蘇聯不可能加入。李賓特洛甫日後回憶說，希特勒聽到對方的回應後沉默不語，元首覺得再繼續討好史達林將招致「巨大的危險」。[8]莫洛托夫與史達林的主要目標是將蘇聯的利益延伸到東南歐與土耳其，然而這兩地卻是德國與義大利的利益範圍，因此拉攏蘇聯加入《三國同盟條約》顯然也不可行。最終，除了義大利之外，這些德國預想的潛在歐洲盟友，沒有任何國家想與大英帝國為敵。經過三天的會商，希特勒終於認定必須先攻打蘇聯，然後才能打敗英國。事實上，當德國與西班牙和法國的政治協商破局之時，希特勒就已經堅定了入侵蘇聯的想法。從蒙圖瓦爾搭火車返國途中，希特勒對國防軍最高統帥部參謀說道，想打敗英國，除了在一九四一年夏天擊潰蘇聯外別無他法。希特勒在從事外交時總是不太自在，運用暴力時則有自信得多。[9]

到了一九四〇年秋天，德國的戰略已經陷入僵局。德國依然維持封鎖英國的訓令，一九四〇年八月一日發動空戰之前，希特勒又重申該訓令，海空封鎖因此成了德國向英國直接施壓的主要手段。德國的目標是對英國的糧食與原料供給進行經濟戰，以消耗英國的戰時經濟，讓英國民眾喪失繼續作戰的意志。九月十六日，戈林下令空軍改為夜間轟炸，目標是摧毀港口設施、糧食與石油庫存、倉庫與食物加工廠等重要設施。十一月之後，德國空軍又奉命轟炸英國的航空工業，尤其是航空發動機產業。而在海上作戰的部分，從開戰之初，德國海軍就針對英國的海上運輸進行攻擊，不過現在希特勒要求海軍必須加強打擊力度。德國的海軍與空軍未能協同作戰，因為戈林不願派出飛機進行海戰，海軍只好以少數飛機支援水面艦艇與潛艦完成作戰目標。從一九四〇年八月到一九四一年六月，德國飛機在英國沿海地區投放了五千七百零四枚水雷。而從一九四〇年六月開始的一年間，德國的FW-200「兀鷹式」遠程轟炸機總共擊沉了一百一十九艘商船，總噸數達三十四萬五千噸。海上封鎖被寄予厚望，希望能達成比前述更好的成績。考慮到英國商船的總噸數是兩千兩百萬噸，因此德國海軍每個月平均必須擊沉七十五萬噸，才能迫使英國政府放棄戰爭。[10]

為了進行海上封鎖，德國不僅使用潛艦，還出動其他各式艦艇。德國的潛艦部署在法國的大西洋沿岸基地，控制了英國的大西洋航道。德國海軍知道自身的戰鬥艦不足，因此運用改裝的武裝商船（「鬼船」）與零散的軍艦進行打帶跑戰術。這種做法使英國皇家海軍在遼闊的大洋中難以追蹤德艦的蹤跡。到了一九四一年底，這些「鬼船」已經擊沉了五十萬噸的商船。而德國的其他大型水面艦艇如袖珍戰鬥艦希爾上將號（*Scheer*）、重巡洋艦希伯上將號（*Hipper*）、戰鬥巡洋艦香霍斯特號（*Scharnhorst*）與格奈森瑙號（*Gneisenau*），也擊沉了二十六萬五千噸的商船。[11] 新戰鬥艦俾斯麥號（*Bismarck*）於一九四一年五月下水，首次出擊便擊沉了英國戰鬥巡洋艦胡德號（*Hood*），但俾斯麥號還未能締造更多戰果，就在幾天後遭到英軍擊沉。無論如何，德國潛艦依然是進行海上封鎖的關鍵利器。德國潛艦艦隊司令官鄧尼茲海軍中將（Karl Dönitz）擁有的潛艦數量相對較少：雖然一九四一年初潛艦數量幾乎達到兩百艘，但能在水中作戰的平均數量卻只有二十二艘，一九四一年一月甚至只剩下八艘。[12] 一旦這些潛艦能在法國西部取得安全基地，就有能力造成更大損害。一九四〇年秋天，鄧尼茲命令潛艦採取「狼群戰術」。由於在英國南岸航行的船隻容易受到德國的空中威脅，英國的跨洋貿易於是改為在英國西岸與西北岸的港口停靠。德國潛艦因此轉而以這條北部航線做為主要攻擊目標。九月之後，德國潛艦官兵享受了一段他們所謂的「快樂時光」。德國潛艦在一九四〇年十月擊沉三十五萬噸敵船，一九四一年四月更達到巔峰數字的六十八萬七千噸。[13]

英國政府早已預期德國會再度使用潛艦，卻沒有想到德國會在一九四〇年夏天控制絕大部分歐洲北部的沿海地區。雖然英國打從戰爭一開始就派艦隊對商船進行護航（一九三九年九月六日開始護航沿海船運，兩天後開始護航遠洋船運），但等到一九四〇年秋天面臨德國入侵威脅時，英國不得不將許多原本用於護航的小型艦艇調來防守東南沿海地區。十月之後，德國入侵的威脅解除，護航艦隊的數量重新開始增加。更多水兵接受護航與反潛訓練，更多飛機被派去進行護航任務。整個一九四〇年冬天，海岸司令部的飛機，包括遠程的桑德蘭水上飛機，迫使德國潛艦退出內水與北部沿海地區，進一步將其驅逐到大西洋水域。新科技改進了護航艦隊與飛機的性能，包括高功率照明、米波雷達（飛機使用的稱為ASV Mk I與Mk II雷達，護航艦隊使用的稱為type 286雷達）與改良深水炸彈。[14] 一九四一年二月之後，英國針對反潛防衛進行重組，並於利物浦為中心成立西方航線司令部，藉由加強海軍護航與空中力量來打擊德國潛艦，不過其戰略核心主要還是透過海軍情報來讓補給船團避開潛艦。一九四〇年與一九四一年，被護航的船隻遭到擊沉的數量一直維持在較低數字，航行北大西洋的八千七百二十二艘船，僅有兩百五十六艘遭到擊沉，擊沉這些船隻的有些是潛艦，有些是常規軍艦。德國潛艦主要瞄準獨自航行或落單的船隻，因為要追蹤與擊潰護航艦隊證明是一項更艱困的任務。[15]

話雖如此，如果把所有海域損失的船隻累積起來，也足以對英國的抗戰投入構成嚴重威脅。隨著進口商品銳減，英國開始對國內物資進行控管（一九四〇年十一月，香蕉貿易曾中止一段時間）。一九四一年三月，邱吉爾把這場海戰稱為「大西洋之戰」，就像不列顛之役一樣，這場戰役在英國人的戰爭記憶中有著不可磨滅的地位。邱吉爾親自擔任大西洋之戰臨時委員會主席，授權港口加快裝卸時間，加速修復商船與進一步限制進口，同時傾全力建造更多的護航艦隊。到了一九四一年夏初，邱吉爾的決策開始出現效果，德國潛艦的活動半徑縮減，損失也開始增加。一九四一年三月，三名德國潛艦的王牌艦長在與火力強大的英國護航艦隊交戰時陣亡；五月，另一名王牌艦長克雷奇默（Otto Kretschmer）被俘，潛艦上用來解讀德國海軍謎式密碼訊息的密碼表也落入英國人手裡。

於是從那年夏天開始，布萊切利園（Bletchley Park）便利用這份密碼表來破譯德國的海軍訊息。從一九四一年一月到五月間，有百分之二十三的護航船團遭德國潛艦攻擊，但這個數字在一九四一年六月到八月已降到了百分之四。[16]德國潛艦一年來不斷攻擊英國船團，但英國船團的損失甚微，不足以影響英國人的作戰能力與抵抗意志。

從一九四〇年九月到一九四一年六月，德國空軍針對英國港口與商業中心進行轟炸，但也跟潛艦攻擊一樣效果不佳。雖然這一連串攻擊隨即被英國人稱為「閃電戰」（The Blitz，中文世界多半直接意譯成「倫敦大轟炸」），而且在人們腦海中留下了無差別恐怖轟炸的記憶——雖然希特勒曾在幕僚詢問時兩度堅稱他絕不會授權進行恐怖攻擊，只不過他也表示自己保留對英國皇家空軍轟炸進行報復的權利。由於皇家空軍在秋冬進行的轟炸非常不準確，德國因此認定皇家空軍是故意進行無差別轟炸。[17]在這場持續九個月的戰役中，德國空軍的主要轟炸目標是港口城市，包括倫敦與內陸港曼徹斯特。在一百七十一次大規模空襲中，有一百四十一次針對港口、倉庫與加工設施，港口吸收了百分之八十六的燃燒彈與百分之八十五的高爆彈。[18]德國領導高層希望持續進行夜間轟炸可以瓦解英國人的士氣，引發社會與政治抗爭，讓已經忙於處理糧食與貿易問題的英國政府疲於奔命。十一月，德國空軍奉命攻擊英國的飛機工業，包括在十一月十四日到十五日執行「月光奏鳴曲作戰」（Operation Moonlight Sonata），對考文垂實施夜間轟炸。雖然轟炸機的目標是三十座航空發動機與航空零件工廠，卻造成考文垂市中心絕大部分被夷為平地，一些工廠也受到嚴重破壞。同月稍晚，伯明罕也遭到轟炸。但從一九四〇年十二月到一九四一年六月，德軍的首要目標還是放在格拉斯哥、貝爾法斯特與布里斯托等港口與貿易中心，而這些地區也都有航空工業分布。二月六日，希特勒重申應該優先轟炸港口與軍工廠而非住宅區，再次強調攻擊軍事與經濟目標的重要性。[19]

德國領導高層在第二次世界大戰中進行過許多場戰役，但這場持續九個月的封鎖戰可說是其中一項特例。在這場戰役中，德國的戰略根據是充滿不確定性的耗損率，而非透過一場決定性的會戰來決定勝負。德國並未詳細評估英國對海外供給的經濟依存度，而從轟炸後的損害報告也幾乎不可能準確推估轟炸造成的經濟影響。對於德國空軍機組與指揮人員來說，這場戰役不僅漫長，也逐漸消磨士氣，因為空軍蒙受龐大的損失，卻未得到明顯的戰略利益。與不列顛之役一樣，為了證明進行這場戰役是合理的，當局不惜誇大作戰的成果，然而這麼做並無法加快英國投降的腳步。希特勒開始覺得轟炸並不能讓他贏得戰爭，到了一九四〇年十二月，他甚至懷疑轟炸對於英國的工業並未產生太大影響；兩個月後，希特勒又對英國的士氣表達了相同的觀點。希特勒這次的判斷是合理的。轟炸當然會對民眾造成大規模的衝擊，但這種一時的衝擊並無法迫使政府就範。封鎖對英國的貿易與生產也頂多造成些微影響。德國空軍情報人員猜測，轟炸造成的嚴重損害，將使英國一九四一年的飛機生產量降至七千兩百架，然而實際上英國卻生產了兩萬零九十四架。[20]英國在一九四一年稍晚做出的估計顯示，英國的生產量仍持續成長，而且在轟炸下只有約百分之五的生產量受損。[21]

事實上，對英國經濟衝擊更大的，反而是英國海外金融資源的耗損。而之所以出現金融耗損，主要是英國於一九三九年到一九四〇年間進行了規模非比尋常的經濟動員。一九四〇年十二月，英國已經花掉一半以上的戰前黃金與美元儲備，剩下的儲備也將在一九四一年三月用盡，屆時對於供給必需品的美元區來說，英國將形同破產。另一方面，英鎊區也出現大量失衡，這筆赤字最終在戰後累積到三十三億五千五百萬英鎊的天文數字，不過在戰爭期間可以暫時予以凍結。[22]新世界的供給對英國來說茲事體大，一九四〇年十二月，邱吉爾親自向美國總統羅斯福求救，希望他伸出援手避免一場經濟災難。雖然美國對於英國是否真的已經失去支付能力感到懷疑，但羅斯福總統還是在十二月底發表了「民主兵工廠」的演說，並且在隔年一月將《租借法案》送入國會並獲得通過，承諾大英帝國可以不需要立刻付款就能夠取得物資。在《租借法案》於三月十一日生效之前，由美國的重建金融公司緊急借款四億兩千五百萬美元給英國以避免債務違約。邱吉爾私下表示：「沒有這筆借款，就不用指望擊敗希特勒與納粹主義。」[23]

德國入侵英國本土的戰役持續下去，因為此時放棄就等於承認失敗。放棄對英國的轟炸，等於給予被占領區與美國希望，而每當天氣良好就會在夜間遭受英國皇家空軍轟炸的德國西部居民也絕對無法諒解。對德軍而言，即使是不成功的攻勢也有積極的一面。持續西方的戰事可以緩解莫斯科當局的憂慮，他們擔心希特勒可能會冒著兩線作戰的風險攻擊東方，史達林直到一九四一年六月德國入侵蘇聯之前都抱持著這樣的觀點。英國政府預期德國將在春季入侵，因此不得不在本土駐紮大量軍隊。二月，英國國會議員尼科爾森（Harold Nicolson）看到肯特郡居民進行疏散，他在日記裡寫道：「大家都覺得英國遭到入侵已經是不可避免的事。」[24]英國重兵防守本土造成的後果，就是無法對帝國的海外領土提供保護，如此便讓希特勒的義大利盟友有了可趁之機。墨索里尼可以在地中海與非洲發動他想要的「平行戰爭」，對付兵力相對不足的對手。

一九四〇年秋冬，義大利眼見德國可能擊敗英國，便想利用西歐衝突之際加緊擴張腳步。《三國同盟條約》使義大利領導高層重新認識義大利已是強權，有資格參與瓜分世界的行列，但義大利仍須證明自己的地位實至名歸。義大利記者維爾加尼（Orio Vergani）認為，墨索里尼「想靠義大利自己的力量贏得勝利，讓自己也坐上和平談判桌」。[25]擊敗法國之後，義大利對法國的領土、殖民地與軍事資源獅子大開口，卻遭到德國高層否決，這使得義大利對於德國更加敵視，而且也懷疑在未來的新歐洲秩序裡，義大利的地位將只是德國勝利下的「沾光者」或「小跟班」。[26]這種狀況造成了一個弔詭結果，那就是義大利明明是一九四〇年九月《三國同盟條約》中最弱的國家，卻搶先推動帝國建立計畫。

在此之前，義大利已經制定出各種不切實際或突發奇想的計畫，例如入侵馬爾它，占領法蘭西帝國，攻擊中東的亞丁、埃及或蘇伊士，進攻瑞士、法國隆河流域、南斯拉夫，或者實施G方案入侵希臘。義軍將領阿梅里尼（Quirino Armellini）在日記裡坦承，義大利政策的主要準則就是行動：「我們會先發動戰爭，再看看會發生什麼事。」[27]墨索里尼必須做出困難的決定，他只有兩個選擇，一個是繼續在非洲與敵人英國作戰，另一個選項就是搶在貌合神離的盟邦德國之前進攻南歐。歷史學家正確地指出義大利戰略規畫的特殊性，以及墨索里尼不理智地追求遠超過義大利能力的軍事野心（儘管有時也會猶豫）。這位義大利獨裁者陷入了自己製造出來的尷尬處境中：在義大利風起雲湧的新帝國主義野心之下，無所作為就跟魯莽行事一樣危險。墨索里尼也可以宣稱，自從他積極推動帝國政策以來，他總是獲得勝利，無論是利比亞的血腥鎮壓，還是在衣索比亞、西班牙與阿爾巴尼亞，甚至包括短暫而不光采地入侵法國，這些成就已足夠證明「墨索里尼正確無誤」，當時一名觀察者這麼寫道。[28]勝利產生的錯覺，使所有將領都沒有勇氣反對墨索里尼的決定。

義大利向大英帝國開戰後的頭幾個月，墨索里尼還勉強能維持住自己的好運。英國的保護國索馬利蘭與位於衣索比亞的新義大利非洲帝國接壤，而索馬利蘭的防衛力量相對空虛。一九四〇年八月，義大利士兵與非洲當地的阿斯卡里（askari，即士兵之意）一起進攻英國駐軍，迫使其撤退到紅海對岸的另一個英國保護國亞丁（今日的葉門）。大英帝國損失兩百零六人，義大利損失兩千零五十二人。在海上，英國皇家海軍與義大利海軍都想保存實力，因為雙方的主要目標都是為地中海船團進行護航。七月九日，英國與義大利艦隊在卡拉布里亞斯蒂洛角（Punta Stilo）外海爆發一場影響不大的衝突。義大利偵察機未能偵察到英國艦隊的行蹤，導致之後抵達戰場的義大利轟炸機反而攻擊了己方的艦隊。雖然雙方都未遭受重大損失，但墨索里尼卻在幾天後向義大利民眾宣布，地中海的英國海軍已經有半數遭到消滅。[29]在北非，墨索里尼迫不及待想入侵埃及，他的最終目標是切斷大英帝國的蘇伊士運河生命線。義大利駐北非總司令格拉齊亞尼元帥認為，沙漠的狀況、受威脅的補給線與不周全的運輸實在不適合發動全面攻擊，但墨索里尼卻向他保證，會等到第一個德軍士兵踏上英國本土時才下令攻擊埃及。隨著海獅作戰不斷推遲，墨索里尼已不願等待，他想藉由發動軍事作戰來為自己取得一場勝利。九月十三日，格拉齊亞尼終於屈服於羅馬當局的壓力，派出七個步兵師越過利比亞邊界，往埃及西部邊境推進了約八十公里，最後來到一處名叫細第巴拉尼（Sidi

Barrani）的小城鎮。格拉齊亞尼在此停下，開始建構複雜的陣地。大英帝國軍隊發動小規模攻擊，造成一百二十名義大利士兵陣亡，英軍也死亡五十人，之後英軍撤退到更容易防守的位置。墨索里尼於是向義大利民眾宣布，義大利取得三百年來最大的一場勝利。這條「勝利之路」橫越沙丘，直通細第巴拉尼。[30]

墨索里尼意識到，光靠殖民地衝突並不足以讓義大利在協商歐洲和平上取得與德國平起平坐的地位，唯有在歐陸主動採取軍事行動才能體現「平行戰爭」的理念。一九四〇年八月與九月，墨索里尼愈來愈傾向於在南斯拉夫或希臘採取軍事行動，然而當德義兩國在八月中進行會談時，墨索里尼清楚發現，無論向哪一國開戰，都會遭到德國高層的反對。墨索里尼認為，義大利入侵南斯拉夫就像德國入侵波蘭一樣，都是為了修正一九一八年之後簽訂的和約，義大利在一九一八年曾提出橫跨亞得里亞海的領土主張但遭到協約國拒絕。墨索里尼擬定計畫，準備以三十七個師入侵斯洛維尼亞，但由於不確定德國會做何反應，墨索里尼最後於九月底取消行動。[31]於是向希臘開戰成為墨索里尼僅存的選項：要在軸心國支配的歐洲維持義大利的潛在權力地位，就必須以犧牲希臘的獨立為代價。義大利駐阿爾巴尼亞司令普拉斯卡（Sebastiano Visconti Prasca）認為，征服希臘的時機已經成熟，一場「輕易的軍事勝利」可以提升他的軍事名聲。外交大臣齊亞諾伯爵也認為這是將他的殖民地轄區從阿爾巴尼亞擴張到希臘的大好機會。義大利愛琴海諸島總督德維齊（Cesare De Vecchi）同樣覺得，征服希臘可以建立連結阿爾巴尼亞與愛琴海東部的陸橋，使整個帝國連成一氣。為了破壞義希關係，德維齊甚至從羅得島派出一艘潛艦，於一九四〇年八月十五日向老舊的希臘巡洋艦埃利號（*Helli*）發射魚雷。儘管義大利不斷挑釁，希臘的軍方與政治領導人仍致力安撫好戰的鄰國，因為此時仍無法確定墨索里尼是否會批准戰爭。[32]

十月十二日，德軍進入羅馬尼亞保護普洛什蒂特（Ploesti）油田，這項消息使猶豫不決的墨索里尼下定決心。義大利領導人一向把南歐視為義大利的「政治與經濟勢力範圍」，德國入侵南歐促使義大利做出回應。十月十五日，墨索里尼與法西斯領袖開會，他在會上宣布十一天後將對希臘開戰。惡劣的天氣迫使開戰日期延後到十月二十八日。墨索里尼提醒普拉斯卡將軍，速度是成功最重要的關鍵。墨索里尼決定不事先知會希特勒：「他將從報紙得知我已成功占領希臘。」[33]墨索里尼的最終決定在開戰日當天很晚才宣布，導致義大利的準備陷入混亂，一名目擊者表示墨索里尼的「即興發揮簡直無可救藥」，義大利軍隊成了受害者。[34]在此之前義大利已經進行有限的軍隊集結，但在入侵南斯拉夫的計畫取消後，墨索里尼又下令讓義大利本土的一百一十萬軍隊半數復員。最初的進攻希臘計畫只想動用八個師的兵力入侵伊庇魯斯與愛奧尼亞群島，而當半數義大利軍隊都已在十月中復員，墨索里尼卻又決定將攻擊的兵力增加到二十個師，而且要占領希臘全境，還提到保加利亞有可能出兵協助。抵達阿爾巴尼亞的義大利軍隊缺乏裝備、人力與補給，當地的簡陋機場意謂著絕大多數參與戰鬥的義大利空軍都必須從義大利南部的基地起飛。對希臘軍事能力與軍隊部署的情報掌握不足，使作戰更加困難。義大利最初的攻勢只投入六萬名士兵、兩百七十架飛機與一百六十輛L/3輕戰車，義大利軍隊必須在嚴冬中穿越最凶險的地形進行戰鬥。[35]

希臘充分認識到眼前的威脅，因此啟動了「義大利及保加利亞」動員計畫，將部隊駐紮在阿爾巴尼亞邊境與色雷斯，以防止保加利亞協同義大利發動攻擊。十月，情報顯示主要威脅來自於阿爾巴尼亞的義大利軍隊，希臘於是開始挖掘壕溝布置防線，並且在山區興建火砲與機關槍掩體，使義大利難以越雷池一步。十月二十八日早晨，義大利對希臘不宣而戰，這樣墨索里尼就能來得及在希特勒抵達佛羅倫斯開高峰會時，告訴他義大利軍隊再度獲得勝利。然而，這場戰爭是一場可預見的災難。希臘軍隊雖然缺乏現代武器與飛機，後勤補給也很有限，但他們是為了保家衛國而戰，因此士氣高昂，對戰場更為熟悉。義大利軍隊立刻出現嚴重的傷亡。無線電與電話通訊不良，導致陸軍只能仰賴傳令兵奔跑傳送訊息（戰場指揮官在十二月抱怨：「電話接線員完全無法發揮作用」）。義大利陸軍每天需要一萬噸補給，但阿爾巴尼亞的港口狹小容易壅塞，導致每天只能運送三千五百噸物資。[36]由於天氣惡劣，飛機出動的次數大為減少，加上支援地面部隊的飛機必須從義大利南部起飛，距離太遠，往往緩不濟急。義大利開戰後不到幾天，自己軍隊的防線就反遭希臘陸軍打穿。

十一月中，希臘陸軍總司令帕帕哥斯（Alexandros Papagos）發動反擊，希臘陸軍推進至阿爾巴尼亞境內八十公里。十一月二十二日，希臘攻占阿爾巴尼亞城鎮科爾察（Koritsa）。美國駐雅典記者提到，鐘聲響遍整個希臘，因為這是自戰爭開打以來，同盟國首次獲得勝利。在首都雅典的街上，希臘人歡欣鼓舞地叫道：「攻下地拉那！」[37]霎時間，墨索里尼的閃擊戰似乎即將為義大利的歐洲帝國畫下句點。義大利陸軍非但沒有迅速朝雅典進軍，反而被迫徵召數萬名士兵，只為了守住阿爾巴尼亞。從一九四〇年十一月到一九四一年四月，義軍又陸續投入二十一個師到這場希臘戰爭中，除了徵召超過五十萬人參戰，也徵用了八萬七千頭牲畜與一萬六千輛車輛。[38]一九四一年三月，交戰雙方都已經精疲力竭，義大利連續撤換了幾任指揮官，之後又發動一波大規模攻勢，然而四天後，戰局又陷入膠著。這種僵持的狀況令人諷刺地想起墨索里尼在第一次世界大戰期間參加過的阿爾卑斯山前線嚴酷戰鬥，當時義大利人也傷亡慘重。而在這場戰役中，義大利人傷亡高達十五萬四千一百七十二人（包括陣亡一萬三千七百五十五人），大約有四分之一裝備不良的士兵被迫在零下氣溫作戰，食物與藥品也非常缺乏。希臘陸軍傷亡人數接近六萬人，其中一萬四千人陣亡，數千人因為凍傷而截肢，這些凍傷的人往往只能在希臘山區設立的簡易野戰醫院裡截去腫脹發黑的四肢。[39]

希臘戰爭的慘敗對義大利其他海外領土帶來危險的後果，義大利傾全力支援阿爾巴尼亞的結果，就是讓埃及的格拉齊亞尼與衣索比亞的義大利軍隊得不到任何支援，義大利海軍也完全投入在亞得里亞海的大規模運補任務上。英國皇家海軍立刻抓住義大利無暇他顧的機會。安德魯·康寧漢海軍中將（Andrew Cunningham）率領的東地中海艦隊由於航空母艦光輝號（*Illustrious*）經由蘇伊士運河前來增援而實力大增，一九四〇年十一月十二日，東地中海艦隊進行護航任務，在從馬爾它前往亞歷山卓港途中，派出能攜帶照明彈、炸彈與魚雷的劍魚式魚雷轟炸機攻擊位於義大利達蘭多的重要軍港，並且造成義大利海軍重創。這場攻擊行動能夠成功，除了因為義大利空軍的海空偵察能力薄弱，主要還必須歸功於英國新式空投魚雷的戰術優勢。這種魚雷可以從港口的攔阻網下方通過（而當時達蘭多軍港這方面的設施仍不完善），加上裝設了新型的磁力引信，使得魚雷可以躲避偵測，在軍艦龍骨下方引爆。義大利也缺乏有效的防空火力。英國領頭的飛機投下照明彈照亮港口之後，兩波魚雷轟炸機接連進行投彈，港口頓時陷入一片火海。戰鬥艦加富爾伯爵號（*Conte de Cavour*）被擊沉，另外兩艘戰鬥艦卡歐多利歐號（*Caio Duilio*）與李托里奧號（*Littorio*）受到嚴重損壞，但仍可修復。[40]儘管實際損害情況不如英國皇家海軍起初認為的那麼嚴重，但義大利艦隊仍倉皇撤退到拿坡里。幾個月後，一九四一年三月二十八日，英國亞歷山卓艦隊在希臘馬塔潘角外海擊沉三艘義大利巡洋艦與兩艘驅逐艦，擊傷戰鬥艦維托里奧·維內托號（*Vittorio Veneto*）。這場戰鬥讓義大利海軍決定未來戰鬥艦出海都不能超過戰鬥機的保護範圍，義大利艦隊自此完全喪失了威脅性。[41]

義大利征服衣索比亞所建立的非洲帝國，至今不過五年的時間，卻在希臘海戰慘敗後短短幾個月內開始解體。雖然英國在中東與非洲的軍隊因為人力與物資調往本土而實力大不如前，但在組織與技術上仍較義大利軍隊優越。與墨索里尼一樣，邱吉爾也渴望取得一場勝利，他不斷催促英國駐開羅總司令魏菲爾將軍（Archibald Wavell）對入侵埃及的義軍進行反擊。雖然英軍在非洲的人數處於劣勢（義大利在非洲部署二十九萬八千五百名兵力，在利比亞與東非當地還有二十二萬八千四百人，反觀大英帝國軍隊總數才六萬人），但魏菲爾仍準備利用義大利用兵希臘的機會進行反攻。一九四〇年十二月九日，魏菲爾發起橫越沙漠的「羅盤作戰」（Operation Compass），參與的士兵有三萬人，包括第七裝甲師、一個印度師與一部分緩慢組成的澳洲師。大英帝國軍隊兵分兩路快速推進，突破固定的義大利防線之後，轉而從後方攻擊義大利軍隊。加里波底將軍（Italo Gariboldi）的義大利第十軍團前線在驚訝與恐慌下崩潰。義大利軍隊由於缺乏裝備與戰防砲，加上沒有裝甲作戰經驗，只稍作抵抗就解體。一月四日，大英帝國軍隊抵達巴爾迪亞（Bardia），四萬五千名義軍投降；一月二十三日，英軍攻占多布魯克，又有兩萬兩千名義軍淪為戰俘。第七裝甲師穿過沙漠，在貝達佛姆（Beda Fomm）堵住撤退的義軍，戰役於一九四一年二月七日結束，英軍控制了利比亞東部大部分地區，俘虜十三萬三千名義軍、一千兩百九十門火砲、四百輛戰車與數千輛車輛。義大利軍隊只有八千五百人成功突圍逃回利比亞西部。在這兩個月的戰役中，大英帝國只陣亡五百人。魏菲爾原本可以一路推進到的黎波里，這是軸心國掌握的最後一個北非港口，一旦攻下的黎波里，義大利就不可能在沙漠中繼續抵抗。然而此時其他戰場急需魏菲爾的援助，魏菲爾只好放棄攻打的黎波里的計畫。[42]魏菲爾的下一個目標是義屬東非。義屬東非總督奧斯塔公爵阿梅迪奧（Amadeo of Savoy）如今面對一項不可能的任務。義屬東非的補給因為英國進行海上封鎖而中斷，加上衣索比亞民眾經常暴動，義軍又缺乏車輛、燃料與軍火（絕大多數武器都是一九一八年製，早已過時），阿梅迪奧能做的只有維持現狀。事實證明，大英帝國只需要五個師就能推翻義大利的東非帝國。兩個印度師從蘇丹發動攻擊，一個南非師與兩個大英帝國非洲師從肯亞入侵。這場戰役於一月二十一日開始，阿迪斯阿貝巴於四月六日被攻占，戰役結束。一九四一年五月，衣索比亞皇帝塞拉西在英國監督下復辟。短短幾個星期的時間，整個義大利的非洲帝國就幾乎完全覆滅。

非洲與希臘的失敗雖然未能讓義大利退出戰爭，卻明顯暴露義大利法西斯政權在現代戰爭機器與指揮機制上的嚴重不足，墨索里尼擁有的資源顯然無法支撐他的帝國野心。近年來雖然有不少學者認為義大利軍隊在戰場上的作戰能力其實不像戰後普遍流行的形象那麼差，但這種說法仍須提出更具說服力的證明。比較合理且擁有較多佐證的說法是，義大利士兵其實可以表現得更好：從義大利軍隊在戰爭後期的表現可以證明這點，只是這樣的改進相當緩慢。史家也多半認為義大利士兵手中雖然只有過時裝備，但在艱困環境下依然能鼓起勇氣全力戰鬥。然而，一九四〇年與一九四一年被擊敗的義大利軍隊既缺乏優秀的領導，也沒有充足的資源，這些都嚴重打擊他們的士氣。主要的問題出在義大利進行戰爭的組織結構。墨索里尼把決定大權攬在自己手裡，但他對軍事一竅不通，又行事專斷，不願接受底下將領的建議。義大利各軍種之間也缺乏合作聯繫。[43]一九四〇年的義大利陸軍只擁有過時的火砲（沙漠作戰時的七千九百七十門野戰砲中，只有兩百四十六門是一九三〇年後製造的），戰車全是輕型，裝甲薄弱且動力不足。簡單來說，當時義大利陸軍的裝備只能進行一場有限的殖民地戰爭，完全無法進行現代化機動作戰。[44]雖然墨索里尼渴望發動一場閃擊戰，但他建立的法西斯政權本身就是軍事效率的最大絆腳石。

面對戰線的全面潰敗，墨索里尼終於不得不向希特勒求援。墨索里尼於十二月十七日正式提出要求，希特勒猶豫許久，最後才點頭答應。墨索里尼缺乏規畫就貿然攻擊希臘，使得整個巴爾幹半島陷入動盪，偏偏德國在這個地區擁有重要利益，維持這個地區的原料與石油供給對德國至關重要。英國可能出兵干預（十一月二日，英國皇家海軍任務編隊抵達雅典，幾個星期之後，英國皇家空軍也進駐雅典），顯示斯堪地那維亞危機也許會再度重演。這可是德國準備出兵進攻蘇聯之際，若英軍出現在巴爾幹半島很可能危及德軍的側翼。[45]一九四〇年十二月義大利的慘敗嚴重打擊軸心國的氣勢，畢竟軸心國才在三個月前的《三國同盟條約》中公然表露瓜分世界的野心。德國領導人同意協助義大利人，不是因為同情他們的困境，而是基於德國自身的利益。正如國防軍最高統帥部一名參謀所言，這項援助「給得不情願，也收得不情願」。[46]墨索里尼不知道的是，希特勒其實早在十二月十三日就已經下令德國武裝部隊做好出兵希臘的準備，代號為「瑪莉塔作戰」（Operation Marita）。在保加利亞同意下，德軍於一九四一年初進駐保加利亞與希臘邊界。三月底，李斯特陸軍元帥（Wilhelm List）率領的第十二軍團部署完成，計畫於四月初發動進攻，第十二軍團下轄五個軍，還有第八航空軍團從旁支援。德軍的各項安排都未曾與義大利進行協調，因此直到德軍發動攻擊之前，義大利軍隊依然深陷於阿爾巴尼亞前線毫無進展。

希特勒一方面出兵穩定巴爾幹半島情勢，另一方面也派出空軍與裝甲部隊支援義大利在北非的戰事。反艦專家蓋斯勒空軍上將（Hans Geisler）指揮的第十航空軍於一九四〇年十二月抵達西西里島，第十航空軍擁有三百五十架飛機，以西西里島為基地，針對威脅義大利運補的馬爾它機場與潛艦進行攻擊。一月十六日，主導達蘭多空襲的光輝號航空母艦遭德國空軍重創。雖然未能完全解除馬爾它島造成的威脅，但一九四一年春天反覆進行的空中攻擊確實壓制了英國海軍，直到夏天德國空軍離開為止，英國海軍都無法阻礙義大利向北非戰場進行運補。一九四一年一月與二月，德國第十五裝甲師與第五輕裝師前往利比亞，指揮官是法國戰役的戰車戰明星隆美爾中將。德國非洲軍的到來，為士氣低落的義大利陸軍注入一劑強心針。一九四一年二月，利比亞西部只剩下六個義大利師與一百架飛機。義大利駐北非總司令格拉齊亞尼由於神經衰弱而被解職，職務由加里波底將軍接替。更多義大利裝甲部隊連同德國非洲軍一起抵達非洲，隆美爾隨即著手試探大英帝國的戰力。希特勒司令部策畫了「向日葵作戰」（Operation Sonnenblume），希望德軍能有限推進到的黎波里以東較容易防守的戰線，但隆美爾認為敵軍幾個星期以來持續橫越沙漠進行追擊，早已勞累不堪，此時正是一舉挫敗他們的大好時機。大英帝國的軍隊分散，戰車數量也因為羅盤作戰大為減少。隆美爾於是直接穿越沙漠擊退英軍，完全不理會希特勒最高統帥部的指揮，也不受義大利駐利比亞指揮官的節制。雖然加里波底名義上是隆美爾的長官，但他也沒能堅持德軍將領必須聽從他的命令。隆美爾繼續朝多布魯克推進，並於一九四一年四月八日圍困該城。雖然隆美爾對於義大利盟友頗為輕視，而且對於義大利糟糕的裝備感到吃驚，但沙漠反攻依然是由德義兩軍聯合進行，義大利也因此首次有機會嘗到勝利果實。

北非戰局急轉直下，主要與倫敦當局認為應該派遣遠征軍協助希臘對抗軸心國的政治決定有關。一九三九年春，英國曾經保證維護波蘭的主權獨立，就在同一時間，英國也對希臘做出相同的保證。然而，英國出兵保護希臘使得原本兵力不足的北非雪上加霜，埃及與蘇伊士運河因此岌岌可危，更糟的是，英國雖然出兵希臘，卻無法保證一旦德軍真的入侵希臘，英國真能擊退德軍威脅。與墨索里尼一樣，邱吉爾也急於在歐洲取得一場勝利；邱吉爾還有一點與墨索里尼相同，那就是他的政治野心完全與軍事現實脫節。一月九日，在與帝國參謀本部及戰時內閣爭論之後，邱吉爾終於能照自己的意思進行。魏菲爾奉命從非洲前線分兵援助希臘，但他強烈反對這項做法。邱吉爾憤怒地回道：「你在北非只需要一個軍事法庭與一個行刑隊。」[47] 邱吉爾堅持支援希臘，但希臘獨裁者梅塔克薩斯（Ioannis Metaxas）卻不願接受援助，他擔心這會立即引發德國入侵。然而，一九四一年一月梅塔克薩斯死後，新任首相柯里齊斯（Alexandros Koryzis）眼見德國的威脅日益擴大，終於在一九四一年三月二日與英國簽訂正式軍事協定。由於這項協定被視為反軸心陣線的一環，因此邱吉爾特別派外交大臣艾登前往地中海地區進行協商。二月十九日，艾登抵達雅典，隨後又訪問土耳其與南斯拉夫，試圖說服兩國加入同盟國陣營，但未能成功。土耳其與南斯拉夫都不願加入，因為情勢很明顯，德國正處於勝利態勢，而大英帝國又在利比亞全面潰敗。來自紐西蘭與澳洲的士兵在弗萊堡少將（Bernard Freyberg）指揮下組成「W部隊」，於三月七日登陸希臘。這場戰役像極了挪威戰役，英軍想挽救即將崩潰的盟國，卻還是在六個星期之後遭到擊潰，無功而返。

等到四月六日德軍對希臘發動攻擊的時候（英國情報單位已經透過「極機密」截獲情報而得知德軍的攻擊行動），整個政治局勢又再度出現變化。原本將艾登拒於門外的南斯拉夫政府於三月二十五日加入《三國同盟條約》，然而該政府隨即遭到反德軍事勢力推翻。艾登一度燃起希望，認為貝爾格勒當局有可能加入英希同盟，但新成立的南斯拉夫政權同樣擔心加入同盟會招致德國入侵。儘管如此，南斯拉夫政變卻惹惱了希特勒，幾天後，希臘戰役便擴大成為摧毀南斯拉夫的軍事行動，德軍開始無情轟炸貝爾格勒。第二十五號訓令要求李斯特的第十二軍團也必須攻擊南斯拉夫南部，而德國也在匈牙利與奧地利集結新的部隊，從北部進攻南斯拉夫。德國從英國戰場抽調九百架飛機投入這場新的戰役。與一九四〇年十月義大利軍隊倉促而毫無計畫地進行部署形成強烈對比，德國軍方短短兩個星期就完成看似不可能做到的事。一九四一年四月六日，德軍以三十三個師發動攻勢，其中有十一個師是裝甲師。接下來就是一場典型的閃擊戰。在艱難的山區地形與陌生的地貌中，南斯拉夫與希臘的軍隊遭到擊潰。四月十七日，南斯拉夫投降，三天後希臘與一名德軍現地指揮官簽訂停戰協定，隔天希臘便向德國無條件投降。李斯特的第十二軍團守住希臘與阿爾巴尼亞邊界不讓義大利軍隊進入，墨索里尼對此表示抗議，他認為這理應是義大利的勝利，因為這是他發起的戰爭。希特勒勉為其難地允許義大利人參加四月二十三日在薩洛尼卡舉行的第二次受降儀式，希臘指揮官卓拉科古魯將軍（Georgios Tsolakoglou）被迫接受義大利的主張。然而義大利人似乎還搞不清楚現實處境。當四月底在維也納討論戰利品的分配時，義大利顯然已經淪為德國的衛星國。墨索里尼在一九四〇年制定的混亂、好戰與缺乏組織的戰略，最終在六個月後導致義大利帝國的獨立路線徹底毀滅。齊亞諾抱怨說：「我們與德國同盟後的命運是可悲的，落入跟殖民地一樣的命運。」[48]

大英帝國面臨的結果也幾乎一樣悲慘。到了四月十四日，地中海顯然又要出現一次敦克爾克大撤退。幾天後，登船行動開始，包括大英帝國與希臘軍隊在內的五萬名士兵搭船撤退到克里特島或埃及。對德國而言，克里特島上的大英帝國軍隊將持續構成威脅，因此德國策畫了一次大膽行動，動用了司徒登空軍上將（Kurt Student）的精銳傘兵。五月二十日，德國傘兵空降克里特島，儘管付出慘重傷亡，還是成功攻占該島上位於馬里梅（Maleme）的重要空軍基地。接下來的十天，雙方為了爭奪克里特島展開激戰，但英國帝國參謀本部認為繼續擴大傷亡毫無意義，於是大英帝國駐軍便於五月三十一日開始撤往埃及。克里特島戰役總共造成三千七百人死亡，其中兩千人是皇家海軍士兵，這些人全在德國空軍數波攻擊與轟炸下喪生。希臘與克里特島的失敗，證明英軍已難在歐洲大陸立足，也讓兵力薄弱的埃及暴露在更嚴重的威脅之下。英國戰爭部針對「最壞情況」擬定應變計畫：放棄埃及，撤退到蘇丹，或甚至撤退到南非。四月二十四日，曾經反對英國支援希臘的魏菲爾告知倫敦戰爭部，他手上已沒有任何一支部隊擁有完整的組織與裝備。魏菲爾又補充：「我們還在戰鬥，就跟戰爭剛開打的時候一樣，但我們現在毫無計畫，裝備也缺乏。」[49]當時英國流傳著一則笑話，英國遠征軍的縮寫BEF現在代表的意思變成了「每十四天撤退一次」(Back Every Fortnight)。情報局的報告指出，英國民眾最常問的問題是：「我們是不是總在陸地上輸給德國人？」[50]

正當希臘與克里特島發生危機之際，英軍在中東的地位也受到進一步威脅。四月一日，伊拉克民族主義者發動政變，不僅試圖排除英國在當地的影響力，還想與軸心國軍隊進行合作。早在一九四〇年，由巴格達法學院教授暨激進的民族主義者拉希德（Rashid Ali alKailani）當上首相之後，這場危機就已經開始醞釀。拉希德獲得一小群人稱「黃金四角」的伊拉克軍官擁護，他們想利用同盟國在歐洲戰敗的機會，一舉掃除伊拉克與英國的殘餘帝國連結。一九四一年一月三十一日，拉希德在英國政府的壓力下辭去首相職務，但他已經與德國和義大利建立接觸管道，準備爭取軸心國支持。四月初，拉希德發動軍事政變，逼迫攝政的阿卜杜勒伊拉親王（Prince Abdulillah）逃往英國的巴勒斯坦託管地。拉希德隨即成立「國家防衛政府」，幾乎馬上就獲得德國與蘇聯的承認，而英國最擔心的就是這兩個國家對伊拉克構成威脅。[51]英國帝國參謀本部無法確定拉希德會不會與仍駐守在伊拉克兵力薄弱的英軍發生衝突，但另一方面也擔心德軍在進入巴爾幹半島之後可能會突然出兵伊拉克。帝國參謀本部於是策畫了「薩賓作戰」（Operation Sabine），將數千名英國與印度軍隊移往伊拉克南部港口巴斯拉（Basra），保護英國重要的石油開採與通往地中海戰場的陸路通道。拉希德政府要求英國人離開，而英國人不僅拒絕，還繼續增兵，明顯違反了《英伊防衛協定》。伊拉克陸軍於是開始備戰。與此同時，親德的耶路撒冷大穆夫提（grand mufti）＊侯賽尼（Amin al-Husayni），當時正好從英國統治的巴勒斯坦流亡到伊拉克首都巴格達，他於是發起吉哈德，召喚穆斯林共同發起聖戰，反抗大英帝國。[52] 四月二十五日，伊拉克與義大利簽訂條約，義大利同意供應武器，伊拉克則承諾義大利可以使用石油與港口設施，武器很快就開始經由維琪政府控制的敘利亞運抵伊拉克。英國通往地中海東岸海法的油管遭到切斷，伊拉克陸軍準備圍攻離巴格達九十公里、位於幼發拉底河岸的哈巴尼亞（Habbaniya）英國空軍基地。五月一日，九千名伊拉克士兵在火砲與一些輕戰車支援下，在能俯瞰機場的低矮高地上挖掘掩體，準備發動進攻。

光從數量來看，雙方兵力十分懸殊。哈巴尼亞基地只有一千四百名空軍與陸軍人員，另外還有一千兩百五十名在伊拉克招募的當地部隊協助英國在該地的軍事部署。哈巴尼亞是皇家空軍訓練基地，有各式各樣過時的訓練機與九架格洛斯特格鬥士雙翼戰鬥機。而此刻正集中在巴斯拉的英軍，也由於伊拉克掘開河道，在通往巴格達的路上製造出氾濫區，因此無法立刻派兵支援哈巴尼亞。儘管顧慮到英國防守埃及的兵力嚴重不足，魏菲爾還是不得不拼湊出一支機動救援隊伍「哈布軍」（Habforce），從巴勒斯坦與外約旦出發，前去解救伊拉克的英軍。不過事實上，哈巴尼亞最後是靠自己的力量救了自己。哈巴尼亞的教官與學員混合編組，一同駕駛掛載炸彈的教練機，整日不停地轟炸伊拉克陣地。伊拉克陸軍士氣低落，缺乏糧食與水，又遭到無情地轟炸與低空掃射，不久就開始四散瓦解。五月六日，伊拉克軍隊全部撤退，在退回法魯加（Fallujah）的路上試圖與前來支援的伊拉克預備隊會合。在隨後的混亂中，英國皇家空軍對這些完全缺乏掩護的人員與車輛進行了致命的密集火力攻擊。伊拉克陸軍在遭受追擊下逃往法魯加，並且在此地發生激烈戰鬥。到了五月二十日，法魯加已被英國人占領。火砲與炸彈造成的滿目瘡痍，讓一名英國士兵想起了「一戰時期法蘭德斯殘破不堪的城鎮景象」。[53] 接下來的一個星期，「哈布軍」一千四百名士兵在哈巴尼亞與巴斯拉的空軍強力支援下進軍巴格達。五月三十日，拉希德、侯賽尼與黃金四角的軍官們分別逃往伊朗與土耳其，留下巴格達市長與英軍協商停戰。英軍僅以很少的代價就擊潰了伊拉克陸軍與空軍，平定了亂事。這樣的衝突對英國人來說是司空見慣，英國人經常以當地徵召的部隊與印度軍隊來支援人數寡少的英國軍隊，而他們的敵人雖然人數眾多，卻不懂得如何作戰。哈巴尼亞基地的情報官員切爾（Somerset de Chair）寫道：「對我們來說，這只是帝國東方邊界的另一場戰役。」[54]

伊拉克戰役讓英國察覺到事態緊急，因為軸心國此時已經取得巴爾幹與愛琴海，接下來可能會利用這個機會支持伊拉克叛亂，讓英國在中東已經相當脆弱的地位更加動搖。拉希德期盼德國能支援伊拉克，但德國正專注於處理巴爾幹危機，而且希特勒認為伊拉克屬於義大利與維琪法國的勢力範圍。等到叛亂真的開始，英國的地位頓時變得岌岌可危，此時德國才開始援助伊拉克，但德國

＊　編注：伊斯蘭教遜尼派的最高神職人員，負責管理聖地耶路撒冷的清真寺。該職位最早是由英國託管當局於一戰後設立。

的援助也僅限於運送少量武器、一組軍事顧問團與兩中隊的飛機到巴格達，包括一個梅塞施密特Me－110重型戰鬥機中隊與一個已經過時的亨克爾He－111轟炸機中隊；義大利則派了一支同樣過時的飛雅特CR－42雙翼機中隊。德義的飛機獲得維琪法國當局許可，使用敘利亞阿勒坡空軍基地，之後降落在伊拉克北部的摩蘇爾。德義的飛機進行零星的空襲，但到了五月底已經損失了九成五的飛機。與義大利人一樣，德國人最感興趣的是伊拉克的石油。一九四一年五月，德國石油團隊抵達伊拉克調查當地的石油產業，針對未來英國被逐出而德國進行接管之後能產生的效益進行研判。由此可以清楚看出軸心國如果獲得勝利，對伊拉克來說也不過是一個帝國主人取代另一個帝國主人。[55]德國的干預來得太晚，出動的軍力太少，不足以影響結果。希特勒於五月二十三日發布第三十號作戰訓令，承諾支持拉希德的叛亂，但當時衝突已經快要結束；六月十一日，希特勒又發布第三十二號訓令，明確表示接下來即將進攻蘇聯，待蘇聯戰役結束後再採取行動將英國逐出中東。[56]對希特勒來說，中東只是枝節問題，不在他的戰略考量範圍之內。

在二戰接下來的幾年內，德國都致力於利用阿拉伯人的反英情緒，不斷教唆阿拉伯人發動武裝叛亂，然而德國人採取的策略僅限於政治作戰層面。針對阿拉伯世界進行的政治宣傳戰，是軸心國發起的政治攻勢中規模最大的。一九三九年四月，德國外交部在柏林南部策森（Zeesen）設立阿拉伯語廣播電臺，到了一九四一年，該電臺全天候播送核心訊息，宣揚英國帝國主義與猶太人是阿拉伯世界與伊斯蘭教的主要敵人，全世界的穆斯林都應該團結起來反抗他們。[57]除了廣播之外，德國也在中東地區持續空投傳單與小冊子，到了一九四二年春，總數已達到八百萬份。德國在《古蘭經》

中尋找根據，說服阿拉伯人從英國這個「不公義的暴力罪犯」手中解放。德國也以劇作形式宣傳猶太人陰謀奴役全世界的阿拉伯人。德國親衛隊發放一百萬份小冊子，裡面提到《古蘭經》預言的猶太人國王旦札里（Dajjal）將被上帝的僕人希特勒所殺：「他將如《古蘭經》記載的殺死旦札里，摧毀他的宮殿，將他的盟友丟進地獄。」[58]然而，德國的政治宣傳戰幾乎沒有產生任何效果。儘管阿拉伯人確實憎恨英國的帝國野心，但伊拉克叛亂卻是阿拉伯人僅有的一次暴力抗爭。廣播宣傳因為阿拉伯人缺少收音機而難以奏效，以沙烏地阿拉伯為例，當時全國居然只有二十六臺收音機；埃及雖然有五萬五千臺收音機，但主要擁有者卻是定居當地的歐洲人。至於德國利用《古蘭經》來滿足政治意圖的宣傳，反而引發穆斯林教士不滿。伊朗穆拉（mullah）*穆薩維（Ruhullah Musavi）便指責納粹主義的宣傳是「人類心靈最惡毒與最可憎的產物」，穆薩維日後以「何梅尼」（Ayatollah Khomeini）之名而廣為人知。[59]德國與義大利自稱是反帝國主義者，但在無情鎮壓利比亞阿拉伯人與柏柏人之後，他們的主張已難以自圓其說。雖然依照德國的說法，德國人理應尊重各地區的阿拉伯民族，但根據一份報告指出，北非的德國士兵依舊認定阿拉伯人是低等種族，稱他們為「有色人種」或「黑鬼」，甚至令人困惑地稱他們是「猶太人」。[60]

儘管平定了伊拉克叛亂，但在持續遭受威脅下，英國仍對該區域的安全感到悲觀。巴格達投降才過兩個星期，英國帝國參謀總長迪爾將軍（John Dill）就對他的作戰部長說道：「我猜你應該察覺

---

* 編注：穆斯林宗教領袖或導師之意。

到我們將會失去中東。」[61]維琪當局提供敘利亞基地給軸心國空軍使用，再次顯示英國無法期望法國這個前盟友能手下留情。法國在敘利亞與黎巴嫩仍留有一定數量的軍隊，至少有三萬五千名法軍與殖民地軍隊，還有九十輛戰車。魏菲爾接到命令清除這項威脅。六月八日，一支由英國、澳大利亞、印度與自由法國混合編成的部隊從伊拉克往西進攻敘利亞首府大馬士革，另一支部隊則由巴勒斯坦往北進攻黎巴嫩首府貝魯特。一場激戰之後，法軍指揮官丹茲將軍（Henri Dentz）尋求停火。英國對法國託管地實行軍管，自由法國一方面對於戰事順利感到高興，另一方面也對英國的主導感到擔憂，並且希望能以自由法國的文人政府來控制這個地區。[62]英國的軍隊與官員現在占領了從埃及到伊朗邊境的整個中東地區，英國在當地的勢力達到了巔峰。英國為了掩飾自己對該區的軍管，於是大力宣傳英國民主的種種好處。與德國一樣，英國公關官員也引用《古蘭經》來進行宣傳。在伊拉克，一張彩色的海報上面寫著：「伊斯蘭教是民主的精神……民主是《古蘭經》的精髓……。」[63]然而這種政治宣傳同樣難有成效，因為英國表面上宣揚自由主義政治的好處，實際上卻以傳統帝國作風進行控制：新聞審查、恣意逮捕、流放、在各級政府安插顧問。美國駐巴格達公使回報華府時表示，英國完全掌控了當地政府與經濟事務，一切都「為大英帝國的福祉服務」。[64]英國最關切的就是維持當地通訊交通與石油供應安全。到了一九四一年六月底，德國入侵蘇聯再次引發中東地區的新一波威脅。考慮到德軍可能從高加索與埃及入侵中東，更糟的是，日本與德國還有可能聯手將英國與其盟邦完全逐出歐亞大陸。如果此事成真，那將會是一場地緣政治惡夢。

世界島與心臟地帶

英國地理學家麥金德（Halford Mackinder）因宣揚歐亞大陸空間理論而聞名，他認為從中歐到太平洋的這一整塊大陸是全球地緣政治的「心臟地帶」。麥金德把這片廣大的陸塊稱為「世界島」，能夠控制這個陸塊的資源，就能支配「外圍」的海洋國家。麥金德於一九一九年寫道：「誰統治心臟地帶，誰就能支配世界島。誰統治世界島，誰就能支配世界。」[65]麥金德首次在一九〇四的〈歷史的地理樞紐〉（The Geographical Pivot of History）一文提出這個概念，他警告英國的全球霸權有可能因為現代通訊交通的發展而遭到顛覆，因為通訊交通的進步使得人們可以更輕易地運用心臟地帶的龐大物質資源。一九一九年，麥金德甚至指出德國與日本很可能入侵俄國與中國以瓜分整個歐亞大陸：德國已經深入中歐與東歐，日本則掌握了「海洋門戶」的優勢。[66]麥金德的理論在英國沒什麼影響力，卻因為德國地理學家豪斯霍夫而在德國獲得回響。豪斯霍夫閱讀麥金德的作品，在一戰結束後立刻撰寫了關於地理樞紐的論文。豪斯霍夫使「地緣政治」成為廣泛流行的詞彙，他以此來描述地理環境與國家力量之間的緊密關係。豪斯霍夫在慕尼黑教書時的其中一位學生赫斯，後來成為希特勒的副手與納粹黨的早期黨員。赫斯介紹希特勒給豪斯霍夫認識，豪斯霍夫給這位未來的獨裁者一些關於地緣政治學的作品，希特勒在一九二三年政變失敗後被囚禁在蘭茲堡監獄（Landsberg Prison），他在獄中閱讀了這些作品。[67]

雖然希特勒與麥金德之間的連結難以追溯，但豪斯霍夫有可能給了希特勒一些關於地緣政治樞紐的二手論述。當希特勒在獄中口授《我的奮鬥》，讓關在同一間囚室的赫斯記錄下來的時候，他清楚提到德國將在心臟地帶尋求自身天命的觀念。希特勒表示，「唯有在這塊土地上找到大小適當的空間，才能確保民族自由的存在」，而這個空間將在想像的「東方」才能找到。[68]豪斯霍夫日後對於希特勒對「地緣政治的掌握」大為讚賞，他認為希特勒充分反映了他所謂的「征服空間的強權」觀念，這是豪斯霍夫過去在大英帝國旅行時得到的看法，他當時也曾讚揚大英帝國對地緣政治的掌握。豪斯霍夫希望德國能夠建立一個橫亙歐亞的陸上強權，排除並且支配海上的盎格魯撒克遜人。豪斯霍夫在早期作品中談到日本對朝鮮與滿洲的殖民，他相信日本也可能成為「具有大陸心態的世界大陸政治參與者」。[69]一九一三年，豪斯霍夫針對日本的世界地位與地緣政治未來發表了一篇重要研究，他認為日本將成為「大日本」。一九三〇年代，地緣政治在日本成為顯學，科學研究似乎肯定了日本在領土擴張上展現的智慧，也認為日本有能力擊敗西方霸權。一九四〇年，日本學者小牧實繁在《日本地政學宣言》中主張日本應支配整個東亞。[70]麥金德的「心臟地帶」一開始只是對未來全球權力結構進行抽象推測，但最後卻成為德國與日本帝國主義者按圖索驥的指南，試圖從中追尋稱霸歐亞大陸的黃金國。整個一九三〇年代與四〇年代，德國與日本持續追求最極端的擴張主義野心，德日兩國的領導人幻想世界的地緣政治秩序可以藉由大規模領土征服來加以逆轉。德國與日本已經取得廣大領土，但現在它們還想征服更廣大的地理範圍，為此就必須進攻世界上最強大的三個國家。然而地緣政治的想像與地緣政治的現實存在著很大的差距，要弭平這樣的差距只能仰賴高傲的種族主義與一廂情願地忽視軍事與地理現實。麥金德從未想過「心臟地帶」可以反過來由外而內地加以征服。事實上，縱觀人類歷史，沒有任何一個歐亞大陸以外的國家能夠在歐亞大陸上建立永遠的宗主權。

儘管如此，地緣政治的幻想仍不足以解釋決定征服的時間點，以德國與日本來說，兩國都面臨著迫使它們行動的經濟、戰略與意識形態等短期因素，這些因素同樣強化了德日企圖建立歐亞大陸霸權的願景。以希特勒而言，攻打蘇聯的決定是不斷疊加發展出來的結果，是環境持續變遷下做出的回應，希特勒逐漸開始用想像的帝國野心來合理化自身想法，而這一帝國願景也說服了德國武裝部隊與廣大的德國民眾，使他們深信攻打蘇聯是必要且不可避免的。最後做出這項決定的也是希特勒本人。與一九三九年準備攻打波蘭一樣，面對是否入侵蘇聯的問題，戈林與李賓特洛甫這兩位政治夥伴都試圖勸希特勒再等待幾個月，先結束對英國的戰役才是較合理的戰略安排。但希特勒一旦下定決心，就不接受旁人勸說。軍方對希特勒入侵蘇聯的決定充滿猶疑與不確定。一九四〇年十二月，時任陸軍總司令的布勞齊區陸軍元帥（Walther von Brauchitsch）詢問希特勒的陸軍副官，元首提到入侵蘇聯的計畫是否只是虛張聲勢，而副官向他保證希特勒已經決心這麼做。一個月後，國防軍最高統帥部仍不確定希特勒是否已經「下定決心」，他們希望再三確認入侵蘇聯的決定不會突然改變或遭受質疑。[71]

然而，在希特勒真正下決心之前，這項入侵蘇聯的「計畫」其實毫無計畫可言。對希特勒來說，入侵蘇聯其實包含著各種不同的動機，他一方面想擊敗大英帝國，另一方面又要面對東方「猶太布爾什維克」的威脅。遠因是他想為德國人取得真正的「生存空間」，近因是邱吉爾政府拒絕談和。一九四〇年七月底，希特勒召集武裝部隊各級長官商討接下來的戰略，希特勒表示他想在一九四一年春天一舉消滅蘇聯，目的是為了粉碎英國組織歐洲同盟的最後一線希望。從一九四〇年八月到一九四一年六月這十個月間，反英一直是希特勒的戰略主軸，他在一九四一年六月二十二日早上對全國人民的演說中宣布執行入侵蘇聯的巴巴羅薩作戰，但他依然強調反英的目標：「時機已經成熟，我們必須打破猶太盎格魯撒克遜戰爭販子的陰謀，以及莫斯科中心的布爾什維克猶太勢力。」[72]消滅蘇聯以迫使英國談和的想法受到陸軍高層的質疑，特別是陸軍參謀總長哈爾德，他在一九四一年一月提到：入侵蘇聯「無法影響英國……我們不能低估我們在西方面臨的風險」。[73]對希特勒來說，這項反英策略可以把赤裸裸的侵略美化成因應敵方行動而採取的先制攻擊——一種顛倒黑白的做法，就像先前入侵波蘭一樣。

事實上，入侵蘇聯不只是為了打敗英國而採取的間接手段。蘇聯本身就是這場戰爭要打倒的對象，其目的不僅要去除德國在東歐建立帝國的巨大障礙，還要建立未來以柏林為中心的歐亞帝國。一九四〇年七月初，德國軍方首次提出對抗紅軍的構想，陸軍急欲給予蘇聯嚴厲一擊，使其不敢窺伺德國的東部領土。希特勒將這個構想發展成一個龐大計畫，他在七月三十一日向軍方高層表示，德國必須盡快消滅蘇聯，以免為時已晚。蘇聯進占波羅的海國家與羅馬尼亞北部就是威脅的明證。德國情報單位發現蘇聯在與德國占領波蘭後接壤的新西部邊界興建要塞與駐軍，打造所謂的「莫洛托夫防線」；蘇聯的空軍基地也更靠近德蘇邊界，使柏林完全暴露在蘇聯軍機的航程範圍內。一九四〇年十一月，莫洛托夫訪問德國之後，希特勒指示必須愈早消滅蘇聯愈好，因為史達林的胃口難以饜足。最糟的狀況就是英美同盟從西線而蘇聯從東線同時進攻，李賓特洛甫在回憶錄中表示，「元首非常擔心」德國會捲入「大規模的兩線作戰，屆時將導致巨大的人命與財產損失」。[74]由於難以衡量當前的戰略處境，快速擊敗蘇聯因此成了軍事上的合理觀點。一九四一年三月三十日，在一場面對所有軍事高層長達兩個半小時的演說中，希特勒談到即將來臨的戰爭，表示消滅蘇聯可以「一勞永逸地解決俄國與亞洲對德國的威脅」。[75]德國的將領們儘管對於這場衝突的可行性感到不安，但他們都認為這場戰爭勢在必行。德國第二航空軍團司令凱賽林（Albert Kesselring）回憶說：「希特勒認為俄國人只要一逮到有利機會就會攻擊我們，我也同意他的說法正確無誤。」他又說，最重要的是「讓共產主義遠離西歐」，這句話在十年後的冷戰高峰期依然十分管用。[76]

即使德國軍方高層接受德蘇戰爭在戰略上的必要性，但他們似乎未曾認真思考過一個問題，那就是征服廣大歐亞土地的最終目的是什麼。希特勒認為自己是被迫發動這場戰爭，然而他論點背後的基礎卻是透過征服來建立終極的德意志帝國，其領土之廣袤，即使是海上強權也難以撼動。希特勒在審視戰略時，絕口不提奪取更多生存空間其實是一種赤裸裸的帝國主義，而是在一九四一年一月九日的冗長會議中提醒各級將領：「難以估計的豐富」物資與土地將會落入德國人手裡。希特勒又說，一旦第三帝國延伸到俄羅斯，德國「將擁有一切資源，可以在各大陸發動戰爭」。[77]一九四〇年八月，希特勒標定的征服地區，北起阿爾漢格爾斯克，南至阿斯特拉罕，希特勒認為這是德國人應得的領土，可以讓德國人在麥金德的世界島中取得一席之地。幾個月後，希特勒對親近人士透露：「位於俄羅斯的這塊空間，必須永遠由德國人支配。」[78]希特勒的想法充分反映了德國數十年來的「東方」帝國空間想像。

這些動機彼此影響加強，為希特勒提供了一個兩年前還無人敢設想的願景：建立一個橫跨歐亞的廣大帝國。一九四〇年七月到十二月，希特勒逐漸下定決心，德國軍方也開始擬定詳細計畫。十二月中，最終文件出爐，等待希特勒批准或修改，這份文件主要根據陸軍與希特勒司令部的兩份重要研究撰寫而成。第一份研究在八月由馬克斯少將（Erich Marcks）完成。馬克斯建議兵分兩路，北路攻打列寧格勒，南路占領烏克蘭工業區，之後北路轉而向南，南路轉而向北，兩路包抄莫斯科。馬克斯私底下對這場戰爭感到悲觀，他認為這場戰爭的戰線實在太長，從阿爾漢格爾斯克延伸到窩瓦河，而且很可能導致美國參戰，形成更大規模的戰爭，但他的疑慮未能傳達給希特勒。[79]第二份研究是洛斯貝爾格中校（Bernhard von Lossberg）奉希特勒司令部指示進行。這份研究在九月中完成，洛斯貝爾格計畫分成三路進攻：北路攻占波羅的海港口以確保後勤補給；中路搭配大量裝甲師與摩托化師，目標攻占莫斯科；南路以扇形展開，攻占敖得薩與黑海沿岸，取得烏克蘭的豐富資源。三路兵力都要在一個戰役季度裡達成目標。[80]

十二月五日，結合這兩項計畫的最後定稿呈交給希特勒，此時希特勒也因為莫洛托夫的來訪而深信他的天命就是要消滅俄羅斯，「無論什麼時候，俄羅斯總是阻擋德國前進。」三路攻勢是較受支持的選項，但希特勒想先集中兵力奪取列寧格勒與烏克蘭資源，然後再進攻莫斯科。雖然哈爾德與陸軍高層私底下希望保留莫斯科做為主攻軸心，但國防軍最高統帥部的參謀長約德爾最後還是依照希特勒的訓令修正了作戰計畫。十二月十八日，希特勒簽署第二十一號作戰訓令，命名為「巴巴羅薩」，巴巴羅薩是十二世紀的神聖羅馬帝國皇帝，留著紅鬍子，曾經率領第三次十字軍前往聖地。這項訓令極具野心，而且完全忽視原計畫的評估——原計畫曾對德軍是否有能力征服與占領如此廣大的領土提出質疑。一九四〇年八月，陸軍參謀部軍事地理局提出一份詳細報告，裡面提到蘇聯早已將大量的工業資源移往西伯利亞，而光是地形與氣候已足以阻礙德軍達成任務。[81] 武裝部隊戰時經濟局局長托馬斯將軍（Georg Thomas）認為從現在起到入侵之日，石油仍無法做到充分供應，但他同樣也無法說服希特勒。據說希特勒在一九四一年六月這麼答覆：「當你需要一件東西卻又偏偏沒有這件東西時，你就必須靠征服去取得。」[82]

幾個月來，德國高層的討論與計畫完全奠基在幾項從未受到質疑的假定之上。他們理所當然地認為德軍可以輕易擊敗紅軍。馬克斯少將預期這場戰役需要的時間比法國戰役多一點，大概八到十一個星期；洛斯貝爾格中校則認為主要階段攻抵終點線的時間需要九到十七個星期。德國高層普遍深信共產主義國家非常脆弱，紅軍上起高階將領下至基層士兵，作戰能力不足且士氣低落。然而，這樣的判斷過於草率，資訊也不正確。約德爾就曾宣稱：「俄羅斯巨人就像漲大的豬膀胱一樣，刺一下就破了。」[83] 德軍將領同樣也不瞭解蘇聯的工業狀況與戰爭機器運作邏輯。一九四一年一月，陸軍情報單位發行了一本《蘇聯軍事力量手冊》，裡面根據的全是薄弱無力的證據，認為紅軍「不適合現代作戰，無法進行決定性抵抗」。德軍將領經常用種族歧視的語氣把紅軍稱為「蒙古人」或「亞洲人」，認為他們只是「一群部落民」而非軍隊，因此這場戰爭將會是一場殖民地戰爭。五月，布魯門提特將軍（Günther Blumentritt）甚至預測這場戰役只會持續八到十四天，因為敵人只是一群「不識字、混有亞洲血統」的士兵，指揮他們的也是毫無能力的軍官。布勞齊區元帥認為這場戰役頂多四個星期，在德蘇邊境附近可能會出現激戰，接下來則是一連串的掃蕩。[84]希特勒提醒他的將領，俄國人是「頑強的敵人」，但卻是一群「烏合之眾」。在巴巴羅薩作戰前夕，希特勒預測四個月後能夠獲勝，比絕大多數將領審慎得多。[85]

德國高層相信德軍遠比蘇聯軍隊優越，因此決定採取速戰速決的戰略，這表示德軍在面對蘇聯時，不會像面對英國與美國一樣需要考慮資源瓶頸的問題。然而德軍的計畫並未考慮如何對散布在一廣闊地理範圍的士兵進行補給，蘇聯的地形與氣候也跟德軍先前作戰的歐洲戰場完全不同。要在一個道路只有百分之五屬於硬路面的地方維持機動作戰，從一開始就顯得問題重重。德軍有許多資深將領一戰時都曾在俄國前線服役，例如哈爾德，但令人詫異的是，他們居然沒有仔細考慮過這個問題。不僅如此，哈爾德還認為：「只有仰賴車輛才能得勝，**我們需要更多的摩托化部隊……。**」[86]德軍在巴巴羅薩作戰中動員了六十萬輛車輛，涵蓋兩千種以上的各式車輛類型，包括許多俘獲的卡車與貨車，這些車輛很難維修，也很難找到零組件更換。當德軍缺乏額外的機動運輸工具時，便轉而仰賴馬匹，馬匹的數量曾一度多達七十五萬匹。由於馬匹會占去鐵路運輸過多的空間，於是只能靠馬匹自己行走或藉由車輛運載到前線，然而這些馬匹在俄羅斯炎熱的夏季與嚴寒的冬季根本不堪使用。[87]德軍從一九三九年開始仰賴鐵路補給，可是鐵路卻難以在蘇聯戰役中提供足夠的支援，因為德國的火車頭與貨車無法在蘇聯的寬軌上行駛，必須由德國工兵在整個歐俄地區進行替換。為了緩和可能的補給瓶頸，德軍採取了應變措施：戰車搭載了兩倍的燃油與軍火，後面再拉著一輛載著兩百公升燃油的拖車，如此可以延長戰車行駛的距離。[88]然而，不利戰車行進的地形也會增加燃料消耗量，使原本捉襟見肘的補給雪上加霜。即便有這些挑戰，德軍仍認為這場戰役很快就會結束，因此不願正視這個潛在的後勤危機。[89]

從一九四〇年十一月到一九四一年五月，德國開始加快入侵準備工作。十一月中，希特勒下令由建築調配全權總代表托德（Fritz Todt）負責，在東普魯士拉斯敦堡（Restenburg）附近的兩百五十公頃林地上興建新軍事司令部。這座司令部外表偽裝成新化學工廠阿斯卡尼亞諾德（Askania Nord），實際上卻是由掩體、碉堡與辦公室構成的巨大網路，外圍環繞著鐵絲網、混凝土防禦工事與地雷，希特勒便是在此地指揮蘇聯戰役。希特勒把這座司令部命名為「狼穴」（Wolfsschanze）。相較於設在首都的同盟國軍事司令部，希特勒選擇遠離柏林的政府與軍事機關，在與外界隔絕的地方設立司令部。想與元首開會者都必須從德國首都搭乘火車前往新司令部。[90]德軍進一步擬定詳細計畫，但一切都保持絕對機密，避免史達林與紅軍察覺德國即將對他們發動滅國戰爭。士兵與飛行員逐漸東移，但德國掩飾成這些士兵只是返回後方修整，等修整完畢還會繼續回到前線對英作戰。德國對資訊的管控極為嚴格，德國軍人甚至到了開戰前幾個小時才得知行動內容。當時甚至廣泛流傳一種說法：俄國人已經同意借道，讓德軍經由蘇聯境內進攻中東，包圍大英帝國部隊，而這一戰略將會對未來大戰的走勢產生深遠影響。[91]當巴巴羅薩作戰終於發生時，無論是德國還是蘇聯的軍隊都感到大吃一驚。

這場攸關「生存空間」的戰爭，就像波蘭戰役一樣，除了軍事準備，還要搭配其他手段才能將整個歐亞大陸轉變成殖民空間。希特勒再次委託希姆萊與安全機關進行「特殊任務」，從事這項任務的有四個特別行動隊，主要由將近三千名安全警察、親衛隊與保安處人員構成。他們將跟隨德軍進入蘇聯，奉命對共產黨體系進行斬首行動，負責殺害共產黨官員、知識分子、軍中的人民委員與擔任公務員的猶太人。三月三十日，希特勒在對將領們發表的冗長演說中解釋，他們參與的是一場殲滅布爾什維克敵人的戰爭，可以使用最殘酷的手段，無須受到戰爭法的限制。一名出席這場演說的人回憶，兩百五十名軍官聽到希特勒鼓吹他們使用非正規與非法武力，但他們不願意大張旗鼓地這麼做。不是所有人都同意希特勒的說法，然而贊同的人也不在少數。巴巴羅薩作戰打從一開始就是一場與眾不同的戰爭。希姆萊組織這些謀殺隊伍的同時，也以強化德國民族性帝國專員身分為新殖民地區規畫一套業已在波蘭推行的種族清洗模式。一九四〇年由希姆萊的副手赫特林（Konrad Meyer-Hetling）擬定的「東方總計畫」（Generalplan Ost），起初只延伸到前波蘭領土的德蘇疆界。六月二十一日，也就是巴巴羅薩作戰前夕，希特勒下令制定新計畫，並且只用短短三個星期就完成。新計畫把東方總計畫的空間規畫延伸到歐亞大陸的廣大區域，預計用三十年以上的時間清除這塊「殖民區」裡的斯拉夫人與猶太人，交由德國人長期屯墾。[92]

希特勒也要求相關單位準備有系統地掠奪與利用蘇聯的經濟資源。二月與三月，四年計畫主持人戈林成立了「東方經濟參謀部」，這個新組織最終在三月十九日獲得希特勒批准。東方經濟參謀部人員超過六千人，是特別行動隊的兩倍，他們負責掠奪物資、石油與糧食，並且接管蘇聯的工業企業以維持德國的戰時經濟。根據計畫，德國將在預期的征服區設立四個經濟督察區，北起阿爾漢格爾斯克，往南經過莫斯科周邊地區，最後抵達南方的巴庫與伊朗邊界。[93]在戈林指示下，農業部部長巴克（Herbert Backe）負責推行農業利用計畫，巴克無情地估算出一個驚人的數字：為了讓糧食能供應德國與德軍的需要，占領區將面臨糧食短缺，最多可能會有三千萬人餓死。一九四一年四月，戈林的副手寇爾納（Paul Körner）簽署一項祕密命令，讓巴克能毫無顧忌地採取行動。五月二日，也就是入侵蘇聯的前一個月，部長會議在無人反對下（無論是基於道德或其他理由）通過一份聲明，這份聲明日後又被稱為「大饑荒計畫」。巴克甚至表示：「俄羅斯人忍受貧困、飢餓與儉樸已經有幾百年。他們的胃很有彈性，因此不需要假惺惺地憐憫他們。」[94]

到了一九四一年六月，人類史上最龐大的入侵部隊已經就位。陸軍有超過三百萬名士兵、三千六百輛戰車與七千門火砲，一共分成北、中、南三個集團軍，另有兩千五百架飛機進行支援。與一年前入侵法國相比，戰車與飛機的數量並沒有太大差異，但此時德軍卻有十八個裝甲師與十三個摩托化師，數量比法國戰役增加許多，這是因為每個師分配到的戰車與車輛減少的緣故。入侵法國時，每個裝甲師大約有三百輛戰車；到了巴巴羅薩作戰時卻減少到一百五十輛左右，中央集團軍較多，平均約兩百一十輛。在所有戰車中，只有百分之四十一是性能較好的四號戰車與三號戰車，其餘則是輕戰車與俘獲的捷克或法國戰車。[95]七十八個步兵師主要仰賴馬與馬拉貨車，他們用步行的方式橫越毫無遮蔽的鄉野地帶。然而，入侵部隊不是只有德軍。芬蘭、羅馬尼亞與斯洛伐克也派兵加入，不久後義大利與匈牙利也派出小規模分遣隊，使入侵部隊達到三百七十萬人，總共一百五十三個師的規模。

希特勒入侵蘇聯的主要目標是追求德國利益，但其他國家決定參戰的背後緣由則需要另外解釋。芬蘭與羅馬尼亞想收復一九四〇年被蘇聯侵占的領土，甚至還想取得更多領土以建立「大芬蘭」與「大羅馬尼亞」。芬蘭政權對於與希特勒合作抱持審慎態度，但想擊敗蘇聯侵略者一雪前恥的強烈渴望最終還是克服了所有疑慮。芬蘭國會議長表示，為了抵抗蘇聯，「芬蘭連魔鬼都敢結盟。」[96]芬蘭將這場戰役視為對抗無神論共產主義的十字軍東征，四百八十名路德宗牧師隨軍出征以強化此次戰爭的基督教訊息。芬蘭將這場戰爭稱為「繼續戰爭」，充分顯示這場戰爭與一九三九年蘇芬冬季戰爭的關連。[97]德國讓芬蘭得知德國準備發動巴巴羅薩作戰的機密，因為德國打算將軍隊部署在芬蘭的極北位置，以保護德國在斯堪地那維亞的礦產利益。德國甚至在芬蘭境內設立一小批特別行動隊，他們得以在芬蘭境內殺害上千名猶太人與共產黨員：這就是芬蘭政府與納粹政權的合作極限。一旦芬蘭收復失地，芬蘭軍隊就不再參與圍攻列寧格勒，也不協助德軍繼續推進到莫曼斯克。芬蘭總統呂蒂（Risto Ryti）說道，一九四一年十一月之後，芬蘭將打一場「屬於自己的戰爭」。[98]

羅馬尼亞是唯一打從一開始就參與德軍入侵蘇聯的主要盟友。由於德國已經有軍隊部署在羅馬尼亞負責保護當地油田，因此入侵蘇聯的行動幾乎不可能瞞過羅馬尼亞當局。羅馬尼亞獨裁者安東尼斯古元帥（Ion Antonescu）雖然在羅馬尼亞將領與軍隊中的評價不高，但希特勒依然在一九四一年春讚揚他建立了穩固的「國家指導者」地位。一九四〇年八月，希特勒在「第二次維也納仲裁」（Second Vienna Award）中裁定羅馬尼亞必須割讓部分外西凡尼亞領土給匈牙利，這起事件讓羅馬尼亞政權對於是否加入德國入侵蘇聯存有戒心。但政權內也有人認為，唯有向德國靠攏才能避免蘇聯威脅，維持國家的領土完整，也許還能因此推翻維也納仲裁的決定。與芬蘭人一樣，羅馬尼亞人也把這場戰爭視為十字軍東征，用羅馬尼亞副總統米哈伊（Mihai Antonescu）的話說，這是一場「偉大的聖戰」。[99]羅馬尼亞動員了安東尼斯古集團軍，包括羅馬尼亞第三軍團與第四軍團，總計三十二萬五千六百八十五人。安東尼斯古集團軍雖然名義上聽命於安東尼斯古，但實際上卻被併入德國南面集團軍，主攻敖得薩。部分羅馬尼亞政治人物希望羅馬尼亞軍隊在收復比薩拉比亞與北布科維納之後就能止步於國境，不再前進，但安東尼斯古深知，一旦投入戰事，羅馬尼亞就必須戰至蘇聯戰敗或遭受嚴厲報復為止。[100]

斯洛伐克與匈牙利也加入德軍入侵，只是反應較為冷淡。斯洛伐克政府在壓力下不得不出兵應戰，因為德軍的南方入侵路線有部分即是從斯洛伐克境內出發。斯洛伐克派出兩個師負責保障後方安全，還有一小群機動部隊加入南面集團軍，結果這支部隊在七月蘇聯反攻時遭到消滅。匈牙利政府與攝政霍爾蒂（Miklós Horthy）對於參戰也同樣不熱衷，但一些將領認為參戰也許可以讓匈牙利恢復過去較大的歷史疆域。六月二十六日，三架轟炸機空襲匈牙利境內的卡薩（Kassa）——據說這些飛機來自蘇聯，霍爾蒂與他的內閣才因此同意參戰。匈牙利派出一支機動軍，大約四萬五千人。但根據一名匈牙利將領的說法，士兵們「毫無熱情」，因為他們不知道為何而戰。[101]歐洲十字軍的說法難以打動人心，儘管德國以這項道德藉口做為政治宣傳，其美化侵略的效果卻十分有限。日後擔任東方占領地部長的羅森堡（Alfred Rosenberg），在巴巴羅薩作戰開始的前兩天直截了當地對幕僚說：這場戰爭不是屠殺布爾什維克主義的十字軍，而是為了「追求德國的世界政策與捍衛德意志帝國」。[102]

然而，如果入侵蘇聯純粹是為德國赤裸裸的利益服務，那就難以解釋墨索里尼為何也加入。在義大利戰線已經延伸到北非與地中海，軍隊負擔已達極限的情況下，墨索里尼居然還自告奮勇地派出一個軍參戰。雖然希特勒對盟邦義大利完全保密，不讓對方知道有巴巴羅薩作戰的存在，但義大利情報單位還是得到了這場即將來臨戰役的詳細配置。五月三十日，墨索里尼再次於未告知希特勒的狀況下命令底下做好準備，一旦戰爭開打就要把三個師（兩個步兵師，一個摩托化師）送往東線戰場。[103]作戰開始之前兩天，希特勒終於得知墨索里尼將派兵援助的消息，他感到不悅，卻無法拒絕。希特勒曾對他的空軍副官比羅（Nicolaus von Below）說道，義大利人的「戰鬥力根本不值得一提」。[104]墨索里尼主動出兵的舉動，扭轉了他在一九四〇年底攻打希臘時被迫向德國求助的屈辱局面，而且與法國戰役一樣，義大利也因此在接下來可能出現的歐洲和平協定上有了發言權，即使如今的義大利只能算是德國的小跟班。[105]一九四一年八月，墨索里尼親自前往東線戰場，在烏克蘭與希特勒一同檢閱剛抵達的義大利分遣隊。他的德國盟友在一九四二年春將原本已十分龐大的計畫再度擴大，把領土擴張範圍延伸到烏拉山脈以外地區、波斯與裏海。「然後呢？難道我們要像亞歷山大大帝一樣，因為沒有土地可以征服而哭泣嗎？」墨索里尼回道，這是唯一一次，墨索里尼被希特勒的地緣政治幻想激怒。根據口譯的說法，當時希特勒聽到後「默不作聲，但看得出來他十分生氣」。[106]

在德蘇邊界的另一邊，蘇聯當局始終摸不透德國的真正意圖。蘇聯高層並未忽視德國的威脅。法國投降之後，蘇聯國防人民委員提摩盛科元帥（Semyon Timoshenko）就曾表示，德國現在已成為「最重要與最強大的敵人」。[107]史達林原本希望資本主義強權之間的消耗戰可以讓共產主義世界得利，然而法國的迅速戰敗粉碎了他的美夢，而直到德國入侵的前一天，史達林都試圖避免挑釁德國，因為蘇聯軍隊仍未做好大規模戰爭的準備。一九四一年一月，德蘇簽訂新貿易協定，在德軍發動攻擊的那個週末，蘇聯火車仍在搭載資源運往德國。蘇聯計畫一旦雙方開戰，人數不多的邊防軍要在固定的防禦地點堅守，阻擋敵人的攻擊，使國內有時間進行總動員，讓大批紅軍開赴前線將敵軍趕出國境。一九四一年夏天戰爭爆發時，這些準備都尚未就緒：新機械化軍仍在組織，新疆界防禦工事仍在興建，動員計畫仍未完成。當蘇聯參謀總長朱可夫將軍（Georgi Zhukov）得知德軍正在集結的清楚證據之後，在四月底低調進行動員，並在五月十三日下令將三十三個師調往蘇聯西部。但這些軍隊到六月時也只有少部分獲得充分裝備，至於空軍基地的偽裝也是在德國空軍轟炸的前三天才開始進行，導致德國飛機得以低空掃射一排排未隱匿的蘇聯飛機。[108]史達林本人就是紅軍做好進一步準備的最大絆腳石，因為他認為來自西方的情報都是蓄意挑釁以引發德蘇戰爭。空中偵察顯示德國已有準備跡象，德蘇邊境也逮捕了多達兩百三十六名德國間諜，莫斯科更收到超過八十份情報預警，包括德國攻擊的確切日期，但史達林仍不為所動。[109]五月中旬，有紅軍將領建議進行擾亂性攻擊以破壞德軍的準備工作，但最終並未實現。有人認為蘇聯這些部署是一九四一年夏天入侵德國計畫的一部分，然而這種說法並不可信，尤其我們知道當時的史達林極力想避免衝突。[110]六月十四日，朱可夫試圖說服史達林下令動員，但史達林回答「這將導致戰爭」而予以拒絕。[111]六月二十一日晚間，提摩盛科與朱可夫終於成功說服史達林通令全國進入高度警戒狀態，但對於還搞不清楚狀況的蘇聯守軍來說為時已晚。隔天清晨，當蘇軍還在試圖解讀史達林的電報內容時，德國的炸彈與砲彈已經落在他們頭上。[112]

希特勒煩躁不安地等待他的歷史性決定獲得實現。希特勒的空軍副官回憶說：「他喋喋不休，不斷地來回踱步，似乎焦急地等待某個消息。」[113]赫魯雪夫（Nikita Khrushchev）日後提到，在六月二十二日的前幾天，史達林整個人「陷入慌亂、焦慮、心情低落，甚至渾身癱軟無力」。[114]六月二十一日晚間，當希特勒告知墨索里尼德國即將入侵蘇聯的訊息時坦白說道：「自己這幾個月不斷地焦慮思考，做出了這輩子最艱難的決定。」我們幾乎可以確定希特勒講的是真話。隔日清晨三點三十分，軸心國軍隊發動全面進攻。在德軍打響第一槍之後，只睡了三個小時而睡眼惺忪的希特勒，在帝國議會向德國民眾宣布，德國與蘇聯自此進入戰爭狀態。接著，希特勒便動身前往狼穴。希特勒這輩子從未去過俄國，對於他要征服的俄國人一無所知。他對李賓特洛甫說道，他不確定「一旦我們真的推開通往東方的大門，將遭遇什麼樣的力量」。[115]在莫斯科，當史達林與政治局開會時，眾人也感到不知所措。史達林想「盡快聯繫柏林」，試圖確認這起攻擊並未獲得希特勒授權。史達林派莫洛托夫詢問德國大使到底出了什麼事，卻被告知兩國已處於戰爭狀態。「我們做了什麼，讓你們這麼對我們？」這是莫洛托夫的回應。搞清楚情況之後，史達林於早上七點十五分命令蘇聯軍隊「殲滅」入侵者。晚間，他下令紅軍向德國境內反攻。[116]

前線狀況完全不同於史達林的想像。出其不意的襲擊與蘇聯前線混亂的準備狀態，使軸心國軍隊得以長驅直入。三大集團軍一開始就依據規畫路線發動攻勢，紅軍還沒來得及撤退到德維納河（Dvina）與聶伯河，就遭到德軍包圍殲滅。北面集團軍的目標是攻占波羅的海國家與列寧格勒，六月二十六日，北面集團軍已穿過立陶宛，深入拉脫維亞，然後在此等候步兵師跟上。七月一日，拉脫維亞首府里加陷落，德軍繼續挺進，到了七月中旬已距離列寧格勒僅有九十六公里。中央集團軍由波克陸軍元帥（Fedor von Bock）指揮，該集團軍擁有大量裝甲部隊，迅速攻進白俄羅斯，於六月二十八日以鉗形攻勢攻陷首府明斯克，俘虜蘇軍三十二萬四千人。波克緊接著進攻斯摩稜斯克，於七月十六日攻陷該城。然而這場戰役蘇軍在提摩盛科元帥指揮下，為了抵擋德軍鋼鐵洪流而猛攻德軍延伸過長的裝甲部隊側翼，德軍因此陷入苦戰。倫德斯特陸軍元帥指揮的南面集團軍則遭遇最激烈的戰鬥，因為德國情報單位未能調查出蘇聯已經決定集中兵力於南線以保護烏克蘭的工業資源。蘇聯派出機械化軍增援基輔特別軍區，並且將國內可用的現代戰車幾乎全部署於此。蘇聯在邊境地區設下重兵防守，使德軍在進攻杜布諾（Dubno）與奧斯特洛赫（Ostrog）時耗費了一整個星期進行戰車戰。雖然德軍因此無法快速進軍基輔，但蘇聯的裝甲部隊也因此近乎全滅。位於倫德斯特右側翼路線上的利沃夫（Lvov，今稱利維夫〔Lviv〕），最終在六月三十日陷落。到了七月二日，蘇聯第五與第六軍團已開始全面撤退。[117]南方的羅馬尼亞軍與德軍在七月底收復布科維納與比薩拉比亞的「失地」，八月初開始渡過聶斯特河朝敖得薩前進。惡劣的路況、大雨與蘇聯軍隊的堅強抵抗，使德軍難以依照計畫採取鉗形攻勢圍繞基輔及切斷聶伯河以西紅軍的退路。南面集團軍動彈不得，遲遲無法達成最初目標。直到七月中，倫德斯特的前鋒裝甲部隊才抵達能夠攻擊基輔的距離範圍。倫德斯特對希特勒的空軍副官說：「這是他第一次在戰爭中遭遇如此善戰的對手。」[118]

德軍在北方與中央戰線的快速推進，徹底破壞了蘇聯的前進防禦計畫。一九四一年六月，蘇聯在緊鄰前線與前線後方的位置部署龐大軍隊，理論上來說，蘇聯軍事裝備的數量遠超過進攻方：一百八十六個師，總共三百萬人，一萬九千八百門火砲，一萬一千輛戰車與九千五百架戰機。[119]然而，蘇聯空軍在短短幾天之內就完全癱瘓，因為德軍攻擊蘇聯機場，摧毀了近兩千架飛機；到了七月初，蘇聯空軍總計損失已經達到三千九百九十架，而許多受損的飛機甚至無法在戰場進行簡易修理。許多蘇聯飛機陳舊過時，缺乏無線電，蘇聯空軍也無法做到統一的指揮調度。戰車主要是老舊型號，火力不足且裝甲薄弱，數量最多的是T－26輕戰車，火力較強的T－34中戰車與KV－1重戰車數量很少，只占戰車數量的百分之八，而且只配備給少數裝甲部隊。這些現代戰車雖然能夠擊敗當時所有的德國戰車，但由於數量太少而無法挽回頹勢。除此之外，這些戰車當時也沒有裝備無線電，因此在戰術上很容易居於劣勢。[120]在德國空軍全天候轟炸下，各個戰線的蘇聯軍團都出現武器彈藥耗盡與燃料不足的狀況。開戰後幾個星期，三百四十座主要彈藥庫就有兩百座遭到襲擊，軍火供給的問題因此更形惡化。蘇聯軍隊的戰場通信也非常原始，而且隨著德軍的推進而失靈中斷，導致蘇軍各級將領無法管理戰場，甚至也無從得知緊鄰部隊的狀況。在巴巴羅薩作戰開始後一個月，蘇軍投入戰場的三百一十九支部隊（包括步兵師、機械化師與騎兵師），若不是已遭殲滅就是受到重創。[121]蘇聯軍隊之所以會蒙受如此巨大的損失，主要是因為蘇軍承襲一戰的粗糙戰術，上級不斷命令一波又一波的士兵冒著機關槍火網前進。德軍一份來自基輔前線的報告指出，整個戰場就像是大屠殺，蘇聯士兵在槍林彈雨下連續衝鋒四次，直到德軍機關槍槍管太熱無法使用為止。報告又提到：「蘇軍攻擊之猛烈，令我軍精疲力盡、瞠目結舌……我們現在投入的將會是一場痛苦與艱困的漫長戰爭。」[122]一些擁有優秀將領與充足補給的蘇軍有能力組織有效防衛，甚至能進行反攻，進而造成敵軍的重大損失，但戰場整體狀況依然是德軍獲得壓倒性的勝利。到了一九四一年九月底，蘇聯無法恢復的人員損失（死亡、失蹤或被俘）已達到驚人的兩百零六萬七千三百零一人。[123]

初期的勝利讓德軍志得意滿，似乎也證實了戰前對蘇聯不堪一擊的預測，而針對整場戰役制定的龐大計畫看來也是可行。七月三日，哈爾德在他的日記裡寫下著名的結論：「俄羅斯戰役僅僅兩個星期就獲得勝利。」德國各地都洋溢著興奮的心情。七月二十七日，希特勒對晚宴嘉賓表示：「我不擔心東線戰場的情況，因為那裡發生的一切都按照我希望的方式在進行……我始終認為，擁有東方的太陽是一件要緊的事。」兩個星期之後，希特勒甚至主張德國已經取得俄國的領土：「這塊土地已經是我們的囊中物。」[124]七月二十三日，哈爾德認為莫斯科與列寧格勒將在一個月內攻下，陸軍在十月便能推進至窩瓦河，十二月就能抵達石油城市巴庫與巴統（Batum）。[125]過去兩個月來，德軍將領摧毀了蘇聯前線絕大多數可用的飛機與戰甲車輛，也看到大量的蘇軍俘虜與堆積如山的屍體，他們相信蘇聯的人力與裝備應該已所剩無幾。任何國家遭受如此大規模的損失（損失規模遠遠超出一九四〇年的法國慘敗），應該都會尋求和談，讓巴巴羅薩作戰獲得最終勝利的果實。英國與美國情報單位的估計也是一樣，他們也認為蘇聯很快就會戰敗，德軍很快就會抵達窩瓦河，戰前對蘇聯持久力的悲觀評估將會成真。雖然英美一開始源源不斷地提供軍事物資給蘇聯，但由於相信蘇聯即將戰敗，因此對於援助也開始審慎觀望起來，以免這些物資最終落入德國手中。[126]

然而實際上，德軍所相信的紅軍即將戰敗完全是一種錯覺。德軍快速突破蘇軍防線，顯示出專業優異的戰技，但這場戰役也凸顯出德軍的缺失或缺乏效率之處。戰前比較悲觀的預測都已預先提到這點，同時也預測到蘇聯士兵是強悍的敵人。實際上也確實有許多蘇聯軍隊面對槍林彈雨，依然奮不顧身地發動自殺式抵抗。德國採取鉗形攻勢時刻意繞過蘇聯部隊，許多蘇聯士兵因此得以潛入森林與沼澤地形伏擊德國士兵，或者當德軍部隊在荒野搜索四散的紅軍時，蘇聯士兵也能給予德軍痛擊。蘇軍嚴酷地對待俘虜的德軍，德軍又以更嚴酷的方式進行報復，造成了惡性循環。德軍與安全部隊殺害所有可能是游擊隊與非正規部隊的嫌疑分子，燒毀所有可能藏匿這些人的村落。敵方士兵一旦遭到俘虜，通常就會遭到殺害。七月初，黑利奇將軍（Gotthard Heinrici）在寫給妻子的信中描述他轄下步兵師士兵面對的殘酷現實：

> 之前還在我們面前的俄國人，一下子就灰飛煙滅。這場戰爭實在太過血腥。有時，我們完全不給對方活命的機會。俄國人就像野獸一樣，朝著我方受傷的士兵步步進逼。我們的士兵則是看到有人穿褐色的軍服，就開槍擊斃或活活打死。廣大的森林裡依然到處散布著士兵與亡命之徒，他們有些人手無寸鐵，有些人擁有武器，總之都是極度危險的人物。即使我們派了幾個師的軍隊穿過這些森林，數萬人仍須小心翼翼，防止自己在這個難以穿越的地形中被逮住。[127]

幾個星期之後，黑利奇告訴妻子，「我們全都低估了俄國人。」兩天後又寫道：「我們原本期待快速推進，現在卻寸步難行。」同一個月，他冒著信件審查的風險抱怨：「這場戰爭讓我們付出慘重代價，這一切真的有必要嗎？」[128]

蘇聯的地形與氣候讓這場入侵行動更添困難。步兵與車輛在泥土路上揚起了厚重而令人窒息的塵土，而突然下起的大雨又會讓道路化為一攤爛泥。無論是哪個集團軍，都只能望著濃密森林或蜿蜒沼澤興嘆；德軍愈是深入敵境，戰線正面就展開得愈大，戰場因此變得彷彿永無止境，德軍在此面對的是與波蘭或法國迥然不同的世界。長時間的強行軍、突然遭受伏擊的威脅與炎熱的天氣，都讓德軍士兵苦不堪言。一名士兵在家書上寫著：「永無止境，綿延不絕的地貌，我們永遠走不到目的地，每天看到的都是不斷重複的景象。」[129]另一名士兵抱怨：「該死的俄羅斯森林！進到裡面就搞不清楚眼前是敵是友，因此我們經常對自家人開火……。」[130]無數馬匹遭遇的情況也好不到哪裡去，特別是用來拖運火砲的挽馬。在路況不良的道路與炎熱的氣溫下長時間運輸，這些馬匹在幾天內就精疲力盡，但步兵師又必須努力跟上在前頭開路的裝甲師，因此這些馬匹往往被驅策到極限，有時拖行到一半就死在路上。數千輛車輛故障拋錨使德軍更加仰賴馬匹，但到了十一月時馬匹也只剩下原本的六成五，而接下來要面對寒冬，草料供應不足又將成為問題。[131]關於後勤補給困難的預測，幾乎從開戰之初就開始應驗。到了七月中旬，德國只順利改裝了幾百公里的鐵路，後勤補給的重任全落到馬匹與車輛身上。中央集團軍每天需要二十四列補給列車，卻只能得到半數。所有的戰線都出現燃油嚴重短缺的問題，而不良的道路狀況與泥土路使戰車的速度變慢，消耗燃油增多；加上俄國境內河流網的各式橋樑普遍品質不佳，無法支撐戰車與重型車輛，迫使戰車與車輛必須繞道而行，更加重燃油的消耗。由於用來運輸的貨車型號規格不一，造成後勤補給的危機，現在更因為道路塵土飛揚，不僅輪胎磨損嚴重，塵土也經常阻塞引擎。七月中一名士兵提到，「我們要對抗的是泥土結成的硬塊。」開戰後的第一個月，陸軍就損失了四分之一的運量，接下來幾個月都只能在不良道路與惡劣天候下運送人員物資。到了十一月，德軍只剩下百分之十五的車輛還能繼續上路行駛。[132]

速戰速決的戰略建立在錯誤的假定上，德軍誤判了蘇聯的實力與蘇聯戰場的特性，正如四年前日本誤判了在廣大華中地區快速擊敗中國軍隊的難度一樣。各個戰線的德軍都需要休息整補，還要抵擋不願認輸的蘇軍持續不斷地反擊。不過蘇聯軍隊也遭到嚴重削弱，至少目前此時還無法取得決定性戰果。此時，關於入侵蘇聯的戰略方針爭論再起，使得戰局的發展更加複雜。這起爭論早在一九四〇年十二月就曾出現，但當時只是擱置一旁而未獲得解決。七月十九日，希特勒發布第三十三號訓令，要求中央集團軍停止向莫斯科推進。中央集團軍必須調撥部分兵力協助北面集團軍圍攻列寧格勒，此外還必須協助倫德斯特的南面集團軍包圍基輔周邊的蘇聯軍隊，之後再轉而攻擊頓內次盆地與高加索地區的油田。進攻莫斯科的行動要等到九月初補給危機改善後再重啟。陸軍高層強烈反對這項調整，他們認為擊敗莫斯科周圍的紅軍將可帶來最終的決定性結果，然而這場關於用兵順序的爭論從七月底一路持續到八月初，德軍因此喪失了戰略先機。希特勒認為烏克蘭的經濟資源才具有關鍵性，然而他的觀點只有在當地資源可以開採且可以快速使用下才具有戰略合理性，但實際上無人能保證是否能夠做到。希特勒認為，與烏克蘭相比，莫斯科是個「無關緊要」的目標。八月二十四日，第二裝甲兵團司令古德林將軍堅持他的軍隊應該直撲莫斯科而非南下烏克蘭，希特勒於是抱怨：「我的將領對於戰爭的經濟面向一無所知。」[133]經過一個月的爭論與毫無結果的戰鬥，希特勒感到挫折，但他的命令終於獲得執行。古德林率領部隊南下，但他擁有的戰車數量已不到一半，在惡劣天候進行苦戰之後，古德林終於在基輔東部的洛赫維察（Lokhvitsa）與倫德斯特軍隊的北翼會合，成功圍困了被史達林要求死守基輔的五個蘇聯軍團。九月十九日，基輔陷落，被圍的蘇聯軍團又奮力抵抗了六天才投降。基輔戰役俘虜的人數相當驚人，達到六十六萬五千人，這個結果彷彿顯示最終的勝利已近在眼前。

南面集團軍的兵力損耗甚大，人員也十分疲憊，但他們在攻陷基輔之後又繼續朝頓內次工業區與克里米亞推進。另一方面，一部分中央集團軍北上協助李布陸軍元帥（Ritter von Leeb）的北面集團軍，這些部隊在八月底穿越愛沙尼亞，於九月八日抵達列寧格勒近郊。德軍奪取什利謝利堡（Shlisselburg）之後，列寧格勒最後一個通往內陸的陸路通道也被切斷。激烈戰鬥沿著無數平民建立的簡陋防線展開，直到九月二十五日，希特勒命令北上支援的部隊返回中央集團軍，戰鬥才停止。列寧格勒被圍，每天都遭受轟炸與砲擊，希特勒寧願將居民活活餓死，也不願迫使軍隊進行代價高昂的城市戰。希特勒希望這座城市就此消失：「列寧格勒被亞洲斯拉夫人視為進入歐洲的門戶。這個門戶必須關閉。」[134] 從十月開始，列寧格勒只能從拉多加湖不定期地取得補給，十一月中旬湖面冰凍之後，就會形成一條不太穩固的「冰上道路」。食物優先給予工人與士兵，但到了十二月，就連工人與士兵每天也只能吃到兩百二十五公克的粗麵包，其他的居民更少，只有一百四十公克。冬季月份，最多有九十萬名列寧格勒市民在極為糟糕的環境下餓死與病死。一九四二年一月，蘇聯開始經由冰上道路運送每日平均兩千公噸的物資進入列寧格勒，使城內的倖存者能繼續生存下去。這場圍城戰一直持續到一九四三年才結束。[135]

由於北方與南方已有取勝的希望，希特勒終於同意讓中央集團軍重新整補，他相信紅軍只剩最後一批預備隊，因此希望在莫斯科將這批預備隊組織成西部方面軍與預備隊方面軍之前將其擊潰。九月六日，希特勒發布第三十五號訓令，要求集中兵力擊敗位於莫斯科西部由提摩盛科指揮的軍團（九月中旬之後改由柯涅夫一級上將〔Ivan Konev〕指揮），深入到莫斯科以東，同時對莫斯科採取圍而不攻的策略——雖然陸軍將領與士兵在經歷無數次戰役與穿越許多殘破廢棄的鄉野之後，都希望以攻占莫斯科作做為目標。儘管如此，為了重新補充耗損的人力與裝備，新戰役又延遲了幾個星期才展開。九月，中央集團軍的戰車只剩下三分之一，而損壞的戰車必須運回德國才能修理。人力補充也是個瓶頸。中央集團軍到了九月已經損失二十二萬人，卻只獲得十五萬人補充，而且幾乎不可能再獲得新的人力。這場新作戰有個略帶諷刺的代號「颱風」。由於後勤補給體系已經超過負荷，因此這次作戰只能獲得幾個星期的物資補充。雖然如此，進攻莫斯科的行動還是重新點燃了德軍的樂觀情緒。就連負責軍需的華格納將軍（Eduard Wagner），即便內心十分清楚德軍的後勤補給已難以應付任何一場大型作戰，也在十月五日寫道：「我們即將看到蘇聯的最後一場大敗仗……就在莫斯科東部。之後，我想這場戰爭就可算是大致結束。」[136]十月二日是「颱風作戰」（Operation Typhoon）的發起日，希特勒返回柏林，一天後在柏林體育宮向德國民眾發表演說。他對聽眾表示，自己剛從「一場足以左右世界的戰鬥中」回到柏林，這項說法其實不算誇張。希特勒又說，布爾什維克主義這條「醜陋凶殘如野獸般的大敵」已遭宰殺而「永遠不能翻身」。日後看來這是一項太過一廂情願的說法。[137]

與過去幾次攻勢一樣，颱風作戰一開始十分順利。計畫遵循一套熟悉模式：由三個裝甲兵團包圍佛雅馬（Vyazma）與布里安斯克（Briansk），然後隨後趕來的步兵師會把包圍網收緊，不讓蘇軍逃脫，如此通往莫斯科與莫斯科以東的道路將完全不設防。蘇聯將領未能察覺一場大戰即將發生，也許他們以為被削弱的德軍已沒有能力再發動一場進攻，直到兩天後，古德林的第二裝甲兵團突然朝奧勒爾（Orel）與布里安斯克直撲而來，蘇聯將領才大夢初醒。十月二日，中央集團軍北翼進攻佛雅馬時遭遇頑強抵抗。十月三日，奧勒爾陷落，四天後，佛雅馬與布里安斯克被圍。第三裝甲兵團由於耗盡燃油，無法在一天內封住包圍圈，導致一些蘇軍順利脫逃，但最後結果看似仍有可能與基輔一樣，德軍將會殲滅或俘虜包圍網內的一百萬名蘇軍，這場勝利終將為德軍開啟通往莫斯科的坦途。然而，第三裝甲兵團的遲延造成了慘重代價，德軍因此碰上秋天的傾盆大雨，也就是蘇聯的「泥濘道路季」降臨。為了封住包圍網的缺口，德軍必須額外花上數天時間進行消耗戰。原本近在咫尺的莫斯科逐漸消失於眼前，德軍士兵、馬匹與車輛與包圍網內持續抵抗的蘇軍爭戰，愈來愈少的補給與泥濘的道路，使德軍喪失了前進速度。在此之前，德軍的進攻已經受到各種因素阻礙，例如品質極差的道路，經常阻塞的狹窄鐵路，遭到破壞的橋樑，以及經常在僅存少數品質良好的道路上炸出三十公尺寬彈坑的蘇聯延時地雷。古德林第二裝甲軍團*的後勤補給固定由通往布里安斯克

---

* 編注：原本的第二裝甲兵團，一九四一年十月五日升格成裝甲軍團。

的道路運送，然而蘇軍卻對這條道路發動了三十三次破壞行動，多達十一座大橋被炸毀。繞道需要額外的時間與燃料，而運輸車輛也經常陷入沼澤地形與泥土路而動彈不得。[138]這種狀況使得燃料與軍火的運送極不穩定，德軍無法取得足夠的補給，就無法維持攻勢。隨著大雨季節降臨，原本已經艱難的局勢又變得更加嚴峻。第三裝甲兵團投入作戰才兩天就耗盡燃料，必須以空運方式解決燃油問題；兩個星期後，整支軍團彈藥耗盡，必須等待從華沙一路運往前線的補給。[139]受到這些條件的限制，中央集團軍的火力逐漸減弱。十一月一日，波克元帥宣布「必須暫時停止推進」。[140]

颱風作戰開始的那一個月，德軍攻勢就已經在蘇聯強烈抵抗下減緩，但到了十一月中地面封凍的時節，精疲力盡且耗損嚴重的德軍又奉命對莫斯科再發動一波攻勢。希特勒此時又猶豫不決，他一方面相信現在仍有可能讓德軍推進到莫斯科以東的原訂目標，但另一方面也承認可能要拖到一九四二年才能真正擊敗紅軍。十一月十九日，希特勒甚至對哈爾德坦言，最後有可能必須協商和平，因為「雙方都無法摧毀彼此」。第二天，軍備與彈藥部長托德直言不諱地向希特勒表示：「這場戰爭無法以軍事手段取勝。」[141]在此之前已經有許多將領要求有序地撤退到十月時的戰線以減少傷亡，但希特勒決定無論如何攻勢都必須持續。德國各集團軍在經過四個月以上持續消耗性的戰鬥之後，實際上已完全喪失作戰能力。到了十一月二十一日，地面作戰幾乎已經完全停止；十二月初，少數部隊已經推進到可以看見莫斯科的距離，但此時德軍已成強弩之末。德軍頂著嚴寒，卻沒有禦寒的冬裝，缺乏糧食補給，戰車與火砲也因為氣溫降到零度以下而無法正常運作。「所有人都厭倦俄羅斯，也厭倦這場戰爭，」一名士兵如此寫道，充分反映德軍士氣之低落。[142]中央集團軍的兵力已只剩原來的一半，從開戰以來已損失三十五萬人，而且武器持續損耗，卻因為運輸體系幾乎完全停擺而無法得到補充。古德林的第二裝甲軍團試圖朝莫斯科前進，最後不得不止步於土拉（Tula），此時他只剩四十輛戰車。

颱風作戰遲遲無法推進圍困莫斯科，使蘇聯獲得史達林需要的喘息機會。莫斯科一度在十月中陷入恐慌，政府機關倉皇疏散到東部的古比雪夫。十月十八日，史達林決定留守莫斯科並且動員民眾冒著雨雪在城外挖掘防線。史達林任命朱可夫擔任西部方面軍司令，負責保衛莫斯科。朱可夫最初手中只有八萬到九萬的可用之兵，但很快補充了許多倉促拼湊、缺乏軍官的部隊，朱可夫把兵力與裝備集中在「莫扎伊斯克防線」（Mozhaisk Line），當這個防線崩潰時，朱可夫撤退到離莫斯科市中心只有十六公里的防衛帶。十一月十九日，當波克元帥指揮疲憊不堪的德軍再度蹣跚發起進攻時，史達林問朱可夫，「你確定我們能守住莫斯科嗎？……像個共產黨員一樣告訴我實話。」朱可夫其實心裡並不確定，但他對史達林說：「毫無疑問，我們能守住莫斯科。」[143] 十一月初，大量預備隊開始組織成首都防衛部隊，這些士兵很多都是從蘇聯的遠東與中亞部隊抽調來的，因為蘇聯情報單位已經得知日本即將往南進攻英國、荷蘭與美國屬地。十二月一日，布勞齊區在報告中指出，紅軍已經「沒剩下多少預備隊」。事實上，朱可夫此時擁有三十三個步兵師、七個騎兵師、三十個步兵旅與兩個裝甲旅，總計一百萬人，此外還有七百輛戰車與一千一百架飛機。[144]

紅軍計畫發動一次有限作戰以擊退德軍的鉗形攻勢，並且在莫斯科西部建立堅強防線。十二月五日清晨三點，蘇軍在大雪中分成南北兩路，從莫斯科發動進攻。德國士兵與將領都感到驚訝，他們努力要進行陣地防禦，然而原本採取攻勢的德軍並未做好這方面的準備。十二月十五日，蘇軍收復莫斯科北方城市克林（Klin），在莫斯科南方，古德林的軍隊被迫從土拉後退一百三十公里來到卡盧加（Kaluga），並且在這裡與蘇軍發生激烈巷戰，最後德軍也不得不撤出卡盧加。德軍將領努力應對這場無法阻擋的撤退，當凍僵且營養不足的士兵陷入恐慌時，他們還要試圖防止中央集團軍完全崩潰。在更北邊，紅軍收復了季赫溫（Tikhvin）；而在南邊，南面集團軍原本攻占了羅斯托夫，但作戰能力已到了極限，最終羅斯托夫得而復失。這是開戰以來德軍第一次撤軍，而且此後將持續後撤，直到來年三月，大雨迫使已經精疲力竭的雙方停下腳步為止。大約有八萬名德軍士兵陣亡，但紅軍在許多方面仍因為由無經驗的軍官率領而顯得戰術無能，總共損失超過四十四萬人。[145]為了避免德軍全面崩潰，希特勒在十二月二十六日下達「停止命令」，要求士兵停留在原地，就地防守；一個星期之前，希特勒將陸軍總司令布勞齊區解職，由他本人直接指揮德國陸軍，如此他才能更直接地控制各級將領與駁回他們撤退的要求。

事實上，早在一九四一年十二月之前，巴巴羅薩作戰就已經露出敗象。前線德軍極度缺乏裝備與訓練有素的士兵，與蘇聯作戰能力有關的情報也不正確。德軍從一開始就認定可以在四個月以內徹底擊敗蘇聯，這使德軍冒了極高的風險。一九四一年十二月，一名參謀本部軍官寫道：「我們因為過於傲慢、高估自身實力而付出代價。」[146]巴巴羅薩作戰失敗也可以從戰略層面加以解釋，那就是入侵的主要目標不明確。一方面，德國陸軍想殲滅蘇軍，另一方面，希特勒又執著於攻占土地以運用資源，這兩種目標產生了緊張與拉鋸。這種衝突先是在七月與八月引發作戰優先次序的爭論，造成入侵的長期延宕，之後希特勒又屢次干預，不惜要求德軍分兵盡可能攻占土地。德軍規畫的三個戰場分布在過於遼闊的地域上，而這個地域有著歐洲最險惡的地形與最落後的基礎建設，但德軍卻沒有充分考量到後勤補給的問題，光是這項錯誤就足以看出德軍對於「東方」有著完全錯誤的想像。對德軍而言，波蘭與法國戰役的作戰距離相對較短，軍隊物資可以透過德國的鐵路網運輸。反觀在蘇聯戰場上，德國各集團軍之間部隊移動距離往往在四百五十公里到六百五十公里之間，而且幾乎無法仰賴鐵路運輸，道路狀況極差，更不用說還會遭受蘇軍襲擾。人們最常問的問題是，蘇聯的戰爭機器如何在德軍攻擊下依然能夠存續且不至於崩潰。但如果我們反過來看德軍必須面對的各種困難，特別是在一九四一年的最後幾個月，我們也許應該問的是，德國的戰爭機器如何能占領如此廣大的地區，而且能守住這些地區直到一九四二年。希特勒與參謀本部的期望，與前線的現實狀況存在著巨大落差，而這個落差只能仰賴德軍的堅忍不拔與專業能力來填補，德軍因此被要求在惡劣環境下做出超越作戰可行性的事。德國士兵持續不斷地戰鬥，他們只能聽天由命。一月二日，黑利奇將軍在尤赫諾夫（Yukhnov）遭到包圍，他再度寫信給妻子：「知道接下來將發生什麼事，知道一切將不可避免，內心免不了感到挫折，然而無論我說什麼都只是對牛彈琴。命運自有安排，它毫無憐憫之心，不會因為規模大小而有絲毫不同。對於這場戰爭，我不會再自欺欺人。」[147]

※　※　※

隨著德國在東方首次遭遇敗績，這場全球性的戰爭也開始出現根本性的轉變。一九四一年十二月七日早晨（日本時間是十二月八日），日本航空母艦派出飛機轟炸位於珍珠港的美國太平洋海軍基地，與此同時，日本陸軍也對位於東南亞與菲律賓的英國、荷蘭與美國屬地發動攻擊。這項行動被視為機密，就連駐德大使大島浩將軍也不知情。大島浩從一九四一年夏天就不斷催促東京加入對蘇戰爭，希望「從源頭毀滅共產主義」。假使日本真的進攻蘇聯，那將會是「麥金德時刻」，或許整個歐亞大陸都將在德日的掌握之下，但日本領導高層卻不願趁著德國節節勝利之時入侵蘇聯，即使在七月底日本外務大臣豐田貞次郎曾告知大島浩，巴巴羅薩作戰讓日本陸軍「有絕佳的機會解決北方問題」。[148] 七月二十五日，國防軍最高統帥部總長凱特爾元帥（Wilhelm Keitel）告訴波克，「元首希望日本能認知到現在正是入侵蘇聯的最好時機，然而他的希望似乎只是徒勞。」[149]

事實上，日本領導高層已在一九四一年七月認定南進奪取東南亞的石油與資源才具有更大的戰略意義。此外，日本前任外務大臣松岡洋右已經在一九四一年四月與蘇聯簽訂《中立條約》（Neutrality Pact），這也限制了日本入侵蘇聯的可能。日本更傾向與德蘇維持和平關係，讓史達林能加入《三國同盟條約》，共同參與對抗西方海洋國家的歐亞戰役，這個結果其實也能與麥金德的地緣戰略思考一致。因此，當德國領導人要求日本加入打倒蘇聯的行列時，日本領導人的反應顯得十分冷淡，並不直接支持德國的戰爭。[150] 日本領導高層甚至反過來希望德國在未來日本向美國開戰時能提供協助，然而根據《三國同盟條約》，當日本屬於攻擊方時德國並無義務協助。希特勒原本不願與美國開戰，一九四一年三月的訓令顯示，他「與日本合作」的首要目標是擊敗英國，因為英國仍是德國的主要敵人。但當珍珠港的消息傳來，希特勒也開始認為日本可以讓美國無法介入歐洲事務，也可以讓美國無法分心支援英國。相較於日本不願協助德國對抗蘇聯，希特勒卻選擇聯合日本對抗美國。[151]

珍珠港事件發生後過了四天，美國仍未向歐洲軸心國宣戰，而樂見美國捲入亞洲衝突的蔣介石則是立刻對軸心國宣戰。十二月十一日，希特勒無視德軍在俄羅斯的危機，在德國國會公開宣布對美宣戰，同一天稍晚，墨索里尼也對美宣戰。為了顯示軸心國團結一致，希特勒要求李賓特洛甫與日本簽訂《德日聯合戰略協定》（German-Japanese Agreement on Combined War Strategy），不過這份協定僅具有宣示意義，因為德國幾乎未對日本的亞洲戰爭提供任何戰略或軍事援助。儘管如此，珍珠港事件與隨後日本南進得勝的消息，卻激起兩國民眾的熱情，完全無視眼前的風險。群眾聚集在東京皇居前，感謝天皇的神聖指引。[152]德國祕密警察的報告顯示，德國民眾同意向美國宣戰，「唯一可能的答案」，報告寫道，而且民眾還認為日本得勝將使美國的注意力轉向太平洋，減少《租借法案》對英國的援助，削弱英國與蘇聯的戰爭實力，讓戰爭早日結束。日本不斷取得勝利，與德軍在俄羅斯的慘況形成鮮明對比，戈培爾決定每次在廣播發布消息時都要宣揚日本的戰績。[153]德國海軍也對向美國宣戰表示歡迎，因為不這麼做的話，美國很快就會擁有世界最龐大的海軍。對美宣戰後的隔天，海軍元帥賴德爾與希特勒開會，他向希特勒保證，一旦美國全力投入太平洋戰爭，英國就會陷入困境。[154]

後世史家幾乎一致同意，對美宣戰可能是個要命的戰略誤判，因為德義日三國已經對中國、蘇聯與大英帝國投入了代價高昂的消耗戰，如果還要向世界最大經濟體宣戰，顯然不是個理性選擇。事實上，就連日本與德國的領導人原本也希望避免開戰。儘管如此，德國認為美國在軍事上欠缺準備，有著長期孤立主義的傳統，因此缺乏發動大規模戰爭的能力或意願——正是德國對美國的這種認知，才促使德國做出對美宣戰的決定。對美宣戰當天，希特勒對他的午餐嘉賓說道，美國軍官只是「穿著軍服的生意人」，不是真正的軍人，幾天後又說美國工業「被嚴重高估」。[155]然而，沉睡的巨人依然是巨人。或許我們不該用常理來衡量德日的宣戰決定。對日本領導人來說，這場衝突是為了對抗西方強權環伺而不得不發動的自衛戰爭，而這場戰爭也包括了對英國與荷蘭的戰爭。東條英機認為，西方圖謀將日本變成「過去的小日本」，企圖終結延續了兩千六百年的皇國光榮。日本領導人自認發動戰爭是為了去除西方的個人主義與物質主義文化，讓亞洲各民族在「父皇」領導下成為一個大家庭，也就是日本傳統的「八紘一宇」。日本仰賴的不是對於獲勝機率的理性計算，而是歷代天皇與戰歿軍人的英靈將保衛從未戰敗的日本帝國獲得勝利。因此，日本初期的勝利完全歸功於日本的「精神力量」與「皇室祖先」的庇佑，後期的戰敗則歸咎於「缺乏真正的愛國精神」。從這裡可以看出，日本的宣戰決定不只是冒險的地緣政治算計產物，也反映出與西方迥然不同的文化價值觀。[156]

對希特勒來說，對美宣戰只是將華府祕而不宣的戰爭揭露開來，因為美國早已透過《租借法案》支援英國與蘇聯對德作戰；美國不僅在海上支持戰爭，還凍結德國所有的經濟資產。希特勒早就預期新德意志帝國總有一天會跟美國起衝突。希特勒對日本大使說道，進入正式戰爭狀態之後，反而讓大西洋之戰變得單純許多，潛艦艦長不再需要「為了區別美國船與英國船而累積心理疲勞」。[157]德國對美宣戰後的幾個星期，德國潛艦開往西部進行「擊鼓作戰」（Operation Paukenschlag），沿著美國海岸擊沉此時尚無艦隊與飛機護航的船隻。一九四二年的前四個月，總共有兩百六十萬噸的同盟國船隻被擊沉，超過一九四一年全年總和。[158]希特勒認為德國與美國進入戰爭狀態，只是促使到目前為止潛藏的衝突浮上檯面，然而這個論點後面其實隱藏著一個更具威脅性的陰謀論。希特勒有一個扭曲現實的觀點，他相信美國是因為受到全世界猶太人的教唆才敵視德國。希特勒的一名口譯記錄下他的觀點：「美國等同於各領域猶太人的總和，包括從事文學的猶太人、從政的猶太人、從事商業與實業的猶太人，最頂層還有一個完全猶太化的總統。」[159]在納粹主義的世界觀裡，羅斯福是猶太人的僕人，不斷激勵倫敦與莫斯科的猶太人繼續戰鬥。十二月十九日，希特勒與黨內領袖開了一次祕密會議，他在會裡解釋，與美國的戰爭完全是猶太人操縱造成的，他還表示自己當年在一九三九年一月做的預言看起來即將應驗：如果德國捲入全球戰爭，那麼猶太人將會遭到滅絕。隔天，身兼柏林大區長官的戈培爾在日記裡寫道：「世界大戰就在這裡，滅絕猶太人是必然結果。」[160]雖然歷史學家無法斷定這場會議就是猶太人大屠殺的起點（在此之前，在德國占領的東方領土已經有數十萬猶太人遭安全部隊與德軍殺害），但希特勒在會議裡把世界大戰與猶太人共謀連結起來，使對美宣戰帶有一種理性計算的味道，而不是非理性的孤注一擲。

日本領導人知道對美作戰絕不是一件好事，但至少可以結束原本不宣而戰的曖昧狀況，因為在此之前，美國早已對日本的關鍵工業資源（包括石油）實施禁運，而且持續給予與日本交戰的中國支援與資金協助。日本決定對美宣戰，背後理由與希特勒的主張十分相似。希特勒認為只有攻打一個更龐大且潛在軍力更強大的對手才能打敗英國，而日本也認為攻打美國（與大英帝國），有助於解決與中國的衝突。以德國與日本來說，要擴大戰爭顯然必須取得更多資源才能成功，而這些資源就分別位於烏克蘭與東南亞。經過十年的帝國擴張，日本已經把東亞視為自己的勢力範圍，就跟美國理所當然把西半球視為自己的支配地區一樣，其他國家都必須予以尊重。日本領導人無法理解當前的局勢為什麼不能被視為既成事實，為什麼與美國進行協商時，美國不能認同日本是個具有正當性的新亞洲秩序領導者，反而認為日本的擴張違反了國際規範。一九四一年一月，日本外務大臣松岡洋右公開指責美國不願理解日本在亞洲扮演的角色，日本「採取軍事行動完全是為了避免文明遭到摧毀」並藉此建立符合公義的和平。[161]美國的毫不妥協被解讀成一種想扼殺與消滅日本民族存在的國際陰謀。一九四一年，日本希望與美國商討出一個彼此能夠妥協的方案，讓日本能以自己的方式解決中國戰爭，同時又能取得維持帝國所需的戰略資源。可想而知，雙方的討論並無交集。

諷刺的是，當時羅斯福總統與軍方高層關注的重點是歐洲衝突而非太平洋。羅斯福在一九四一年發表的所有演說中，共有一百五十二次提到希特勒與德國，只有五次提到日本。[162]美國認為憑藉海軍力量就可以威嚇日本。一九四〇年五月，羅斯福命令太平洋艦隊在進行海上演習之後就永久駐防珍珠港。另一方面，美國也認為經濟壓力可以迫使極度仰賴美國供應金屬與石油的日本就範。早在一九三八年，羅斯福就已要求對日本進行道德禁運，項目包括石油、鋼鐵、飛機與金融，此外還搶先收購日本產業需要的物資。[163]一九四〇年一月，美國廢除了一九一一年簽訂的《美日通商條約》。一九四〇年夏天，日本入侵法屬印度支那北部，美國以《出口管制法案》（Export Control Act）正式限制對日本輸出戰略物資，包括航空燃油、廢鐵與鋼鐵、鐵礦砂、銅與煉油設備。一年後，日本占領印度支那南部，日本資產遭美國凍結。羅斯福在一九四一年八月一日下令，日本必須申請聯邦許可才能取得石油產品，但羅斯福不希望日本所有申請都遭到拒絕，以免日本走上極端。美國認為透過一連串措施引發經濟危機，就可以讓日本收手，但美國駐日大使格魯（Joseph Grew）則向華府提出警告：「威脅日本人只會更堅定他們的決心。」[164]事實也確實是如此，經濟局勢陷入混亂的日本，開始尋求更極端的解決方式。

一九四一年，日本政軍高層針對如何解決中國危機展開辯論。有人主張採取外交手段，也有人認為應該向英美開戰，儘管後者始終是政府希望避免的選項。然而，與希特勒決定進攻蘇聯一樣，日本領導人逐漸認清戰爭勢在必行且難以避免。美國政治人物不瞭解已經持續四年的中日戰爭對日本造成的衝擊：當時日本社會已經進入總體戰，民眾的物品與糧食供應持續減少，財政赤字嚴重，民間也開始鼓吹犧牲與簡樸的文化。[165]美國並未面臨迫在眉睫的災難，因此沒有強烈的危機感，但對日本領導人來說，中國戰場的膠著與禁運造成的經濟困頓迫使他們必須採取違反理性的解決之道。一九四一年夏秋，外相松岡的去職與近衛內閣的垮臺，充分顯示日本面對這場危機時的手足無措。松岡洋右與近衛文麿這兩個日本新秩序的主要締造者改由軍事官僚東條英機接替，然而東條英機的表現也讓人清楚看出日本菁英在決定國家走向時同樣舉棋不定。一九四一年七月，擔任陸軍大臣的東條英機首次主持會議，會中同意採取南進政策，首要目標是截斷蔣介石的外援與奪取東南亞的石油與原料。日本陸軍與海軍過去對於未來戰略一直有著不同的想法，而兩軍在這次會議之後決定暫時攜手合作。德蘇戰爭解除了蘇聯對滿洲的威脅，但日本陸軍依舊在一九四一年夏天將滿洲關東軍的兵力增為兩倍，以確保若蘇聯戰敗時可以趁機獲利。儘管如此，孤立中國的南進政策在戰略上顯然更有立竿見影的效果。[166]七月底，日本陸軍占領印度支那南部，切斷蔣介石主要的外援路線（估計占一九四〇年援助物資的七成）。這個結果加快了對美宣戰的腳步。隨著美國對日本實施石油禁運，使日本損失了四分之三的石油進口，陸軍的戰爭計畫便於八月九日獲得批准，預計在十一月對美宣戰。海軍則希望將時間提前到十月。九月六日的御前會議批准了對美宣戰的方針，近衛文麿說這是一場「自衛」戰爭。[167]

然而，近衛文麿的首相職位在十月十六日遭東條英機取代，後者立即承諾會重新尋求外交解決途徑，使亞洲在日本的監護下獲得和平，並且如近衛所言避免「讓日本立刻捲入戰爭」。決定和平與戰爭的最後期限延到了十一月底。內閣討論了幾天，兩種方案都進行詳細檢視後，決定再對外交途徑做出最後嘗試。十一月五日的御前會議上，日本政府向天皇稟告目前預計採行的消極做法，如果最後的外交手段未能成功，那麼戰爭就不可避免。內閣與大本營都認為他們是被迫開戰，而非他們選擇戰爭。東條英機授權向華府提出兩個方案：甲案承諾日本會在兩年內從印度支那與中國撤軍（但仍保留海南島、華北與滿洲國），但希望美方能做出一定程度的讓步，包括恢復貿易、停止援助中國與承諾不干預中日關係；乙案則是較為保守的提案，如果美國承諾停止貿易禁運與不再援助中國，日本就承諾不再繼續侵略。[168]日本駐美大使野村吉三郎與資深外交官來栖三郎將這兩項計畫遞交華府。以一九四一年十一月的外交情勢來看，這兩項方案都不過是日本的一廂情願，但日本卻很嚴肅地看待這兩項妥協提案。十一月二十二日，美國截獲日本的外交電文（代號「魔術」），電文要求日本談判代表必須堅持十一月二十九日是達成政治協定的最後期限：「這次我們是認真的，最後期限絕對不能改變。過了這個期限，我們就會進行下一個步驟。」[169]十一月底，太平洋地區美軍進入警戒狀態，但日軍會從何處進攻仍不得而知。

羅斯福認為，如果日本提出的條件可以維持太平洋地區的和平與合乎美國利益，那麼他並不反對做出一定程度的妥協，但主導協商的國務卿赫爾卻堅決反對日本仍繼續侵占中國領土。赫爾不理會軍事高層的建議與總統本人的期望，在十一月二十六日告知日本代表，清楚表明長期協商必須以恢復到占領滿洲之前的狀況為基礎，而日本領導人顯然不可能接受這項要求。[170]日本政府把美國的回應視為最後通牒，並於十一月二十九日討論接下來的做法。東條英機認為「外交途徑已經失敗」，接下來只能以戰爭方式解決。日本領導高層幾乎沒有人願意主動挑起與美國和大英帝國的戰端，因此當他們做出開戰決定時，似乎認定這一切都是外力加諸在他們身上，若不願接受屈辱與羞恥就只好挺身應戰。東條英機曾在十一月五日的御前會議提到，日本若接受美國的條件就會淪為三流國家：「美國也許一時會被激怒，但最終必能瞭解我們的處境。」[171]一旦日本控制所需的石油與資源時，美國輿論應該會大感震撼，美日就有機會協商出一個能滿足日本國家目標的協定。日本在十一月還曾經考慮另一項做法，那就是藉由促成德蘇和解來孤立美國，但這兩個交戰國顯然毫無停戰之意。[172]

赫爾向日本駐美大使野村吉三郎提出照會當天，日本海軍中將南雲忠一指揮的機動部隊奉命從千島群島海軍基地出發，前去攻擊珍珠港的美國太平洋艦隊。十二月二日，南雲收到「登新高山一二〇八」的密碼電文，授權他於日本時間十二月八日發動攻擊。與此同時，日本也從中國與印度支那調兵進攻菲律賓與馬來亞。華府得知日本發動南方作戰的消息，認為日軍的目標是占領馬來亞與荷屬東印度，卻渾然不知南雲艦隊即將發起的攻擊行動。突襲珍珠港的計畫最早可以追溯到一九四〇年底，當時海軍高層開始認真準備南進政策，但其實早在一九二〇年代，南進就已經是日本海軍的目標。[173]突襲珍珠港的詳細計畫是由艦隊司令山本五十六那個性孤僻的參謀黑島龜人擬定，據說他總是一絲不掛地把自己關在黑暗的房間裡，連續幾天思索解決方案。[174]大規模艦載機攻擊在當時還是嶄新的事物，其中一個成功範例是一九四〇年十一月英國攻擊義大利的達蘭多。日本大使館官員在達蘭多遭受空襲的隔日到現場近距離查看，切身瞭解這場攻擊造成的破壞。日本也深受德國成功襲擊挪威的影響，在挪威戰役中，德國成功運用空中力量癱瘓英國的大型艦艇。一九四一年春，日本決定由一名艦隊司令同時指揮數艘航空母艦，使航空母艦的打擊火力能發揮到最大。日本對航空魚雷進行改良，使其可以在相對較淺的珍珠港水域前進，而不至於沉入海床；海軍飛行員也接受嚴格訓練，在極低高度投下魚雷與俯衝轟炸。山本五十六與其他日本高階軍官一樣，都不想與美國開戰，但他瞭解如果要讓美國太平洋艦隊無法對東南亞作戰構成威脅，攻擊珍珠港就是關鍵的第一步。唯有如此才能讓日軍達成南進的首要目標，取得東南亞的石油與資源。然而，攻擊珍珠港的計畫提交給海軍參謀本部之後卻被打了回票，海軍參謀本部認為這項計畫從亞洲戰場抽調太多海軍兵力，投入大量航空母艦也可能帶來風險。但山本五十六以辭職做為要脅，海軍只好在十月二十日批准這項計畫。南雲第一航空艦隊的任務是至少擊沉珍珠港內停泊的四艘美國戰鬥艦，以及摧毀港口設施與儲油設備。第一航空艦隊由六艘航空母艦（共搭載四百三十二架飛機）、兩艘戰鬥艦、兩艘巡洋艦與九艘驅逐艦組成。日本並未針對這場具有風險的作戰派出規模特別龐大的海軍艦艇，這是因為過去幾年日本的海軍戰略已經認定空中力量才是影響海戰的關鍵。

南雲忠一接獲指示，即使艦隊在接近夏威夷歐胡島時被美軍發現也必須進行攻擊，最終整場突襲行動在十二月七日早上就順利完成。如今我們已經知道美軍被成功突襲的諸多原因：首先是地面飛機緊密停放在一起，因為當地指揮官金默爾海軍上將（Husband Kimmel）接獲可能會發生破壞行動的警告。第二，有限的雷達系統在早上七點關閉（當時雷達上曾經出現光點，卻被解讀成正在演習的B-17轟炸機群），而飛機資訊中心（仿效英國皇家空軍的系統成立）尚未開始運作。第三，港口未設置魚雷攔阻網。第四，美軍明明在空襲前的清晨發現日本派出微型潛艦進入珍珠港，儘管擊沉其中一艘，但美軍並未啟動全面預警。最重要的是，儘管美國情報單位曾經警告日本即將發動攻擊，但他們從各種跡象判斷，都認為日軍的目標是東南亞。[175]事實上，山本五十六這次作戰行動可以說是運氣奇佳，他原本判斷成功的機率只有一半。

拂曉時分，三菱「零式」戰鬥機、中島製九七式艦上攻擊機與九九式艦上轟炸機分兩波從航空母艦起飛，第一波一百八十三架，第二波一百六十七架。[176]儘管飛行員已經受過嚴格訓練，但這場攻擊行動依然十分艱困。最成功的是幾乎摧毀了夏威夷所有的美軍飛機——一百八十架遭擊毀，一百二十九架受損。對美國軍艦的攻擊比較沒那麼成功。四十架魚雷轟炸機只有十三架命中目標，而俯衝轟炸機則難以辨識目標，八艘停泊的巡洋艦只擊傷了兩艘。當第二波攻擊抵達時，卻發現目標已經被煙霧掩蓋。除了命中率不高，日軍投擲的許多炸彈也未能引爆。戰鬥艦亞利桑那號（*Arizona*）遭到轟炸，炸彈正好打穿前方彈藥庫，亞利桑那號因此在猛烈爆炸後沉沒，大火燃燒的景象也成為這場戰爭最具代表性的畫面。返航的日軍飛行員認為他們造成了嚴重破壞，但就像英軍空襲達蘭多一樣，等到煙霧散去，才發現結果其實不如想像嚴重。空襲發生時，美國的航空母艦全都已經出港。四艘戰鬥艦被擊沉，一艘擱淺，其他三艘戰鬥艦則受到輕微損壞；另有兩艘巡洋艦與三艘驅逐艦受重創，兩艘輔助艦艇沉沒。日本海軍還派出二十七艘艦隊潛艦前往珍珠港外攔截突圍的船隻，藉此徹底封鎖夏威夷，但兩個月內只擊沉一艘油輪與擊傷一艘軍艦。[177]這次行動獲得的成果已經超越山本的預期，但若能搭配更有經驗的飛行員與更好的戰術，這次空襲應該可以取得更好的成績。

這場攻擊行動最明確的戰果就是造成大量美國人死傷：總共有兩千四百零三人死亡，一千一百七十八人受傷。羅斯福因此無須再為說服美國民眾參戰煩惱。就在珍珠港事件的前幾天，羅斯福對他的親信霍普金斯（Harry Hopkins）說道，他無法說服自己宣戰：「我們是民主國家，我們是愛好和平的民族，而且我們有優良的傳統。」[178]日本的攻擊激怒美國的輿論，一口氣終結數年來孤立主義與干預主義的論戰。不計代價擊敗日本成為美國各界的共識。另一方面，對於可能遭受日本侵略的大英帝國來說，美國急於報復日本恐將使美國減少對歐戰的投入——除非德國與義大利也做出讓羅斯福可以不費吹灰之力就能說服美國民眾對抗歐洲軸心國的行動。為了確保英美的戰略一致，十二月二十二日，邱吉爾率代表團前往華府，在持續三個星期代號「阿卡迪亞」（Arcadia）的會談中，英國代表團試圖確保美國能持續支援歐洲戰事。過去英美的軍事參謀曾在一九四一年三月進行過非正式會談，雙方當時已達成臨時協定，同意歐洲是兩國的優先目標。一九四一年八月，邱吉爾與羅斯福首次在紐芬蘭普勒森夏灣（Placentia Bay）召開會議，雙方擬定《大西洋憲章》（Atlantic Charter），明確表示打倒「納粹德國」是建立新世界秩序的首要關鍵。

十二月的高峰會上，邱吉爾成功獲得羅斯福保證，儘管美國海軍表達了強烈的保留態度，但羅斯福還是同意歐洲仍是美國的首要目標。另一方面，英美也罕見地建立前所未有的合作關係，兩國成立商討戰略方針的共同論壇，也就是聯合參謀首長會議，同時也在運輸、軍火生產與情報上相互交流。[179]儘管如此，雙方還是有一些重大分歧。羅斯福與他的軍事參謀不願意完全遵循英國的計畫，總統身邊有許多厭惡英國的人士都認為歐戰是純屬英國自己的「帝國戰爭」。英美兩國的當務之急就是防止蘇聯戰敗。羅斯福對財政部長說道：「沒有任何事比俄羅斯崩潰更糟。我寧可失去紐西蘭、澳洲，也不願看到俄羅斯崩潰。」羅斯福的說法顯然不完全合乎大英帝國的利益。[180]羅斯福與陸軍參謀總長馬歇爾將軍（George Marshall）都認為，必須於一九四二年在歐洲對希特勒發動正面進攻，以分攤蘇聯壓力，但英國認為此舉風險太大而堅決反對——這場爭論直到一九四二年下半年才結束，因為此時在歐洲發動攻勢顯然已不可行。珍珠港事件發生後僅僅過了三個星期，一九四二年一月一日，羅斯福就在阿卡迪亞會議上闡述他思考的美國全球戰略，並且以他命名的

「聯合國」(United Nations)為名發表一份宣言——這裡的聯合國包括所有與軸心國作戰的國家。與《大西洋憲章》一樣,《聯合國宣言》揭櫫了民族自決與經濟自由的關鍵原則,也標誌了舊帝國秩序的價值將被美國國際主義的價值取代,而這種轉變將隨著戰事持續而更加明顯。

英美的會談持續了幾個星期,整場討論總讓人有一種不真實的奇異感受。因為就在兩國開會的同時,日本陸海軍已成功橫掃整個東南亞與西太平洋地區,替其南進政策獲得決定性的成果。但這場戰役的規模完全無法與巴巴羅薩作戰相比。由於日本在中國戰場投入大量陸軍,海軍也忙於珍珠港行動,因此在東南亞能運用的兵力十分有限:五十一個可用的陸軍師團只出動十一個與七百架飛機;海軍有一千架飛機,但只能出動半數,此外也派出兩艘航空母艦、十艘戰鬥艦與十八艘重巡洋艦支援陸軍兩棲作戰。[181]這場戰役的風險甚至高於珍珠港,因為日本把兵力分散在四個主要的作戰行動上:奪取菲律賓、占領泰國、攻占馬來亞與新加坡海軍基地,以及征服荷屬東印度。儘管如此,這也是日本從一九三七年對中開戰以來漫長時間裡一場難得的勝利。西方的防衛薄弱,主要是因為英國必須全力應付歐洲與中東的戰爭,而美國才剛開始增援。荷蘭被德國征服之後,在荷屬東印度只能仰賴當地的殖民地軍隊防守。大英帝國在東南亞的軍隊絕大多數是沒有作戰經驗的印度師。當時倫敦與華府每天都會接到軍事災難的簡報,一開始是兩艘英國戰鬥艦被擊沉,而最初還是邱吉爾堅持派出這兩艘戰鬥艦去嚇阻日本人。戰鬥艦威爾斯親王號(*Prince of Wales*)與戰鬥巡洋艦卻敵號(*Repulse*)在航向南中國海時,深信自己在日本飛機的攻擊範圍之外,然而它們對日本的作戰能力卻一無所知。十二月十日,兩艘軍艦被從印度支那基地起飛的日本魚雷轟炸機擊沉。短短幾個小時，英國在東方的海軍力量就遭到殲滅。只有日本人為這場戰役命名為「馬來亞海戰」。182

兩場入侵英屬馬來亞與美屬菲律賓的主要戰役在十二月八日開打。受過遠距離跨海飛行訓練的飛行員，從日本帝國位於臺灣的基地起飛前去攻擊菲律賓。跟在歐胡島一樣，日本飛行員發現美軍飛機成排停放在克拉克空軍基地的跑道上，並且順利摧毀了半數的B－17與三分之一的戰鬥機。十二月十日，日本對呂宋島實施兩棲作戰，接著快速朝首都馬尼拉進軍，一月三日，馬尼拉投降。麥克阿瑟將軍（Douglas MacArthur）在一九四一年稍早被任命為美軍指揮官，他下令美菲混合部隊撤退到巴丹半島。沒有空中掩護，只有美國潛艦運來的一千噸物資，這支軍隊注定無法擺脫失敗的命運。三月十二日，麥克阿瑟撤退到澳大利亞，等待來日再戰。巴丹於四月九日投降，科雷機多島要塞在經過慘烈而堅忍的防守之後，倖存的美軍指揮官魏銳特將軍（Jonathan Wainwright）於五月六日放棄戰鬥。日本第十四軍俘虜了將近七萬名士兵，其中一萬人是美軍。這些被俘虜的士兵被要求沿著巴丹半島行軍前往臨時搭建的關押營地。生病、疲憊與飢餓，許多人被日本士兵毆打、殺害與羞辱，這些日本士兵自己也深受醫療物資與糧食缺乏之苦，而他們往往瞧不起投降的人。183

在馬來亞北部，山下奉文將軍的第二十五軍於十二月八日進行兩棲作戰，但由於最初難以找到充足的登陸船隻，因此只有數千人參戰。山下奉文的部隊並未遭遇有組織的抵抗，守軍不到幾天就全線崩潰，並且在混亂中往半島南方邊戰邊退。一月二十八日，英軍總司令白思華中將（Arthur Percival）下令棄守半島南端的柔佛，大批帝國軍隊撤退到新加坡。山下奉文最後率領約三萬名士兵進攻新加坡，因為日本大本營認為新加坡是未來進攻荷屬東印度的關鍵地點。山下奉文的軍隊遠少於新加坡守軍，英國、印度與澳洲聯軍一共八萬五千人，加上增援的部隊總數達到十二萬。這支大軍擠在新加坡這座島嶼上，然而島上並未興建防禦工事，難以抵擋接下來的陸上攻擊。[184]二月八日，山下奉文命令兩個師團與近衛師團在夜間發動進攻。邱吉爾致電要求守軍必須戰至最後一人，然而這只是用來激勵帝國人心的場面話。幾個星期以來，英軍面對的是一群捉摸不定且極為殘暴的敵人，持續撤退早已讓軍隊士氣低落，因此日軍的進攻隨即讓新加坡守軍陷入恐慌。就在許多人爭搶新加坡港內所剩不多的船隻之時，白思華同意向山下奉文投降。十二萬人被俘，這是大英帝國歷史上最大與最屈辱的失敗。[185]其餘的英軍哨站也迅速潰敗。十二月二十五日，面對勢不可擋的占領，香港在抵抗了十八天之後向日本第二十三軍投降。英屬婆羅洲守軍在撤離前破壞了油田，並於一月十九日投降。不久，英屬緬甸也開始受到日軍威脅。

日本一開始其實沒有入侵緬甸的想法。最初的入侵部隊只是想破壞鄰近的英國機場，因為這些機場可能對馬來亞戰役構成威脅。但日軍將領從馬來亞戰役中看到大英帝國部隊的不堪一擊，因此認為可以繼續深入緬甸進窺印度。日本陸軍相信進一步的擴張或許可以「迫使英國屈服，連帶地讓美國失去作戰意志」。[186]更直接地說，征服緬甸可以切斷印度對中國西南蔣介石軍隊的補給，使日本可以占領盛產稻米的地區與年產達四百萬桶的仁安羌油田。英國在緬甸的兵力薄弱，僅有為數一萬人的英國、印度與緬甸聯合部隊，十六架過時的布魯斯特水牛戰鬥機。[187]一月二十二日，飯田祥二郎將軍率領的日本第十五軍發動緬甸戰役，總計下轄四個師團，三萬五千人。緬甸守軍在混亂下撤往仰光。由於緬甸的補給路線攸關中國存亡，蔣介石因此在十二月向英國提議在緬甸部署中國軍隊以抵抗日本可能的攻擊，但已經被任命為印度總司令的魏菲爾將軍不僅斷然拒絕蔣介石的提議，也反對蔣介石在重慶設立聯合軍事會議來擬定整個亞洲戰略的構想。[188] 英國擅自扣留《租借法案》的對華援助，並且將這些物資存放在仰光，這項舉動使中英兩國的關係急速惡化，尤其這些援助物資對英國自己戰局的影響並不大，英方的做法可謂多此一舉。三月七日，大英帝國部隊放棄仰光，倉促撤往北方。蔣介石對於英國這種高高在上的態度深惡痛絕，一名經歷整起事件的美國人認為這是一種「種族優越情結」。[189] 十二月，蔣介石早在日軍南侵之前就已經告訴魏菲爾，「你跟你的軍隊不知道怎麼跟日本人打仗。對抗日本人……跟打殖民地戰爭不一樣……在這方面，你們英國人是無法勝任的。」[190]

蔣介石對於已經成為盟邦的美國期望不大，但他還是需要美國援助。羅斯福總統決定派一名參謀長協助蔣介石，他的人選是前駐華武官史迪威將軍（Joseph Stilwell）。然而，史迪威自視甚高，幾乎對所有人都會給予苛刻批評。史迪威私底下認為蔣介石是個「頑固無知、充滿偏見與自大的專制領袖」，但史迪威依舊在一九四二年三月初抵達重慶，接下了這份他其實不太願意接受的職務。[191] 史迪威第一個提案是說服蔣介石讓他指揮中國剩下兩支最好的軍隊第五軍與第六軍，他要用這兩支軍隊收復仰光，讓《租借法案》的補給線維持暢通。蔣介石提醒他，絕大多數中國師不過就是三千名步槍兵搭配少數機關槍，幾輛卡車，而且沒有大砲。[192] 史迪威不為所動，他沒有實戰經驗，對日軍也一無所知，就這樣率軍在緬甸中部攔阻日軍，結果可想而知是一場災難。沒有空中掩護，對於底下的中國軍官又缺乏尊重，史迪威一接觸到能征善戰的日軍馬上就敗下陣來。四月二十九日，緬甸北部的臘戌被日軍攻下，到了五月，日軍幾乎已經占領緬甸全境。五月五日，史迪威對數千名中國士兵棄之不顧，逕自帶著一小群人往西逃逸。第六軍幾乎遭到殲滅。殘餘的第五軍在艱困環境下，於同年稍晚努力抵達印度邊境城鎮英帕爾，而史迪威早在五月二十日就抵達該地，並且把敗戰的責任全推到蔣介石、中國將領與英國人身上。

英軍撤退到印度的這段漫長旅程，因為途中遭遇龐大的難民潮而變得困難重重，難民潮估計達到六十萬人，絕大多數是印度人與英緬混血兒。史林少將（William Slim）的軍隊四散各地，很難維持軍隊的後勤或增援，這群衣衫襤褸、精疲力盡的殘兵抵達印度時，幾乎喪失了所有軍事裝備。英軍總司令亞歷山大將軍（Harold Alexander）抱怨說：「他們不知道該怎麼打仗，也不知道日本人的厲害，結果導致這樣的慘況。」[193]在緬甸作戰的大英帝國部隊有兩萬五千人，其中傷亡人數達到一萬零三十六人，中國軍隊至少損失兩萬五千人，而日軍在整個緬甸戰役中只傷亡四千五百人。[194]許多緬甸難民沿著僅有的兩條通道逃往印度阿薩姆邦，在惡劣環境下，死亡的難民不計其數。估計約有九萬人死於飢餓、疾病與難以通過的雨季泥淖。諷刺的是，正是這波雨季造成的交通阻隔使印度免於遭受日本入侵。[195]史迪威返回重慶，擔任為數不多的在華美軍將領，但此時緬甸已經落入日本之手，中國的重要補給線隨之中斷。蔣介石對西方盟國喪失信心，認為中國身為盟國，卻未獲得英美的嚴肅看待。蔣介石接受史迪威回到重慶，主要因為他仍想爭取美國的援助，不過他也開始覺得兩國的盟約「不過是一紙空言」。[196]

新加坡失守之後，更南方的荷屬東印度陷落已是時間的問題。三月十八日，盟軍撤離東印度群島，荷屬東印度的豐富資源頓時為日軍所有。日本為了完整達成戰役目標，又繼續攻占一連串太平洋島嶼，從北部的美屬威克島與關島，到南部的英屬吉爾伯特與埃利斯群島。短短四個月時間，日軍幾乎征服了東南亞與太平洋的整個帝國疆域。日軍俘虜了二十五萬人，擊沉或擊傷一百九十六艘艦艇，幾乎摧毀了該區域所有的盟軍飛機，日軍本身則有七千人陣亡，一萬四千人受傷，另外損失了五百六十二架飛機與二十七艘小型艦艇。[197]這就是日本軍事高層嚮往的一九四〇年德國閃擊戰，他們希望有朝一日也能用這種方式來對付盎格魯撒克遜國家。[198]日本的閃擊戰輕鬆獲勝，但與此同時德國對蘇聯的閃擊戰卻失敗了。日本成功的原因不難理解：德國對蘇聯的閃擊戰遭遇嚴重的後勤補給問題，但日本強大的海軍與數量龐大的商船船團卻能順利運送軍隊與裝備。日本多年來在兩棲作戰上進行的訓練與實戰早已獲得豐碩成果，反觀西方國家對於日本武裝部隊卻少有認識，一方面因為西方國家並未努力蒐集最新情報，另一方面也因為種族歧視的心態作祟，使西方國家瞧不起日本的作戰能力。英屬馬來亞總督曾經對白思華將軍說了一句令人難忘的話：「我想你可以把那些小矮人攆走！」[199]相反地，日本的情報工作則做得相當徹底，他們喬裝成在東南亞生活工作的日本人，一點一滴地蒐集資料，並且利用亞洲人對殖民統治的怨恨。日軍一方面很清楚大英帝國的防守有多麼脆弱，另一方面又派出訓練精良的軍隊與飛行員，這些人早已經歷過中國戰場的嚴酷考驗，禁得起長期戰鬥。[200]負責抵抗日軍的東南亞軍隊則幾乎沒有經歷過戰爭，他們武器缺乏、訓練不足，認為日軍勢不可擋，因此每個人都士氣低落，無心戀戰，這樣的軍隊根本不是日軍的對手。香港的淪陷充分體現了這個問題。香港是大英帝國在中國的金融與貿易中心，防守這個殖民地的兵力包括兩艘老舊的驅逐艦、幾艘魚雷艇、五架過時的飛機，以及普遍患有性病等疾病的軍隊。當地僑民組成了抗日義勇軍，然而這些人的年紀多半介於五十五歲到七十歲之間。加拿大旅在香港淪陷前才剛抵達，而且幾乎沒有受過任何戰場訓練。[201]歐洲的帝國部隊長年以來一直負責簡單的統治工作，現在他們面對的卻是一個敵對帝國，這個帝國急欲掃除白人統治，其強大的軍隊都是為了這一刻而做準備。

英國在亞洲與太平洋地區建立的帝國徹底崩潰。從印度的東北邊界，到遙遠的南太平洋吉爾伯特與埃利斯群島，全被日本征服。日本大本營沒有進攻印度的計畫，而且擱置了海軍入侵澳洲北岸與東岸的提案，因為陸軍已經沒有多餘兵力可用。[202]儘管如此，日軍還是於二月十九日轟炸澳洲北部的達爾文港，也進攻新幾內亞的摩斯比港（Port Moresby），此地離澳洲十分之近。但五月七日到八日的珊瑚海海戰，兩艘美國航空母艦擊沉一艘日本航空母艦，另有一艘則遭受重創，入侵摩斯比港的日軍只好退兵。對英國來說雪上加霜的是，南雲忠一在該年四月率領航空母艦進入印度洋，轟炸英國位於錫蘭（今斯里蘭卡）的可倫坡與亭可馬里海軍基地，再擊沉三艘英國軍艦，迫使英國皇家海軍東方艦隊的殘餘船隻撤往孟買以避免更大損失。[203]英國帝國參謀本部非常憂心日本在印度洋的威脅，因此決定於五月五日發動「鐵甲作戰」（Operation Ironclad）入侵維琪法國的殖民地馬達加斯加，以防止日軍利用這座島嶼做為前線基地。然而這場戰役居然花了六個月時間才迫使維琪政權的守軍投降。[204]

短短幾個星期的時間，東南亞的地緣政治就出現翻天覆地的變化，美國與英國的關係也因此產生根本性的變動。新加坡才抵抗幾天就投降，與巴丹半島美軍的英勇抵抗形成強烈對比，也讓英軍丟盡了臉面。大英帝國亞洲防線的迅速崩潰，為英國過去幾年累積的諸多敗仗再添一樁敗績，也讓美國軍方與民眾相信，絕對不要捲入一場拯救帝國的戰略之中，因為這個帝國明明有兩年的時間可以挽救自己卻毫無建樹。[205]羅斯福與幕僚隨即開始籌畫新的全球戰略，以頂替英國衰弱的世界角色，這個戰略將根據阿卡迪亞會議廣泛討論的方針繼續發展。約翰霍普金斯大學地理學家包曼（Isaiah Bowman）是促使羅斯福否定帝國的關鍵人物，他認為美國歷經數年的「躊躇、膽怯、懷疑」，現在已到了該「迅速做出轉變，建立新世界秩序」的時候。一九四二年五月，美國外交關係協會主席戴維斯（Norman Davis）表示：「曾經存在的大英帝國已經成為歷史。」又進一步說：「美國必須取代大英帝國的位子。」[206]一九三九年，羅斯福成立外交關係問題諮詢委員會，這個委員會認為殖民地自決、貿易自由與平等使用原物料將是未來新世界秩序的重要特色。[207]

日益嚴重的印度政治危機更是讓美國與英國的輿論分道揚鑣。羅斯福曾在阿卡迪亞會議上提到印度獨立的議題，對此邱吉爾做出了「強烈而冗長」的回應，羅斯福因此傾向於未來不會在邱吉爾面前再提這個議題（日後他也勸告史達林不要這麼做）。[208]儘管如此，羅斯福仍認為印度是個重要議題，尤其此時日本正準備入侵印度，一九四二年四月，羅斯福致電邱吉爾，建議他讓印度自治，以換取印度參與戰爭。當邱吉爾收到電文時，羅斯福的政治盟友霍普金斯剛好在場，他被迫整晚聆聽邱吉爾宣洩對羅斯福干預的不滿。就在一個月前，邱吉爾曾派前駐莫斯科大使克里普斯向印度提出要制定一部複雜的聯邦憲法提案。在這部新憲法中，英國仍主掌印度的國防，印度國大黨據此認為英國只是做做樣子，目的是讓印度「巴爾幹化」，因此印度的僵局毫無緩和跡象。儘管如此，對絕大多數英國領導高層而言，大英帝國的未來應由英國自己決定，而非美國。[209]克里普斯鎩羽而歸，美國輿論也在一九四二年轉而強烈反對英國帝國主義。七月，甘地寫信給羅斯福總統，他希望同盟國認清，讓世界「獲得自由」對印度與大英帝國來說不過是句空話。印度民族主義運動希望《大西洋憲章》與《聯合國宣言》能夠實現一戰結束時威爾遜總統未竟的十四點原則。羅斯福駐印度個人代表菲利普斯（William Phillips）持續向他回報印度民眾的冷漠與敵意有多「挫折、沮喪與無助」。[210]

「退出印度」其實是一名美國記者在一九四二年夏天創造出來的詞彙，但當當印度國大黨在八月初開會通過決議，要求立刻宣布印度獨立時，他們立刻採用這個詞做為口號。接下來就是印度總督林里斯戈勳爵說的，爆發了「一八五七年以來最嚴重的叛亂事件」。[211]八月九日，國大黨所有領袖全遭到逮捕，包括甘地在內，而且一直被拘禁到戰爭結束。到了一九四二年底已有六萬六千名印度人遭到拘禁，一九四三年底更高達九萬兩千人，許多人戴上手銬腳鐐，被關押在骯髒而過度擁擠的監獄。一開始的逮捕行動在印度中部與西北部引發廣泛的暴亂與騷動。當局詳細記錄了政府機關與公共設施遭到損毀的數量：兩百零八間警局、三百三十二座火車站、七百四十九棟政府大樓與九百四十五家郵局。憤怒的抗議者主要是年輕人，發動了六百六十四起炸彈攻擊。[212]英國政府仰賴印度當地警察與軍隊維持秩序，並且決定放寬《武裝部隊（特殊權力）條例》中使用武力的限制，允許警察與軍隊使用槍枝與棍棒，甚至可以使用迫擊砲、催淚瓦斯與飛機掃射來驅散群眾。根據官方統計，至少發生了五百三十八起警察開火事件，造成一千零六十名印度人死亡，但幾乎可以確定實際死亡人數更多。英國政府也允許廣泛使用鞭刑來進行威嚇。一名區警官下令對二十八名犯人公開處以鞭刑，他寫道：「這麼做無疑是違法的。殘酷嗎？或許吧。但接下來整個區再也沒有麻煩事了。」[213]倫敦的印度事務部不想讓外界知道鞭刑與警察施暴的消息，但英美的反帝國主義遊說團體卻高調散布這則新聞。帝國當局刻意以最無情的手段打壓抗議民眾，背後得到了邱吉爾的充分支持。邱吉爾憎恨甘地，他擔心這場危機可能徹底損及英屬印度的統治。最後印度的秩序固然恢復，但印度民眾的憎恨卻在一九四五年戰爭緊急狀態結束後，重新點燃新一波的暴亂。

一九四二年夏天，羅斯福開始針對殖民帝國的未來進行研究，但他並未徵詢英國盟邦的意見，怕引起不必要的爭端。六月，蘇聯外交部長莫洛托夫訪問華府，羅斯福趁機會試探蘇聯的態度。他向莫洛托夫談到建立託管制度以及最終協助殖民地取得獨立地位的想法。莫洛托夫同意羅斯福的觀點，畢竟反殖民主義原本就是莫斯科的官方思維。羅斯福在解釋觀點時表示：「白人國家……不能期望再把這些地區當成殖民地。」這種情感顯示美國與英國對於未來戰後秩序為何存在根本的歧異。同年稍晚，邱吉爾在與羅斯福的親信談到在加勒比地區實行託管制度時，表示只要他當首相一天，英國就會牢牢抓住帝國的海外領土：「我們不會讓霍騰托人（Hottentots）*公投決定將白人扔進海裡。」[214]日本南進之後，美國在整個一九四二年的戰略規畫皆因為與英國意見不合而飽受批評。

* 編注：這是歐洲人發明來指涉南非原住民的貶抑詞彙。

一九四二年五月，英國籍的英美聯合參謀長首長會議祕書戴克斯准將（Vivian Dykes）抱怨，說美國打算把英國變成「美國的衛星國」。[215] 英美對於大英帝國的未來與戰後國際秩序的看法依舊南轅北轍。雖然這些歧異並不妨礙英美之間的合作，但美國如今也加入了蘇聯與中國的行列，無論是舊帝國主義還是新帝國主義，都將成為要打倒的對象。

種族與空間：統治戰時帝國

軸心國建立的領土型帝國，從各方面來看都是非比尋常。與耗時數十年一點一滴拼湊組成的舊帝國不同，德義日這三個新帝國在短短十年不到的時間陸續建立，德國更是只有短短三年，而這三個新帝國不久就因為戰爭失利而完全毀滅。儘管投入戰爭使帝國核心承受來自各方的嚴酷需求，但即使是在戰爭期間，軸心三國依然沒有停止為自己的新帝國建立制度、政治與經濟基礎。軸心國似乎存在著一種幻覺，以為自己已經為帝國建立了萬世基業，彷彿無論這場世界大戰勝負如何，都不會影響這套帝國根基。然而隨著戰局逆轉，這種想法已難以自圓其說，尤其在蘇聯與美國成為最主要的交戰國之後。儘管如此，隨著戰爭進行，軸心國也將自身戰爭目標擴大為建立永恆帝國，於是原本在開戰時欠缺縝密思考及講求隨機應變的風格，也開始化成對帝國長遠未來的持續狂想。

軸心國在各自新帝國疆域的運作方式有一項共同特徵，那就是德義日領導人都使用「生存空間」一詞，每征服一塊土地，就會想盡辦法守住這塊土地。軸心國建立的帝國是由各種不同的行政組織與政治統治形式組合而成，並非一個連貫均質的整體，而且缺乏共同的控制結構（就像舊殖民帝國一樣）。這些新帝國疆域的政治形態必須等到戰爭結束之後才會有所進展，但軸心國在行使帝國權力時往往不受傳統主權觀念與國際法約束。戰爭期間，絕大部分被征服的領土都由軍政府加以控制，這些地區的物資都必須優先滿足軍事需要。無論是軍政府還是文人政府，都必須尋求當地民眾的合作，由這些人來推動地方事務，例如組織警察與民兵，以協助軍隊維持地方治安。日本繼承了被擊敗的西方帝國遺留下來的殖民統治體系，德國與義大利則承繼被征服地區先前的國家結構，若有必要，即使是令人痛恨的蘇聯體制也能接受，以此來維持地方穩定。如果各地區的民族情感發展到足以對新秩序構成威脅或造成占領者的利益損失，那麼新帝國就會無情地予以打壓。任何敵視占領者利益的行為都會被視為犯罪。為了樹立權威，軸心國仿效舊殖民帝國引進極端的恐怖措施，但規模與殘暴猶有過之：從流放、未經審判就予以拘禁、經常性拷問、夷平村落、大量處決到對歐洲猶太人進行種族滅絕。新帝國透過這些措施，直接與間接造成超過三千五百萬人死亡。要說亞洲與歐洲軸心國的經驗有什麼根本差異，那麼主要就是種族政策對帝國結構的影響程度。雖然日本軍人與官員絕對認為日本人是較為優越的種族，而且特別仇視中國人，但帝國的意識形態仍秉持亞洲各民族都是「兄弟」的觀念，應當由日本這個老大哥來領導。但在歐洲，特別是在德國，新秩序的結構則是全然根據種族來決定，「德國人」或「義大利人」位於帝國階序的頂端，其他數百萬新臣民則被迫流離失所、飢餓與大量屠殺。

日本治理「南方」新領土時，起初避免像在中國大部分地區一樣採取鎮壓與掃蕩的做法。南方過去屬於西方的殖民地，因此日本是以解救當地民眾擺脫西方統治的解放者自居。日本在中國建立帝國，而中國人認為日本人是侵略者而不是解放者，日本因此最終只能仰賴軍隊與憲兵隊來逼迫中國人就範。日本在一九三〇年代占領的中國領土，名義上皆交由中國傀儡政權統治，這些政權分別是滿洲國、蒙疆聯合自治政府、王克敏的北京臨時政府、上海特別市、梁鴻志的南京維新政府（一九四〇年三月之後改為汪精衛的南京國民政府）。一九三九年十二月，汪精衛與日本簽訂正式協定，允許日本在一九三七年開戰後占領的華中與華南地區駐軍與派駐「顧問」（這些顧問的建議都不許違背）。[216]事實上，中國在這些地區都沒有真正的主權：華北其實是由華北政務委員會統治；滿洲國徒具名義，實質上是個殖民地；汪精衛政權雖然宣稱自己才是真正具正當性的國民政府，但日本大本營只是把汪政權當成向蔣介石施壓的工具，試圖迫使蔣介石與日本談和。一旦談和失敗，日本便轉而要求汪政權成立清鄉委員會，允許汪政權動員有限的軍事力量協助掃蕩共產黨。汪精衛與一九四四年的繼任者陳公博，兩人始終都受到大本營設在南京的日本中國派遣軍顧問團的監視。[217]

在汪精衛成立「國民政府」之前，日本已經在占領區推動廣泛的「安撫」計畫，企圖恢復地方秩序，以維護日本在當地的利益。一九三八年三月，穿著白襯衫、身上別有「宣撫」字樣臂章的平民會加入宣撫班人員，並根據「宣撫工作實施要目」的指示，「從事去除反日思想的工作……讓中國人瞭解他們可以仰賴日本。」宣撫班鼓勵中國民眾親自體察「皇軍的各項善舉」——然而南京大屠殺才過幾個月，要說服中國人相信十分困難，宣撫班的年輕理想主義者既要完成宣揚和平與相互合作的任務，卻又要為日軍的殘暴開脫，這樣的工作無疑充滿了矛盾。[218]日本在村落設立「治安維持會」，由當地的中國民眾組成，負責重建秩序與教育居民養成向日本士兵鞠躬的習慣（否則就有可能挨揍）。另外也仿效滿洲國的「協和會」模式，讓民眾向天皇及其代表效忠。日本也利用中國的鄰里組織來表現親日情感，把因為拒絕參與而受罰的人孤立於鄰里之外，服從指示的人則可以獲頒良民證。[219]對一般中國民眾來說，順從才能生存，不順從就會遭到逮捕、拷問與死亡。

日本迅速軍事占領南方之後，原本在中國用來建立秩序的各種措施也被移轉到南方。日本在一九四〇年開始制定南進計畫，一九四一年三月，日本陸軍完成《南方占領地行政實施要領》，十一月，也就是在珍珠港事件發生前兩個星期，這份文件在大本營政府連絡會議上獲得通過。[220]實施要領提出三項要在日軍占領地區實施的核心政策：首先，建立和平與秩序；其次，取得日本陸海軍需要的資源；最後，盡可能對占領地進行組織，使其做到自給自足。南方占領地也像中國一樣被分割成各個從屬的衛星地區，使其無法決定自己的最終命運。十一月的會議也提到，「當地住民不成熟的獨立運動應予以避免。」日軍入侵南方之後，占領地依照戰略次序分別交由陸軍或海軍軍政府管轄。陸軍管理緬甸、香港、菲律賓、馬來亞、英屬北婆羅洲、蘇門答臘與爪哇；海軍則管理荷屬婆羅洲、西里伯斯（蘇拉威西）、摩鹿加群島、新幾內亞、俾斯麥群島與關島。馬來亞與蘇門答臘被合併成一個單一的特別防衛區，成為日本新南方占領地的核心；新加坡改名為昭南島（「南方之光」），被賦予特殊地位，擁有自己的軍政府。一九四三年四月，南方軍把司令部從印度支那的首府西貢遷移到新加坡。[221]

比較反常的例子是泰國與法屬印度支那，這兩個國家都遭到日軍入侵，但這兩個國家卻不是日本的敵國。泰國接受勸說，允許日本軍隊與飛機進駐泰國與馬來亞及緬甸接壤的地區，但泰國最終還是遭到日本一定程度的軍事占領。一九四一年十二月十一日，泰國的頌堪陸軍元帥（Plaek Phibunsongkhram）政府與日本簽訂同盟條約。一月二十五日，泰國遭同盟國飛機轟炸，泰國認為自己站在勝利的一方，因此決定向同盟國宣戰。日本也承諾讓泰國收復歷史上的固有領土，也就是馬來亞部分地區。一九四三年十月十八日，泰國併吞馬來亞北部各州，包括玻璃市（Perlis）、吉打（Kedah）、吉蘭丹（Kelantan）與丁加奴（Trengannu）。[222] 一九四〇年夏天，維琪殖民政權統治的法屬印度支那被迫允許日軍進駐北部，一九四一年七月，日軍占領法屬印度支那全境，以西貢作為南方軍司令部所在地。一九四一年十二月九日，《日法共同防禦協定》確認日本有權在法國協助下從法國屬地發動作戰，芳澤謙吉被任命為日本駐法屬印度支那全權大使，負責督導日本在當地的利益。然而南方軍司令寺內壽一元帥卻認為法屬印度支那是日本的占領地。[223]

日本取得南方地區之後也催生了新的統治機構，以便在大東亞戰爭中繼續推動新的帝國計畫。一九四二年二月，日本召開大東亞建設審議會，十一月一日成立大東亞部，不過大東亞部的職權範圍並未涵蓋馬來亞與蘇門答臘特別防衛區。一九四三年五月，日本宣布馬來亞、蘇門答臘與荷屬東印度其餘部分「永遠劃歸日本所有」，屬於日本殖民帝國不可分割的一部分。[224] 現在南方也成為大東亞共榮圈的一部分。大東亞共榮圈是在一九四〇年八月一日松岡洋右接受報紙訪問時首次提出的詞彙，這個詞的概念並不明確，主要是指亞洲各國在日本帝國的領導下相互合作。大東亞共榮圈涵蓋了從西方支配下解放的東亞與太平洋各民族，這些民族將一同攜手向前，走向和平與繁榮的未來。

大東亞共榮圈很快就成為東京當局對占領地進行規畫的試金石，在日本的政治與媒體論述中，大東亞共榮圈也成為正當化日本占領的概念，使占領地不再只是日本的殖民地。這種為了因應日本帝國不斷擴大而產生的和諧與統一意識形態，也在日本國內促成相應的政治轉變。一九四〇年八月，日本所有政黨解散，共同發起新體制運動，反對自由派的議會主義，主張日本與被征服地區都要統一在天皇的領導之下。所有民眾都要支持由所有政黨共同組成的大政翼贊會。根據當時的首相近衛文麿的說法，日本的政治和諧是日本「在建立新世界秩序上取得領先」的先決條件。[225]民族與帝國在文化上與政治上都不可分離。

大東亞共榮圈是日本用來支持新秩序的意識形態，日本從國內派往新領土的數千名官員、政治宣傳者與政策制定者，也仰賴這個意識形態來從事他們的工作。這些人內心懷抱著理想主義的觀點，相信日本可以為整個亞太地區帶來希望，而他們起初也受到占領地部分民眾的歡迎，這些民眾希望大東亞共榮圈真的能為他們帶來繁榮。然而，這些被動員來宣傳大東亞共榮圈的日本知識分子與作家卻遭遇一個問題，那就是日本一方面主張自己終結了歐洲與美國的殖民主義，另一方面卻又主張自己是這個新秩序的「核心」或「樞紐」，這兩種主張之間不免出現矛盾與緊張。跟隨軍隊抵達爪哇的宣傳隊發展出一種觀念，認為日本只是重新恢復數千年前的核心地位，當時的日本是從中東到美洲太平洋沿岸這整個廣大地區的文化領袖。日本刊物《海原》表示：「總而言之，日本是亞洲的太陽，亞洲的起源，亞洲的終極力量。」日本占領者推動所謂的「三A運動」（A指亞洲），讓印尼人民瞭解他們的未來必須跟隨「亞洲之光，日本；亞洲之母，日本；亞洲的領袖，日本」。[226]說到底，大東亞共榮圈只是為了創造出一個與日本文化傳統相容的帝國統治形式，以此與西方帝國區別。一九四二年初，日本總體戰研究所的刊物提到，大東亞共榮圈的所有民族都有「自己的位置」，居民的「想法一致」，但共榮圈的核心永遠都是日本帝國。[227]

起初熱情追尋新亞洲理念的人，很快就因為軍政府與日本干預的現實而幻滅。一九四二年四月，印尼記者耶辛（H. B. Jassin）起初在藝術雜誌上撰文抱怨，民眾「學習的全是西方事物，而且詆毀所有的東方事物」，相較之下，他卻「誇讚日本人，因為日本人在學習新事物的同時還能維持住自己的傳統」。但到了戰後，耶辛卻在自己的回憶錄裡提到，當初他滿懷熱情地相信合作與和諧的說詞，但得到的卻盡是苦澀的諷刺：「這些冠冕堂皇的說法不過是美麗的氣球，一個吹得比一個大，色彩更絢爛，但內容終究只是空氣。」[228]就連日本陸軍宣傳班的班長町田敬二日後也承認意識形態的宣傳完全是徒勞，軍事統治的現實與陸軍高層反對一切可能激起印尼民眾企圖心的嘗試，讓所有宣傳努力付諸流水：「『大東亞共榮圈』的大旗，實際上只是新的日本殖民剝削，招牌上掛著羊頭，實際上賣的卻是狗肉。」[229]

軍事占領者一般而言比民間意識形態宣傳者更講究實際，也更自我中心。從日本軍隊抵達占領地的那一刻起，就可以明顯看出日本統治本質上帶有的威嚇性。在荷屬東印度，軍政府成立後立即下令禁止使用印尼民族主義象徵、實施審查制度、禁止集會遊行、禁止擁有槍枝與實施宵禁。涉嫌搶劫者會被斬首示眾或者是手腳綑綁棄置在烈日下等死。爪哇人必須向日本士兵九十度鞠躬，否則就會被掌摑頭部，或者遭受更嚴重的處罰。日本軍人施虐的狀況屢見不鮮，當地華人因此把日本早期占領稱為「動手打人的時代」。[230] 日本占領馬來亞之後，開始進行大規模的處決與毆打，特別是針對那些有反日或親英嫌疑的民眾。根據軍政府的委婉說法，這麼做是為民眾「指出正確的道路，以避免可能的錯誤」。犯人被梟首示眾，以儆效尤。在新加坡，日本憲兵隊以基督教青年會大樓做為總部，擔負起「肅清」任務，而談到「肅清」一詞，相信德國的親衛隊最清楚是什麼意思。憲兵隊的主要目標是華人社群（不過不僅限於華人），凡是可能與中國國民政府政治影響有關的人員，包括老師、律師、官員與年輕人都是目標對象。憲兵隊處決的新加坡人數說法不一，大約介於五千人到一萬人之間。馬來亞遭到肅清的人數可能多達兩萬多人。[231]

一九四一年十一月通過的《南方占領地行政實施要領》三大政策，在不同的占領地產生不同的結果。日本試圖以嚴刑峻法來建立秩序，此外也把在中國推行的措施引進到南方占領地，例如在各地村落成立自治委員會，負責維持村落治安。在馬來亞，日本設立了和平委員會以恢復秩序，並且沿用英國殖民政府的大量馬來人官員。若有人抱怨或怠工，可能會被判定是反日而遭到嚴厲懲罰。最後，日本也引進在日本與華北推行的鄰里組織，招募當地警察與自願者擔任民兵與輔助的治安部隊。絕大多數占領地都成立了地方的諮詢委員會，但這些委員會並無權力，只能任由日本官員與軍隊評斷地方的意見而不用承擔任何責任。各占領地也成立了以日本大政翼贊會為藍本的群眾團結運動，而這成為一種社會規訓的形式。在菲律賓，各政黨在解散後成立單一的新菲律賓服務團，到了一九四四年一月，服務團又被人民效忠團取代。監督這些政治團體的責任落在憲兵隊身上，日軍每支部隊都設有憲兵隊。[232] 占領地的治安完全由憲兵隊維護，但光憑憲兵隊本身不可能完成這項工作，他們必須在當地招募眾多願意出賣自己同胞的人擔任探員與線人。軍事警察的數量本來就不多，分散到廣大的占領地上更顯稀少。在整個馬來亞，在維護治安行動的高峰期，居然只有一百九十四名憲兵執勤。[233]憲兵隊擁有專斷的權力，也有權整飭日本士兵的紀律，如果他們想的話，甚至連高階軍官都能加以約束。紀錄顯示憲兵提出的指控有許多完全是空穴來風：如果受害者夠幸運能熬過殘酷的拷問，那麼就有機會洗刷冤屈；如果運氣不好，就只能承認犯下自己沒犯過的罪行，然後遭到處決。

日本統治占領地時，往往會刻意修飾統治帶有的殖民性格，然而一旦統治引發武裝（或非武裝）抗爭，日本也會格外嚴厲地鎮壓。日本控制地區的地理環境特別有利於抵抗勢力的形成，南方占領地十分遼闊，駐軍與警力往往鞭長莫及，只能集中駐守城鎮與連接城鎮的鐵路線。山岳地形、森林與叢林使游擊隊便於藏匿進行機動作戰。在占領南方之前，日軍在滿洲國與中國已有豐富的對抗中國共產黨游擊隊經驗。在滿洲國，日軍強制遷徙農村，使其集結成一個「集團部落」，藉此切斷游擊隊與散村農田的聯繫，斷絕其後勤補給。到了一九三七年，至少有五百五十萬人被迫離開家園組織成一萬個集團部落。日本在滿洲國鋪設好道路網以改善交通之後，為了徹底解決境內武裝抵抗的問題而於一九三九年與一九四〇年發起大規模會戰，動員了六到七千名日本士兵、一萬五千到兩萬名滿洲國輔助部隊與一千名治安打擊部隊。凡是涉嫌協助反抗軍的村落都被燒光，村民無論男女老幼全部予以屠殺。安全部隊採取了日軍所謂的「逐步收網」戰略，追蹤各支已知的游擊隊，毫不留情地加以追擊直至殲滅為止。數千名藏匿的游擊隊員陸續暴露行蹤並且遭到消滅，到了一九四一年三月，滿洲國境內的反抗勢力幾乎已經完全消失。[234]

南方占領地的抵抗勢力絕大多數是共產黨策動，日本當局尤其視其為主要威脅。這些共產黨員多半由海外華人組成，而這些人也與中國抗日戰爭有所聯繫。到了一九四一年，整個東南亞已出現了七百零二個「抗日救亡運動」組織，他們向抗日的國民政府與中國共產黨提供協助與道德支持。[235]在馬來亞，共產黨的抗日行動幾乎與馬來亞人民抗日軍的成立同時發生，而人民抗日軍獲得了馬來亞人民抗日同盟的大力支持。到了一九四五年，抗日軍的數量估計約在六千五百人到一萬人之間，在馬來亞的八個州組織部隊，而在背後支持的抗日同盟則大約有十萬人。[236]與此同時，抗日運動也得到英國滲透到馬來亞的特別行動執行處的援助。從一九四二年到戰爭結束，馬來亞的抗日運動雖然帶給日軍極大的困擾，但也遭受日軍嚴重的打擊。日本鎮壓叛亂的行動，主要仰賴線人與探員的協助，而其中貢獻最大的竟是馬來亞共產黨總書記萊特（Lai Tek）。一九四二年九月，他向日方透露游擊隊高層將在雪蘭莪（Selangor）的黑風洞（Batu Caves）召開會議，結果日軍進行埋伏而一舉殺害多名共產黨重要領導人。一九四三年，日本的大規模治安作戰殲滅了大量游擊隊員，日軍也把掃蕩重點放在藏匿於濃密叢林與山區的殘餘分子。抗日運動採取化整為零的破壞行動，暗殺與日本當局合作的人士，但日本經常性地向抗日分子提供賄賂或特赦，也讓抗日陣營分崩離析。抗日同盟的成員受害尤大，因為他們不像游擊隊一樣機動。日本也集中遷徙一些偏遠村落，試圖切斷叛軍補給線，但規模無法與在滿洲國實施的集團部落相提並論，也比不上英國日後在一九五〇年代為了平定叛亂而遷徙了數百萬人。馬來亞人民抗日軍宣稱他們擊斃了五千五百名日軍與兩千五百名

「叛徒」，無論這個數字是否真實，抗日運動確實持續困擾著日本占領者，也讓人理解到新帝國的「和平」與「和諧」不過是相對性的修辭。[237]

菲律賓是馬來亞以外南方唯一持續抗日的地區，這裡的海外華人，無論是共產黨還是國民黨，都在抗日活動中扮演著重要角色。尤其菲律賓的華人只占菲律賓人口的百分之一，遠遠不如占了當地人口三分之一以上的馬來亞華人。參與抗日的華人許多是年輕的男性移民，他們躲避日軍的「肅清作戰」，加入了一九四二年初成立的小規模華人左翼抗日運動，即菲律賓華人抗日游擊支隊與菲律賓華人抗日志願軍。城市地區則有菲律賓華人抗日與反傀儡同盟。右翼華人與中國大陸的國民黨有聯繫，他們另外組織了四個小團體，結果反而分散了華人的抗日力量。[238]菲律賓主要的共產黨抗日團體由菲律賓人組成，即人民抗日軍，又稱「虎克軍」（Hukbalahap），於一九四二年三月由塔魯克（Luis Taruc）創立。同月，虎克軍首次與五百名日軍交戰，指揮作戰的是一名勇猛的女性，名叫庫拉拉（Felipa Culala），又稱達揚—達揚（Dayang-Dayang），當時有許多菲律賓女性跟庫拉拉一樣加入游擊隊。一九四三年初，虎克軍的人數估計達到一萬人，但同年三月，日軍也在呂宋島部署了五千人，開始大規模鎮壓叛軍，虎克軍於是與馬來亞的抗日軍一樣，轉而將重點放在生存與持續招募新血上。[239]到了一九四四年，虎克軍的男女人數再次達到一萬兩千人，但現在還獲得了美軍裝備與無線電，使得他們在民答那峨島的行動漸趨有利。[240]虎克軍最終與美國領導的游擊隊合流，於一九四四年秋天協助美國進攻菲律賓。

日本《南方占領地行政實施要領》的第二項政策，是為占領者與日軍提供資源，然而這件事要比一九四一年預想的更複雜許多。日本對每個占領地下達的指令清楚顯示要優先滿足日軍需求，這麼做是為了讓日軍能在駐紮地取得補給，因為要從遙遠的日本本土進行補給相對困難。但這也意謂著占領地居民「將承受沉重的壓力……甚至可能超過忍受的極限」。[241] 就連名義上仍由維琪法國統治的印度支那也出現相同的狀況。日本之所以南進，最初的理由就是為了控制大東亞共榮圈其他地區缺少的關鍵資源，如馬來亞的鋁土與鐵礦，還有荷屬東印度的石油與鋁土。雖然西方同盟國因為馬來亞與泰國中止橡膠與錫的供應而受害，但這兩種資源其實並非日本急需的原料。稻米與其他糧食除了要提供給當地日軍，也要運回日本本土。還有其他各種物品也基於占領者需要而被徵收或強制購買，居民只能乖乖接受。一九四三年八月，馬來亞軍政府公布《重要物資與原料管制法」，讓日軍有權徵用一切需要物品。為了解決馬來亞經濟長期各自為政的難題，日本於一九四三年五月宣布實施五年生產計畫，六月時又宣布實施五年工業計畫。為了確保供給，日本也成立專賣機構，由中央控制物價與進行特許貿易，然而交通運輸的日益惡化與貪汙盛行，皆導致這些計畫窒礙難行。[242]

有些物資可以持續供應日本本土，有些物資則難以持續，但整體而言，物資供應的實情與大本營原先的樂觀預期有著不小落差。馬來亞與印尼民丹島出口的鋁土確實可以供應日本的煉鋁工業，一九四三年時出口量可以達到七十三萬三千噸，但馬來亞的錳礦生產由於受到英國破壞的影響，出口量從一九四二年的九萬零七百八十噸減少到一九四四年的一萬零四百五十噸。南方鐵礦砂的進口在一九四〇年一度達到三百二十萬噸，一九四三年減少到二十七萬一千噸，到了一九四五年更只剩兩萬七千噸。諷刺的是，從一九三〇年代開始在馬來亞開採高品質鐵礦砂的日本公司，一九三九年還可以供應一百九十萬噸給日本本土，但到了戰爭時期卻只剩下零頭。為了維持鐵礦砂供應，日本只能要求華北占領區增加產出。[243]東南亞原本最主要的兩項出口產業，橡膠與錫，日本則任其衰弱，導致大量馬來人失業與陷入貧困。這是因為日本一年其實只需要約八萬噸的橡膠（而日本早已擄獲了十五萬噸庫存），因此到了一九四三年，東南亞橡膠生產量已不到戰前的四分之一；日本一年也只需要一萬到一萬兩千噸的錫，錫產量因此從一九四〇年的八萬三千噸掉到一九四四年的九千四百噸。[244]最關鍵的資源當屬石油，正是石油促使日本做出南進的決定：婆羅洲、蘇門答臘、爪哇與緬甸的珍貴油田每年生產的石油足以滿足日軍的需求。英國與荷蘭試圖破壞油井使其無法運作，但多半未能成功。日軍原本預期需要兩年時間才能讓油田恢復戰前水準，但有些設施反而在短短幾天後就能重新開採，最重要的是蘇門答臘的巨港油田，占蘇門答臘總產量的三分之二左右。為了開採石油，石油產業人員有七成來自日本，導致日本國內產業技術工人出現短缺。到了一九四三年，南方石油每日的產量達到十三萬六千桶，只不過將近四分之三都被南方戰場消耗一空，日本本土完全未享受到石油開採的成果。[245]一九四四年，日本進口的石油只剩下美國實施石油禁運前的七分之一，從三千七百萬桶減少到四百九十萬桶，之後又因為美國海空封鎖而更形惡化，這種狀況完全出乎日本軍方高層的意料之外。[246]石油短缺促使戰爭開打，而戰爭又耗盡了石油。

《南方占領地行政實施要領》的最後一項政策目標，是讓南方地區自給自足，使南方地區不需要進行貿易或從日本本土移轉資源。某種程度來說，這項政策目標確實實現，但代價卻是讓南方占領地居民陷入貧困與飢餓。對於原本是透過出口滿足世界市場需求的殖民地來說，短期內要做到自給自足是十分困難的事。殖民地原本可以透過將原料賣往西方來進口糧食與消費品，滿足國內居民的需要。隨著多邊貿易在戰爭時期瓦解，占領地只能仰賴自身生產的物資或以物易物維生。南方並未整合到中國、滿洲國與日本本土的日圓區之中。除了印度支那與泰國，殖民地銀行的崩潰也導致東南亞絕大多數地區的金融體系瓦解；而由於當地沒有債券市場，出口崩潰也直接影響了稅收，日本軍政府於是印製軍用手票做為貨幣，宣稱其具有法幣的地位。[247]軍政府嚴厲懲罰拒絕使用粗製濫造的軍票或依然保留舊貨幣的人，藉此迫使占領地財政自主。「你是要嚇得發抖還是要接受軍票」，馬來亞各處張貼的海報上宣稱，只有軍票才是有效的貨幣，這種軍票在馬來亞又稱為「香蕉幣」，因為紙鈔上印著香蕉樹。違反者將會遭到拷問與處決。軍政府也採取各項措施減少貨幣供給以避免惡性通貨膨脹，包括大規模的彩券販售與針對咖啡廳、遊樂場、賭場與聲色場所（所謂的「出租舞女」）進行課稅。[248]

儘管軍政府強力控制物價，但由於民眾爭相從日本駐屯軍手中購買糧食與貨物，導致通貨膨脹難以避免。要控制南方廣大地區的經濟十分困難，強硬管制反而造成廣泛貪汙、囤積居奇與投機，受害最深的就是都市裡的窮困民眾。交通運輸網的崩潰，使稻米很難從剩餘地區運送到匱乏地區；此外灌溉系統遭到破壞、耕牛不是死於疾病就是遭到徵用，這些因素都造成農產量驟減。[249]日軍的需求一旦增加，民眾的生活水準便隨之降低。馬來亞由於不適合大規模稻米種植，民眾因此只能攝取更多的根菜類與香蕉，但這些食物平均一天只能提供五百二十大卡的熱量。透過黑市可以取得額外食物，然而普通工人根本買不起黑市。戰時新加坡的生活成本指數急遽飆漲，從一九四一年十二月的基準數一百漲到一九四三年十二月的七百六十二，一九四五年五月竟高達一萬零九百八十。在馬來亞的吉打，一件紗籠（裹穿在腰部的長條薄布）在一九四〇年售價一點八美元，到了一九四五年初竟要價一千美元。[250]馬來人開始光腳及衣不蔽體地工作，沒有衣服可穿，只能拿幾塊破布遮掩。在爪哇，一九四四年每日只配給白米一百到兩百五十克，遠遠不足以維持一日所需。估計在占領時期有三百萬爪哇人餓死，就連原本糧食自足的島嶼也出現饑荒。在巴達維亞街上出現標語，上面寫著：「我們吃不飽飯，日本人非死不可！」[251]在印度支那，當地的法國殖民者於一九四四年同意日本對稻米課徵重稅，導致越南東京地區的農民嚴重缺糧。一九四四年冬天，估計印度支那地區也餓死了兩百五十萬到三百萬人。

除了生活危機，占領地民眾還要應付占領者強制勞動的需求，使原本已經羸弱的勞動力還要承受沉重的負擔。這種模式先前已在滿洲國施行過，日本當局命令滿洲國十六歲到六十歲的男子每年都必須為日軍強制勞動四個月（即勞務者），一個家庭若有三名以上男丁，就必須有一人為日軍服一年勞役。估計有五百萬名滿洲人為日軍服勞役，此外從一九四二年到一九四五年，還有兩百三十萬人從華北被流放到滿洲國強制勞動。[252]在南方占領區，由於缺乏勞工修築道路、鐵路、空軍基地與防禦工事，因此必須引進大量的各種勞務者進行強制勞動，其中最惡名昭彰的就是為了興建曼谷到仰光的緬甸鐵路，估計有十萬名馬來人、印尼人、泰米爾印度人與緬甸人死於疾病、勞累與營養不良，死亡率高達三分之一。在爪哇，每村村長都要負擔吃力不討好的任務，提供一定的勞動配額來滿足日軍需要，而且經常採取強制手段。一九四四年底，日軍僱用了兩百六十萬名勞務者修築防禦工事。根據估計，在爪哇一千兩百五十萬名可僱用勞動力中，絕大多數都有遭強制勞動的經驗。有些工人被送到海外工作，如一九四三年底有一萬兩千名爪哇人被送到婆羅洲，不僅挨餓還要遭受虐待。[253]這些強制勞動者被當成消耗品，他們受到的待遇充分顯示這些占領地在戰爭期間完全被日本當成殖民地。

儘管如此，日本用「解放」一詞來標誌歐洲與美國帝國主義統治的終結，倒是有著某種程度的真實性。日本評論家比較亞洲秩序的新概念與西方統治（特別是英國統治），認為後者「自私自利、不公義且不正當」。東條英機更宣稱日本的目的是「遵循正義的道路，將大東亞從英美桎梏中拯救出來」。[254]然而，日本人帶來的解放並非「威爾遜時刻」，日本無意讓東南亞各國無條件獨立，因為對日本領導人而言，威爾遜總統在一九一八年的民族自決承諾只是一種偽善。一九四二年，日本總體戰研究所的分析指出，所謂「獨立」並不是「根據自由主義與民族自決的觀念」來加以定義，而是指成為日本大東亞共榮圈的合作成員才叫做獨立。[255]許多反殖民的民族主義者由於日本最初打著解放的旗號，誤以為日本的大東亞共榮圈是泛亞洲主義的產物，然而實際上並非如此。泛亞洲主義主張的是亞洲各民族一律平等，但日本卻主張亞洲各民族必須團結在日本的領導之下。日本南方軍對於緬甸獨立一事做出了誠實的評估，清楚表明了許多征服者內心對於被征服地區的真正想法：任何新成立的政權「都可以擁有獨立的表象，但實際上……仍應執行日本的政策」。對日本政府與軍方高層來說，獨立通常（雖然並非絕對）意謂著默認日本的特殊地位，也就是說，日本才是整個帝國的核心。這種把各國視為亞洲「兄弟」的想法，時常徘徊於日本領導人的心中，甚至希望能把這一想像在遙遠的印度付諸實踐，哪怕實際上從來沒有驗證過。日本早在南進之前，就已經與以曼谷為基地的印度獨立同盟有過聯繫，該同盟的領導人是比哈里．伯斯（Rash Behari Bose）。日本征服馬來亞之後，許多被俘的印度士兵願意放棄戰俘身分，換取在日本組織下成立印度國民軍。印度國民軍由錫克教徒陸軍上尉辛格（Mohan Singh）指揮，與印度獨立同盟建立合作關係。然而辛格與日軍的緊張關係最終導致辛格遭到逮捕，印度國民軍也瀕臨解散，直到一九四三年三月才再次恢復，改由前印度國大黨政治人物錢德拉．伯斯（Subhas Chandra Bose）領導。錢德拉．伯斯在東條英機同意下，於一九四三年十月二十一日宣布成立自由印度臨時政府，由錢德拉．伯斯身兼國家元首、總理、戰爭部長與外交部長。一九四四年，印度國民軍的一個師參與了一場日軍入侵印度東北部的行動，但遭遇敗績且傷亡慘重。在日本看管之下，自由印度從未真正實現。256

一九四二年一月，東條英機在日本帝國議會表示，緬甸與菲律賓如果能效忠日本與服務於日本利益，那麼在未來某個時點將不排除讓這兩個地區獨立。原本在日本入侵之前，緬甸與菲律賓兩地的民族主義者皆曾訪問日本，也認為日本是反殖民戰爭的潛在支持者。一九四一年十二月，日軍同意成立緬甸獨立軍，起初由「德欽黨」（Thakin）三十名民族主義者組成，包括後來成為民族主義領袖的翁山（Aung San）。日軍並未給予任何承諾，因此當緬甸獨立軍快速膨脹到二十萬人時，日軍便解散了緬甸獨立軍，並以日本人指揮訓練的緬甸防衛軍取代。一九四三年，日本終於同意讓緬甸獨立，八月一日，新國家宣布成立，由被英國流放到東非的民族主義者巴莫（Ba Maw）擔任國家元首。不過日本是口惠而實不至，緬甸並未真正取得主權，緬甸一切事務仍牢牢掌握在日本手中。一九四四年六月，翁山抱怨說：「我們擁有的只是名義上的獨立地位，這完全是日本版的緬甸自治。」[257]獲得東條英機承諾的菲律賓也遭遇同樣的狀況。一九四二年一月，軍政府允許菲律賓成立傀儡政權，由菲律賓政治人物瓦爾加斯（Jorge Vargas）擔任政府領袖。這個傀儡政權僅具諮詢功能，菲律賓臨時國家議會清楚表示，菲律賓願意支持日本軍政府，並且致力於加入大東亞共榮圈。一九四三年夏天，菲律賓在沒有政黨或公投的狀況下通過新憲，由勞雷爾（Jose P. Laurel）而非瓦爾加斯擔任國家元首。與緬甸不同的是，菲律賓菁英選擇與日本和平共存，只要日本軍事勢力存在一天，他們就願意接受新國家擁有的有限主權。[258]

至於其他的占領地，日本起初並沒有讓這些地區「獨立」的想法，反而打算直接併吞這些地區。一九四三年十一月，大東亞部在東京召開大東亞會議，南方地區獲得邀請的代表只有緬甸與菲律賓。隨著日本漸露敗象，這一局勢變遷促使日本願意允許更多地區「獨立」。一九四四年九月七日，東條英機的繼任者小磯國昭首相宣布，印尼「再過一段時間」也許可以獲得獨立，他也同意印尼懸掛民族主義旗幟，條件是必須懸掛在日本國旗旁邊。[259]日本之後又進一步放寬限制，讓印尼人加入軍政府，但只能擔任副手職位，日本直到投降前幾天才給予印尼名義上的獨立地位。最後一個允許獨立的是情況特殊的法屬印度支那。一九四四年，盟軍解放法國之後，維琪政權徹底覆滅，日本逐漸對印度支那的法國官員與商人的態度感到不耐。一九四五年二月一日，最高戰爭指導會議在東京召開，決定採取軍事行動控制印度支那全境，建立一個親日的獨立政權。三月九日，日軍發動「明號作戰」，將法國殖民地軍隊解除武裝。零星的戰鬥一直持續到五月。雖然日本並未正式准許越南獨立，但越南的保大皇帝仍於三月十一日宣布越南獨立。兩天後，柬埔寨跟著宣布獨立，四月八日，輪到寮國宣布獨立。日本在這幾個國家都設有「顧問團」，這些國家必須與日軍合作，每個國家也設有日本總督與總書記，嚴格限制任何想真正獨立的念頭。[260]日本在南方地區做出的最後讓步，主要都是為了贏得當地民心，為接下來抵抗盟軍入侵做準備，但日本似乎也想鼓動當地民眾的獨立熱潮，讓重返此地的殖民國家難以重建權威——事後看來也確實是如此。如果日本贏得戰爭或與同盟國簽訂停戰和約，那麼日本的大東亞共榮圈將會如何發展？關於這點只能留待想像。戰時的大東亞共榮圈是帝國的產物，因戰爭而建立，也因戰火而毀棄。

※ ※ ※

相較於日本的共榮圈，軸心國在歐洲建立的新秩序要面對截然不同的地緣政治現實。雖然兩者同樣建立在戰爭之上，也同樣毀於戰火之中，但歐洲新秩序隨戰爭起落的程度卻遠遠超過大東亞共榮圈。一九四〇年與一九四一年遭德國入侵與占領的國家並非殖民地，而是獨立的主權國家，擁有自己的政治、法律與經濟結構。這套歐洲新秩序最主要的侵略者是希特勒的納粹德國，其次是墨索里尼的義大利——但由於墨索里尼逐漸傾頹的帝國需要德國來拯救，因此新秩序幾乎全是由柏林當局與德國利益來主導。無論是德國支配的「大空間」或是日本的共榮圈，兩者的核心觀念可謂大同小異：傳統的西方主權觀念被拋諸腦後，取而代之的是由帝國核心領導一系列國家與屬地的獨特概念。一九三九年，德國法學家施密特出版了極具影響力的作品《國際法與大空間》（*International Law and the Grossraum*），他認為未來霸權國家將擴張成一個疆界明確的「大空間」，在這個空間裡將存在著國家的階序關係：不斷擴張的國家居於核心地位，四周則環繞著名義上「獨立」但實際上已經遭到征服的國家。施密特主張，以現代民族國家絕對主權為基礎的傳統國際法已經無法適用於「大空間」的新地緣政治時代。施密特又說，這個「國與國之間的過時國際法」大多是猶太人的產物。[261]在眾多法學家中，施密特是唯一一位以「大空間」做為新時代特徵，並以此來正當化希特勒侵略行為的理論家。就像日本的共榮圈一樣，在德國的新秩序裡，每個國家的功能與地位都將依據德國對其價值的評估來決定。

一九三九年時，包括希特勒自己在內幾乎沒有任何德國人想像得到，到了一九四一年底，德國的「大空間」將從西班牙邊界擴展到俄國中部，從希臘延伸到位於極地的挪威。這塊遼闊的區域並非鐵板一塊，而是像日本帝國一樣，由各種不同的統治形式交錯鑲嵌而成。希特勒自始至終都堅持，新秩序的地緣政治樣貌要等到戰爭勝利之後才做最終決定，儘管如此，西歐、北歐與東南歐的占領區在戰時已出現根本性的差異，而德國對整個東方地區也抱持截然不同的看法。東方地區在消滅既有國家與採行殖民剝削模式之後，終將成為新德意志帝國的核心，而這個過程早在德國於西線戰場獲得勝利之前，就已經在捷克與波蘭付諸實行。至於在歐洲其他地區，仍在運作的國家必須接受德國的監管，讓德國利用其既有的制度與行政體系。

德國的首要之務是建立所謂的「大日耳曼國」。除了併吞捷克斯洛伐克與波蘭，德國也將亞爾薩斯－洛林與盧森堡視為事實上的領土，由民政長官統治；一九一九年後割讓給丹麥與比利時的少部分領土也陸續順利收復。大日耳曼國以外的占領地被視為軍事前線，如法國北部、西部與比利時，這些地區由軍政府治理；其他名義上獨立的政府則與德國軍方共同管理，如法國的水療城市維琪與布魯塞爾。荷蘭由帝國總督英夸特（Arthur SeyssInquart）管理，挪威雖然在挪威納粹黨黨員奎斯林主政下採取與德國合作的立場，但德國還是在挪威派駐了帝國總督特博文（Josef Terboven）。[262]丹麥是占領區的異數。由於丹麥人並未抵抗德國入侵，德國因此在當地採取了「混合占領」的方式。混合占領是國際法的一個概念，用來表示中立國遭交戰國占領，之後又未與占領國交戰的狀況。德國允許丹麥保留自身的政治制度，直到一九四三年為止，丹麥一直保有自己的司法管轄權。丹麥國際法律師把這個狀態定義為「和平占領」，丹麥仍保有主權，但允許德國人接管行政權。直到一九四二年十一月，德國任命親衛隊領袖貝斯特（Werner Best）擔任駐丹麥全權代表，兩國的關係才開始惡化；一九四三年八月二十九日，丹麥政府與丹麥國王克里斯蒂安十世（Christian X）拒絕繼續管理國家。德國於是宣布丹麥戒嚴，並且透過常設大臣會議繼續統治丹麥到一九四五年。雖然從法律上看有點模糊，但同盟國還是基於丹麥有抵抗德國的行為而認定丹麥是德國的交戰國，屬於聯合國的一員。[263]

東南歐的局勢較為複雜。希特勒一開始並沒有出兵東南歐的計畫，因為根據《三國同盟條約》，義大利領導人認為東南歐是義大利的「勢力範圍」，但義大利出兵希臘失敗，最後導致德國在盟邦保加利亞與匈牙利協助下占領希臘與南斯拉夫。希臘投降時，義大利的非洲帝國已經搖搖欲墜。厄利垂亞、索馬利亞與衣索比亞都被大英帝國部隊攻陷，利比亞也淪為戰場，義大利在利比亞的殖民地軍隊不僅要防禦同盟國部隊的進攻，也受到利比亞叛軍的騷擾，後者急欲利用這場戰爭推翻義大利的統治。英國讓四萬名利比亞輔助部隊擔任非戰鬥任務，並且承諾流亡開羅的前利比亞國王伊德里斯（Idris），在義大利戰敗後讓利比亞自治。義大利採取了一九三〇年代初曾經實施的殘酷鎮壓叛亂手段，陸軍、軍事警察與各地屯墾居民開始針對阿拉伯人與柏柏人村落進行暴力掃蕩。每當大英帝國的部隊被擊退回埃及時，義大利就會加強在利比亞的鎮壓行動。嫌疑犯會以可怕的方式公開絞死，有些人像屠宰場的牲口一樣被掛肉鉤穿過下巴吊掛起來，活活流血而死。義大利在殖民地的最後一波暴力行徑，成為義大利非洲帝國最不堪入目的終章。[264]

非洲的喪失使義大利必須加快在歐洲建立帝國的腳步，但要在歐洲建立帝國又必須仰賴德軍，這使得義大利成了義大利史家羅多尼奧（Davide Rodogno）口中的「依存帝國主義」，這個矛盾的詞彙充分顯示義大利在新歐洲已淪為從屬角色。一九四一年七月，一名義大利停戰委員抱怨說，如果軸心國獲勝，「往後幾百年，歐洲都將籠罩在德國的霸權之下。」[265]義大利必須與德國和保加利亞平分東南歐，結果就是義大利只能控制一堆破碎的領土，而非完整的疆域。義大利從南斯拉夫取得斯洛維尼亞南部、克羅埃西亞西南部、一小段達爾馬提亞海岸線、蒙特內哥羅、一部分科索沃與馬其頓西部。克羅埃西亞與斯洛維尼亞的剩餘地區劃歸德國勢力範圍，殘餘的塞爾維亞成立傀儡政權，完全聽命於德國軍方。義大利取得希臘的愛奧尼亞群島，等於涵蓋了愛琴海絕大多數的島嶼，此外還取得大部分希臘本土，但馬其頓東部與色雷斯則交給了保加利亞，希臘境內的馬其頓地區則由德國取得。直到一九四三年為止，德國與義大利的軍政府在東南歐一直處於勾心鬥角的狀態。

義大利在新取得的領土施行各種不同的統治方式。義大利直接併吞斯洛維尼亞，成立盧布爾雅那省（Ljubljana）。蒙特內哥羅被設置成保護國，由一名總督與一名軍事總督統治。義大利於一九四一年六月併吞達爾馬提亞海岸地帶，設立總督治理。而義大利雖然形式上未能併吞希臘領土，但實際上已經進行直接統治，但德國在與希臘簽訂的停戰條約上卻拒絕承認最終的領土協定，這表示義大利的併吞僅具有事實上而非法理上的地位。除此之外，德軍也控制希臘幾處重要飛地，包括重要港口比雷埃夫斯（Piraeus）。克羅埃西亞在義大利占領期間一直處於妾身未明的狀態：儘管遭到德義占領，克羅埃西亞民族主義者依然想推動克羅埃西亞獨立。墨索里尼原本考慮重建歷史上曾經存在的克羅埃西亞王國，而他也找到擔任新國王的人選，並且授予他「托米斯拉夫二世」（Tomislav II）的稱號（承襲十世紀的克羅埃西亞國王托米斯拉夫），但這名義大利貴族卻認為風險太大，因此予以婉拒。[266]德國希望在克羅埃西亞建立一個保護國，由克羅埃西亞農民黨主席馬切克（Vladko Maček）擔任領導人，但墨索里尼卻希望由克羅埃西亞革命運動領袖帕維里奇（Ante Pavelić）擔任領導人——帕維里奇是一名法西斯主義者，早在戰爭爆發前就已經到義大利尋求庇護。雖然義大利高層想併吞一部分克羅埃西亞領土，卻忌憚於德國在當地的影響力。德國全權代表霍爾斯特瑙將軍（Edmund Glaise von Horstenau）坐鎮札格瑞布，而克羅埃西亞政權也完全受德國顧問團的擺布。義大利在一九四三年九月投降之後，德國完全控制了克羅埃西亞，並且在當地扶植傀儡政權，使克羅埃西亞成為德國的衛星國。[267]

雖然義大利在歐洲取得的新領土在形式上不屬於殖民地，但義大利卻以非洲的殖民統治模式來組織與控制自己的歐洲帝國。新領土的各項政策都由羅馬或羅馬派駐當地的代表（軍事總督、總督、副總督等）來決定，地方層級則任命與義大利合作的當地官員來治理。義大利不允許任何程度的自治，也不允許各地發展民粹的民族主義。可能的話，義大利會督導各地警察或民兵建立秩序。對義大利民政或軍事統治構成直接威脅的人，義大利會動用軍事警察進行大規模鎮壓，其手段就像過去鎮壓利比亞與衣索比亞叛亂一樣極度殘暴。義大利官員與軍隊在管理廣大的歐洲帝國時顯得力不從心，裝備也不齊全（在克里特島，估計有四成義大利士兵沒有軍靴可穿，只能穿當地人製作的木鞋）。原本該展示帝國種族威望的義大利軍人，此時卻充滿恐懼與挫折。就跟日本駐屯在南方的士兵一樣，義大利軍隊士氣逐漸崩潰，士兵也紛紛病倒，強烈的挫折感使他們遷怒於反抗者。義大利在新領土各地設置集中營，囚犯生活在惡劣的環境，遭到忽視、飢餓與缺乏醫療。與衣索比亞一樣，義大利採取斬首策略，致力翦除可能反抗義大利統治的教師、學者、醫生、律師與大學生。有些人因為實際加入反抗行動而被捕，有些人只是有嫌疑就遭到囚禁；在斯洛維尼亞與達爾馬提亞甚至出現種族清洗的受害者。集中營與被拘禁者的數量一直沒有明確數字，但根據戰後南斯拉夫調查戰爭罪行得出的報告顯示，遭囚禁的平民確切人數是十四萬九千四百八十八人。後續研究提出的數字是十萬零九千人，然而無論哪個數字都顯示義大利帝國主義造成了眾多受害者。[268]一九四三年，當義大利面臨崩潰危機時，義大利外交部官員突然為一九四三年四月墨索里尼與希特勒的高峰會製作了一份歐洲地圖，建議戰後秩序將允許新歐洲各民族自由發展。就像日本在帝國即將戰敗前決定讓南方各民族解放一樣，義大利也在帝國實驗即將失敗之際做出類似的決定，或許也是為了留下一個讓同盟國焦頭爛額的局面。[269]德國的談判代表堅持不做出任何承諾，義大利的歐洲帝國因此在義大利投降那年便完全瓦解，存在僅僅是曇花一現。

對德國與義大利來說，占領歐陸的關鍵理由是取得與利用物資與糧食，藉此維持占領與支持戰時經濟。而在這點上，面對德國的競爭，義大利一直處於不利的地位。一九四一年三月，一名德國將領說道：「義大利人必須習慣他們與我們並非處於對等地位。」[270]巴爾幹半島資源的歸屬清楚顯示兩國地位的不平等。雖然有些地區名義上屬於義大利的勢力範圍，但德國早在一九四〇年之前就已經廣泛滲透了巴爾幹半島經濟，尤其支配了對德義兩國都很重要的羅馬尼亞油田。不過不同於日本對荷屬東印度油田的控制，德國無法全面接管盟邦羅馬尼亞的油田，羅馬尼亞依然能使用自己的石油進行工業發展與對外出口。一九四〇年之後，德國成為羅馬尼亞石油的主要用戶，義大利的使用則受到限制。德國藉由徵收敵國的石油資產來確保對羅馬尼亞石油生產的控制，特別是設於羅馬尼亞當地的荷蘭大廠皇家殼牌石油阿斯特拉；德國更於一九四一年三月成立大陸石油控股公司，透過收購羅馬尼亞石油以確保石油供應。[271]一九四一年下半年，德國已取得超過一半的羅馬尼亞石油產量，但數量還是遠遠不夠消耗。到了一九四三年，羅馬尼亞石油出口創下戰爭開打後的新低，德國取得羅馬尼亞石油的比例也下降到百分之四十五，總量從一千一百三十萬噸下降到兩百四十萬噸，此時德國大部分使用的都是國內的合成石油。[272]

德國也從義大利手中奪取巴爾幹半島的其他資源。在戈林推動的四年計畫下，德國當局已準備好無情地確保自身的利益。一九四一年五月，德國代表在未知會義大利的狀況下與克羅埃西亞簽訂協定，使德國可以優先取得克羅埃西亞的鐵礦砂，此外在戰爭期間若開採新的礦場，也要優先提供德國使用。一九四一年四月，儘管赫塞哥維納位於義大利占領區內，但德國協商者依然取得優先使用赫塞哥維納鋁土的權利；德國也堅持科索沃的鉛礦與鋅礦產區與德國控制的塞爾維亞相連，與義大利控制的阿爾巴尼亞無關。義大利直到一九四一年六月才設立義大利與克羅埃西亞經濟委員會，但為時已晚。克羅埃西亞領導人已經同意德國的經濟滲透，因此拒絕加入義大利的經濟提案。[273]相同的狀況也出現在希臘。德國決定占領馬其頓，因為這裡出產關鍵的礦石，並且取得馬其頓四分之三的出口物資。一九四二年，儘管義大利占領了希臘絕大部分的領土，但德國依然吸收了希臘資源總生產量的百分之四十七，義大利只取得百分之六。糟糕的交通運輸、缺乏燃料與毫無協調的計畫使義大利甚至在自己擁有的「廣大區域」裡也無法取得最低限度的資源。[274]

德國利益主導了整個「大空間」的西半部地區。一九四〇年夏天，四年計畫主持人戈林宣布新秩序經濟必須由德國督導與協調，因為短期內的首要目標是進行戰爭，而非整合歐洲經濟。德國民間企業可以參與計畫，但只能取得受託管理權而不能獲得所有權。戈林帝國工廠控股公司任命拉貝（Karl Raabe）擔任亞爾薩斯－洛林鐵礦廠的受託管理人，這些鐵礦場直到戰爭快結束時都還是屬於德國國家所有。洛林的工業設備也由戈林帝國工廠接管，鋼產量達到一百四十萬噸。洛林其餘公司主要交由德國的小型鋼鐵廠管理，這些鋼鐵廠規模較小，國家可以輕易加以限制。[275]在比利時，德國對於占領的產業較少直接介入，但比利時的煤、鐵、鋼及機械製造工業都必須支應德國的戰爭。

比利時幾乎不出口煤，因為德國自身的煤已經足夠，但德軍需要比利時生產更多的鋼鐵。一九四一年冬天，比利時的鋼鐵產量減少，帝國鋼鐵同盟主席暨德國鋼鐵大亨羅希林（Hermann Röchling）負責讓比利時的鋼鐵生產合理化，使比利時為德國生產的鋼鐵比例從一九四一年到一九四二年的百分之五十六，增加到一九四四年初的百分之七十二。[276] 荷蘭與挪威同樣要滿足德國占領的各項需求，包括提供糧食、原料、機械設施與維修設備。在德國統治的「大空間」裡，商人基於各種不同的動機而與德國合作，但最主要的原因往往是為了維持原本的生意與防止自己僱用的工人被強徵到德國工作。德國面對西歐或北歐商人時，比較不會像在中歐與東歐占領區那樣強取豪奪，只要不是猶太人擁有的民間企業，通常可以不受影響繼續經營。根據德國的中央政策，猶太企業必須加以「雅利安化」，包括明目張膽地沒收充公或強制收購，不過各地政權為了搶在德國之前取得猶太人的資產，也各自推出奪取猶太人財產的方案。

德意志帝國「大空間」的西半部，雖然跟日本的共榮圈一樣都屬於德國支配的範圍，但還不能算是帝國的生存空間，真正的生存空間在東方。德國於一九三九年到一九四〇年曾占領東方部分地區，不過直到入侵蘇聯之後才真正開啟了開拓東方的遠大前景。除了實施殖民屯墾，還進行了種族清洗與無情剝削。東方是名符其實且充斥殘暴統治的帝國領土，在現實上更近似於日本統治的南方，而與德國治下的西歐經驗相去甚遠。與義大利一樣，德國從未正式使用「殖民地」一詞，但在波蘭等歐亞大陸新征服領土所使用的語彙，卻反映出一種殖民的空間想像。希特勒自己也在向東入侵開始後大量借用殖民範本來描述東方地區的未來。在發動巴巴羅薩作戰後幾個星期，希特勒在記錄下來的談話（所謂的「桌邊談話」）中反覆提到一個主題：他認為俄羅斯可以成為德國的英屬印度，德國可以靠著二十五萬名帝國官員與士兵管理俄羅斯廣大的人口。他在一九四一年八月表示：「印度之於英國，正如東方空間之於我們。」為了管理新帝國，德國必須培養「新型人才、天生的統治者……總督」。德國殖民者「應該住在風光明媚的屯墾區裡」。九月十七日，德國依然勝利在望，希特勒也繼續發想：「德國人必須追求偉大，追求開闊的空間……德國人應該提升自己，讓自己不辱帝國子民的名聲。」一個月後，當巴巴羅薩作戰陷入僵局時，希特勒依舊認為，東方「對我們來說就像沙漠……我們只有一個責任：將德國人遷徙過去，讓當地日耳曼化，把俄羅斯人當成紅番」。[277]北美原住民的近乎滅絕很難與英國統治印度相提並論，但希特勒卻用這兩個歷史例證做為他的殖民典範。七月十六日，希特勒對他的親密戰友鮑曼（Martin Bormann）直言，無論用什麼方法，我們在東方的目標就是「支配、管理與利用」。[278]

希特勒不斷用「空間」一詞來形容東方，就連一整個世代研究東方的德國學者專家也普遍使用這個詞彙，而這麼做其實別有用意。他們想藉此表示這是一塊可供殖民的空間，而不是一塊已經有廣大都市與鄉村人口居住、有一個大國曾在此組織管理、社會與行政結構皆業已存在的空間。一九四一年七月二十日，羅森堡被任命為東方占領地部長，在此之前他曾在日記寫下他對俄羅斯地區的看法：「東方與西方有著根本上的不同，城市、產業、紀律都有很大的差異……大家必須體認到，當地的荒涼程度遠超過我們的想像。」[279]當德國的軍隊、官員與警察開始占領蘇聯時，幾乎也都把蘇聯看成殖民空間。一名陸軍情報官記錄了自己接觸俄羅斯人的感想：「這裡的人隨意朝地板上吐痰與擤鼻涕，身體發出惡臭卻不以為意，少有人刷牙……即使跟受過教育與地位較高的人開會，對西歐人來說也是一種考驗。」[280]對一般士兵而言，長期忍受俄羅斯與俄羅斯人，使他們永遠無法忘記東方的戰爭有多麼不同。當賴赫勞將軍（von Reichenau）將軍聽到他所率領的第六軍團士兵埋怨氣候嚴寒與缺乏像樣的食物時，他反而對麾下的軍官說：「士兵們必須忍受這種艱困環境，因為殖民地戰爭就是如此。」[281]蘇聯士兵採取的非常規戰鬥方式，例如埋伏、夜襲、殺害與肢解戰俘，似乎也都讓德國人聯想到對抗「野蠻」原住民的戰爭。希特勒就曾認為，「這場對抗游擊隊的戰爭，像極了在北美洲對抗印第安紅番的戰爭。」[282]奉命前往東方的德國人，發現自己宛如置身遙遠且草木皆兵的殖民地。波蘭馬伊達內克（Majdanek）集中營的女性守衛抱怨冬季的苦寒、夏季蚊蠅孳生又極度炎熱，簡陋的營房與不衛生的環境，囚犯說著她們聽不懂的語言，而她們也隨時得提防遭到攻擊。就像殖民地一樣，德國採取的補救措施便是嚴格隔離德國人與斯拉夫人，把所有的好東西留給殖民者使用，確保殖民者擁有文明的優越感。[283]

與波蘭占領區一樣，蘇聯人民也被德國占領者當成殖民地臣民，無法成為公民。許多蘇聯人對於這樣的待遇感到失望。在占領後的頭幾個星期，許多人以為隨著史達林政權結束，生活可以變得更好。一九四一年七月有一封信上寫著「你讓我們擺脫貧困與共產主義」，另有一個家庭想「祝福希特勒先生未來在工作上一切順利」。但過了幾個月，納粹政權奪取糧食與大規模殺戮的暴行，反而讓史達林主義看起來沒那麼邪惡。[284]占領者與被占領者的法律地位不同。蘇聯人看到德國人必須行禮致意，包括脫帽，違反者會遭到毆打或更嚴重的處罰。「德國人專用」的牌子區隔了占領者與被占領者。德國人一般總是認為蘇聯人頭腦簡單、懶惰、邋遢、理解力有限、「跟小孩一樣無法表達自己的想法」、只能用鞭子來管教——儘管羅森堡三令五申不許使用鞭刑，但還是有許多德國行政長官用鞭子做為工具。[285]希特勒曾為了促進雙方合作而脫口而出一句名言：「我們會提供圍巾、玻璃珠與一切殖民地人民喜歡的東西給烏克蘭人。」[286]德國當局確實會對被殖民者釋放某種程度的善意，例如舉辦節慶，特別是五月一日勞動節或六月二十二日（這一天被諷刺地定為「解放日」）。一九四三年五月一日，奧勒爾居民被集合起來，男人可以拿到兩包俄國菸，女人可以拿到首飾（總數有四千六百二十五件）；表現優秀的工人還可以額外拿到幾包鹽。[287]然而，一般而言，德軍對占領區民眾的壓制是嚴酷而極端的，即使是願意與德軍合作的地區也不例外。德國當局設立了地方警察與輔助部隊，他們是防止民眾違法的第一線執法人員，可以使用棍棒與鞭子，有時還可以使用槍枝。與日本在東亞採取的策略一樣，德國也非常仰賴線人與探員，而且完全承襲過去蘇聯時代的告發手法。許多受害者是游擊隊的家人或猶太人，他們的遭遇將在後面幾章加以說明，但除此之外，德軍也經常性地進行大規模殺戮，或用希特勒的話來說，「即使只是用懷疑的眼神看著我們」，也要加以處置。一九四二年，在烏克蘭的波塔瓦（Poltava），當地的輔助警察部隊平均每天可以射殺二到七個人。[288]這種例行性的處決清楚刻劃出殖民統治極端的一面。

德國雖然占領了新領土，卻未能好好思考新空間該如何治理。羅森堡在巴巴羅薩作戰前曾與希特勒等領導人進行討論，他推測高層應該是想在波羅的海到巴庫這整個區域建立幾個獨立小國，還會兼併部分土地與建立幾個保護國。但等到他被正式任命為東方占領地部長時，希特勒早已改變心意，不再堅持要在戰後建立新帝國。希特勒告訴羅森堡，「在戰爭結束前，不會有最終的政治決定。」當立陶宛民族主義者宣布要建立新政府時，馬上就遭到德國鎮壓。一九四一年六月三十日，班德拉（Stepan Bandera）的烏克蘭民族主義者組織宣布建立新烏克蘭政權，由班德拉自任領袖，開始行使「烏克蘭主權」，但班德拉本人卻在七月五日遭到逮捕並被送往柏林軟禁。烏克蘭民族主義者組織原本以為會在烏克蘭實施「克羅埃西亞模式」的統治方式，但他們卻被告知烏克蘭並非德國的「盟邦」。[289]

羅森堡並不反對在符合德國條件下讓烏克蘭建立政權，但他領導的東方占領地部就跟日本的大東亞部一樣，是個缺乏實權的部會。這位新部長在日記裡抱怨，「我並未獲得完全的權柄」，因為占領區的經濟決策完全掌握在戈林與他的東方經濟參謀部手中，而親衛隊與德國警察頭子希姆萊則堅持占領區的治安、種族遷徙與「猶太人問題」均歸他管轄，至少有五個部門必須聽令於他。[290]由於當時東方還是戰場，前線後方的區域仍由軍政府管理，由各級軍事將領層層節制。與日本的軍政府一樣，德國的軍政府要負責各式各樣的事務，包括綏靖與監視居民、確保軍事物資的補給、維護地方治安、動員地方勞動力，此外還要負責猶太人事務，包括標記與登記猶太人、處分猶太人的財產。[291]軍政府必須從各地居民中尋找願意合作的人士，任命他們擔任市長與地方農村官員，完全依照民政機關的形式來加以組織。但即使是在民政長官治理的地區，軍方依然以自己的組織進行管理，完全凌駕於民政體系之上。如此產生的占領區管理體制疊床架屋，毫無一貫性，羅森堡的東方占領地部因此被戲稱為「Cha-ostministerium」，即「混亂部」。

隨著前線不斷往前推移，後方占領區也陸續成立名為「帝國總督轄區」的民政機關，每個轄區的帝國總督都由希特勒親自任命。起初設置了兩個帝國總督轄區，分別是東方帝國總督轄區與烏克蘭帝國總督轄區。東方帝國總督轄區包括波羅的海國家與大部分的白俄羅斯，由黨領導人洛澤（Hinrich Lohse）擔任帝國總督。烏克蘭帝國總督轄區於一九四一年成立，包括一部分白俄羅斯與大部分烏克蘭，一九四二年又有更多烏克蘭領土併入這個轄區，由東普魯士帝國大區長官柯赫（Erich Koch）擔任帝國總督。在這兩個轄區中，希特勒與希姆萊都希望東方總督轄區直到比亞維斯托克（Bialystok）的部分能併入德國，加利西亞能劃歸波蘭總督府，克里米亞則成為德國的殖民地，而且要恢復古名「戈騰高」（Gottengau），最後還要打造一個延伸到列寧格勒以東的德國人屯墾區，命名為「因格曼蘭」（Ingermanland）。德國原本還計畫新設兩個帝國總督轄區，一個位於莫斯科周邊地區，一個位於高加索地區，後者將等到德軍攻占南方地區後設置。希特勒為了讓羅馬尼亞參戰，於是同意讓羅馬尼亞取得烏克蘭西南方一塊帶狀領土，又稱聶斯特河沿岸，使其成為大羅馬尼亞的一部分。安東尼斯古元帥在這裡建立了十三個軍事總督來管理各郡，並且由原本的烏克蘭警察與官員來維持各地秩序。[292]

羅森堡的東方占領地部制定了「褐色文件夾」，裡面詳細規定帝國總督轄區的組織體制。四個帝國總督轄區下設二十四個總管轄區（其中最重要的是白俄羅斯，以明斯克為首府），總管轄區下設區與鎮，這些區與鎮當中有八十個屬於都市地區，有九百個屬於鄉村地區。[293]但面對遼闊的東方，德國行政體制不斷延伸的結果，就是統治力量遭到嚴重稀釋。總管底下只有約一百名職員，城鎮與鄉村層級則只剩下二到三名職員，必須在當地任命警察與民兵才能補足吃緊的人力。在白俄羅斯的格盧博科耶區（Glubokoye），德國官員只有七十九名，卻要管理四十萬人口。整個占領區估計人口達到五千五百萬，卻只有三萬名德國官員，而他們還要負責從農業到礦業的所有大小事。[294]許多鄉村居民除非剛好撞見德國人正在追捕游擊隊及其同夥，否則根本不可能有機會看到德國人。在鄉村地區，蘇聯原有的「區」（raion）原封不動地保留下來，由地方市長或村長管理。德軍於一九四一年七月發布命令，規定占領區居民頂多只能擔任村長或鎮長。權力完全掌握在德國統治階級手中，至於這些權力如何實施到一般民眾身上，則有賴廣泛的地方人士合作，這些合作者有些是積極參與，有些是消極服從，有些則是遭到強迫。希姆萊建立了一個與民政組織平行的親衛隊與警察組織，這個組織往往鬆散地依附在總督轄區之下，並且進一步往下落實到村鎮層級。雖然親衛隊與警察名義上必須服從民政長官的命令，但希姆萊卻允許他的屬下無視文職人員的指示而直接聽從他的指令，因為在他眼裡，這些文職人員不過是「一群尸位素餐的官僚」。[295]羅森堡憎惡希姆萊的維安體制，但正因為有了希姆萊的組織，占領區的民政長官才能殘暴進行例行性維護「殖民秩序」的工作。

對占領區民眾來說，真正要緊的還不是德國如何統治，而是蘇聯體制消失後，當地的經濟如何提供他們糧食與工作。一九四一年夏天一名德國官員提到，「在舊俄羅斯地區，經濟生活完全停擺。」另一名德國觀察者則表示，紅軍有系統地進行破壞，不讓入侵者獲得任何有用之物，使烏克蘭陷入「一片破敗的空蕩景象」。[296]德軍迅速抵達的地區，還能留下些許可用物資，但數千家工廠與工人已經迅速轉移到俄國大後方，使征服地區失去能用的工業產能。德國的經濟戰略，也就是所謂的「綠色文件夾」，與日本的經濟戰略有異曲同工之妙：軍隊後勤補給仰賴占領區，占領區必須優先提供戰時經濟與軍隊需要的補給與裝備，占領區人口必須滿足德國需求之後才能獲得供應，不夠的話就只能接受「大饑荒計畫」的安排。一九四一年六月二十八日，希特勒讓戈林「全權決定」占領區經濟，並且透過在入侵前成立的東方經濟參謀部來主掌所有經濟事務。[297]負責處理戰利品的單位會掠奪庫存物資與機械，再將其運回德國。他們擄獲可觀的金屬、原料、皮革與皮草，但要運送這些戰利品並不容易，許多物資在運送過程中丟失或損壞。在擄獲的一千八百萬噸原料中（絕大多數是鐵與煤），只有五百五十萬噸成功運回德國本土。[298]戈林一直等到九月，也就是德軍即將攻下烏克蘭南方工業區時，才准許成立國營公司接管剩下的蘇聯產業，使其能供應戰爭所需。國營的東方紡織公司針對軍隊需求協調生產，戈林帝國工廠的子公司東方礦山與冶煉公司則完全接管了重工業與礦業。戈林認為石油是「入侵蘇聯的主要經濟目標」，一旦德軍攻占高加索地區，將由大陸石油公司壟斷石油生產。戈林的副手，負責管理重工業的普萊格（Paul Pleiger）解釋說，當前的目的不是為了「經濟與殖民剝削」，而是為了短期需要，也就是贏得戰爭。[299]

與日本的東南亞經驗一樣，要恢復生產遠比戰前預期的更加困難。德國最成功的案例是恢復了烏克蘭境內尼科普（Nikopol）的錳礦生產，為了生產高品質的鋼，取得錳礦是首要之務。由於恢復生產的速度過於緩慢，戈林的空軍部副部長米爾希（Erhard Milch）被賦予盡快重啟生產的重任。一九四二年六月，礦場開採量重回戰前水準，達到每個月五萬噸，到了九月時已超越了蘇聯時期的開採量。在尼科普最終被蘇軍奪回之前，總共已有一百八十萬噸的錳礦砂被運往德國。至於其他地區的生產情況，由於戰時條件不佳，因此難以恢復原狀。位於頓內次盆地的主要工業區，入侵前有兩萬六千四百臺工業馬達，入侵後只剩下兩千五百五十臺；礦場被炸毀，無法搬空的發電廠遭到破壞，各地的交通運輸變得緩慢而不可靠。在札波羅熱（Zaporizhzhia），供應蘇聯最大水力發電廠的水壩遭到炸毀，導致整個工業區缺乏電力。德國於是強徵民伕，於一九四三年重建水壩，但不久戰局失利，德軍只好在撤退前又炸毀水壩。德國也無法恢復開採擁有豐富礦藏的頓巴斯礦區：一九四一年到一九四三年間，德國工程師與蘇聯礦工努力開採了四百萬噸的煤，但也只達到戰前產量的百分之五；兩年內開採了三十八萬噸的鐵礦砂與七十五萬噸的褐煤，而這對於德國的需求不過是杯水車薪。[300]德國努力要恢復鋼鐵生產，但成效有限，即使邀請魯爾工業區的民營企業前來協助也是一樣，這些公司只能成為這些受損廠房設備的「協助者」而不能成為所有者，而這些公司光在國內生產就已經面臨極大的壓力，沒有人有興趣要到東方協助當地恢復生產。石油生產最令人感到失望。一九四二年秋天，當德軍終於抵達高加索產油城市邁科普（Maikop）時，用來重啟生產的五十臺鑽油機器還排在帝國運輸的候補名單上。德國必須將國內小型油田的工程師與設備送到東方，這使得國內技術人力與設備陷入短缺；而當工程師終於抵達邁科普時，他們卻發現蘇聯對油井的破壞十分徹底。從一九四二年十二月到一九四三年一月十七日德軍撤離邁科普為止，工程師只開採了一千五百噸石油——然而原本在一九四〇年時可以生產三百四十萬噸石油。[301]在討論到以蘇聯石油來支應德國的戰爭時，就算德國能征服高加索地區，光是要修復毀壞設施與設立油管，或是以德國的小規模油輪船團運送石油，就需要長達數年的時間。這充分顯示希特勒構思的戰略完全脫離現實。

隨著東方戰事陷入消耗僵局，德軍希望推動在東方生產武器設備以緩和後勤補給的壓力，但一直等到一九四二年，德軍才真正在此推動所謂的「伊凡計畫」（Ivan Programme）重新恢復軍火生產，計畫每個月要生產一百萬枚以上的砲彈。從機器拔除可用的零件與從損壞工廠取得原料，加上從德國運來的部分資源之後，生產工作終於在一九四三年五月展開，總計需要九千三百名工人，卻只找到八百八十名。幾個月後，隨著紅軍逐漸逼近，計畫也無疾而終。到了一九四三年春天，已經恢復生產的工廠總僱用人數僅有八萬六千人；許多蘇聯工人不願被強制徵召到德國工作，這些人不僅難以訓練，也有很高的比例會逃離工作崗位。[302]戰爭非但未能讓德國增加物資，反而減少了能用的資源。德國在東方發動戰爭的巨大代價，把從東方取得或擄獲的有限原物料完全消耗殆盡。一九四四年三月，戰時經濟研究局估計東方占領地只提供價值四十五億馬克的物資支應戰爭，但德國為了整個大空間發動的戰爭卻花費了七百七十七億馬克。這一數字對比充分顯示前蘇聯經濟有多麼貧困，又遭破壞得有多麼嚴重。在整個東方占領地擄獲的戰利品價值估計只有五千九百萬馬克，反觀在歐洲其他地區擄獲的戰利品價值卻高達二億三千七百萬馬克。即使考慮到準確估計戰時後勤補給的價值有其難度，但整體的統計數字依然顯示，納粹對於東方財富的美夢確實只是一場幻想。[303]

同樣的狀況也出現在糧食供應上，特別是希特勒認定的歐洲穀倉。東方占領地生產的糧食首先供應給德軍，剩餘的部分則運往德國本土進行糧食配給。根據農業部部長巴克的大饑荒計畫，糧食不會優先供應給蘇聯民眾，特別是在幾乎沒有經濟資源的地區。一九四一年七月，武裝部隊戰時經濟局局長托馬斯將軍表示：「不用理會遼闊土地上的民眾（就讓他們挨餓）。」綠色文件夾也明確表示，森林與城市地區將不會獲得足夠糧食。即使是在生產糧食有剩餘的烏克蘭，德軍開戰後才一個月就已經面臨難以找到糧食的狀況，德國高層因此下達訓令，「要對當地民眾施加更大壓力」，奪取所有糧食，不用管那些農民的死活。烏克蘭首府基輔也在大饑荒計畫之列，當德軍於九月占領基輔時，便馬上下令禁止農村腹地運送糧食到基輔，如此才能依照戰前計畫將糧食出口到德國。[304]然而這項糧食策略終究無法實行，不僅因為軍隊仍有一半的糧食需要從德國運往東方（包括數十萬匹馬需要的糧秣也有一半需要從國內運送）、東方根本沒有剩餘的糧食運回德國，也因為大饑荒計畫推行的結果使德軍無從強徵當地的勞動力。大饑荒計畫除了損害來年的糧食供給，也在占領區引發饑民暴動。

戈林不得不下令，凡是為德國占領者工作的人「『絕對』不會挨餓」，反觀不為德國占領者做事就得不到糧食。[305]糧食配給量幾乎無法支持長時間勞動或從事公眾生活。那些從事「有用工作」的人一天可以獲得一千兩百大卡的糧食，從事對占領者無直接好處的工作的人則能獲得八百五十大卡，十四歲以下孩童與猶太人（無論哪個年齡層）只能獲得四百二十大卡。沒有爆發大饑荒的原因是許多城市家庭逃往糧食通常較充裕的鄉村地區。儘管如此，鄉村地區的狀況也好不到哪裡去，經常性的糧食徵收、高昂的實物稅與強制糧食配給，使許多村民欠缺糧食。農民為了增加食物，只好多種一點蔬菜，並且暗地裡挖掘地窖儲藏食物以規避德軍搜查，但頂多也只能滿足基本的糧食需求。[306]德國大規模強制徵收導致離前線部隊一百五十公里的範圍內完全看不到任何農作物或牲畜，形成一塊「死亡區域」。剛好位於前線的俄國城市庫斯克（Kursk）與哈爾科夫（Kharkov），配給量為一天僅有一百公克麵包。[307]都市消費者勉強生存，主要是因為還能仰賴大型黑市以物易物換取糧食。德國的人力分散在廣大占領區，根本無力抑制通貨膨脹。根據部署於白俄羅斯某個野戰司令部的說法，一九四二年夏天一公斤麵包的官方價格是一點二盧布，但非官方價格則是一百五十盧布；一公升葵花籽油的官方價格是十四點五盧布，但黑市價格卻是兩百八十盧布。[308]在這種狀況下，民眾陷入飢餓就成了日常，對德國糧食政策的憎恨也使原本希望日子能比蘇聯時代過得更好的民眾轉而敵視德國。東方這塊「歐洲穀倉」從未能滿足德國期待。德國與蘇聯簽訂互不侵犯條約後，一九三九年到一九四一年間從蘇聯獲得的糧食遠遠比入侵蘇聯後來得多。從占領區取得的糧食，絕大多數都在占領區消耗掉，只有少部分剩餘運回德國。德國武裝部隊與德國民政人員每年在東方消耗掉七百萬噸的穀物，一九四一年到一九四二年只有兩百萬噸穀物運回德國，一九四二年到一九四三年兩百九十萬噸，一九四三年到一九四四年剩下一百七十萬噸。在一九四一年與一九四五年，運回德國的穀物約占德國國內消耗量的百分之十；一九四二年到一九四三年比例較高，約占百分之十九，但這是因為希特勒與戈林堅持每一粒穀物都必須運回德國，不管占領區的人民有沒有東西吃。[309]

德國一直無法讓東方經濟穩定下來，最主要的原因就在於即便在戰爭期間，德國高層依然執意進行大規模的種族政治重組計畫。一九三九年十月六日，希特勒在擊敗波蘭後的演說中指出，他想在新德意志帝國建立「新的人種秩序」。他在十天後又對希姆萊表示，這場戰爭是「一場沒有法律限制的種族戰爭」。[310]希姆萊與一群由親衛隊帝國保安總部、強化德國民族性帝國專員部、親衛隊種族與移居總部找來的專家學者，著手進行各項複雜任務，包括將已經占領的特定地區予以日耳曼化，清除其他殖民地區的過剩人口，以及不擇手段地將整個占領地的大量猶太人口完全滅絕。起初的三階段短期計畫未能盡如人意。到了一九四〇年底，德國只從已經併吞的波蘭領土驅逐了二十四萬九千名波蘭人與猶太人，而非一九四〇年一月東方總計畫中要求的六十萬人，也非一九四〇年四月第二階段短期計畫提出的八十萬人。由於鐵路運輸一直存在著瓶頸，導致許多波蘭人逃避流放或偷偷返回故鄉。為了解決德國長期的勞工短缺問題，大量波蘭工人被送往西方而非東方，儘管這完全與種族清洗的目標相左。為了確保送往德國的波蘭人不會汙染德國的種族純淨，親衛隊種族與移居總部人員會對這些人進行調查，篩選掉他們不想要的種族成分。最後，波蘭總督弗朗克拒絕讓他的總督府轄區成為前波蘭領土的垃圾場，專門收容各地不要的波蘭人與猶太人。德國當局只能把猶太人改送到猶太區或德蘇邊界強制修築東牆（Ostwall）要塞，不過這些防禦工事很快就因為德國入侵蘇聯而失去作用。一九四〇年十二月制定的第三階段短期計畫原本預計驅逐七十七萬一千名波蘭人與猶太區以外的猶太人，但這一波新種族清洗行動被迫在一九四一年三月中止，因為接下來當局要以軍事運輸為第一優先。對於希姆萊與不斷受挫的種族驅逐機構來說，入侵蘇聯終於提供一個打破困境的可能，使他們可以將所有不想要的種族全送到遙遠的俄國荒地，讓當地的飢餓與寒冷「處理掉」這數百萬人的性命。

巴巴羅薩作戰雖然為納粹的種族烏托邦許下承諾，卻也為帶來新的威脅。東方占領地居住了數百萬斯拉夫人與猶太人，數量之多足以淹沒人數稀少的德國人，也足以妨礙德國人取得生存空間。第一個解決方式便是直接清除絕大部分現有人口，這個構想最早起源於農業部長巴克的大饑荒計畫，又於一九四一年七月在東方總計畫再度確認。第二個解決方式是針對東方特定地區積極進行日耳曼化，讓德國人在當地進行墾殖，把非德國人放逐到別的地方。德軍剛占領東方後不久，就啟動了這項長期計畫。波蘭總督府、愛沙尼亞、拉脫維亞、加利西亞與克里米亞都預計將徹底日耳曼化，除了從西方遷徙德國人到這些地區定居，還包括原本就定居東方的德裔居民，以及東方人口中帶有明顯德意志人特徵或德意志人血統的居民——用種族計畫的詭異邏輯來說，這些人是因為有「再德意志化」（*Wiedereindeutschung*）的可能所以才可以留在當地。親衛隊種族與移居總部在波蘭、亞爾薩斯—洛林與占領的蘇聯地區針對四百萬人進行篩選，最後將這些人分成三類：O類，適合在東方墾殖；A類，送回德國本土的再教育營，使其重新成為德國人；S類，種族上完全不適合，必須將他們原地送回，少數人則直接送進勞動營。[311]親衛隊種族與移居總部在蘇聯地區搜尋殘存的德意志人生物與文化蹤跡，藉此顯示過去的德意志殖民者並未完全被周遭的斯拉夫人所吞沒。羅森堡任命史圖姆普（Karl Stumpp）擔任「史圖姆普小隊」領導人，針對可能殘存「德意志人」血統與文化的烏克蘭村落進行普查，結果許多被史圖姆普認定具有德意志人血統與文化的烏克蘭人卻不被親衛隊種族官員所接受，許多烏克蘭村民也不願意被歸類為德意志人的一員。[312]

與此同時，德國也開始進行實際重構占領區的工作，透過對東方的長期殖民，最終目標是將整個生存空間延伸到烏拉山或烏拉山以東地區。重構工作首先是建立連通各地的「血管」，讓德國「血液」能源源不斷地送進廣大的斯拉夫身體中。具體方式就是建立「屯墾區與安全點」，也就是每一百公里左右建立一個親衛隊駐屯站與一個小型屯墾區。這些安全點可以保護德國屯墾區，也能綏靖與控制斯拉夫人腹地。城鎮人口不超過兩萬人，城鎮周圍的農村宛如項鍊一樣環繞著城鎮，這些農村都居住著勤奮的德國農民，如此一來便能讓殖民者在新土地扎根，避免大城市的社會風險。

一九四二年底，希姆萊在演說中指出，這些殖民地「就像珍珠串一樣，我們將一路延伸到頓河與窩瓦河，希望能直抵烏拉山脈」。[313]希特勒堅持大城市必須予以毀滅或日耳曼化：莫斯科與列寧格勒要「夷為平地」，華沙要縮減成只有四萬名德國人居住的城市，徹底消除波蘭民族認同的重要元素。[314]

這項建設計畫交由希姆萊底下另一個單位，親衛隊經濟與行政總部的經濟專家卡姆勒（Hans Kammler）進行。儘管和平遙遙無期，卡姆勒卻擬定了「臨時和平建設計畫」，準備在一九四二年二月施行。計畫第一階段是要設立安全點，而這甚至早在一九四一年七月就已經開始進行，當時希姆萊命令盧布林地區的親衛隊與治安首長格洛博克尼克（Odilo Globocnik）著手建立駐屯軍。然而，在缺乏勞工的情況下（特別是在大屠殺之後普遍缺乏猶太工人），整個建設計畫進度嚴重落後，到了一九四二年秋天更不得不完全放棄。[315]軍事任務優先，包括興建穿越波蘭與烏克蘭的主要公路，以協助解決陸軍的後勤問題。負責軍事建設的「托德組織」（得名於建築調配全權總代表托德）至少興建了兩萬四千九百九十三公里的道路，同時修復了數百座遭破壞的橋樑。長兩千一百七十五公里的四號大道計畫一路抵達克里米亞與高加索地區，這條道路的修建工程始於一九四一年的加利西亞，由當地的親衛隊領袖卡茲曼（Friedrich Katzmann）協助進行。卡茲曼讓四號大道通過地區的猶太人免於遭受屠殺，因為他要這些猶太人負責修築道路到死為止。卡茲曼表示：「我不在乎每修築一公里的道路要死一千個還是一萬個猶太人。」猶太工人幾乎沒有食物可吃，動不動就遭到毆打，如果鬆懈或倒下馬上就會遭到槍斃，這些動手的人並不是親衛隊，而是托德組織派駐在各地的建設衛兵。直到一九四三年勞動營關閉為止，估計有兩萬五千人死亡或被殺。[316]

要找到願意前往新土地開拓的人並不容易。無數名來自波羅的海國家、羅馬尼亞與波蘭蘇聯占領區的德國人，最終移居到這些由德國直接併吞的領土上；根據強化德國民族性帝國專員部的報告指出，移居人口到了一九四二年底已達到五十四萬四千兩百九十六人。[317]但相較於移往德國直轄領土的人，要找到願意前往東線殖民地且種族成分合格的德國人卻是更加不容易。在羅森堡東方占領地部負責德國人移居事務的魏策爾（Erhard Wetzel），發現西方的德國人「拒絕移居東方……因為他們認為東方領土缺乏變化且貧困，天氣寒冷且原始」。[318]希姆萊下令在波蘭總督府東部的札莫希奇（Zamość）與周邊地區建立一個模範德國屯墾區，於是在一九四二年十一月驅逐此地的三百座村落與五萬餘名波蘭人，將他們的農田與家園交給德國移民。然而幾個月後這項計畫卻被迫中止，因為願意移居當地的德國人只有一萬名，離計畫中的六萬人有很大的差距，更不用說這些願意移居的德國人絕大多數來自比薩拉比亞與羅馬尼亞，有些甚至是第二次移居。[319]衝鋒隊（Sturmabteilung, SA）與親衛隊都試圖勸說自己的成員自願移居東方，但到了一九四三年一月，衝鋒隊只有一千三百零四人申請（當局起初還以為會有五萬人申請），且最終成行的更僅剩四百二十二人；至於親衛隊，儘管希姆萊大言不慚地想讓自己的隊員填滿所有殖民地，但到一九四二年六月為止也只有少少四千五百人申請。[320]為了填滿廣大的空間，波蘭農地上居然出現了過去德屬東非的移民——而根據一九四三年秋天某份報紙的描述，在東方的重建上，這些移民「仍可在各方面扮演先行者的角色」。[321]早在一九四一年六月，德國就已經在向荷蘭人積極鼓吹：同樣身為「德意志民族」的一員，我們要「望向東方！」原本估計會有數千荷蘭人參與，結果六千人當中只有數百人自願前往東方為德國人工作。這些荷蘭人很快就對德國當局高高在上的態度與不熟悉的環境感到幻滅。荷蘭人希望可以取得永久土地做為荷蘭殖民地，但這樣的要求遭到德國人拒絕。德國抱怨荷蘭人總是喝得醉醺醺且缺乏紀律，他們希望荷蘭人還不如早點離開，就連借調農民前往東歐的荷蘭委員會也抱怨絕大多數自願者只是「一群冒險者」。[322]

儘管缺乏可用的德國殖民者，這項烏托邦移居計畫仍繼續進行。在最極端的狀況下，這項計畫甚至想大量減少東方占領地的人口。魏策爾擬定新版本的東方總計畫，提出一項為期三十年的殖民構想：驅逐三千一百萬人，同時留下一千四百萬人為帝國工作。一九四二年十二月二十三日，東方總計畫的最終版本呈交給希姆萊，加上一九四二年底埃利希（Hand Ehlich）擬定的「最終移居總計畫」（General Settlement Plan），這兩項計畫不約而同地在德國入侵蘇聯陷入嚴重危機時提出天馬行空的構想。這兩項計畫估計，在東方占領地的民族中，百分之八十五的波蘭人、百分之五十的捷克人、百分之五十的波羅的海國家民眾、百分之七十五的白俄羅斯人與百分之六十五的烏克蘭人是「可消耗的人口」，總數四千七百九十二萬五千名非德意志人將遭到驅逐或消滅，而這還不包括猶太人，因為絕大多數猶太人早就已經遭到殺害。[323] 即使在一九四二年秋天戰事已逐漸不利之時，大幻想家希姆萊依然想像德意志帝國國祚將延續四五百年，人口可達六億，而且還「將與亞洲爭奪生存空間」。[324]

一個沒有猶太人的帝國

儘管這場戰爭進行至此已導致數百萬人死亡，數十萬人被逐出家園，但有組織地大規模驅逐或屠殺數千萬人之事，其實並未完全按照德國當局擬定的各版本東方計畫來進行。唯一的例外是東方占領地的猶太人。絕大多數的歐洲猶太人仍居住在沙皇時代設立的「柵欄區」（Pale of Settlement）：從俄羅斯帝國以來，猶太人一直被迫生活在這塊從波羅的海國家到烏克蘭西南部的區域，而也這成了猶太人悲劇的根源。雪上加霜的是，德國負責管理這個地區的安全機構，聚集了全德國最仇視猶太人的分子，這些人處心積慮想將這個地區轉變成德意志民族的樂園。根據蓋世太保猶太人事務局局長艾希曼（Adolf Eichmann）的估計，歐洲猶太人共有一千一百萬人，其中六百六十萬人居住在東方占領地，一百五十萬人居住在蘇聯其他地區。[325] 在一九四一年到一九四三年展開的猶太人大屠殺，絕大多數受害者因此都來自東方占領地。猶太人的命運與其他受害者不同，其他人要不是餓死就是為了讓出空間給德國人而必須流離失所，又或者被迫強制勞動至死，但猶太人卻獨獨被德國人視為種族敵人，無論如何都要加以消滅。首先是從德國境內移除，其次是東方占領地，最終則是要從德國的「大空間」完全消失。以納粹政權的種族語彙來說，這些地方將成為「沒有猶太人」（judenrein，將猶太人清洗乾淨）的地區。一九四五年後出現的英語詞彙「Holocaust」與希伯來語詞彙「Shoah」，雖然指的都是猶太人大屠殺，然而其涵蓋範圍不只局限於東方占領地，還包括居住在軸心國領土的其他猶太人。東方占領地之所以重要，在於納粹德國會將手上的猶太人送到此地，將他們在這裡有步驟地、有系統性地殺害。

這場對抗猶太人的戰爭與龐大的種族重構計畫有著密切關係，但這也只能解釋「最終解決方案」這個猶太人問題委婉說法的其中一個面向。猶太人原本不是問題，只是因為希特勒與納粹黨菁英透過想像將猶太人建構成一個問題。追根究柢，希特勒與圍繞在他身旁的反猶太主義者對於這個世界抱持著某種二元對立的觀點，德意志民族代表了善的種族力量，與其對立的猶太人則是世上一切邪惡的根源。在希特勒奇異的末世觀點中，唯有消滅猶太人，德意志人才能生存下去。猶太人代表了「反民族」，他們反對「種族的自我保存」。[326] 一九三六年，希特勒罕見地親筆寫下一份文件，並且只讓少數幾個親近夥伴看過。希特勒在文件中表示，如果無法消除猶太人的威脅，將會造成羅馬帝國崩潰以來「最可怕的種族災難」，結果將導致德意志民族的「完全毀滅」。[327] 希特勒預期會發生一場激烈的衝突：不是你死，就是我亡。一九三九年一月三十日，希特勒首次在公開場合提到毀滅一詞，他在帝國議會的演說中預言，如果猶太人再次讓德國捲入世界大戰，那麼等待他們的命運就是「毀滅」（Vernichtung）。

對希特勒來說，這場戰爭與隨後邁向毀滅猶太人的歷程，兩者其實息息相關。事實上，希特勒日後提到他的預言時，他把時間定在一九三九年九月一日，也就是德國開戰的第一天。一九四一年十二月，當德國終於迎來全球戰爭時，在十二月十二日的一場決定命運的會議中，希特勒的預言成了對「大空間」猶太人進行無限制毀滅的藉口。與希特勒開會後過了幾天，希姆萊在日記裡寫道：「猶太人問題要像處理游擊隊一樣從根拔除。」[328]一九四二年一月三十日，也就是希特勒實際上首次做出預言的三年後，希特勒終於表示，如今「時候已經到了，人類有史以來最邪惡的世界敵人將就此終結，往後至少一千年不會看到他們的蹤影」。[329]兩個星期後，希特勒對戈培爾說，猶太人「將跟我們的敵人一樣遭遇被毀滅的命運」，希特勒再一次將種族滅絕與戰爭聯繫在一起。一九四二年四月底，希特勒在向帝國議會發表演說時，歷數全世界猶太人的罪行，認為他們從一戰爆發至今讓德國承受所有的苦難與危險，並以此做為滅絕猶太人的藉口：

一九一四年，隱身於幕後默默推動英國加入一戰的就是猶太人。當時持續地削弱我們，而且在國內散布謠言說我們無法打贏這場戰爭，最終迫使我們投降的也是猶太人。猶太人煽動我們的人民發動革命，剝奪了我們繼續抵抗的機會。一九三九年之後，猶太人進一步操縱大英帝國，使其陷入史上最危險的危機。猶太人是布爾什維克病菌的傳播者，這種廣泛傳布的病症差一點就毀了歐洲。猶太人也是金權政治的戰爭販子。猶太人完全基於猶太資本家一己之私，甚至驅使美國違背自身的利益加入戰爭。[330]

希特勒歹毒地結合幻想的憎恨與虛構的歷史，將猶太人塑造成德國人的死敵，必去之而後快。這些想法絕非理性的產物，因為只要稍加思索就能看出其中的荒謬之處，這一切完全只是希特勒固執妄想的信仰。希特勒自己從未造訪過集中營，也從未親手殺過猶太人，但他將猶太人比喻成歷史邪惡，由此創造出德國人可以任意復仇的論述，進而造成戰爭期間德國人對猶太人的大量殺戮。

猶太人大屠殺始於一九四一年，起初並非有組織的行動，而且採取的手段也各異。要理解這個現象，就必須從一九三三年以來納粹政權對猶太人的孤立與羞辱來理解。直到一九四〇年為止，納粹政權的意圖仍停留在奪取猶太人的財產與強迫遷徙，數十萬名猶太人因此受害。這段時期，猶太人的歷史威脅論持續在德國內外傳布，但希特勒的偏執觀點要真正落實，就必須透過政治教育灌輸給全體親衛隊、警察與安全部隊，此外還要有支持希特勒觀點的學界人士為「猶太人問題」尋求解方。在親衛隊與學術圈的協助下，希特勒隱喻的猶太人觀點得以轉化成政策，然後開始對活生生的猶太人展開迫害與屠殺。當戰爭開打，數百萬波蘭猶太人落入德國人之手，情況開始出現變化。一九三九年九月二十一日，親衛隊帝國保安總部部長海德里希下令，所有猶太人都要集中到波蘭總督府的猶太區或勞動營。[331] 德國併吞波蘭後，一部分領土設立了瓦爾特蘭帝國大區（Warthegau），原本居住在這個大區的猶太人要被流放到波蘭總督府，但要遷徙這些猶太人實際上極為困難，而且要設立的猶太區也仍然位於德國的領土。以卡利什鎮（Kalisch）來說，這裡在一九四〇年秋天設立了猶太區與勞動營，但過於虛弱、年老或生病的猶太人都會被帶到鄰近的森林槍決，這就是最初的種族滅絕案例。這個時期的屠殺仍停留在地方層級。[332]

絕大多數猶太人被集中到波蘭總督府之後，波蘭總督弗朗克下令十八歲到六十歲的所有猶太男子都必須強制勞動，在極為惡劣的環境下為德國的戰爭準備工作。在盧布林，格洛博克尼克設立了七十六個勞動營，總計約五萬到七萬名猶太男子負責興建防禦工事、道路或挖掘水道，他們必須每天浸泡在及膝的水裡持續工作。此時德國人就已經開始對這些服勞役的猶太人施加致命暴力：猶太工人只要逃避工作或稍有懈怠就會遭到槍斃或絞死。而在飲食條件極差的狀況下，猶太工人要不是因為營養不良而死，就是因為無法繼續工作而被槍斃。到了一九四一年，七十萬名猶太工人絕大多數只能光著腳、衣衫襤褸地擔任奴工。[333]其餘的猶太人則被送進大約四百個大小不一的猶太區。當猶太區開始人滿為患時，德國當局一方面擔心疾病的威脅，另一方面也煩惱為了養活這些猶太人要付出的成本。由於流放猶太人的進度不斷拖延，導致民政機關、親衛隊帝國保安總部、警察與軍方之間持續發生爭執。有些機構需要猶太工人投入戰爭準備工作，但這麼做不僅與孤立猶太社群使其陷於貧困的想法有矛盾，也與希姆萊的安全體制試圖淨空猶太人、任由猶太人餓死或病死產生衝突。法國戰敗曾一度讓德國當局計畫將所有的猶太人運往法國的殖民地馬達加斯加。一九四〇年五月，希姆萊向希特勒提出這項建議，並且發現元首「非常贊同他的想法」。[334]德國希望把馬達加斯加島變成保護國，由德國總督管理這座荒涼的殖民地，猶太人則將成為島上不幸的墾殖者。但由於英國掌控了海洋，因此這項計畫毫無實現的可能。一九四二年五月，英國為了防止日本占領，甚至搶先一步攻占了馬達加斯加島。接著，巴巴羅薩作戰的迫近使一些人產生將猶太人運往東方的念頭，到了一九四一年夏天，希特勒也認為這是比較好的解決方案。他在一九四一年七月對克羅埃西亞國防部長表示：「把猶太人送到馬達加斯加還是西伯利亞，並沒有太大差別。」[335]然而，此時的德國人已經開始把猶太人當成種族敵人，養成了任意加以虐待、掠奪或殘殺的習慣。在這種狀況下，不難解釋德國人在一九四一年夏天面對前蘇聯領土的猶太人時，為什麼會從強迫遷徙演變成大屠殺。

猶太人大屠殺幾乎是在一九四一年六月二十二日德國入侵蘇聯後緊接著展開，美國史家勞爾（Wendy Lower）認為整個過程是由「各地方的大屠殺歷史共同鑲嵌而成」。每個地方的大屠殺都有自己的故事，把這些故事拼湊起來可以讓我們看到種族滅絕的全貌。[336]一開始，希特勒下令特別行動隊殺害猶太人，但主要的對象是擔任蘇聯公務員、共產黨員或蘇聯官員的猶太人。然而隨著戰爭持續，暴力洪流一發不可收拾，屠殺的對象很快擴及到一般的猶太民眾，因為他們很容易辨識，而且集中居住在德軍最初占領的村落與城鎮裡。安全部隊獲得德國國防軍的協助，不久後德軍也開始協助特別行動隊圍捕與看管猶太人，偶爾也直接參與屠殺行動。六月二十一日，也就是德國入侵蘇聯前夕，德軍全體部隊直到連級單位都接到指示，要對「布爾什維克煽動者、狙擊手、破壞者與猶太人」採取無情而積極的行動。九月，德國國防軍最高統帥部針對「新占領蘇聯領土的猶太人」發布訓令，認為必須「特別針對猶太人」加強「無差別而積極的」作戰。[337]戰爭開打後，隨著德軍持續前進，各種影射猶太人暗地裡進行搶掠、縱火或槍擊的說法也成為官方的主流論述。這些指控也許不全然是空穴來風，但絕大多數純屬子虛烏有。無論如何，真相已無關緊要，因為德國官方早已一口咬定猶太人絕對有罪。一九四一年十二月，特別行動隊A隊的報告指出，猶太人「非常積極地進行破壞與縱火」。早在當年十月底，就已經有三萬名猶太人因為這類虛假指控遭到殺害。[338]

軍事首長的反應往往受到自身反猶太主義傾向與敵視共產主義的影響，只要一聽說襲擊德軍側翼的「游擊隊」是猶太人便輕易相信。他們也把蘇聯的羅姆人社群當成潛在的間諜與破壞者，羅姆人因此經常與猶太人一起遭到屠殺。親衛隊成員也往往無須上級催促就自行從事屠殺任務。早在一九四一年七月，親衛隊騎兵旅就接到指示，凡是猶太男子一律予以殺害，不久命令又更改成猶太人一家大小都要殺光。八月初長達兩個星期的殺戮熱潮中，估計有兩萬五千名猶太人遇害。[339]消滅「猶太人」就等於消滅「游擊隊」，這種自我開脫的說詞使得軍方與安全部隊恣意殺戮，特別是在塞爾維亞占領區。一九四一年十一月，德國對當地的猶太男性進行大規模屠殺，理由是他們有可能是游擊隊或破壞者。國防軍最高統帥部也下令，只要有一名德國士兵被游擊隊殺害，德軍就要殺害一百名猶太人做為報復，結果導致數百名猶太人被殺。貝爾格勒軍政府也下令殺死八千名猶太人，只因為沒有能力將他們運送到東方。往後幾個月，猶太婦女、孩童與羅姆人也遭到殺害，兩個月的時間用毒氣殺死了七千五百人。軍政府表面上承諾每天運送固定數量的婦女與孩童移居東方，實際上卻是將他們送上密閉的貨車，將他們鎖在裡頭用毒氣毒死。為了安撫孩童，軍政府人員還預先發糖果給他們。一九四二年六月九日，軍政府發了一條簡明的電文給柏林：「塞爾維亞的猶太人已經淨空。」[340]

大屠殺的主要推動者是特別行動隊A、B、C與D隊，一旦屠殺人數達到一定規模，還能得到帝國僱用的正規「秩序」警察（相當於武警）的支援，或者是動用在烏克蘭、波羅的海國家與白俄羅斯僱用的輔助部隊。到了一九四一年十二月，這些部隊總共殺害了約七十萬人，其中有五十萬九千人來自烏克蘭的民政府與軍政府轄區（包括在聶斯特河沿岸被羅馬尼亞軍隊與安全部隊殺害的九萬六千人）。[341] 有些地區的軍事長官會下令興建猶太區，但這些猶太區通常只是暫時性質，因為親衛隊與警察遲早會在希姆萊的命令下前來清除他們。在白俄羅斯，屠殺在十月達到高峰，十月一日到二日，莫吉廖夫（Mogilev）有兩千人遭到屠殺，十天後在維特斯克（Vitebsk）的死亡人數也達到八千人，鮑里索夫（Borisov）死亡人數也有七八千人。明斯克原本設立了大型猶太區，但到了十一月初，為了騰出空間容納來自德國的第一批流放者，於是又有一萬名猶太人遭到屠殺。九月底，德國中央集團軍各級將領在莫吉廖夫召開高層會議，特別行動隊B隊指揮官內貝（Arthur Nebe）在會上提到猶太人問題與反游擊戰，希望取得軍方合作。十月，德軍部隊分頭進入鄉村地帶清剿「盜匪」，然而實際上卻殺死了大量的猶太人。駐紮於白俄羅斯的陸軍將領毛亨海姆將軍（Gustav von Mauchenheim）下令「猶太人必須從鄉村地區消失，吉普賽人〔羅姆人〕也必須予以消滅」，他的第七〇七步兵師在明斯克周邊地區殺害了約一萬名猶太人，而這還不包括明斯克猶太區內的受害者。[342]

當局處理猶太人的方式往往沒有前後連貫。有些猶太人能夠活下來是因為擁有德軍需要的技能，有些猶太人躲過了初期的圍捕，還有一些猶太人被成群趕進猶太區，至於進了猶太區能否繼續生存則要看運氣。一九四一年六月，德軍抵達拉脫維亞與立陶宛之後，當地發生了反猶暴亂，親衛隊於是將計就計展開了屠殺行動。在第一波屠殺之後，當地才開始興建猶太區。里加的猶太區到了一九四一年十月才建好，但已經有半數猶太人遭到殺害，而到了十二月初，猶太區的兩萬七千名猶太人也在鄰近的倫布拉（Rumbula）森林遭到處決，原因仍舊是為了騰出空間容納從德國運來的猶太人。另一方面，在烏克蘭，日托米爾（Zytomyr）猶太區才剛設立不久，區內的三千一百四十五名猶太人就遭到殺害；雅爾達猶太區於十二月五日完成，十二天後裡面的居民也遭到殺害。[343]烏克蘭也發生了規模最大的一起種族屠殺行動，地點就在基輔市郊的娘子谷（Babi Yar），這場屠殺據說是為了報復「猶太人」在基輔採取恐怖主義行動。九月二十九日，數量龐大的猶太人徒步走過基輔市區，許多人希望自己被送往流放地，然而等到他們走到遇害現場時，卻成群結隊遭到毆打、脫光衣服與機關槍掃射，之後便被丟入峽谷之中，總計兩天殺害了三萬三千七百七十一人。九月，即使東方的戰事還在持續，整個基輔州依然有十三萬七千人被殺。[344]目擊這起事件的霍洛舒諾娃（Iryna Khoroshunova）在日記裡寫下她的感受，而這份感受至今仍能觸動所有人的內心：「我只知道一件事：發生了可怕、恐怖、超乎想像的事，令人難以理解、摸不著頭緒、無法解釋。」[345]

後世歷史學家時常爭論希特勒是在什麼時候「下令」屠殺猶太人，然而這種爭論忽略了種族滅絕其實早在一九四一年六月就已經開始，而且最高權威從未直接下令要對猶太人進行種族滅絕。儘管如此，柏林當局也沒有任何人反對屠殺，特別是希特勒，他曾經看過特別行動隊呈交上來的報告，卻未表示任何意見。希姆萊在一九四一年夏天甚至對安全部隊施壓，要他們必須更加冷酷無情。希特勒只有在關鍵時刻才會提出自己的看法。一九四一年八月，在英美發表《大西洋憲章》之後，希特勒直接下令要以黃色星星來標記德國猶太人。九月十八日，希特勒終於決定將德國、奧地利與捷克的猶太人全流放到東方的猶太區，並且要求從十月底開始行動。到了十月底，親衛隊帝國保安總部已經開始討論擴大希特勒流放中歐猶太人的決定，預計把德國占領的「大空間」裡所有猶太人全流放到東方。希特勒對於史達林下令將「窩瓦德意志人」流放到西伯利亞特別感到憤怒，這數千名說德語的居民居住在俄國南部，他們是十八世紀殖民者的後代，希特勒因此同意羅森堡的說法：如果蘇聯的德意志人遭到殺害，那麼「中歐的猶太人」也要遭受相同的命運。[346] 最後是一九四一年十二月與一九四二年一月，負責制定猶太人政策的決策者進一步延伸希特勒消滅中歐猶太人的說法，他們認為應該將範圍擴大到全歐的猶太人，無論是有計畫的屠殺，還是讓猶太人工作到死，都是可行的方案。波蘭總督弗朗克急欲將波蘭總督府日耳曼化，但又無力送走境內眾多的猶太人口，他於是在十二月十二日的會議結束後向底下官員表示，他們現在終於有辦法處理掉波蘭境內超過一百萬的猶太人。希特勒並未直接下令推動如此激進的種族滅絕政策，但所有主事者都深信，不僅是蘇聯與波蘭東部的猶太人（已經有非常多人遭到殺害），只要是德國統治範圍內所有的猶太人，都應該在未來某個時點運送到東方加以屠殺。這就是一九四二年一月二十日召開惡名昭彰的「萬湖會議」（Wannsee conference）做出的主要結論。海德里希在會中討論了歐洲猶太人問題的最終解決方案，認為應該採取希特勒曾經同意的做法，也就是把猶太人運到東方。與希姆萊一樣，海德里希仍認為應該盡可能運用猶太人的勞動力，將他們流放得愈遠愈好，讓他們工作到死，但其他與會者則指出，無法工作的猶太人必須處死。無論從哪個層面來看，淨空猶太人都等同於消滅猶太人。[347]

萬湖會議並未擬定一個處理猶太人的核心計畫。與一九四一年一樣，一九四二年出現一波接一波的屠殺，實際上仍是地方各自為政的結果：各地區的親衛隊、軍政府與民政當局各自採取行動，當然背後也有希姆萊的驅策，而海德里希直到一九四二年遇刺身亡之前也都始終鼓吹屠殺。這些屠殺行動後來出現了一項最重要的變化，那就是從面對面的屠殺（殺死的人約占半數）轉變成透過毒氣設施進行屠殺，若不是在改裝過的密閉貨車中實施，就是在固定的毒氣室中進行。毒氣設施最早出現是在一九四一年十月與十一月，當初是為了解決猶太區空間不足以容納德國與捷克猶太人而想出來的辦法。在流放計畫失敗之後，瓦爾特蘭帝國大區長官格萊澤爾（Arthur Greiser）希望獲得准許，將仍住在猶太區的十萬名猶太人屠殺一空。格萊澤爾選擇海烏姆諾（Chelmno）附近的一座小莊園，從十一月開始使用毒氣貨車殺害猶太人。與此同時，盧布林地區的親衛隊與治安首長格洛博克尼克提議並且獲得海德里希准許，開始在盧布林附近的貝烏熱茨（Belzec）前勞動營設置毒氣室，無法工作的猶太人都會送來這裡。[348]之所以改採毒氣，主要與所謂的「T4計畫」（該計畫得名於位於柏林市蒂爾加滕街四號〔Tiergarten 4〕）常用的方法有關，該計畫使用毒氣殺害德國與奧地利的精神病患，之後也將對象擴大到波蘭占領區的精神病患。格洛博克尼克讓T4計畫派出一百二十名人員到盧布林工作，而更多的工作人員則分別前往其他地點協助屠殺。[349]一九四二年三月起，貝烏熱茨開始以毒氣屠殺猶太人，波蘭的索比堡（Sobibór）與特雷布林卡（Treblinka）也開始興建毒氣設施。一九四二年五月，索比堡開始使用毒氣室，特雷布林卡則是七月啟用。這幾個營區成為實施「萊因哈德行動」（Aktion Reinhard）的據點，猶太人被送到這裡只是為了加以滅絕。即便能夠工作的猶太人可以活命，但在波蘭總督府進行的第一波屠殺中，還是有十六萬名猶太人進了毒氣室。海德里希遇刺身亡後，希姆萊向親衛隊高階軍官表示：「我們在一年之內就能完成猶太人大遷徙的工作，然後就不會再看到猶太人四處遊蕩了。我們必須把猶太人清除乾淨。」[350]

「第二波」屠殺始於一九四二年夏天，這是種族滅絕最嚴重的時期。一九四二年下半年，波蘭總督府轄區範圍內有大約一百二十萬人遭到殺害。在烏克蘭，絕大多數屠殺仍然採取面對面殺害的方式，造成七十七萬三千人死亡，整個帝國總督轄區幾乎已經看不到猶太人。一九四二年十二月三十一日一份報告指出，「領土內的猶太人淨空行動已到了最後階段」，僅剩的幾千人只要再花幾個月就能解決。[351]而在無情的殺戮之外，德國內部正在對於猶太勞動力的使用、猶太區與勞動營是否應該繼續存在等事爭論不休。一九四二年四月，在軍方與東方民間僱主的壓力下，希姆萊不得不下令十六歲到三十五歲的猶太男性應留在工廠與建設工地。但希姆萊的態度又在一九四二年夏天之後出現轉變，他不再接受殖民地仍存在種族不純淨的孤島地區，而是要求所有僱用猶太人的計畫都要停止，猶太人不能投入戰爭工作而是應該予以殺害，但軍方與民政機構完全無視他的命令。一九四三年初波蘭勞動營仍有十二萬名猶太人，直到一九四三年夏天希姆萊堅持關閉所有勞動營為止，原本待在勞動營的猶太人也無法逃過被屠殺的命運。[352]在加利西亞，一九四三年上半年屠殺了十四萬名猶太人，這些人逃過了前幾波屠殺，但最終還是無法逃出生天。在烏克蘭占領區，十五萬名倖存者在一九四三年遭到殺害。有幾個勞動營因為負責興建四號大道而得以倖存，但到了一九四三年十二月，最後一個勞動營也遭到消滅，剩餘的猶太人全被殺光。在這段時期，奧許維茲—比克瑙（Auschwitz-Birkenau）與馬伊達內克興建了兩座大型勞動營與滅絕營，來自中歐、西歐與南歐超過一百萬名猶太人在此被毒氣殺害。這些受害者包括了波蘭總督府最後一批猶太工人與羅茲（Łódź）大型猶太區裡的猶太居民，他們是在一九四四年八月紅軍逼近時被殺，此外還有半數的匈牙利猶太人，他們直到一九四四年夏天才被流放至此，不久就被殺害。在奧許維茲—比克瑙集中營，一百一十萬名猶太流放者有九十六萬五千人被殺，其中包括二十一萬六千名孩童與青少年。[353] 到了一九四四年夏天，專為滅絕猶太人而設立的營區大部分都已經關閉，因為滅絕猶太人的任務已大致完成。

無論德國各單位之間如何缺乏協調或如何爭論不休，對東方的猶太人來說最終結果都是一樣的——無論快死還是慢死，結局都是死。然而在整個德意志帝國其他地區的猶太人，情況就比較複雜：如果無法得到占領當局或盟邦當局的協助，要流放猶太人恐怕沒那麼簡單。德國的安全機關缺乏人力，對各地情況也不太瞭解，即使在占領地也無法獨立執行任務；即便是在盟邦或衛星國，德國的政策也無法理所當然地凌駕在地方利益與地方觀感之上。德國屠殺計畫的成功與否往往取決於地方警察與地方官員的態度。一九四五年後一項普遍流行的說法認為，是因為德國施壓與資源缺乏才使得種族滅絕擴大到歐洲其他地區，然而這並非故事的全貌。歐洲其實普遍存在著反猶太主義，儘管形式各異，但都對流放猶太人產生推波助瀾的效果。絕大多數地區雖然不像羅馬尼亞與克羅埃西亞那樣自發性地大規模屠殺猶太人，但幾乎也都不需要德國積極施壓就願意配合。從這個觀點來看，猶太人遭到迫害是整個歐洲的現象，而非完全局限於德國。希特勒的德國之所以重要，在於為其他國家提供了解決自身「猶太人問題」的機會。這些國家只要願意點個頭，就能將國內的猶太人交給德國進行獻祭。為了讓其他國家瞭解機會難得，艾希曼的蓋世太保猶太人事務局、德國外交部與親衛隊都派代表到占領地區與盟邦進行種族滅絕外交，儘管並不是每一次都能獲得對方同意。

猶太人在歐洲其他地區遭受的攻擊同樣也沒有一套標準模式，而是依照各地狀況、政治算計與社會上對「猶太人問題」的態度而出現各種不同的反應。反猶太主義的形式也不盡相同：有些地方是基於種族偏見，或擔心猶太人有損國家認同；有些地方存在著強烈的宗教元素，好比基督徒指責猶太人是「殺害基督的凶手」；有些地方則存在著強烈的經濟動機，想剝奪猶太人的財富來滿足國家需要；有些地方則以上皆是，最明顯的例子就是斯洛伐克、匈牙利與羅馬尼亞。這三個軸心國成員並不需要引進德國的反猶太主義，只需要發展本國固有的偏見與歧視，就能推動對猶太人的驅逐與迫害，尤其匈牙利與羅馬尼亞對猶太人的敵視已有數十年歷史。而在被占領的西歐國家裡，猶太人即將遭到流放的傳言被用來說服猶太社群與當局合作，但這種傳言反而也讓德國僱用的地方警察與官員對於參與種族滅絕興趣缺缺。無論每個地區抱持的動機與存在的狀況有何不同，許多歐洲人都同意「猶太人問題」確實存在，而他們也需要對這個問題做出回應。

一九三八年初，羅馬尼亞國王卡羅爾（King Carol）的獨裁政權通過了嚴酷的反猶太人法案，該法不僅剝奪了二十二萬五千名猶太人的公民身分，關閉猶太人報社，也解僱了猶太人公務員。之後在安東尼斯古元帥執政下，反猶太人的立法行動一直持續到一九四三年。羅馬尼亞的法西斯分子隨機對猶太人施暴與損毀猶太人的財產，但巴巴羅薩作戰的到來與羅馬尼亞收復布科維納與比薩拉比亞兩地，才是羅馬尼亞猶太人真正危機的開始。布科維納與比薩拉比亞居住著八十萬名猶太人，但根據羅馬尼亞的住居法，這些猶太人幾乎都將淪為「無國籍」之人。[354]軍方、當地的羅馬尼亞農民與德裔居民都指責數量龐大的猶太社群在背後支持蘇聯占領，一九四一年七月與八月掀起的一波屠殺與反猶暴亂殺死的猶太人，數量可能多達六萬人。親衛隊的特別行動隊D隊也參與這場屠殺，然而最主要的行凶者卻是羅馬尼亞人。安東尼斯古公然提倡種族清洗政策（不僅包括猶太人，也包括羅姆人、匈牙利人與俄羅斯人），他下令流放剩餘的猶太人，把大約十四萬七千名猶太人安置在聶斯特河沿岸，這些猶太人居住在臨時搭建的骯髒營區裡，財產被剝奪，又餓又病，若逃離還要面臨死刑懲罰，於是最後都成為屠殺的受害者。在這些流放者當中總計超過十萬人死亡或被殺。由於聶斯特河沿岸是大羅馬尼亞的核心，因此蘇聯猶太人也成為被迫害的對象，他們要不是被殺，就是待在同樣的簡陋營房裡苟延殘喘，估計約有十三萬到十七萬人因此死亡。[355]一九四二年夏天，出於不明原因，安東尼斯古政權的流放政策出現大幅轉彎。當德國要求把羅馬尼亞其他地區的猶太人送到波蘭的滅絕營時，卻遭到安東尼斯古拒絕。事實上，羅馬尼亞先前已經與親衛隊代表里希特（Gustav Richter）達成協議，而且也擬定了流放計畫，但到了九月底這項計畫卻遭到擱置。有人認為安東尼斯古是在國際壓力下拒絕了德國，但最好的解釋應該是德國的要求侵犯了羅馬尼亞的主權。九月時，羅馬尼亞自由黨領袖在演說中指出，如果安東尼斯古向德國低頭，等於「打了羅馬尼亞一巴掌」。當安東尼斯古政權在一九四四年三月把聶斯特河沿岸交給德軍時，卻選擇把剩下的一萬零七百名猶太人遣返回羅馬尼亞，而沒有一併滅絕（儘管當時營區裡的絕大多數猶太人早已死亡）。從這個例子可以看出，即使羅馬尼亞採取的行動導致超過二十五萬名猶太人因為疏於照顧、疾病與屠殺而死亡，卻不表示德國可以無止境地要求羅馬尼亞殘殺所有猶太人。356

相較之下，斯洛伐克較為順從。一九三九年三月之後，斯洛伐克就受到德國非正式的「保護」，這個新國家雖然只有百分之四的人口是猶太人，卻被激進的反猶太主義者把持：斯洛伐克人對於占少數的猶太人極為痛恨，因為猶太人壟斷了斯洛伐克的商業與銀行業。猶太人一向維持著自己的民族認同，加上他們說德語、匈牙利語或意第緒語，卻偏偏不說斯洛伐克語，更是讓斯洛伐克人怒不可遏。一九三九年，斯洛伐克開始認真討論「猶太人問題」，但起初目的主要是剝奪猶太人的財產。到了一九四一年九月，已有百分之八十五的猶太公司行號關門或被非猶太人（包括德國人）接管。斯洛伐克國會在一九四〇年通過一項法令，要求在一年之內解決猶太人問題。一年後，《猶太人法規》（Jewish Codex）獲得通過，嚴格限制猶太人的生活。斯洛伐克的蒂索（Jozef Tiso）政府曾詢問親衛隊代表威斯里切尼（Dieter Wisliceny），德國是否願意帶走陷入貧困的猶太人，讓斯洛伐克免除照顧這群猶太人的成本與責任。一九四二年五月十五日通過的斯洛伐克憲法，使流放猶太人獲得法源依據。斯洛伐克因此與德國達成協議，斯洛伐克每交付一名流放者給德國，就要支付德國五百馬克做為「安全費用」，總計有五萬八千名流放者被送上斯洛伐克火車運往監禁營，再由親衛隊將流放者從監禁營運往滅絕營。適合勞動或獲得特殊豁免的猶太人可以留在斯洛伐克，但當一九四四年八月德國占領斯洛伐克之後，又遣送了一萬三千五百名猶太人到奧許維茲—比克瑙，他們是最後一批被殺的猶太人。被流放者的財產被國家沒收，分配給斯洛伐克的學校等機構。八萬九千名斯洛伐克猶太人只有九千人倖存，他們有些被朋友藏匿起來，有些假冒成斯洛伐克人，有些逃到匈牙利，並且在匈牙利政權的敵視下撐過了戰爭的前幾年。[357]

相較於斯洛伐克與羅馬尼亞，匈牙利社會反猶太人的程度可謂有過之而無不及。該國在戰間期的反猶太主義風潮甚至比德國更為狂熱。匈牙利對猶太人的憎恨主要表現在經濟層面，特別是猶太人在商業與專業領域扮演著舉足輕重的角色。早在一九二〇年代初，匈牙利就已經針對猶太人從事商業與專業領域的人數進行限制。政府在一九三八年與一九三九年分別制定了第一次與第二次《猶太人法》，限制猶太人從事專業領域與不准猶太人擔任公職。一九四〇年陸續制定法規，剝奪猶太人的財產並且利用其財產進行土地重分配，數千名猶太人也喪失了從事商業的權利。一九四〇年代初，反猶太主義政治人物與經濟學家開始認真討論如何強制遷徙匈牙利境內的八十三萬五千名猶太人。一九四〇年，匈牙利首相帕爾（Pál Teleki）拜會希特勒，他認為應該針對「猶太人問題」提出一個能施行於全歐洲的解決方案，然而就連當時的希特勒也不認為這個想法可行。一九四一年七月，德國占領加利西亞，大約一萬四千名失去國籍的猶太人與難民被迫跨越邊界，德國安全部隊於是在卡緬涅茨—波多利斯基（Kamianets-Podilsky）這座城市殺光了這些猶太人，這是巴巴羅薩作戰頭幾個星期規模最大的一場屠殺。[358]在匈牙利，猶太人被成群趕進猶太區，能夠勞動的男性則送進勞動營。德國要求匈牙利將猶太人送進波蘭集中營，卻遭到匈牙利攝政海軍中將霍爾蒂（海軍中將的軍階是在奧匈帝國時期取得）與他的保守派圈子拒絕，直到德軍在一九四四年三月十九日占領匈牙利及霍爾蒂下臺後，德國才得以順利處理匈牙利猶太人。阻力消失之後，艾希曼與一同前往匈牙利的六十名德國官員驚訝地發現，匈牙利人很快就完成境內猶太人的登記工作，而且馬上就將大量猶太人送進猶太區或流放到德國集中營，由於匈牙利交出的猶太人實在太多，德國的屠殺機構差點陷入癱瘓。一九四四年五月十五日，德國占領匈牙利才兩個月，匈牙利就開始進行流放工作，短短八個星期就送出四十三萬人，其中四分之三隨即在奧許維茲遭到殺害。匈牙利雖然流放了近五十萬人，但該國保守派菁英仍努力保護布達佩斯的猶太人，加上匈牙利武裝部隊也需要猶太工人，因此使匈牙利猶太人逃過全數遭到殺害的命運。大約有十二萬人在流放的威脅下倖免於難。[359]

軸心國陣營出現了兩個例外，分別是保加利亞與義大利（直到一九四三年九月德國占領了三分之二的義大利半島，情勢才出現變化）。保加利亞與義大利當然都存在著反猶太主義，但與匈牙利的霍爾蒂一樣，保加利亞與義大利內部也存在著反對讓德國予取予求的聲音。在保加利亞，一九四〇年十一月制定了《國防法》這項重要的反猶太人法律，但該法其實是在保加利亞菁英針對法律正當性進行激烈辯論後才得以通過。一九四一年，保加利亞開始實施剝奪猶太人財富的措施，一九四二年八月二十六日，在與柏林的親衛隊帝國保安總部討論之後，保加利亞決定實施更激進的猶太人政策，內閣授權設立猶太人事務專員部，流放首都索非亞的猶太人，沒收猶太人財產，建立比德國更全面的「猶太人」定義。正當流放保加利亞猶太人的各項工作都已經準備就緒，保加利亞政府成員卻在一九四三年三月表示反對，他們就像羅馬尼亞政權一樣，認為不應該由德國決定保加利亞猶太人的命運。同年三月，保加利亞開始把一九四一年占領地區（包括希臘的色雷斯與南斯拉夫的東馬其頓）的猶太人送進德國集中營，但保加利亞沙皇鮑里斯（Tsar Boris）卻不願聽命於德國，於是在當年三月批准延後保加利亞猶太人的流放工作，更在國內外壓力下於五月終止這項他自始至終都不贊同的流放計畫。在保加利亞南方，德國軍政府與親衛隊於一九四三年三月開始流放希臘猶太人，德方人員在希臘幾乎未遭遇任何阻攔，六萬名猶太人最終都進了奧許維茲。到了一九四三年秋天，親衛隊帝國保安總部終於停止對保加利亞政府繼續施壓。儘管保加利亞曾經通過嚴峻的歧視性法律，但依然有五萬一千名猶太人倖存到了戰後。[360]

義大利的帝國主義者對於「猶太人問題」的態度也與這幾個國家類似。在義大利國內掀起反猶太主義浪潮的，主要是少數的法西斯主義分子，而義大利政府其實並不喜歡德國對於義大利該如何對待猶太人指手畫腳。義大利於一九三八年通過一連串猶太人法律，其背後力量主要來自於法西斯主義運動的施壓，而非仿效德國，而這些法律的內容也與其他歐洲國家大致相同，主要是禁止猶太人擔任公職，限制猶太人從事專業領域的工作，以及建立強制勞動制度。墨索里尼雖然想設立集中營，卻無法獲得國內支持。一九四二年，墨索里尼批准在義大利六個主要城市設立「猶太人問題研究中心」，負責向民眾宣傳「猶太人問題」的急迫性，鼓吹民眾支持政府以更激進的方式對付猶太人，然而沒有獲得積極回應。直到義大利投降與德國占領義大利之後，政策才出現一百八十度的轉變。[361]即使在義大利的占領區，地方軍事將領與義大利政府官員都反對聽從德國指示交出猶太人與猶太難民，其中一名官員評論道：「理由很明顯，不管是基於政治威望還是人道立場，我們都不可能交人。」一九四二年十月，德國外交部一名猶太人專家遺憾地表示，在最後解決方案上軸心國「無法團結一致」。[362]直到一九四三年九月德軍占領義大利本土及其剩餘帝國之後，局勢才起了重大變化。一九四三年十月，德國安全警察與蓋世太保開始在羅馬搜捕義大利猶太人，一個月後，搜捕的範圍往北擴大，與在法國一樣，搜捕的對象首先以剛遷徙到義大利的猶太人為目標。德國在義大利扶植了傀儡政權薩羅政府（Salò government），新任內政部長貴迪（Guido Guidi）於十一月三十日下令地方警察逮捕與監禁所有猶太人，不過絕大多數的逮捕行動仍由德國人執行。德國在佛索里（Fossoli）設立集中營，之後又在波隆那設立流放拘留中心。薩羅政權登記了三萬兩千八百零二名猶太人，但最終只有六千八百零六人被流放，三百二十二人死於義大利，九百五十人直到戰後仍下落不明。[363]對德國的種族滅絕機構來說，這個結果實在令人失望，但卻符合他們對義大利的看法：一個不可靠的盟友。義大利對猶太人的追蹤與逮捕取決於地方人士是否主動配合，並未有更具系統性的政策。許多猶太人逃往瑞士，也許人數多達六千人，可能成功抵達同盟國前線；另外也許有數千人躲在天主教機構尋求庇護，還有一些人可能外表沒有明顯的猶太人特徵，因此得以混入一般民眾。義大利民眾一旦被查到窩藏猶太人，很可能要在牢裡關上幾天，但一般而言不會像東方占領地那樣遭到槍斃或絞刑。[364]

西歐與斯堪地那維亞占領區的猶太人，他們的命運同樣因地而異，但相較於軸心國盟邦，德國當局在這兩個地區可以更直接地進行管理與推動猶太人政策。儘管如此，要登記、辨識乃至於逮捕與流放猶太人，在很多方面仍須仰賴非德國人的合作，而各個地區的配合程度也不盡相同。在比利時，當地警察逮捕的猶太人只占德國安全警察逮捕的猶太人的百分之十七，荷蘭也只有百分之二十四，但在法國，地方警察逮捕與流放的猶太人可以達到百分之六十一——不過隨著盟軍解放的可能性日漸增加，地方警察配合的意願也愈來愈低。[365]各占領區之間要說有什麼共同點，那就是各占領區原本在一九四二年仍普遍願意與德國合作搜捕猶太人，而當時被流放的猶太人絕大多數因此都來自西方。等到德國戰事已明顯出現危機時，各占領區的配合度也普遍開始下降。在法國，「猶太人問題」早已存在，但民族主義右派的政治煽動卻進一步激化這個問題。隨著戰爭逐漸逼近，民眾開始肆無忌憚地表現出反猶太主義。一九三八年捷克危機爆發時，有些法國人喊出了這樣的口號：「和平！和平！法國人不想為猶太人打仗……。」法國從一九三九年開始限制猶太難民從事專業領域的工作，也於一九三九年與一九四〇年間建造許多集中營，將作家柯斯勒（Arthur Koestler）等被定義為無國籍的猶太難民關押進去。法國的集中營與德國的集中營差異不大，不僅同樣疏於提供飲食或適當的居住條件，被監禁者也要從事嚴酷的勞動。一九四〇年九月，糧食配給是一天三百五十公克的麵包與一百二十五公克的肉。更常見的情況是完全沒有供應食物。在居爾斯（Gurs）集中營，被監禁者每天只能在攝取八百大卡的狀況下掙扎求生。許多人因為生病與營養不良而死。該集中營在一九四〇年春天關押有五千名猶太難民，其關押人數在一九四一年二月達到巔峰的四萬人。[366]這些集中營不是在德國指示下設立，幾乎是由維琪法國當局自己管理。一九四三年六月，位於巴黎市郊的德朗西（Drancy）集中營被德國人接管做為流放中心使用，這是唯一一座被德國人接管的法國集中營。

維琪法國在一九四〇年六月成立之後，推動了一波反猶太主義立法。一九四〇年七月，德國大使在與維琪法國總理拉瓦爾會談之後向柏林回報：「法國人的反猶太傾向非常強大，根本不需要我們從旁推動。」[367]一九四〇年十月五日，法國公布了一部內容十分全面的猶太人律法，禁止猶太人擔任公職與從事其他專業領域工作，規定凡是祖父母和外祖父母這四人中有兩人是猶太人，就符合「猶太人」的定義，相較之下德國則是規定三人。猶太移民如果是在一九二七年後才歸化法國，其法國公民身分將遭到撤銷，而且還會遭到逮捕及送進集中營。當德國計畫以受託管理的方式接管猶太人企業時，維琪政權反而早一步制定法律，允許政府先行剝奪猶太人的財產。到了一九四二年，已有四萬兩千兩百二十七名法國人受託管理猶太人的財產，德國人卻只有四十五名。[368]維琪政府曾經下令對所有的猶太人進行人口普查，等到一九四二年十一月維琪法國被德國軍事占領時，這些人口普查資料便成了蓋世太保圍捕猶太人的利器。曾有人提出一些例證，試圖證明維琪政權搶在德國人之前取得猶太人財產是為了避免更糟糕的結果，然而這些證據根本不具說服力。法國採取的許多措施其實並不是出於德國要求，而是法國自己的決定，包括一九四二年六月在猶太人身上標記黃星，在猶太人的身分證與糧票上蓋上「juif」戳記（法文的猶太人），或者是設立待遇嚴酷的監禁營，大約有三千名猶太人在法國人監管下死亡。[369]德國在占領區發動的第一波逮捕行動始於一九四一年五月，當時猶太人被安置在另外四座集中營裡，其中有三座是由法國人管理。當德國開始在一九四二年夏天將猶太人流放到波蘭集中營時，艾希曼派駐法國的副手丹內克（Theodor Dannecker）堅持，最低限度必須流放那些喪失法國國籍的猶太難民與猶太人。維琪政權採取相當合作的態度，從法國南部地區送走了約一萬一千名非法國籍的猶太人，其中有四千五百人來自猶太監禁營。一九四二年，法國流放了四萬一千九百五十一名猶太人，隔年是一萬七千零六十九人，一九四四年則是一萬四千八百三十三人，遠遠達不到一九四二年艾希曼與丹內克要求的十萬人。這當中有百分之六十八是外籍猶太人，百分之三十二是法國猶太人。[370] 維琪政權並不支持猶太人大屠殺，但法國警察與官員對於猶太人的苛刻對待與搜捕，卻讓尾隨而來的德國人便於屠殺的進行。

猶太社群在比利時與荷蘭的經歷有很大的不同。在比利時，百分之九十五的猶太人沒有比利時國籍，人數大約是七萬五千人。儘管外國身分使他們不容易得到保護，但其中只有兩萬九千九百零六人被比利時政府流放，主要發生於一九四二年，其他數千人要不是被比利時民眾藏匿，就是成功逃脫逮捕。荷蘭的情況剛好相反，荷蘭有大量長久定居的猶太人口，總數大約十八萬五千人，其中超過百分之七十五，也就是十四萬人，被流放到集中營，絕大多數遭到屠殺。許多猶太人被荷蘭民眾藏匿在家中，至少有一萬六千一百人存活下來，但也有一些荷蘭民眾不反對德國解決「猶太人問題」，因此有更多猶太人遭到察覺與告發，被荷蘭與德國警察帶走。一九四一年一月，帝國總督英夸特要求對所有猶太人進行人口登記，荷蘭的官員與猶太社群於是依照指示進行，當時幾乎未曾遭到任何反對，因為沒有人能預料到德國取得登記資料的用意。荷蘭警察採取相當合作的態度，因為荷蘭官方的立場是不要與德國產生不必要的衝突，而荷蘭警察只是把猶太人交給德國警察，過程中並未採取正式逮捕的方式。在一九四二年七月到一九四三年七月的高峰期，荷蘭警察負責集合小鎮與村落所有的猶太人，再將他們送走以進行流放。荷蘭後來也跟法國一樣，由於預期德國即將戰敗與解放將至，荷蘭警察也開始採取消極合作的方式，但此時荷蘭境內的十四萬名猶太人絕大多數已經遭到屠殺。在比利時的猶太社群人數較少，在社交上也較為邊緣，這或許可以解釋為什麼較高比例的比利時猶太人得以倖存。即使是極右派政黨，反猶太主義也不是他們的主要議題，特別是與荷蘭或法國相比時。在流放高峰期的一九四二年十月，比利時大約有兩萬名猶太人被非猶太人庇護。比利時官員進行猶太人口登記時不像荷蘭人做得那麼詳盡，比利時的大量猶太移民也善於規避法令。儘管如此，比利時官員與警察在搜查猶太人時仍盡可能與德國合作，一旦德國人開始搶奪猶太人的財物，比利時人也跟法國人或荷蘭人一樣，面無愧色地接收猶太人的土地與財產。

只有兩個斯堪地那維亞國家幾乎保住了境內所有猶太人的性命，那就是丹麥與芬蘭。德國原本並未施壓丹麥政府交出人數不多的丹麥猶太人。但德國政策在一九四三年八月丹麥政府總辭之後出現了改變。由於丹麥社會開始出現罷工與抗議熱潮，希特勒與李賓特洛甫便認為是猶太人在背後搞鬼，於是在一九四三年九月要求駐丹麥全權代表貝斯特流放所有的丹麥猶太人。貝斯特認為流放可能會激化丹麥社會，造成更嚴重的抗爭，因此貝斯特與德國警察皆是採取睜一隻眼閉一隻眼的態度——丹麥很快就有人展開救援行動，用船隻將猶太人送往瑞典。[371] 芬蘭的猶太社群人數只有兩千兩百人左右，他們在國內並未受到反猶太主義的威脅，芬蘭政府也未遭受遣送猶太人的壓力，整個戰爭期間只有八名猶太難民被送回德國。一九四四年，由於擔心德國可能占領芬蘭以阻止芬蘭退出戰爭，於是開始出現將芬蘭猶太人送到瑞典的計畫。一九四四年夏天，芬蘭已將部分猶太孩童與母親送至瑞典，但芬蘭政府不太願意讓猶太人全都離開，擔心這麼做可能讓同盟國誤以為芬蘭同意參與大規模種族滅絕。最終，德國安全與警察部隊因人數太少而無法進行干預，芬蘭猶太人才得以倖存到芬蘭軍隊向紅軍投降之時。芬蘭猶太人是相當幸運的一群，因為德國即使面臨戰敗，依然持續加緊對殘存猶太人的迫害，而芬蘭猶太人卻逃過一劫。[372] 據說在一九四五年四月，即將自殺的希特勒仍不改初衷地表示：「納粹主義可以堂堂正正地接受民眾永遠的感謝，因為我們消滅了德國與中歐所有的猶太人。」[373]

※ ※ ※

這是一段淒涼與冷酷的歷史。德國想建立一個「沒有猶太人」的歐洲，而歐洲其他國家也甘願與之配合，而這一切都關乎希特勒在東方建立德意志帝國的美夢。猶太人之所以遭到屠殺，原因就在於希特勒（也包括希姆萊或艾希曼等人）無法接受有數百萬猶太人居住在自己統治的東方領土型帝國，或是更加遼闊的「大空間」德意志帝國。德國想建立一套以德國為中心的帝國秩序，而猶太人則是這套帝國秩序的障礙，是德國統治世界的大敵。當時所有打造新秩序的野心，都公開表露於一九四〇年九月的《三國同盟條約》。這些野心最後均以失敗告終，但在失敗與崩潰之前，這些殘暴的帝國建立者依舊在極為短暫的時間內在整個歐亞大陸進行了大規模流放、掠奪與屠殺計畫。相較於其他人類在二戰之前建立的帝國，雖然也具有種族滅絕的面向，但其傳布往往費時數十年或數百年之久。這些新帝國在建立的過程中，顯然沒有必要殺害那麼多人命，但這一帝國幻想與帝國現實之間的永恆拉扯，卻迸發出無止境的暴力，使帝國從想像的烏托邦淪為一場充滿挫折、懲罰與毀滅的反烏托邦惡夢。

一九四四年八月，在橫越法國的莫爾坦戰役後，盟軍西線最高司令艾森豪將軍走過一輛翻覆的「虎式」德國六號戰車。圖源：*Pictorial Press Ltd/Alamy*

CHAPTER

第三章

3

民族帝國的終結

（1943-1945年）

「……如果我們贏了，那麼就是東西方皆贏，如果我們輸了，那麼就是東西方皆輸。」
——大島浩，一九四二年十一月[1]

一九四二年十一月底，日本駐柏林大使大島浩召開會議，他在會上對其他日本駐歐洲大使提出他對當前戰局的看法。就在他發表演說的時候，第二次世界大戰的三大戰場正進行著三場重要會戰：在俄國南部的史達林格勒，德軍與蘇軍為了爭奪這座城市打得難分難解；在英屬所羅門群島的瓜達康納爾島，人數居於劣勢的日軍為了守住日本最前沿的陣地而與美國海軍陸戰隊進行血戰；在利比亞北部，大英帝國陸軍沿著北非海岸追擊第二次艾拉敏會戰後倉皇敗退的德義聯軍。大島浩向其他大使表示，此時正是日本、義大利與德國共同協調戰略計畫的時候，他希望日本接下來能進攻印度，與德軍在中東會師。他在幾個月前就已經得出結論，認為「德國實際上不可能推翻史達林政權」，他也是少數仍希望德國與蘇聯談和的日本資深外交官。大島浩主張德蘇可以透過日本居間協調，讓德義日蘇四國簽訂涵蓋更廣泛的《四國同盟條約》，如此才能傾歐亞大陸之力對抗盎格魯撒克遜國家。

日本一直存在幻想，以為有利的和平協議就可以結束侵略戰爭。一九四三年春，日本代表團抵達柏林，試圖說服希特勒放棄蘇聯戰役，轉而推動地中海戰略以消滅英美在地中海的勢力。幾個星期後，日本軍方與政府高層在東京開會，認為德蘇停戰是整場戰爭的關鍵。只要德蘇談和，西方同盟國在懼怕共產主義入侵下，必然同意歐洲的和平方案。而歐洲若停戰，中國的蔣介石政權將別無選擇，也只能接受和平條件，如此軸心國與同盟國就能達成全面而有利的和平協議。[2] 然而，希特勒不會同意停戰（事實上，史達林也不會）。面對日本的各項建議，希特勒堅持擊敗蘇聯是他的優先選項，也絕不會同意任何停戰條件。一九四三年七月，隨著軸心國的戰爭逐漸陷入危機，希特勒與大島浩私下談話時仍表示，德國與日本可以克服一切困難。[3]

唯有透過後見之明我們才能發現，即使戰爭已經在一九四二年與一九四三年來到轉捩點，軸心國領導人仍然是執迷不悟、自欺欺人。當大島浩正在思索軸心國未來的全球戰略時，全球各地的戰事雖然尚未清楚顯示同盟國將獲得最終勝利（勝利還要很長一段時間才會到來），卻已經能夠看出軸心國已是強弩之末，難以再繼續向前。史達林格勒、瓜達康納爾島與艾拉敏，這三個地方就是軸心國領土擴張的極限。在這三場會戰之後，軸心國雖然仍持續漫長而激烈的戰鬥，但整體情勢已轉變成且戰且退，一步步撤離新取得的領土。墨索里尼的義大利是例外，因為它的崩解遠比德國與日本來得迅速。同盟國為了迫使剩餘的軸心國軍隊撤離征服地區，不惜進行長期戰鬥，這反映出當時人已寧可採取武力對抗也不願選擇政治解決——至於像大島浩這種希望透過和平協商以避免戰敗的人士，也無法說服領導階層放棄既有的對抗路線，因為不繼續作戰就只能選擇投降。這也反映出軸心國高層根本不考慮繼續作戰會對本國民眾造成什麼樣的傷害，因為他們認為民眾理應支持戰爭直到徹底投降為止，而多數民眾也確實堅持到最後一刻。軸心國民眾明知戰敗已近在眼前，為何還要繼續作戰？又是如何撐到最後？這些問題至今仍然不容易回答。

帝國的盡頭：艾拉敏、史達林格勒、瓜達康納爾

一九四二年一整年，軸心國領導人依然自覺勝券在握。到了一九四二年十一月，當義大利的軍事前景已明顯不樂觀時，墨索里尼仍大言不慚地表示：「所謂的聯合國不過是一連串的失敗與災難。」[4]一九四二年夏天，德國與盟邦的軍隊仍深入俄羅斯與埃及，日軍則試圖確保一九四二年取得的遼闊領土的外緣地帶，同時鞏固對中國領土的控制。這些地區正是一九四二年上半年同盟國「失敗與災難」的明證。

對日軍高層來說，在這麼短的時間內取得遼闊的南方地區，不禁使他們做起了繼續征服的美夢。日本聯合艦隊參謀長在日記裡寫道：「接下來要打哪裡？進攻澳洲？印度？還是夏威夷？」海軍參謀人員擬定新的提案，其中包括海軍少將山口多聞的二段作戰計畫：先征服澳洲與紐西蘭，再入侵加州海岸。[5]但在日本做出進一步決定之前，一九四二年四月十八日就發生了美國陸軍中校杜立德（James Doolittle）率領一小群轟炸機從航空母艦起飛、象徵性地空襲東京事件，這起事件迫使日本重新評估戰略。日本決定不對太平洋增派兵力，反而把軍隊調回中國。杜立德的空襲對於提振美軍士氣有絕對的幫助，但如蔣介石擔心的，這件事也促使日軍採取行動，開始對中國境內設有空軍基地的地區發起進攻，讓美國軍機無法使用這些機場。五萬名士兵從杭州與南昌出發，兵分兩路進攻浙江省與江西省，除了建立寬闊的鐵路走廊，也對空軍基地周圍進行掃蕩。這次行動很快就達成目標，日軍因此計畫在一九四二年九月以十六個師團的兵力對蔣介石的戰時首都重慶進行最後

一擊，但這場戰役最終並沒有實施，因為新領土漫長的海島與海岸線也需要大量兵力防守——這是個初期徵兆，顯示在兩線作戰下，日本軍力已經捉襟見肘。[6]杜立德的空襲也促使日本海軍計畫奪取太平洋中部的中途島，藉此遏止美軍出擊與阻斷夏威夷與澳洲之間的海上聯繫。海軍大將山本五十六擬定了一套複雜的計畫，希望引誘美國航空母艦（當時只剩下企業號、大黃蜂號與最近才修復的約克鎮號等三艘）前來防守中途島，這樣就能一舉將其殲滅，從而確保日本對太平洋中部的支配。日本海軍除了對中途島派出進攻艦隊與輔助艦隊，還另外派出一支特遣艦隊奪取北方離阿拉斯加不遠的阿留申群島的兩座小島阿圖島與基斯卡島，以做為保護北方邊界的基地。日本出動六艘艦隊航空母艦中的四艘，分別是加賀號、赤城號、飛龍號與蒼龍號，由海軍中將南雲忠一指揮，目標是消滅中途島上的飛機與擊沉前來防守中途島的美國航空母艦。

在這場海戰中，相對弱小的美國航空母艦艦隊必須迎戰日本聯合艦隊主力。這場戰役的美軍指揮官是坐鎮夏威夷的尼米茲海軍上將（Chester Nimitz）與統率航空母艦的史普勞恩斯海軍少將（Raymond Spruance），而他們獲得一個意想不到的優勢。日本海軍於六月三日抵達中途島附近海域，然而就在幾天前，海軍上校羅希福特（Joseph Rochefort）帶領的夏威夷海軍情報單位成功破解日本海軍電碼，美國因此確認中途島就是日軍目標，而日本航空母艦將從西北方發動攻擊，數量較少的登陸部隊則是從東方入侵。[7]史普勞恩斯與特遣艦隊司令佛萊契海軍少將（Frank Fletcher）把三艘航空母艦部署在南雲忠一艦隊的北方，隨時準備發動攻擊。在確定日本航空母艦的位置之後，一九四二年六月四日早上七點，美軍飛機升空迎戰。但到了上午十點左右，從航空母艦起飛的魚雷轟炸機與從中途島起飛的中型轟炸機卻一無所獲：美軍派出去的九十四架飛機幾乎全被日軍擊落，卻沒有任何一枚炸彈或魚雷擊中日本航空母艦。

美軍最後的籌碼是五十四架無畏式俯衝轟炸機。由於日本艦艇沒有雷達，因此這些轟炸機只有在向下俯衝時才會被日軍察覺，一名目擊者回憶說，這些飛機就像一道「美麗的銀色瀑布」。總共有十枚炸彈擊中三艘日本航空母艦。此時剛好是日本航空母艦最脆弱的時候，因為甲板上的勤務人員正在幫飛機加油，旁邊還放著等待裝上飛機的炸彈或魚雷。加賀號在短短幾分鐘內就被大火吞噬，南雲忠一的旗艦赤城號被一枚炸彈擊中，引爆已經裝滿燃油與炸彈的轟炸機，整艘航艦頓時成了煉獄。幾分鐘後，蒼龍號也被擊中，同樣引發大火。雖然美軍的約克鎮號遭到重創，後續也遭日軍魚雷擊中沉沒，但船上剩餘的俯衝轟炸機仍足以在傍晚時分解決掉日本第四艘航艦飛龍號。受過嚴格訓練的日本艦載機飛行員有三分之一在這場戰鬥中喪生。[8]中途島海戰（日本海軍拒絕為這場戰役命名）一直被視為二戰關鍵的轉捩點，然而姑且不論當時帶給人們的巨大震撼與日軍嚴重的傷亡損失，這場戰役的影響其實沒有那麼深遠。接下來的戰爭還很漫長，日本仍擁有數量龐大的水面與水下艦艇，而美國當時只剩下兩艘航空母艦。一九四二年九月，航空母艦薩拉托加號與企業號遭到重創，大黃蜂號被擊沉，黃蜂號（*Wasp*）也於十月被擊沉，美國短暫陷入沒有航空母艦可用的窘境。[9]雖然日本未能攻占中途島，且在此之前又放棄了進攻新幾內亞摩斯比港的軍事行動，然而日本很快就在一九四二年五月與六月扳回一城，順利占領英屬所羅門群島，進一步往南拓展日本的海疆。日本還計畫在最南端的瓜達康納爾島興建機場，飛機可以從這裡切斷澳洲、美國西部與夏威夷之間的補給線。

正當日本在亞洲與太平洋地區擴展領土之時，北非的軸心國軍隊也跨越了埃及邊境，來到距離英國重要軍港亞歷山卓只有九十六公里的地方，即將抵達蘇伊士運河。這已經是第三次雙方互有勝負，大英帝國部隊與義大利軍隊交戰，而後者只獲得德國非洲軍三個師的援助，兩軍在昔蘭尼加形成拉鋸與消耗戰。大英帝國曾在一九四一年夏天遭遇慘敗，但此後絕大多數衝突，大英帝國面對軸心國可用的陸空軍都擁有人數上的優勢，而且差距還不小。一九四一年十一月，為了解除多布魯克之圍，魏菲爾的繼任者奧欽列克將軍（Claude Auchinleck）發起「十字軍作戰」（Operation Crusader）。大英帝國與德國陷入消耗戰，隆美爾與義大利軍隊最後因為後勤補給問題而放棄圍城，撤退到阿格海拉（El Agheila），此地剛好是隆美爾這一年來最初用兵的地方，也就是說軸心國軍隊完全退回到原點。隨著後勤補給迅速改善，隆美爾因此得以在一九四二年一月對精疲力盡的敵軍展開新的攻勢，這次輪到大英帝國的部隊敗退到加查拉防線（Ain el Gazala），此地就位在剛解圍的多布魯克西邊。義大利參謀總長卡伐里羅將軍（Ugo Cavallero）、隆美爾與德國南方戰區總司令凱賽林空軍元帥共同擬定了「威尼斯作戰」（Operation Venezia），目標是重新攻占多布魯克與繼續推進到埃及邊界。五月二十六日，一向把義大利將領視為下屬而非盟友的隆美爾下令進攻加查拉防線。軸心國把九萬名士兵組織成三個德國師，分別是第十五、第二十一裝甲師與第九十輕快師（唯一參與過幾乎所有北非戰役的德國部隊）與六個未滿編的義大利師，此外有六百架飛機與五百二十輛戰車支援（其中有兩百二十輛戰車屬於較差的義大利型號）。[10] 英國第八軍團在歷經數次換將之後，現在交由里奇中將（Neil Ritchie）指揮，兵力有十萬人，擁有八百四十輛戰車與六百零四架飛機，包括從埃及基地起飛的威靈頓式中型轟炸機。英軍在加查拉防線後方進行防禦，並且在前方埋設大量地雷，防線南方還有比爾哈凱姆要塞（Bir Hacheim），駐紮了自由法國的部隊。光從帳面數字來看，里奇的軍力對於剛結束一場奮戰的軸心國軍隊來說實在過於強大。[11]

軸心國在這種狀況下發動攻擊，就必須承擔極高的風險與代價。但此時的英軍就跟前幾次會戰一樣充分暴露出缺乏效率的問題——零散派出部隊，步兵缺乏裝甲部隊保護，各部隊無法有效協同作戰，這一切都讓隆美爾掌握了先機。比爾哈凱姆要塞在經過一番苦戰後陷落，隆美爾接著轉向北攻擊四散的英國裝甲部隊，這場激烈的戰車戰最後以同盟國軍隊幾乎完全被殲滅收場。第八軍團投入一千一百四十二輛戰車，被擊毀一千零九輛。到了六月十三日，原本龐大的裝甲部隊僅剩七十輛戰車可用。[12]第八軍團倉皇撤退到位於埃及邊界的梅爾沙馬特魯，但這次隆美爾只花了一天的時間（六月二十日到二十一日）就攻進多布魯克，不僅奪取了石油與糧食等重要補給，也俘虜了三萬三千名英國、南非與印度士兵，還包括六名將領。雖然隆美爾的部隊已經精疲力盡，且戰車數量到了六月底也減少到只剩一百輛（四十輛是義大利戰車），但隆美爾仍然持續追擊第八軍團並且深入埃及境內，直到英國在鐵路小站艾拉敏與難以穿越的夸塔拉窪地之間設置的長六十五公里防線為止。六月二十六日，墨索里尼率領大批侍從飛往利比亞，準備在不久的將來以凱旋之姿進入開羅。邱吉爾在白宮與羅斯福開會時，突然得知多布魯克失守的消息，臉上的震驚顯而易見。英美於是開始協商解決方案，包括美國提供戰車與飛機，或甚至立刻派出第二裝甲師（但羅斯福反對），或讓美國軍力涵蓋從埃及到德黑蘭這一整塊地區（邱吉爾反對，他不希望美國勢力進入這個關鍵帝國地區）。美國駐開羅大使柯克（Alex Kirk）私下報告說，「英國的無能」源自於「戰略失誤與做事拖泥帶水」，英國的奧欽列克將軍也在向倫敦當局報告時坦承：「我們的軍人絕大多數都是業餘人士，而我們對抗的是一支專業軍隊。」[13]邱吉爾明確表示，多布魯克失守表示一九四二年要在歐洲開闢第二戰場的可能性微乎其微。七月三日，他沮喪地向蘇聯駐倫敦大使麥斯基表示：「德國人比我們會打仗……但我們又沒有『俄羅斯人寧死不屈的精神』。」[14]

俄羅斯人的精神除了展現在一九四一年艱苦的冬季防禦戰，當德國於一九四二年夏秋想進一步征服蘇聯遼闊的領土時，依然再次受到俄羅斯人堅定戰鬥意志的阻撓。希特勒無法在一九四一年殲滅紅軍，於是希望一九四二年能完成這項任務。然而，曾經在前一年延宕整個戰局的戰略爭論，此時卻捲土重來。陸軍總部依然認為奪取莫斯科具有決定性的意義；希特勒則認為應該停止進攻莫斯科，將兵力調往南方攻打窩瓦河流域與高加索地區，而這個想法在現實上似乎也得到支持，那就是往南進攻可以跟即將攻打蘇伊士運河與中東油田的隆美爾會師。批評者認為這是個「過於理想的攻勢計畫」，但希特勒明確表示，專家與將領總是說「這個不可能，那個不會成功」，他決定不理會這些人的說法，因為一個健全的領導人「必須無條件地解決」問題。[15]希特勒在思想上堅信經濟封鎖是現代戰爭的致勝關鍵，放在德蘇戰爭來說，就是要讓紅軍完全得不到重工業與石油的補給。德國情報單位似乎是為了迎合希特勒的判斷，不僅嚴重低估紅軍的潛在實力與蘇聯的工業能力，也無視德軍實力已遭到削弱的問題。到了一九四二年三月，德國陸軍的傷亡已經超過一百萬人，而損失的員額不一定能完全得到補充。除此之外，德軍也缺乏從飛機到輕兵器等大量武器，德國的戰時經濟只能填補其中一小部分。德軍在東線戰場的一百六十二個師之中，只有八個師具備完整的戰鬥能力投入即將到來的戰鬥。

一九四二年四月五日，希特勒發布第四十一號訓令，「消滅蘇聯人剩餘的所有防衛潛力」，切斷紅軍的重要補給，然後攻下列寧格勒。這場戰役的代號是「藍色作戰」（Operation Blue）。這是個複雜的計畫，共分成四個階段，每個階段結束後才能開展下一階段。德軍兵分三路：北路從奧勒爾地區進攻沃羅涅日（Voronezh），中路從哈爾科夫周圍地區往南進攻，南路從克里米亞進攻羅斯托夫。德軍的三個箭頭最後要在頓河的大彎處會師，南面集團軍將在此地一分為二：B集團軍防守從羅斯托夫到史達林格勒這塊地區以保護A集團軍側翼，A集團軍則進攻高加索地區以取得油田。這次作戰還是秉持相同的假定：只要短暫包圍就能困住大量紅軍，使其失去抵抗能力。在這個階段，史達林格勒還不是首要目標。希特勒其實不想占領史達林格勒，他只是希望讓該市失去功能。切斷窩瓦河通往俄國中部的補給路線才是關鍵，城市本身並不是重點。

希特勒在訓令中要求中央集團軍採取守勢，但史達林卻做出了與希特勒完全相反的結論。與一九四一年底一樣，他認為莫斯科的前線威脅最大，而且推斷德軍在南方留下了相對較少的兵力。因此不僅是希特勒，就連史達林也擬定了過於理想的攻勢計畫。史達林想在冬季會戰的勝利基礎上，沿著一千六百公里的漫長戰線發動一連串攻勢，一舉將德軍趕出蘇聯領土。[16] 蘇聯情報單位誤以為南方是德軍防線最弱的地方，史達林因此決定從南方發動攻勢，首先收復哈爾科夫，這裡是烏克蘭的鐵路樞紐，德軍必須藉由此地進行運輸，其次要收復克里米亞。蘇軍於五月十二日發動進攻，提摩盛科元帥以兩個方面軍的兵力朝哈爾科夫及其後方推進。此時的蘇軍無論是組織還是裝甲程度都遠較一九四一年為優，德軍防線曾一度出現鬆動，但提摩盛科的裝甲部隊前進太快，導致後面的步兵未能跟上，德國南面集團軍得以把握機會讓蘇軍掉進包圍圈。這是一場經典的包圍戰，德軍的「弗賴德爾里克斯作戰」（Operation Fredericus）將蘇聯脆弱的後方部隊切斷，十天之後封住整個包圍圈。到了五月二十八日，紅軍已失去二十四萬名士兵、一千兩百輛戰車與兩千六百門火砲，這場勝利似乎支持了希特勒對藍色作戰的樂觀估計。[17]蘇聯為了收復克里米亞發動的第二波攻勢也遭到擊退，蘇聯第四十四、第四十七與第五十一軍團遭到殲滅，多達十七萬人被俘。六月，曼斯坦奉命在李希霍芬（von Richthofen）第四航空軍團的支援下攻取位於黑海的塞凡堡。在德軍狂轟濫炸之後，塞凡堡於七月四日投降，蘇軍超過九萬五千人淪為戰俘，曼斯坦因為這場戰役獲得元帥權杖，不過也因此延誤了主要的作戰行動。[18]

六月二十八日，藍色作戰開始，不到幾天時間，德軍就取得與去年一樣的進展速度，也造成同樣的奇襲效果。即使邱吉爾事前已經告知史達林，英國透過「極機密」攔截到的德軍情報顯示出德軍可能的動向，且六月十九日還有一架德軍飛機墜毀在蘇軍防線後方，從飛機上搜出了德軍的作戰計畫，史達林依然跟一九四一年六月一樣，對於德軍故意散布給他的假情報深信不疑。[19]七月九日，德軍攻占沃羅涅日，只不過接下來卻因為側翼遭到猛烈攻擊而毫無進展，北路的德軍因此必須先擊退來自側翼的攻擊，才能轉而往南追擊已經士氣渙散且毫無組織的敵軍。七月二十五日，德軍攻占羅斯托夫，卻發現這座城市以東直到史達林格勒的整個平原地帶完全不見敵人蹤影。經過一九四一年的大包圍之後，紅軍士兵極力避免掉進德軍的新陷阱中，而他們的謹慎也讓德軍無法達成「消滅」紅軍使其無法繼續作戰的目標。由中央集團軍轉任南面集團軍司令的波克元帥抱怨說：「陸軍總部想包圍一個已經不在那裡的敵人。」[20]德國裝甲部隊在頓河大彎處會師，但包圍的敵軍人數卻不如預期，而此時他們離史達林格勒只有一百二十公里。藍色作戰未能符合進度，也未能實現最大目標，希特勒底下的將領們雖然占領了遼闊的俄羅斯領土，卻發現這些土地大多無人防守，這讓他們感到悲觀。但希特勒卻認為這代表「俄羅斯已經走到了盡頭」，他於七月二十三日發布新訓令，準備進行「布朗許維格作戰」（Operation Braunschweig）。A集團軍由李斯特陸軍元帥指揮，負責執行代號「高山火絨草」（Edelweiss）的任務，目標是掃蕩頓河以南，然後進入高加索地區，接下來兵分三路，一路攻占黑海沿岸，直到巴庫為止，另一路控制高加索地區的隘口，最後一路則占領產油城市格羅茲尼（Grozny）。B集團軍由於希特勒再次剝奪波克的指揮權，因此改由魏克斯一級上將（Maximilian von Weichs）統率。B集團軍的任務是渡過頓河奪取史達林格勒，控制窩瓦河下游，然後繼續攻占阿斯特拉罕，作戰代號是「蒼鷺」（Fischreiher）。[21]希特勒的將領們都可以清楚看到其中的矛盾：要占領的領土愈來愈多，但軍隊卻愈來愈少。

紅軍面對蜂擁而來的德軍時，往往陷入強烈恐慌，無論軍官與政委如何恐嚇，他們往往太快拋下重武器、放棄已設置好的防線。七月二十八日，史達林對軍隊發布停止命令，即第兩百二十七號命令「Ne Shagu Nazard」（一步也不許撤），堅持「蘇聯每一寸領土必須頑強地防守，直到流完最後一滴血為止」。[22]一九四一年出現的恐慌，促使當局成立「督戰隊」，負責揪出所有臨陣脫逃的懦夫與怠忽作戰之人，這些人要不是被槍斃，就是被送進懲戒營，不過絕大多數還是會被送回原單位。然而這道命令並無法阻止上級授權軍隊撤退，因為史達林也不想重蹈前一年夏天蘇軍大量被俘的覆轍。所以在停止命令之外，史達林也要求各級將領必須避免遭到德軍擅長的鉗形攻勢包抄。

B集團軍朝頓河推進，其漫長的側翼由羅馬尼亞、義大利與匈牙利三個軸心國部隊保護，這幾個國家的兵力在德國施壓下持續擴增：羅馬尼亞達到五個師，匈牙利十個師，義大利五個師。德國裝甲部隊發現這裡的平坦大草原非常適合進行戰車戰，然而卻怎麼也找不著敵軍的蹤影。一名德國士兵提到，「這裡毫無疑問是我見過東方最淒涼、最荒蕪的地區。貧瘠、光禿禿、毫無生命的大草原，看不到灌木叢，連一棵樹也沒有，走了許久也遇不到任何村落。」[23]一旦史達林格勒被保盧斯將軍（Friedrich Paulus）的第六軍團迅速攻下，這裡就將成為德國的新領土。從地圖上看，廣大的新領土十分顯眼。大草原以南的產油城市邁科普在八月初被A集團軍占領，八月二十一日，德國山地師特遣隊在高加索山脈最高峰厄爾布魯士山山頂升起旗幟（這原本是一項值得宣揚的戰果，希特勒卻為此大發雷霆，他認為讓士兵攻頂純粹是浪費時間）。此時的軸心國在三個戰場都短暫出現最終的勝利曙光。

※ ※ ※

一九四二年夏天是同盟國戰事最低迷的時候。盟軍必須在俄羅斯、北非與亞洲各自奮戰，彼此難以相互聯繫，唯一得到的援助只有美國的《租借法案》。然而在一九四二年時，即使有《租借法案》，幫助也十分有限，因為德國潛艦持續在大西洋進行騷擾，同盟國之間的後勤補給因此大受影響（這場戰役將在第六章討論）。美國的參戰雖然讓同盟國獲得龐大的經濟潛力，而且又在中途島擊敗日本，但短期內仍無法對同盟國的戰局產生太大影響。羅斯福總統不斷向美國民眾與軸心國敵人強調美國軍事生產規模之龐大，但美國民眾想問的是，美國在一九四二年生產的四萬七千八百二十六架飛機與兩萬四千九百九十七輛戰車都到哪裡去了。美國的炸彈直到一九四三年一月才首次落在德國的土地上；美軍地面部隊直到一九四三年七月才前往歐陸作戰；太平洋的第一場陸戰開始於一九四二年八月，而且只動用一個師。珍珠港事件之前，羅斯福對於美國民眾厭戰的情緒感到焦慮，但珍珠港事件之後，羅斯福擔心的卻是沒有足夠的戰爭來滿足美國民眾。

雖然美國的政軍高層需要顧及大英帝國與蘇聯的危機，但對他們來說，最重要的還是從美國的角度來規畫美國的戰略。英國東南亞殖民地失守，結束了魏菲爾將軍短暫指揮美國、澳洲、荷蘭與大英帝國部隊的時期。在太平洋戰場，美軍設立了兩個戰區司令部：分別是由尼米茲海軍上將擔任司令的太平洋戰區司令部，以及由麥克阿瑟將軍擔任司令的西南太平洋戰區司令部。澳洲軍隊劃歸美軍的指揮體系，由麥克阿瑟指揮。在英國未能控制亞洲與日本隨時可能入侵的威脅下，澳洲領導人對於這一決定表示歡迎。直到一九四三年底為止，澳洲軍隊一直是西南太平洋戰區地面部隊的主力。[24]太平洋戰場成為美國獨攬的事務，英國一直要到戰爭末期，也就是一九四五年，才有了參與的機會。一九四一年十二月舉行的阿卡迪亞會議同意歐洲優先的戰略原則，但邱吉爾與參謀人員希望在重返歐洲本土之前，先把重點放在地中海戰場。羅斯福同意後，他們很快擬定了一個代號「體育家作戰」（Operation Gymnast）的計畫，目的是進攻法屬北非以緩和埃及的壓力，但美國軍方高層卻認為這是迂迴地幫助大英帝國，反而更傾向於早點在歐洲北部登陸以緩和蘇聯的壓力。[25]馬歇爾將軍的計畫主任艾森豪准將（Dwight D. Eisenhower）大聲斥責這些「業餘的戰略家」（其實就是說邱吉爾與羅斯福）。艾森豪計畫在歐洲西北部發起軍事行動「大槌作戰」（Operation Sledgehammer），之後再於一九四三年以四十八個師的兵力發動「圍捕作戰」（Operation Roundup）。這套戰略比較符合美軍奉行的兵力集中原則，而與倫敦當局主張的邊緣戰略相左。羅斯福被告知體育家作戰不可行，邱吉爾也於一九四二年三月九日得知這項意見。[26]

美軍想採取直接攻擊德國的戰略，除了不希望外界留下美國在幫英國打仗的印象，還存在著其他原因。珍珠港事件之後，美國民眾普遍認為政府面對日本攻擊表現得軟弱無力，此外也對羅斯福在慷慨陳詞之後毫無作為感到失望。孤立主義領袖不再高喊孤立主義，如今普遍支持日本優先的戰略，他們對於介入歐戰仍採取不信任的態度。一九四二年最初幾個月的民調持續顯示，絕大多數民眾支持美國將心力集中在太平洋地區。[27]馬歇爾希望一九四二年下半年能在德國占領的歐洲地區進行第一次登陸作戰，他相信這麼做不僅可以平息批評，也能重獲國內民眾支持。三月，羅斯福告訴邱吉爾，美國想於「今年夏天」在歐洲發動一場戰役。[28]美國也密切關注蘇聯的戰況，擔心德蘇可能停戰才是馬歇爾堅持在西歐開闢戰場的主因，他希望藉此讓德國從東方調兵回防西線。這份憂慮也促使羅斯福於三月支持大槌作戰的構想。一九四二年六月，莫洛托夫訪問華府，羅斯福向他保證，史達林可以「期待今年形成第二戰場」，但即使是馬歇爾也認為這個承諾給得太早。[29] 以羅斯福對於地緣政治現實的認識來說，他對戰略與軍事作戰的理解相對有限。他答應英國人會支持體育家作戰，就像他無條件承諾莫洛托夫會開闢第二戰場一樣，都是出於政治考量，為的是確保英國與蘇聯能繼續作戰下去，而非基於清楚的軍事構想。

馬歇爾的計畫也讓英美同盟產生嚴重的裂痕。英國在利比亞慘敗，更加強了美國反對北非軍事作戰的既有看法。馬歇爾兩度前往倫敦闡述自己的立場，英國高層也只是口頭支持大槌作戰與圍捕作戰，因為他們不希望美國將重心轉移到對日作戰上，但實際上邱吉爾與英國帝國參謀本部私下都對這兩項行動抱持全盤反對的看法。[30] 莫洛托夫訪美之後，邱吉爾與帝國參謀總長布羅克將軍也跟著訪問華府，希望讓羅斯福回心轉意。邱吉爾主張，北非行動就是「真正的歐洲第二戰場」，不過同年稍晚他又試圖說服史達林，轟炸德國就是現在所謂的「第二戰場」。[31] 羅斯福含糊其詞，只是表示會同時考慮大槌作戰與體育家作戰，但到了七月八日，邱吉爾返回倫敦之後卻以電報表示，英國完全不接受於一九四二年入侵歐洲本土的構想。然而美國可能因此放棄歐洲優先戰略的疑慮並未因此消失。兩天後，馬歇爾告訴羅斯福，如果英國繼續堅持，他會轉而將重心放在太平洋地區，「開始專心對付日本。」[32] 邱吉爾私底下痛斥馬歇爾的威脅——「美國人只因為今年沒辦法在法國痛宰敵軍，就想把怒氣轉移到太平洋，在那裡發動戰爭」，但這畢竟是一項可能成真的威脅。[33] 馬歇爾除了獲得參謀首長聯席會議其他成員的支持，也得到戰爭部長史汀生（Henry Stimson）、海軍部長諾克斯（Frank Knox）的贊同，他開始遊說羅斯福改變戰略優先對象以適切反映美國利益。然而，對羅斯福而言，大西洋地區的承諾更為重要。七月二十五日，為了結束這場反對英國戰略的紛爭，他終於要求馬歇爾放棄入侵西北歐洲的計畫，要他開始著手準備火炬作戰（Operation Torch，由體育家作戰進展而來），好讓美軍能在一九四二年底之前參戰——最好能夠趕在十一月國會期中選舉之前發動進攻。一九四二年七月，羅斯福唯一一次動用了他身為三軍統帥的權力，以三軍統帥的頭銜簽署命令，迫使他的軍事參謀服從。擬定大槌作戰的艾森豪就認為這個決定是「歷史上最黑暗的一日」。[34]美國軍方高層被迫在攸關英國利益的地區進行一場他們不願意進行的戰爭。

英國人認為大槌作戰是一場災難性錯誤，這項看法其實有一定的道理。艾森豪團隊擬定的計畫打算以五到十個師橫渡英吉利海峽，占領瑟堡與柯騰丁半島，並以此為灘頭堡於來年春天發起大規模入侵，然而這項構想完全脫離現實。一九四二年八月十九日，英加聯軍發動「銀禧作戰」（Operation Jubilee）入侵第厄普（Dieppe），除了測試當地德軍實力，也試圖分攤蘇聯壓力，然而不到幾個小時英加聯軍就被德國守軍殲滅，同盟國的這項舉動也讓德軍感到不解。但對於美國而言，美國軍方堅持推動大槌作戰，不只是為了將美國的戰略強加在頑固盟友身上（英國對於防守埃及的執念，同樣歐洲實際戰況脫節），也為了支援紅軍。蘇聯高層與馬歇爾一樣感到挫折與沮喪。莫洛托夫把羅斯福的承諾當真，史達林也相信對方的保證。蘇軍高層與美軍一樣，也認為應該採取直接戰略，英國的堅持使美蘇軍方懷疑，英國重視自身長期的帝國利益更甚於打敗德國。

※ ※ ※

「一九四二年是個分水嶺」，邱吉爾的軍事參謀長伊斯美在回憶錄裡寫道：「一開始是個可怕的災難」，但到了末尾，「命運卻完全翻轉過來。」[35]就在同盟國為了戰略優先順序爭論不休時，三場分別改變太平洋、俄羅斯與北非戰略態勢的會戰正如火如荼地展開，最終反倒使同盟國取得主動權。無論在瓜達康納爾、艾拉敏，還是史達林格勒，這三場戰役都不約而同出現了轉折，值得我們詳細探討。這三場會戰在規模與範圍上有著很大的差異。瓜達康納爾戰役投入的兵力只有幾個師，但艦艇與海軍飛機的數量相當多，而雙方爭奪的不過是一座小島上的機場。若與東線戰場相比，艾拉敏會戰的規模也不大，不過與瓜達康納爾島不同的是，艾拉敏會戰進行了大規模的遠距離空戰與戰車戰。史達林格勒會戰則是範圍涵蓋整個俄羅斯南部的大會戰，參與的兵力多達數十萬，還有多個航空軍團與數千輛戰車。三場會戰的作戰環境也極為不同。瓜達康納爾是一座小島，長一百四十五公里，寬四十公里，島上大部分地區覆蓋著濃密叢林，除了敵人之外，島上還有大量的黃蜂、蠍子、蛇、大鱷魚與水蛭（會從樹上掉到人身上）帶來的危險，更不用說還盛行各種疾病，如瘧疾、登革熱與「恙蟲病」。[36]無論哪一邊的士兵，在瓜達康納爾島上戰鬥或多或少都曾染上疾病。艾拉敏會戰是在不毛的沙漠上進行，離補給基地有數百公里遠（以隆美爾來說，在一九四二年七月，他的部隊離主要港口的黎波里甚至超過一千四百五十公里），士兵要忍受高溫、蚊蠅的騷擾與沙塵暴。沙塵暴會在一夜之間改變地貌，令人窒息與模糊視線的沙塵使戰爭成了一場捉迷藏，士兵還要面對皮膚潰瘍、痢疾與嚴重脫水的威脅。史達林格勒會戰則發生在整場戰爭最關鍵的幾個星期，戰鬥在一座大型都市圈的廢墟中展開，戰場寬度大約六十五公里，從炎熱的夏天開打，一直持續到苦寒的冬日。痢疾、傷寒與凍傷或許對攻擊方造成較大影響，但在史達林格勒，無論哪一方的士兵都無法逃過疾病與嚴寒的打擊。這三場會戰雖然有許多不同點，但有一點是相同的：這三場決定性會戰都不是在幾天內打完，每一場都持續了幾個月，直到戰場已經明確分出勝負才結束。

一九四二年五月，英軍撤離所羅門群島首府圖拉吉（Tulagi），日軍也隨之占領所羅門群島。六月，朝鮮工人、日本工程師與大約一千七百名日軍前往所羅門群島的最大島嶼瓜達康納爾，他們要在當地建立一座戰略空軍基地，計畫在八月中完成。這座基地不僅可以對同盟國的運輸補給構成威脅，也能保護位於北方新不列顛島拉布爾的日本海軍基地。日軍預計同盟國至少要到一九四三年才會進行干預，但美國海軍軍令部長金恩海軍上將（Ernest King）卻要求太平洋艦隊必須盡可能在一九四二年夏天就展開反攻。美軍深知瓜達康納爾島上的小機場可能造成的危險，因此很快就將這座島嶼視為目標，但直到七月一日，尼米茲才授權發起「瞭望臺作戰」（Operation Watchtower）與出動海軍陸戰隊第一師。[37]然而這場大規模兩棲作戰的準備十分匆促且不充分，美軍對當地地形所知甚少，海軍情報單位只能仰賴已經過時的《國家地理雜誌》與少數傳教士訪談稍微勾勒出這座目標島嶼的大致狀況。雖然拍攝了空照圖，但海軍陸戰隊卻是上岸後才拿到照片。[38]麥克阿瑟與南太平洋戰區司令部長官哥姆雷海軍中將（Robert Ghormley）都認為風險太高，要求取消這次行動，但金恩堅持一定要找個地方打擊日本。這場戰役的長度將出乎他們的意料，而美軍的訓練有限，補給又不足。儘管如此，范德格里夫特少將（Alexander Vandegrift）率領的海軍陸戰隊第一師仍從紐西蘭搭乘屠納海軍少將（Richmond Turner）率領的二十一艘運輸艦，在佛萊契海軍中將的特遣艦隊（其中只有一艘可服役的航空母艦）護航下出發。

一九四二年八月六日到七日晚間，七十六艘艦艇在日軍未察覺下抵達瓜達康納爾島北岸外海，海軍陸戰隊沿著繩梯下到登陸艇，主力約兩萬三千人直接上岸，其他人數較少的分遣隊則分頭攻占圖拉吉與另外兩座小島。護航艦隊靠近島嶼時剛好碰上大雨與濃霧，美軍因此幸運完成突襲任務。但就算日軍察覺美軍登陸，面對如此龐大的兵力也無法採取任何反制措施。朝鮮工人與日本士兵來不及破壞儲備物資與裝備，只能急忙逃進叢林。圖拉吉與其他兩座小島的抵抗較為激烈，但到了八月八日戰鬥便已告一段落。海軍陸戰隊在最初交戰中，首次見識到了日軍如何戰鬥：即使繼續戰鬥已經毫無意義，日本士兵仍拒絕投降。兩座小島上的戰鬥共導致八百八十六人被殺，只有二十三人被俘，這樣的比例將在日後的太平洋戰場上不斷出現。[39] 海軍陸戰隊在機場周圍建立了嚴密的防衛圈，並且將機場命名為韓德遜機場，以紀念在中途島陣亡的海軍陸戰隊少校。機場持續受到來自北方日本基地遠程轟炸機的攻擊，迫使佛萊契在兩天後撤離航空母艦，而屠納也跟著撤離珍貴的運輸艦，有些運輸艦又持續了幾天卸載物資的工作，但留下來的軍火彈藥僅能供部隊維持四天。八月八日到九日夜間，停泊在機場北方薩沃島周圍海峽的少數幾艘大型水面艦艇，幾乎遭日軍特遣艦隊全部擊沉。拉布爾的日軍錯估他們面臨的威脅，以為登陸的美國海軍陸戰隊只有兩千名，然而實際上卻超過兩萬名。日軍有幾個星期的時間一直受到錯誤情報的影響，海軍陸戰隊因此再度幸運逃過一劫。八月十八日，曾經在一九三七年引發盧溝橋事變的一木清直大佐率領兩千人救援部隊在韓德遜機場附近登陸，準備奪回機場。但一木沒有等到部隊全部下船，就率領只有一半數量的士兵進攻海軍陸戰隊陣地。一木的部隊幾乎遭到全殲，身受重傷的一木為了避免被俘，最後自殺身亡。[40]

就在日軍進攻失敗之際，美國海軍陸戰隊第一架飛機也順利在剛完工的韓德遜機場降落。此後，除了偶爾因為日本海軍重砲轟擊導致機場跑道無法使用或停放的飛機損毀，其他時間「仙人掌航空隊」(Cactus Air Force，仙人掌是瓜達康納爾島的代號）的增援一直給予島上駐軍重要的戰力加成。最重要的是，美軍飛機可以攻擊來往於拉布爾與瓜達康納爾島之間的日軍運輸船。日本大本營這才發現美軍在島上建立的灘頭堡是個巨大威脅，嚴重挑戰日軍在數個月內迅速征服東南亞所樹立的威望。八月二十八日，山本五十六下令進行「加號作戰」（カ號作戰），將原本要運送到中途島的五千六百名士兵改為登陸瓜達康納爾島，日本海軍動用強大的兵力護航，包括南雲忠一剩餘的航空母艦。接下來的東所羅門海戰是一場航空母艦對航空母艦的戰役，南雲在損失了三十三架珍貴的艦載機之後決定脫離戰場，少了軍艦護航的運兵艦無法應對空中攻擊，也被迫掉頭。[41]往後幾個月，數萬名日軍利用夜間接連登岸，十月時有兩萬人，到了戰役結束時達到四萬三千人。然而，當這些日軍面對堅強防禦工事與專業的海軍陸戰隊士兵時，他們的表現卻與當初迅速攫取南方地區的銳不可當截然不同。九月計畫由川口清健少將發動的第二次攻擊，也遭遇與一木清直相同的命運。川口兵分三路，分別從東面、西面與南面進攻機場，然而通信不良導致部隊無法協調行動，前後三天的時間，使用的戰術毫無新意。主要的戰鬥發生在九月十二日，地點在機場南方的一處低矮山脊，這裡很快就被取名為「血腥山脊」。日軍持續朝美軍防線衝鋒，直到川口的軍隊絕大多數都成了一具具堆疊起來急速腐爛的死屍為止。日本士兵因此把瓜達康納爾島稱為「死亡之島」。

九月十八日，日本大本營把瓜達康納爾島列為優先目標，並因此立刻中止進攻重慶與入侵巴布亞紐幾內亞的計畫。百武晴吉中將奉命率領第十七軍消滅美軍灘頭堡，儘管日本海軍持續有效地擊退實力較弱的美國特遣艦隊，而且不斷以艦砲轟擊機場，但日本陸軍面對在小包圍圈裡集中了重砲與戰車的美軍，卻依然重複之前失敗的進攻模式。十月二十三日到二十五日，日軍連續三天的攻擊再度遭到擊退，傷亡慘重。日軍決定再派出一支兩棲部隊，以十一艘運輸艦滿載三萬人，由比叡號與霧島號戰鬥艦組成的大型特遣艦隊護航，預計於十一月十四日抵達。美軍由卡拉漢海軍少將（Daniel Callaghan）率領的小型分遣艦隊順利護送六千名士兵上岸防守韓德遜機場之後，便轉而向北，途中剛好碰上阿部弘毅海軍中將率領的戰鬥艦艦隊，海戰一觸即發。卡拉漢陣亡，阿部的旗艦比叡號受到重創，阿部本人也受傷。第二天，航速緩慢的比叡號在試圖脫離戰場時被美軍飛機擊沉。山本五十六命令近藤信竹海軍中將讓受損的霧島號繼續前進，對韓德遜機場進行砲擊，以掩護運兵艦通過，但霧島號隨即遭遇接替佛萊契的海爾賽海軍中將（William Halsey）部署的兩艘戰鬥艦，其中華盛頓號配備了最新引進的火控雷達。霧島號在首波齊射中遭受重創，並於十一月十五日沉沒。[42]日本運兵艦預測美國空軍兵力已經遭到消滅，因此大膽在白天前進，卻因此陷入困境。美軍轟炸機的突然出現，擊沉了海上的六艘運兵艦，剩下四艘成功抵達岸邊，卻又遭空中與地面砲火摧毀。

到了十一與十二月，美國海軍陸戰隊第一師終於能放下重擔，范德格里夫特把防守的責任移交給第十四軍軍長巴區少將（Alexander Patch），巴區統率的兵力達五萬人。到了這個階段，這場戰役幾乎已經結束。剩餘的日軍仍繼續堅守，但東京已經決定放棄爭奪島嶼機場，因為日軍既無法進行可靠的運補，這場戰役損失的艦艇與飛行員數量也已經超過中途島海戰。十二月三十一日，裕仁天皇同意撤退。一九四三年一月二十日，日本開始「克號作戰」（ケ號作戰），把還能行走的士兵全部撤離。[43]在夜間護航任務中，總共有一萬零六百四十二人撤離瓜達康納爾島，只留下受傷與虛弱無力的士兵做垂死的一搏。這些撤離的士兵幾乎沒有食物或適當的補給，每個人骨瘦如柴，幾乎全都染上疾病，許多人再也無法重新回到戰場。長達五個月的戰鬥，日本陸軍（與海軍地面部隊）總計損失了三萬兩千人，絕大多數死於因糧食補給不足而造成的飢餓與疾病；估計有一萬兩千名海軍人員死亡，超過兩千名空勤人員陣亡，包括數百名最有經驗的飛行員。[44]美國海軍陸戰隊第一師是這場戰役的主幹，卻只陣亡一千兩百四十二人，這相當於日後整個太平洋戰場傷亡人數的零頭；美國海軍損失四千九百一十一人，海軍航空隊損失四百二十人。[45]對日軍來說，瓜達康納爾戰役是一場災難，為了一座遙遠的機場，竟耗費龐大的軍事資源與損失大量兵力、艦艇與飛機。這種失衡現象顯示日本對於防守新疆界有多麼偏執，而這場戰爭也跟史達林格勒會戰一樣顯示出一個政權最真實的狀況，那就是它的軍力已經達到極限，不可能再往前一步。

艾拉敏防線的長期衝突，與瓜達康納爾島的持續戰鬥發生於同時。這場沙漠戰爭攸關的意義比太平洋戰場更為重大，因為衝突發生的地點雖然是一片不毛之地，然而同盟國此役若能取勝，將使軸心國喪失征服埃及、取得蘇伊士運河與占領中東油田的可能。一九四二年八月，希特勒私下與軍需部長史佩爾討論中東時，雀躍地談起美好前景：「英國人將無助地看著他們的殖民帝國崩潰解體……到了一九四三年底，我們將在德黑蘭、巴格達與波斯灣搭起帳篷。」[46]邱吉爾把這場即將來臨的衝突稱為「埃及戰役」，並且要求奧欽列克要把埃及當成英格蘭的肯特郡一樣拼死防守。然而，邱吉爾卻對結果感到悲觀。「我不知道該怎麼做才能幫得了他們」，他對陸軍作戰部長抱怨說：「我懷疑陸軍是否還有拼戰精神。」羅斯福也對結果不抱期望，因為英國陸軍將領「把書本上提到的錯誤都犯了一遍」。[47]英國當局確實嚴肅考慮戰敗的可能，因此在一九四二年七月初，埃及大使館職員已經開始焚燒祕密文件，燒焦的紙張被風吹到了附近街道。而在倫敦，帝國參謀本部也設想了「最糟的狀況」，必要時會把埃及的英國人疏散到蘇丹的上尼羅河地區，並且在敘利亞與巴勒斯坦設置最後防線。[48]

軸心國在加查拉與多布魯克的勝利，使原本已經遠離補給基地的英軍更加雪上加霜。英軍只剩下一萬名精疲力盡的士兵，在這種狀況下要發動一場成功攻勢簡直是癡人說夢。六月底，隆美爾希望能一舉消滅已經遭受重創且士氣低落的英軍，然而非洲軍本身也只剩下五十五輛可用的戰車，義大利裝甲師的戰車也只剩下十五輛。義大利阿里提裝甲師（Ariete Division）只剩八輛戰車與四十門火砲，而且在新攻勢發起的第一天就損失三十六門火砲。[49]至於英國第八軍團方面，連續幾個月的失敗與撤退，早已讓士兵們感到幻滅。審查人員發現士兵信件裡「隨意洩露機密與發表失敗主義言論」的狀況愈來愈多。[50]在艾拉敏防線上，士兵們普遍預期接下來會撤退到尼羅河三角洲。為了化解這項危機，奧欽列克採取了不尋常的做法，他把位於開羅的中東司令部交給副手掌管，自己則親赴前線指揮第八軍團，中東的軍事核心因此陷於群龍無首的狀態。奧欽列克努力組織一連串箱型的防禦陣地，這些陣地彼此間隔一段距離，奧欽列克希望透過這些陣地來集中火力遲滯敵人攻擊。七月一日，歷史學家通稱的「第一次艾拉敏會戰」開打，這是長期衝突的第一階段，最終這場戰爭將延續到十一月初。第一次艾拉敏會戰很快就演變成一連串小規模戰鬥，隆美爾試圖突破奧欽列克的箱型陣地，希望像加查拉之役一樣繞到敵軍後方。然而戰場的能見度很差，除了打仗時經常激起的沙塵，此時又剛好颳起了沙塵暴。隆美爾缺少敵方情報，尤其德國過去仰賴從美國駐開羅武官攔截的祕密情報，然而六月之後，對方終於發現情報外洩並且做了防範。隆美爾的裝甲部隊未察覺到戴爾夏恩（Deir el Shein）有一處箱型陣地，結果遭到對方的火力壓制，德軍花了將近一天的時間才打敗對方，並且擊退防守此地的印度旅。當義軍與德軍第九十輕快師試圖往北突破及朝海邊前進，藉此包圍與切斷英國第八軍團的箱型陣地時，猛烈而集中的砲火阻擋了他們的攻勢，甚至讓軸心國軍隊陷入短暫恐慌而無法繼續前進。德國與義大利的部隊也遭到西部沙漠空軍的無情轟炸，這些飛機密集發動攻擊，甚至一度達到每分鐘都有飛機在敵軍上空的程度。七月二日與三日，隆美爾嚴令部隊再次出擊，但高傷亡率、缺乏燃料與車輛及疲憊不堪，使這場想一路長驅直入攻下尼羅河三角洲與蘇伊士運河的作戰終告失敗。隆美爾也許真的有幸運女神相助，但從非洲軍的狀況來看，這次行動確實是一場賭博。隆美爾於是下令部隊停止攻擊，並且在艾拉敏防線的對面開始挖掘防禦工事。

在獲得增援之後，奧欽列克決定轉守為攻，嘗試主動打擊實力已經遭到削弱的敵軍。他在七月發動四次攻擊，但沒有一次能成功突破敵軍防線。隆美爾初次發動進攻後的一整個月，英國第八軍團也發起反攻，卻折損了一萬三千多人而毫無戰果。八月初，邱吉爾與布羅克將軍在前往蘇聯與史達林開會途中順道視察埃及。邱吉爾對於自己看到的一切感到憤怒，他認為奧欽列克缺乏魄力，因此將他撤職，任命亞歷山大將軍接替奧欽列克擔任中東司令部司令。八月六日，第八軍團的一名軍長戈特中將（William Gott）被任命為第八軍團司令，結果第二天戈特就在一場空難中喪生。邱吉爾最終被說服任命蒙哥馬利中將（Bernard Montgomery）做為戈特的繼任人選。八月十三日，蒙哥馬利從英國抵達第八軍團司令部。蒙哥馬利有著特殊的名聲，根據他朋友告訴紐西蘭第二師參謀長的說法，大家都覺得蒙哥馬利「是個瘋子」。蒙哥馬利的確在眾人眼中是個古怪且自我中心的傢伙，他總是插手每一道命令。德國檔案對於蒙哥馬利的描述更為貼近事實，認為他是一個「難以對付的人物」，他會無情地實現自己的目標。[51] 蒙哥馬利為了明確表示今後不再有任何關於撤退的討論，於是在抵達之後就告訴全體官兵：「我們將堅守此地進行戰鬥，我們絕不撤退……如果我們不能活著守住這裡，那我們就死在這裡。」透過「極機密」破解的情報，蒙哥馬利得知軸心國很快就要重新發動攻勢，而他根本沒有時間對部隊重新部署。儘管如此，他一開始的呼籲確實對軍隊造成正面影響。不到一個星期，審查人員就發現「埃及的英國軍隊開始有了振奮人心的全新氣息」。[52]

到了八月底，交戰雙方都已經重整旗鼓。軸心國雖然面臨棘手的後勤問題，但北非軸心國部隊在這段時間還是源源不斷地獲得新的援軍，這點令人印象深刻。儘管如此，各項補給物資在運往北非的路上始終飽受同盟國潛艦與飛機的攔截與攻擊，因此德國與義大利的軍隊在燃料與軍火上還是嚴重缺乏。九月到十月，運往利比亞的石油與車輛大約損失了三分之一到二分之一，由於德國必須將空軍投入於俄羅斯前線，而義大利的商船船團數量也持續減少，因此德國沙漠戰略受到的資源限制顯然沒有改善的可能。[53]把燃料運往數百英里的前線，整個運輸過程居然要耗費掉運送燃料的四分之三。攻占多布魯克也無法緩解後勤危機，因為即使在未遭受轟炸的狀況下，多布魯克一個月的貨物吞吐量也只有一萬噸，而軸心國軍隊需要的卻是十萬噸。[54]卡伐里羅與凱賽林都承諾隆美爾會採取緊急措施提供所需的燃料與軍火，但到了隆美爾準備重啟攻勢時，他取得的燃料只足夠支撐八天。軍力的對比則沒那麼悲觀：德軍現在已經有八萬四千人，義軍有四萬四千人，大英帝國的軍隊則有十三萬五千人；德軍戰車有兩百三十四輛，義軍戰車有兩百八十一輛，英軍戰車則有六百九十三輛。[55]空中力量存在巨大的落差，隆美爾離能夠支援他的空軍基地非常遙遠，反觀英國的西部沙漠空軍則能輕鬆飛抵前線與攻擊軸心國的補給線。

隆美爾擬定了一個傳統的德國戰爭計畫。首先從南部雷區穿過同盟國防線，然後轉而朝東北前進，從阿蘭哈法（Alam el Halfa）的平坦山脊切斷盟軍主力，不過同盟國已經在這處山脊設置了火砲與戰防砲。蒙哥馬利主要仰賴奧欽列克的參謀過去擬定的計畫，這項計畫的關鍵在於當軸心國裝甲部隊緩慢而費力地穿過雷區之時，以空軍進行攻擊來削弱其兵力，並且在阿蘭哈法山脊上設置火砲，透過密集彈幕來阻止敵軍前進。英國在這個時候取得了可能改變戰局的新裝備：同盟國裝甲部隊如今裝備了大量的美國格蘭特戰車與雪曼戰車，這兩種戰車遠比英國戰車來得優越，因為它們可以同時使用穿甲彈與高爆彈，前者可以穿透敵方戰車裝甲，後者可以摧毀戰防砲與一般火砲。蒙哥馬利也獲得大量的重型戰防砲，至少可以用來對付現有的德國戰車。蒙哥馬利只對計畫做了一項補充：他堅持要打一場靜態的防守戰，要仰賴火砲與空中力量，避免進行第八軍團不拿手的機動戰。

這場德國與英國的計畫較勁，最後是由英國的計畫勝出。這場會戰原本可能稱為第二次艾拉敏會戰，結果卻以阿蘭哈法山脊命名，這是因為整個交戰過程都局限在阿蘭哈法山脊，而最終德軍也未能攻下山脊。八月三十日晚間，德國裝甲師開始穿越雷區，計畫在天明之後抵達開闊的沙漠地帶。然而英國空軍投下的照明彈照亮了目標，德軍過於集中的兵力與車輛完全暴露在英國空軍無情的猛烈轟炸之下。德軍進展緩慢，消耗的燃料也大量增加，到了早上，隆美爾不得不放棄繞到敵軍後方以鐮割方式截斷敵軍退路的做法，而把攻擊目標局限在阿蘭哈法山脊上。然而他的部隊已被致命的火砲彈幕與隱匿的戰防砲釘住。兩天過去後，隆美爾的部隊毫無進展，幾乎快用盡燃料，還要面對飛機與火砲轟炸，德軍與義軍的士氣都大受影響——一名受害者被連轟七小時後表示：「我這輩子從未遭遇過如此猛烈的砲擊。」[56]到了九月二日，隆美爾被迫下令軍隊撤回發起線，但義大利摩托化師已經用光燃料，也無運輸車輛，只好放棄三分之二的人員與三分之一的火砲。這是補給與兵力都十分有限的德義軍隊所做的最後一擊。然而，這場攻擊卻不具決定性。隆美爾與義大利將領都知道盟軍將一天比一天強大，因此他們決定埋設四十四萬五千枚地雷，並且在這密集的地雷帶後方建立防線。[57]軸心國曾經期盼英國在戰場上的無能終將奉上中東的戰果，但阿蘭哈法會戰與接下來的第二次艾拉敏會戰一樣，都粉碎了軸心國的美夢。

面對最後一場會戰，蒙哥馬利終於能親自為自己指揮的軍隊擬定計畫。他選擇進行一場會戰，要在一個正面狹窄且後方有防守縱深的地區，這幾乎可以確定是唯一的選擇。蒙哥馬利知道自己部隊的局限：「我盡可能限制作戰規模，然後投入必要的兵力來取得勝利。」[58]由於英軍過去已暴露出太多弱點，蒙哥馬利因此決定為即將來臨的作戰擬定一個清楚詳細且符合現實的計畫，而他也因此被批評為過於審慎。這份被稱為「輕足作戰」(Operation Lightfoot)的計畫大綱於十月六日完成，四天後，在與各級將領討論後又做了修改。蒙哥馬利雖然是團隊領導人，但他仍希望團隊每一個成員都能對這場戰爭貢獻心力。之前的幾場敗仗充分顯示，在英國將領領導下，要組織一支多民族的帝國部隊有多麼困難。[59]蒙哥馬利花時間彌補各國將領之間的嫌隙。他也瞭解整合陸空攻擊的重要性，因此他與亞瑟・康寧漢空軍少將（Arthur Coningham）的西部沙漠空軍建立起密切關係，讓空軍與陸軍的戰術司令部密切合作。蒙哥馬利也堅持整合裝甲與步兵部隊，他的方法很簡單，就是讓兩個軍種的將領一起相處，共同討論該如何合作。未能為步兵提供適當掩護一直是雙方爭論的焦點。最後，火砲必須集中部署，藉此創造出致命的彈幕，就像一九一八年一樣。

為了確保計畫獲得理解與聯合兵種的概念順利實施，蒙哥馬利要求士兵進行一個月的密集訓練，包括演習時使用實彈與地雷等震撼教育。[60]除了大刀闊斧進行改革，英軍也取得大量的新裝備，其中絕大多數來自美國，美國提供了百分之二十一的戰車，還提供將近半數的飛機給西部沙漠空軍。美國陸軍航空軍在埃及建立了第十航空軍，該航空軍配備了B－24與B－17轟炸機，負責轟炸補給軸心國部隊的利比亞港口與冒險往返地中海的護航艦隊。[61]到了十月中，同盟國的兵力與裝備已逐漸具備壓倒性的優勢：軸心國有十二個未滿編的師共八萬人（四個德國師，八個義大利師），同盟國則有十個師共二十三萬人；軸心國有五百四十八輛戰車（包括兩百八十輛性能較差的義大利戰車，性能最好的德國戰車只有一百二十三輛），同盟國則有一千零六十輛戰車；軸心國有三百五十架飛機，同盟國則有五百三十架飛機，而同盟國在更東邊的基地還有更多可用的飛機。[62]火砲與重要的戰防砲數量則差異較小，但義大利師的火力嚴重不足且缺乏現代火砲。義大利的「雷電」（Folgore）空降師雖然在最後一場會戰中表現出色，卻幾乎沒有任何重武器可用。[63]

盟軍擬定的艾拉敏計畫，首先以步兵攻擊軸心國北方防線的步兵，主要是義大利人；而裝甲部隊尾隨步兵，用來擊退可能出現的反擊。同盟國想藉由這種方式逐日消耗軸心國的防線使其「崩潰」。蒙哥馬利也堅持實行一項佯攻計畫，他故意擺出盟軍在南方集結大量裝甲部隊的樣子，迫使隆美爾將第二十一裝甲師與義大利阿里提裝甲師固定部署在南方，以因應這個不存在的威脅。[64]十月二十三日晚間，盟軍發動攻擊，此時隆美爾剛好因病返回德國療養。在步兵發起攻擊之前，盟軍先用砲兵大規模砲轟，切斷德軍的前線通信。暫代隆美爾職務的斯圖美將軍（Georg Stumme）無法得知前線狀況，於是搭車前往前線，卻在途中遭飛機低空掃射，斯圖美心臟病發身亡。等到隆美爾於十月二十五日傍晚抵達非洲時，大英帝國的北方攻勢已在火砲與飛機的無情轟炸下，即將大舉突破防線。蒙哥馬利的計畫雖非完美，但他的改革卻帶來成效。軸心國戰車與戰防砲阻擋了英國裝甲部隊兩天的時間，但到了十月二十六日，德國第十五裝甲師只剩下三十九輛戰車，而英國第八軍團還有七百五十四輛戰車。[65]軸心國部隊確實在一場不可能贏的消耗戰中「崩潰」了。

此時，隆美爾終於發現盟軍在南方防線只是佯攻，他趕緊將第二十一裝甲師與半數的阿里提裝甲師調往北方阻止盟軍突破防線。隆美爾警告德國國防軍最高統帥部，這是一場他無法獲勝的戰爭，而當蒙哥馬利於十一月一日改變計畫發起「超重作戰」（Operation Supercharge），讓步兵與裝甲部隊協同攻擊北方防線時，突破已勢不可免。隆美爾把即將撤軍的決定告知希特勒與義大利最高統帥部。十一月三日，希特勒又下達「不是勝利，就是死亡」的禁止撤退令，但軸心國防線實際上已經崩潰。到了十一月二日，隆美爾只剩下三十五輛戰車，損失了半數步兵與火砲，包括用來摧毀敵方裝甲部隊的八十八公釐防空砲也被消滅殆盡。[66]希特勒態度軟化，允許有限度的撤退，但義大利最高統帥部的甘丁將軍（Antonio Gandin）仍堅持守住防線。結果就是六個義大利師幾乎被完全殲滅，南方防線的義大利師則在缺乏軍火、糧食、水與車輛下遭到遺棄。盟軍俘虜了七千四百二十九名德國士兵與兩萬一千五百二十一名義大利士兵，軸心國部隊傷亡七千人；英國第八軍團傷亡一萬三千五百六十人，其中兩千三百五十人死亡。[67]蒙哥馬利只擬定了有限的追擊計畫，當盟軍沿著利比亞海岸追擊隆美爾，並且在一月抵達的黎波里時，他們還是無法圍殲軸心國的殘兵敗將。儘管如此，軸心國的失敗無疑全面而徹底。義大利的戰爭實際上已經結束，至於德國武裝部隊則為了攻取中東與油田而耗費大量人力物力。事實上，若真要奪取中東，德國投入的資源遠遠不夠，而其擬定的戰略也完全失焦。到頭來，希特勒其實是在將寶貴的軍事資產虛擲在爭奪一塊狹長的沙漠地帶上。雖然第二次艾拉敏會戰經常被描述成一場充滿驚險的戰爭，但實際上隆美爾始終未獲得希特勒的充分支持，因此對他而言，這是一場不可能勝利的戰爭。隆美爾之後撤退到法屬突尼西亞繼續戰鬥，但十一月八日，英美火炬作戰派遣六萬五千名聯軍在非洲西北部登陸，此後便從西向東擊潰軸心國的部隊。十一月十五日，當勝利的消息傳來，邱吉爾這才在開戰後首次授權全英國教堂敲鐘慶祝。[68]

瓜達康納爾島與艾拉敏會戰是太平洋與北非這兩個戰場的重要轉捩點，但與德國為了切斷窩瓦河流域與攻占蘇聯油田而發起的大規模會戰相比，這兩場會戰可說是相形見絀。德蘇在這場戰爭中投入了數百萬人，造成的傷亡遠超過英美在整場二戰中的死傷人數。當二十二個師在北非沙漠交戰時，德蘇卻有三百一十個師在史達林格勒及其周邊地區打得難分難解，總兵力超過兩百萬人。[69]與艾拉敏會戰一樣，史達林格勒會戰並沒有一個明確的發起日。蘇聯歷史認為這場戰爭始於一九四二年七月十七日，蘇軍第六十二與第六十四軍團在離史達林格勒只有九十六公里的齊爾河（Chir River）與德軍第六軍團交戰，但希特勒一直到七月下旬才決定攻占而非圍困史達林格勒。七月到八月初，德國B集團軍一直按兵不動，等待燃料與軍火補給。另一方面，第六軍團司令保盧斯在經過幾個星期頑強戰鬥後，終於清除頓河大彎處的敵軍，在八月十日於卡拉赤（Kalach）圍困了十萬紅軍士兵，至此B集團軍終於能渡過頓河大舉進攻史達林格勒。然而保盧斯也損失了半數戰甲車，只剩下兩百輛戰車，反觀蘇軍還有一千兩百輛以上，德軍在八月也傷亡二十萬人。[70]對於此時的希特勒來說，史達林格勒已具有一種象徵性意義，它是「史達林的城市」。為了加快攻占史達林格勒，希特勒將霍斯將軍指揮的第四裝甲軍團從A集團軍北調，第四裝甲軍團原本擔任征服高加索地區的核心重任，此時卻必須協助攻打史達林格勒。這項調動證明是一場災難，不僅削弱攻擊油田的兵力，也無法給予B集團軍決定性的優勢來征服史達林格勒。霍斯在穿過卡穆克大草原時遭遇蘇軍的激烈抵抗，等到他來到離史達林格勒市中心二十公里處時，第四裝甲軍團只剩下一百五十輛戰車。

優先目標更換是希特勒的決定。與一九四一年一樣，希特勒的決定時常令人困惑，明明德軍的補給線愈拉愈長且愈來愈容易受到攻擊，德軍數量也愈來愈少，但希特勒卻要求德軍攻占所有土地，表示希特勒的軍事領導能力已明顯出現問題。他愈是對底下的將領感到不耐，產生的危機就愈嚴重。九月，希特勒接管A集團軍的指揮權，往後兩個月，A集團軍必須直接聽從他的指揮，希特勒這麼做是為了確保各級將領完全依照他的命令行事。哈爾德將軍在日記裡提到，希特勒的戰略「毫無道理可言，而他自己也知道」。[71]九月二十四日，在經過幾個月的冷戰之後，希特勒終於撤換陸軍參謀總長哈爾德，改由柴茲勒中將（Kurt Zeitzler）接任。柴茲勒較為年輕也較為順從，更重要的是，與其他可能的人選相比，柴茲勒是更具熱忱的納粹黨黨員。這項人事異動顯示希特勒希望領導高層能具備強烈的意識形態，他認為這些人才能真正發自內心追隨他的戰略思想。[72]希特勒短暫指揮的高加索會戰，與史達林格勒會戰有著密切關係。A集團軍穿過庫班平原，沿著黑海海岸前進，其漫長的側翼理應由B集團軍保護。克萊斯特元帥（Ewald von Kleist）指揮的第一裝甲軍團現在卻必須在缺乏步兵協助下，在南方執行所有任務。第一裝甲軍團精疲力盡、後勤補給缺乏且運輸基礎設施不完善，加上必須在廣大森林與溪谷間進行戰鬥，這裡顯然不是使用戰甲車的理想地形。儘管被派到這個地區的蘇聯軍隊與將領都缺乏經驗（並非專精於山地戰的山地部隊，也沒有配備滑雪板、冰爪、繩索與登山靴），但克萊斯特的部隊還是無法抵達與攻占格羅茲尼或巴庫。十一月，布朗許維格作戰的主力部隊在蘇軍激烈抵抗下停止前進，與此同時，北方奪取史達林格勒的行動也同樣陷入僵局。[73]

史達林對於德軍的進攻始終未能做出明確回應，因為他仍認為德軍真正的目標是莫斯科，即使南方的危機持續擴大，他仍堅持蘇軍要持續對位於勒熱夫（Rzhev）與佛雅馬的中央防線進行反攻。但另一方面，德軍對於蘇聯軍力的估算卻嚴重失真，從七月到九月，當史達林格勒與蘇聯油田遭受的威脅愈來愈大時，蘇聯大本營卻有充足的預備隊，使他們能派出五十個師與三十三個旅前往南方前線。一九四二年，蘇聯的戰車與飛機生產量已經遠超過德國，俄羅斯工廠生產的火砲數量更是德國的三倍——這是紅軍實力大幅提升的關鍵。當德軍逐漸逼近窩瓦河流域與史達林格勒時，史達林愈來愈擔心德國或許真的有可能打贏這場仗，而他也對於西方盟國的心口不一感到憤怒，因為英美並未順利開闢第二戰場分散德國的兵力。十月時，史達林對麥斯基說道：「從現在起，我們會知道我們結交的是什麼樣的盟友。」[74]八月二十六日，也就是保盧斯第六軍團的裝甲部隊率先抵達史達林格勒以北窩瓦河的三天後，史達林任命朱可夫代理擔任總司令一職，這表示他默認自己能力不足，造成紅軍大量傷亡與引發戰略危機。[75]十月九日，史達林做了更激進的決定，他削減政委的角色，使他們無權干預軍事指揮，讓軍事將領擁有絕對的指揮權，藉此降低意識形態對戰爭的影響，反觀同一時期的希特勒卻做了完全相反的規範。這項改變並未減少史達林身為蘇聯國防委員會主席對軍隊時常做出的直接干預，但至少讓各級將領在指揮時不用擔心自己是否逾越黨的路線，至於德軍將領則一直受到希特勒反覆無常的命令限制，無法依照自己想法作戰。

史達林格勒爭奪戰其實只是整個廣闊東線戰場的一小部分，在城市的北方與南方圍繞著廣大的農村地帶，德軍與軸心國部隊在這裡持續抵擋蘇聯的攻擊。雙方派往前線的援軍，最終都是在史達林格勒的外圍交戰，而不是在市區裡。十月十九日，羅柯索夫斯基將軍（Konstantin Rokossovskii）率領頓河方面軍大舉攻擊史達林格勒以北的德軍，卻遭遇慘敗。儘管蘇軍的攻擊未能成功突破德軍的包圍圈，卻牽制住軸心國的部隊，在會戰初期持續削減其兵力與武器數量。[76] 九月三日，保盧斯的第六軍團終於與霍斯的第四裝甲軍團會合，然而史達林格勒周圍的戰場過於遼闊，保盧斯只能抽調一小部分的軍隊攻打史達林格勒，從未滿編的二十個師中派出八個師。在城內進行巷戰的軍隊固然死傷慘重，但城外軍隊的戰力還不一定比城內的軍隊完整。[77] 儘管如此，艱困的城市爭奪戰最終還是成為史達林格勒會戰的核心。保盧斯對於攻占史達林格勒毫無信心，但B集團軍司令魏克斯卻在九月十一日向希特勒保證，十天之內可以攻下這座城市。[78] 八月二十四日到二十五日，史達林格勒遭到李希霍芬第四航空軍團的毀滅性轟炸，但這場轟炸對於戰局幾乎沒有影響，相反地，瓦礫堆反而不利裝甲部隊前進，斷垣殘壁也成了守軍絕佳的掩護。德軍占領舊城區並且推進到史達林格勒以南的窩瓦河之後，計畫在九月十三日發動一場大規模攻勢，企圖一口氣奪取整個窩瓦河西岸。與保盧斯對峙的是令人生畏的崔可夫將軍（Vasily Chuikov），他於九月十二日被任命為第六十二軍團司令，前任司令洛帕欽將軍（Anton Lopatin）因為試圖撤往窩瓦河對岸而遭到撤職。接下來三天的時間，德軍在每個街區進行激烈巷戰，攻下了史達林格勒市中心的大部分地區。白天，優勢的火力與空中攻擊讓保盧斯掌握主動權；夜晚，紅軍的「突擊隊」（storm groups）使用衝鋒槍、匕首與刺刀，滲透到占領區，他們讓德軍士兵心驚膽戰，逐一收復失地。[79]一名德國士兵在日記裡抱怨說，「這群野蠻人，用的是黑幫的陰招，史達林格勒就跟地獄一樣。」[80]

史達林格勒爭奪戰對雙方來說都是一場異常艱困的試煉，士兵每天都在減少，裝備與糧食都很缺乏，而且隨時可能遭到狙擊手與突擊隊攻擊。崔可夫要求士兵盡可能靠近前線以避免德軍砲擊，至於蘇軍第六十二軍團的重砲則盡可能部署在河岸後方，蘇軍還有卡秋莎（Katyusha）多管火箭砲，一次可以齊射四噸的火箭，殺傷範圍達到十英畝。史達林格勒的守軍除了一開始有崔可夫三百架飛機的援助，之後又獲得蘇聯第八航空軍超過一千五百架飛機的支持；蘇聯戰術與無線電通信的改善，表示從巴巴羅薩作戰以來德軍習以為常的空優已愈來愈受到挑戰。十月，保盧斯接到任務，他必須攻下突堤地區，使崔可夫無法再從窩瓦河對岸取得補給，此外還要占領北方廣大的工業地帶。保盧斯統率的三十三萬四千人當中，實際能夠作戰的只有六萬六千五百六十九人。德軍進攻時總是抱著一線希望，希望這次攻擊可以讓崔可夫投降。渴望獲勝的史達林同樣鞭策守軍。十月五日，他告訴史達林格勒方面軍司令顏里明科將軍（Andrei Yeremenko）：「我對你的表現很不滿意……你必須把史達林格勒的每一條街道與每一棟建築物都變成要塞。」然而現實上早已是如此。[81]十一月九日，保盧斯命令已經受損嚴重的七個師進行「胡貝圖斯作戰」（Operation Hubertus），試圖將蘇軍突出部推入寬五百公尺的窩瓦河中，但蘇軍的反擊與重砲使行動不得不終止。結果蘇軍第六十二軍團依然固守於窩瓦河岸，延伸達數公里。柴茲勒試圖說服希特勒放棄史達林格勒與縮短防線，希特勒卻反駁說：「我不會離開窩瓦河！」[82]此時保盧斯的軍隊已過於脆弱，一旦撤退便很可能釀成重大危機。第六軍團幾乎已經沒有可用的車輛，而為了避免更多折損，絕大多數馬匹都已經在十一月時撤走。[83]十一月十八日，崔可夫收到加密電訊，要他等待「特別命令」。午夜時分，崔可夫收到通知，史達林格勒內外的德軍即將遭到包圍。

雖然所有人的焦點都放在史達林格勒，但最關鍵的卻是蘇聯執行的「天王星作戰」（Operation Uranus），意圖包圍史達林格勒周邊的所有德軍，切斷他們的對外聯繫。雖然朱可夫在戰後表示，自己早在九月中就已經在克里姆林宮一場戲劇性的會議中向史達林報告這項計畫，但在史達林的日誌中卻沒有這場會議的紀錄。在華西列夫斯基一級上將（Aleksandr Vasilevskii）主持下，參謀本部對於包圍的可能性進行討論，十月十三日，華西列夫斯基與朱可夫向史達林報告天王星作戰計畫。[84]這項計畫簡單明瞭：蘇軍將在德軍往史達林格勒延伸的漫長突出部的北側與東南側集結大量預備隊，德軍把漫長的側翼交給實力較弱的軸心國盟邦羅馬尼亞、匈牙利與義大利防守，自己則負責主要的攻擊任務。這道走廊必須夠寬（超過一百五十公里），才能防止保盧斯突破與阻止德軍反擊重新連接突出部。天王星行動只是計畫的一部分，史達林與他的參謀仍想一鼓作氣瓦解整個德軍前線。「火星作戰」（Operation Mars）的規模不下於天王星作戰，預計在進行天王星作戰的同時，擊退德國中央集團軍。如果行動成功，之後還會推出更大規模的行星行動，包括在北方進行的「土星作戰」（Operation Saturn）與在南方進行的「木星作戰」（Operation Jupiter），以消滅德國的南方與中央集團軍。

紅軍針對天王星作戰進行了嚴格保密與各項佯攻作戰，最終成功集結超過一百萬名士兵、一萬四千門重砲、九百七十九輛戰車與一千三百五十架飛機。[85]德國情報單位再度因為輕率低估蘇軍實力，而幾乎完全沒有察覺蘇軍的集結行動。天王星作戰的北翼於十一月十九日發動攻擊，第二天南翼也展開攻勢。德軍脆弱的側翼一如預期迅速潰敗，到了十一月二十三日，蘇軍的兩翼在索維茨基（Sovetsky）會合，這個村子就位於八月紅軍被圍的地點卡拉赤南方幾英里處。蘇軍很快就用六十個師與一千輛戰車建立起寬廣的走廊，德軍第六軍團與第四裝甲軍團（還有羅馬尼亞與克羅埃西亞的部隊）多達三十三萬人遭到包圍。天王星作戰的成功，顯示紅軍確實從過去犯的錯誤得到教訓，同時也凸顯出希特勒的軍事指揮在戰略上充滿矛盾。保盧斯曾想進行突圍，但希特勒卻在十一月二十日命令他不許離開史達林格勒。雖然承諾要空運補給物資，但冬季天候惡劣與蘇聯空軍在重整後逐漸加強攔截，使這項承諾已不可能實現。為了進行補給，德軍損失了四百八十八架運輸機與一千名機組人員。[86]曼斯坦被指派擔任新成立的頓河集團軍司令，他發起「冬之風暴作戰」（Operation Wintergewitter）試圖突破蘇軍包圍，卻遭到蘇聯裝甲預備隊擊退。保盧斯只能孤軍奮戰。

一月十日，蘇軍開始收縮史達林格勒口袋，代號「鐵環作戰」（Operation Kolt'so）。在此之前，蘇軍也試圖對曼斯坦的頓河集團軍進行第二次包圍，這項作戰稱為「小土星」。義大利的掩護部隊遭到殲滅，但曼斯坦順利逃過包圍。仍在高加索地區苦戰的A集團軍於十二月二十七日接到命令，要求盡快撤回羅斯托夫以免後路遭到切斷。柴茲勒努力從希特勒口中取得撤退命令，一經取得便立即在希特勒私人司令部的前廳打電話通知前線，因為他認為希特勒隨時可能反悔，而實際上也確實是如此。[87]A集團軍好不容易從逐漸收緊的通道撤出高加索地區，之後在曼斯坦的指揮下進行重整，勉強恢復到藍色作戰開始前的狀態。鐵環作戰徹底擊敗了德軍。紅軍以為圍困了八萬人左右，結果總數竟超過二十五萬人。口袋周圍大約有二十八萬名士兵、兩百五十輛戰車、一萬門火砲與三百五十架飛機，但保盧斯實際能用來戰鬥的士兵只有兩萬五千人、九十五輛戰車與三百一十門戰防砲。[88]糧食與彈藥即將耗盡。儘管如此，保盧斯的軍隊在第一個星期仍頑強得讓人吃驚。外圍的農村地區很快遭到壓縮，到了一月十七日，口袋大小只剩下一半。一月二十二日，蘇軍準備進行最後一擊，與長期防守史達林格勒的崔可夫會師。希特勒要求保盧斯不許投降，但保盧斯周圍的士兵正在挨餓，也沒有子彈可以開槍，身陷重圍的他在無線電裡表示：「我能對沒有子彈的軍隊下什麼命令？」[89]一月十九日，一名士兵坦承，「我再次喪失了作戰意志……在這裡，只能看到廣闊的白色、碉堡、痛苦、沒有適合休息的地方。在這裡，人的精神一定會慢慢被消磨掉，然後崩潰。」[90]一月三十一日，設在百貨公司的德軍司令部被攻陷，保盧斯宣布投降，但在此之前的許多德軍士兵早已放下武器。史達林格勒北部的抵抗一直持續到二月二日。整場會戰造成雙方慘重的傷亡。史達林格勒會戰依然缺乏精確的傷亡數字，但從一九四二年七月到十二月，整個東線戰場德軍死亡高達二十八萬人，義軍死亡與失蹤八萬四千人；在史達林格勒，軸心國部隊有十一萬人被俘，其中絕大多數死亡。在南方，蘇聯在會戰中不可回復的損失（死亡與失蹤）也達到六十一萬兩千人。[91]

土星作戰與木星作戰這兩項更具野心的計畫最終未能實施。為了一舉擊潰德國中央集團軍而進行的火星作戰，則由朱可夫親自指揮，史達林認為這項行動比天王星作戰更為重要。但火星作戰卻以慘敗收場，幾乎未取得任何戰果，反而使蘇軍傷亡近五十萬人，損失一千七百輛戰車——只不過這場失敗被史達林格勒會戰的勝利掩蓋。[92]史達林與蘇聯大本營對於南方戰場擊潰德軍卻未能帶來更大戰果感到沮喪，儘管如此，史達林格勒會戰確實是一場耀眼的勝利，與戰果相較不起眼的瓜達康納爾島與艾拉敏會戰相比，可說是非凡的成就。全世界的目光都關注著這場會戰。法國報紙《週報》（*Le Semaine*）二月四日的標題寫著：「史達林格勒，人類有史以來最大的會戰。」[93]對德國民眾來說，史達林格勒的勝敗代表的意義遠超過任何一場會戰。史達林格勒會戰的失敗，意謂著德國無法使用蘇聯的資源來與西方作戰，還可能對整個帝國計畫構成致命挑戰。戰略上來說，史達林格勒會戰使蘇聯從戰爭開打十五個月以來面臨的無窮危機中解脫，但還無法完全終結德國的威脅。瓜達康納爾島、艾拉敏與史達林格勒三場會戰證明帝國過度擴張帶來的危險，這種現象在許多領土型帝國建立的過程中都曾出現過。然而，帝國為了自身安全只能繼續尋求擴張，這樣的誘惑令人難以抗拒。儘管如此，面對軸心國橫掃一切的氣勢，同盟國在這三場會戰中有著非贏不可的壓力。這三場會戰軸心國之所以失敗，不只是因為日本、德國與義大利的戰略與戰術失誤或資源較少，也因為同盟國學會如何更有效地戰鬥。正是這個結果，改變了整場戰爭的走向。

戰爭就像買彩券

希特勒究竟是何時察覺德國已經輸掉這場戰爭？而他的帝國計畫已然失敗？歷史學界對此尚無

共識。一九四三年夏天，土耳其軍事代表團訪問德國，當代表團成員詢問希特勒是否認為這場戰爭會贏時，希特勒只是簡單地回道：「戰爭就像買彩券。」[94]但可以確定的是，希特勒絕對不想承認失敗。一九四二年十一月，在一年一度紀念一九二三年希特勒政變的集會上，有人聽到希特勒這麼說：「德國士兵踏上的土地，我絕不會歸還。」之後不到三個月，德軍就失去了史達林格勒與頓河大草原。希特勒既憤怒又沮喪，即使德軍不斷失去在東方征服的領土，他仍持續下達寸土不讓的命令。根據戰後的一項證詞，每次與將領開完簡報會議後，希特勒都會重申這場戰爭「德國終將贏得勝利」。希特勒不贊成先與其中一個同盟國妥協談和，而是期待同盟國內部分裂。直到一九四四年二月，當談到德軍必須經由烏克蘭進行長途撤退時，希特勒這才首次坦承，撤退必然會導致災難。不斷地撤退，「最終將表示德國的失敗」。凡是違反命令放棄領土的將領都將予以撤職或槍斃，不過實際上絕大多數將領都未遭到處分。[95]對希特勒來說，這場戰爭勢必要持續下去，直到不斷地撤退造成最終的悲慘結果為止。

日本與義大利的領導人仍有機會尋求避免全面戰敗的解決方案，但他們卻深陷於樂觀的幻覺之中，不肯面對無法贏得戰爭的殘酷現實。瓜達康納爾島、艾拉敏與史達林格勒距離軸心國本土尚有數千英里遠，而同盟國在一九四二年冬天獲勝之後，依舊足足花了將近三年時間才完全打敗敵人。儘管如此，這三場會戰造成的轉折，結束了一九四〇年九月《三國同盟條約》簽訂以來持續了兩年的新帝國秩序。原本在德義日宣布的新帝國秩序之下，新帝國之間應該建立更緊密的戰略夥伴關係，要透過軍事勝利將帝國疆域擴展到全球，不僅要模仿還要取代已經崩解的歐洲殖民秩序。然而實際上，三個軸心帝國並未進行廣泛合作，即便一九四〇年十二月二十一日簽訂的附約確實要求每個軸心國首都都要設立專門委員會：總體委員會、經濟委員會與軍事委員會等。這些委員會由政治人物、官員與軍事代表組成，功能是針對戰略、軍事、科技與情報進行跨國資訊交流。委員會直到一九四一年夏天才開始運作，而三國首都之間的往來卻少得可憐。日本人很快就對義大利委員會失去興趣，因為他們認為義大利不過是德國的衛星國，而義大利協商者也拒絕透露軍事技術的細節給日本代表。各國為了保護自己的帝國利益，限制了情報合作。一九四二年春，軍事委員會遭到降級，「完全被邊緣化」，因為軍事戰略的制定原本就不在《三國同盟條約》的範圍內。[96]如果德軍能攻占高加索地區而義軍能攻下蘇伊士運河，兩軍同時往伊朗與伊拉克推進，那麼軸心國之間的合作很可能向前更進一步。要是英國能被逐出中東，日本領導人也不反對將勢力拓展到印度洋。一九四二年一月十八日，德日簽訂協定，同意以東經七十度為界劃分兩國在印度洋的帝國利益。然而這項協定反而引發兩國在劃界時的種種爭議。到了一九四二年底，印度洋共同戰略已無實現的可能，兩國的爭端也無疾而終。[97]德日只有在對抗大英帝國上維持有限的合作關係，少數的德國潛艦駐紮在日本控制的馬來亞基地，負責打擊英國的補給艦隊，然而這對日本的幫助極為有限。史達林格勒會戰之後，德日瞭解兩國已無合作必要，為了挽救自己的帝國，兩國各有自己的戰爭要打。[98]

在這個階段，同盟國建立的合作關係肯定比軸心國來得緊密，但同盟國彼此之間仍存在著足以破壞和諧的重大歧異與爭論。一九四三年一月，邱吉爾與羅斯福在摩洛哥城市卡薩布蘭加見面，這座城市原本屬於維琪法國，卻在去年十一月火炬作戰發起之初就被盟軍占領，邱吉爾與羅斯福在此商討的核心議題是如何徹底擊敗軸心國。事實上，從一九四三年開始，同盟國的戰略簡單地說就是將軸心國逐出其所新建立的帝國，如果可能的話再進一步攻進帝國核心。這對史達林與蘇聯軍隊來說確實是最直接的戰略，因為他們是在一個清楚明確的空間裡面對主要敵人，但西方盟國卻要在遙遠的戰場面對三個主要敵人。在一九四三年，要與這些敵人戰鬥只有一個辦法，那就是兩棲作戰。西方盟國對於用什麼方式才能最有效地取得勝利缺乏共識，而爭論最多的就是在戰略層面上，哪種方式是可行或可取的。史達林婉拒出席卡薩布蘭加會議，因為他正全心投入史達林格勒會戰的最後階段（實際上也是如此），但他的缺席也凸顯出他對於西方盟國失信的不悅：西方盟國先是承諾在一九四二年開闢第二戰場，之後又承諾在一九四三年初，但兩次承諾都跳票。史達林的缺席讓羅斯福、邱吉爾與其軍事參謀得以暢所欲言，各自提出如何擊敗軸心國的方案，但他們也意識到必須提供仍承受德國沉重打擊的蘇聯盟友一個喘息的機會。

卡薩布蘭加會議在盟軍內部有個恰如其分的代號，「象徵」。這場會議充分顯示羅斯福與其幕僚受英國影響的程度，他們不顧國內所有高階將領的反對，一味地支持英國的北非行動，而非選擇登陸歐洲。卡薩布蘭加會議之所以召開，主要是因為羅斯福堅持美軍必須在「歐洲」展開軍事行動（然而實際上卻是在非洲），他反對分配更多資源在對日戰爭上，當時美國派駐海外的十七個師，已有九個師用來對抗日本。[99]火炬作戰極為艱鉅，因為從美國東岸與蘇格蘭前往北非需要長途的遠洋航行，英美聯軍對於兩棲作戰也還沒做好充分準備，而維琪法國的軍隊究竟有多少抵抗意志也不清楚。火炬作戰的美軍總司令是艾森豪將軍，他評估勝利的機率不超過百分之五十。兩支特遣部隊，一支由美軍組成，目標是卡薩布蘭加與奧蘭，一支是英美聯軍，目標是阿爾及爾，兩軍在一九四二年十一月八日登陸。摩洛哥的抵抗比阿爾及利亞來得激烈，但幾天後三個港口都落入盟軍之手。十一月十三日，盟軍與前維琪總理達朗海軍元帥協議停火，達朗出現在阿爾及利亞完全是偶然，他來此地是為探望生病的兒子。在羅斯福准許下，達朗很快就被艾森豪任命為法屬北非與西非帝國高階總督，這項決定遭到英美報章雜誌的撻伐，但最終還是獲得法蘭西帝國議會同意。[100] 為了平息眾人的反對，艾森豪堅稱這只是暫時的權宜措施，但暫時是多久則語帶模糊。邱吉爾的親信布拉肯（Brendan Bracken）提醒艾森豪，「我們必須限制這位奎斯林水手扮演的角色。」* 但艾森豪與羅斯福都認為這場戰爭正面臨許多問題，而達朗可以提供穩定的力量。[101]

根據軍事計畫，將由英軍指揮官安德森中將（Kenneth Anderson）組建第一軍團，並且要趕在德義聯軍增援之前，快速向東攻占突尼斯。但盟軍的經驗不足，加上遇到大雨，行程受到延宕，最後遭受已經在希特勒命令下迅速擴充兵力的德國守軍猛烈反擊。十二月，艾森豪決定停止前進，並且以兩個月時間改善補給線與運送重武器。英國參謀總長布羅克將軍認為，艾森豪「身為一名將領，他的表現令人絕望」，布羅克的評論首次暴露了同盟國軍事關係的緊張。蒙哥馬利直到歐洲戰事結束為止都接受艾森豪的指揮，他認為艾森豪「根本不知道如何計畫與進行一場戰爭」。[102] 艾森豪與蒙哥馬利不同，他沒有實際作戰經驗，他的長才是軍事管理。接下來的兩年時間，每當盟軍出現重大的戰略與政治歧見時，艾森豪都能適時展現他的能力與價值。事實上，艾森豪在北非最初幾個月都忙於引導法蘭西帝國的政治走向，他清楚認識到這是個「危險的政治汪洋」。[103] 同年耶誕夜，達朗在阿爾及爾遭一名保皇派青年刺殺身亡，任命案引發的風暴也因此平息，但他的死也留下待解的難題：盟軍要如何管理法蘭西帝國的海外領土與軍隊？十二月十一日，為了反制火炬作戰，德軍與義軍出兵占領了維琪法國，維琪法國在北非的政治權威也隨之覆滅。美國傾向於支持逃離德國監獄的吉羅將軍（Henri Giraud）擔任達朗的繼任者，但英國則希望戴高樂能扮演一定角色。羅斯福不喜歡戴高樂，因為戴高樂除了在法國本土，也在自由法國殖民地享有很高的聲望。艾森豪一直到一九四三年六月才協調出折衷方案，設立一個「民族解放委員會」，由吉羅與戴高樂共同擔任主席。這引發了另一個矛盾：羅斯福藉由《大西洋憲章》在國內營造出民主的形象，但對外卻支持法國在非洲設立帝國組織，而非推動受歡迎的託管制度。艾森豪給出的解釋是基於「軍事需要」，以此來掩蓋美國政策的矛盾以及和英國之間的爭論。[104]

一九四三年一月十四日召開的卡薩布蘭加會議，成了同盟國內部爭論未來戰略走向的戰場。羅斯福心知參謀首長聯席會議因為歐洲戰場與太平洋戰場的優先問題陷入分裂，而在太平洋戰場，美軍正日復一日與軸心國進行著真正的戰爭。馬歇爾與美國陸軍高層則希望一有可能就立刻進攻法國，跟太平洋戰場一樣與德國人進行一場真正的戰爭，但他們發現英國人對此興趣缺缺。羅斯福同意火炬作戰並因此不可避免地介入地中海戰場的戰事，其背後不僅存在著軍事動機，也有政治

* 譯注：本書第一、二章曾經提到奎斯林，他是挪威納粹黨員，在德占挪威時期擔任挪威首相。水手指達朗的海軍身分。這句話是說達朗畢竟是投靠德國的維琪政權人士，不能給他太大的權力。

考量。羅斯福與大部分幕僚與將領都認為，英國關切地中海地區是基於自身的帝國利益。艾森豪曾說：「英國人總是本能地以帝國觀點來看待任何軍事問題。」美國一名外交官員解釋，對英國人而言，「帝國的復興乃至於擴張永遠是最核心的事務。」[105] 羅斯福介入地中海地區的其中一個原因，是確保英國與法國無法像一九一九年一樣在地中海與中東重新建立起帝國的支配地位。羅斯福也認為有必要維護美國在中東的石油利益，他甚至急欲擴大美國在當地的利權。美國把軍力延伸到地中海地區，不僅可以箝制英國的帝國野心，也有利美國的全球戰略。英國協商者通常不會明白表露他們的政治動機，但邱吉爾親自與會以凸顯英國在地中海地區的角色，此舉已充分顯示地中海地區是英國廣大帝國戰略的一環。卡薩布蘭加會議後，同樣在一九四三年，羅斯福與史達林討論殖民地託管的計畫。對此邱吉爾低聲地嘀咕：「要拿走大英帝國的土地，先打一仗再說。」[106]

在卡薩布蘭加會議上，英國代表堅決反對一九四三年大舉進攻歐洲，也拒絕參與開闢第二戰場的計畫。英國反而希望利用即將征服的北非來進攻義大利。早在一九四〇年十一月到一九四一年十月，英國已經擬定了至少四個可能入侵西西里島或薩丁尼亞島的計畫，英國高層相信義大利獨裁政府無法承受又一次的軍事挫敗，這種樂觀情緒影響了英國對火炬作戰後下一個階段的判斷。[107] 英國預計兩個月內就能擊敗突尼西亞的軸心國部隊，之後英國希望美國能進攻義大利其中一座主要島嶼。英美在協商之後，美國同意發起攻占西西里島的「哈士奇作戰」(Operation Husky)，做為入侵義大利本土的跳板。美國代表在會議上獲得英國保證，未來將在某個時點進攻西北歐，英國皇家空軍與美國陸軍航空軍將攜手合作，對德國進行全天候的聯合轟炸攻勢，為盟軍的大規模登陸作戰做準備。為了維持大西洋航道暢通而進行的作戰，也被視為入侵前的重要預備工作。英國同意美國在太平洋投入兵力，但前提是不能影響歐洲優先原則。在會議的最後一天，羅斯福宣布，同盟國只接受所有軸心國無條件投降。

美國代表抵達卡薩布蘭加時並沒有做好充分準備，英國代表則有一艘停泊在卡薩布蘭加港口的司令船布洛洛號（*Bulolo*），上面有一群參謀充當他們的後盾。[108] 會後，美國軍方高層都認為羅斯福做出太多讓步。五月，西方盟國再度於華府開會，即所謂的「三叉戟會議」，美方代表這次做足了功課，優勢因此朝美方傾斜。太平洋戰場將繼續做為美國的一個優先選項。馬歇爾希望地中海戰場能告一段落，這樣才有足夠的兵力針對法國北部海岸推動已經命名的「大君主作戰」（Operation Overlord）。面對美方的立場，英國最後不得不做出妥協。雙方同意限制入侵義大利的兵力，避免投入過多的盟軍資源，並且開始籌畫於一九四四年五月一日在諾曼第或布列塔尼進行登陸作戰的準備工作。這項決定成為整個戰爭後期西方盟國的戰略基礎。

正如美國所擔心的，地中海戰場逐漸超出盟軍預期，戰況愈演愈烈，投入的資源也愈來愈多。原本預估突尼西亞會戰只需要兩個月，結果花了七個月才結束。一九四三年一月二十三日，位於利比亞的德義聯軍放棄的黎波里，迅速趕到馬內斯防線（Mareth Line）要塞進行防守。馬內斯防線是法國人在戰前興建，目的是防止義大利人入侵突尼西亞南部。蒙哥馬利的第八軍團負責進攻馬內斯防線，此外還有從阿爾及利亞趕來的英美聯軍。防守突尼西亞要塞的軸心國部隊幾乎沒有撤退的可能，要塞一旦失守，所有守軍很可能全部淪為戰俘，但希特勒仍堅持增兵防守。防線北方由隆美爾的德軍防守，南方由梅希將軍（Giovanni Messe）的義大利第一軍團防守。盟軍兵力遠多於軸心國，三月的馬內斯防線之役，梅希只有九十四輛戰車，盟軍卻有六百二十輛，不過山岳地形對守軍有利。[109]隆美爾下令對從阿爾及利亞趕來的盟軍部隊進行擾亂性的襲擊，並於二月十四日在凱撒林隘口重創美國第二軍，只不過隨後被迫退回要塞。亞歷山大將軍被任命為盟軍地面部隊總司令，地位僅次於艾森豪，他認為美軍「軟弱、無經驗與缺乏訓練」，英國的偏見影響了消滅軸心國抵抗力量的計畫，美國師因此被安插在輔助角色。[110]軸心國部隊臨時布防的防線雖然難以突破，但盟軍的海空封鎖切斷了補給線，軸心國戰敗只是時間的問題。三月九日，隆美爾因身體狀況不佳，把指揮權交給德國第五裝甲軍團司令阿爾寧一級上將（HansJürgen von Arnim）。一個星期之後，馬內斯防線被突破，梅希往北撤退。兩支盟軍部隊會師之後，將敵軍驅趕到突尼斯與比塞大（Bizerte），形成一個小包圍圈。五月七日，英軍攻陷突尼斯，美軍則占領比塞大。軸心國部隊投降之時，曾經名震一時的非洲軍只剩下兩輛戰車，彈藥完全用罄。絕大多數德軍於五月十二日投降，但梅希又多抵抗了一天。最後，軸心國部隊大約有二十七萬五千人被俘，其中絕大多數是德國人，損失已經超過史達林格勒會戰在二月的數字。盟軍傷亡也很慘重，充分反映出缺乏作戰經驗的問題。安德森的第一軍團在一場應該屬於最後階段的掃蕩戰中居然傷亡兩萬七千七百四十二人。[111]

與此同時，入侵西西里島的計畫也順利進行。艾森豪幾乎完全沒有介入，主其事的是擔任地面部隊總司令的亞歷山大，而協助他的也都是英國將領，如蒙哥馬利、安德魯．康寧漢海軍中將與泰德空軍上將（Arthur Tedder）。這場入侵作戰是歐洲戰場上對兩棲作戰能力的首次真實試煉，需要集結數量驚人的船隻，總共兩千五百零九艘運輸艦運送美國第七軍團、英國第八軍團與加拿大第一師共十六萬人、一萬四千輛車輛與六百輛戰車。[112]起初的計畫由美軍登陸西西里島西北海岸而英軍登陸東南海岸，但這個做法顯然過度分散兵力。蒙哥馬利認為這項計畫「簡直是一團糟」，他在五月初強行介入作戰計畫，最後改成進攻西西里島南部與東南部的三角地帶。[113]巴頓將軍（George Patton）的美國第七軍團登陸吉拉（Gela）附近的南部海岸，蒙哥馬利的英國第八軍團登陸阿沃拉（Avola）附近的東南海岸，加拿大第一師則登陸介於英美之間的帕基諾（Pachino）附近海岸。義大利最高統帥部不知道盟軍接下來要攻擊何處，只好把剩下的義大利戰鬥部隊分散在西西里島、薩丁尼亞島、科西嘉島與義大利本土。西西里島總司令是古佐尼將軍（Alfredo Guzzoni），他有六個師，分別是兩個德國師（包括戈林裝甲師）與四個義大利師，其中只有一個師完成作戰準備。西西里島守軍擁有兩百四十九輛戰車與略多於一千架飛機，但盟軍在這個戰場的飛機有兩千五百一十架。西西里海岸線幾乎不設防，一名義大利海軍將領抱怨說：「我們必敗無疑。」義大利海軍只有三艘小型戰鬥艦與十艘驅逐艦依然完好，但他們拒絕離開拉斯佩齊亞（La Spezia）海軍基地前去阻止盟軍登陸。[114]義大利軍隊士氣低落，他們要保衛祖國卻又缺乏像樣的武器，與他們並肩作戰的德國盟友又互相不信任。然而墨索里尼卻相當樂觀，六月時，他向法西斯領袖保證，盟軍行動緩慢，沒有能力在義大利領土建立據點。就算義大利人原本不清楚盟軍的目標，那麼在盟軍對前往西西里島途中必定經過的潘特雷里亞島（Pantelleria）與蘭佩杜薩島（Lampedusa）進行海空狂轟濫炸之後，也應該可以明瞭盟軍的意圖。這兩座小島分別在六月十一日與十二日投降。艾森豪把司令部設在馬爾它島一處不太舒適的防空洞裡。幾個星期之前，艾森豪告訴馬歇爾，「對我來說，這場戰爭的主要目標就是避免讓下次行動又是兩棲作戰。」[115]

盟軍護航艦隊於七月十一日抵達西西里島外海，登陸時幾乎沒有遭遇抵抗。在此之前盟軍已經對西西里島空軍基地進行轟炸，德軍飛機只剩兩百九十八架，義軍飛機則剩下一百九十八架，而後經過四天的空戰，軸心國飛機又減少到只剩一百六十一架。到了七月底，義大利空軍僅存四十一架現代戰機與八十三架轟炸機。[116]盟軍除了大舉出動空軍，海軍特遣艦隊在登陸首日的火力支援也有效遲滯德軍與義軍對灘頭堡的反擊。戈林裝甲師攻擊吉拉的美軍登陸部隊，期間曾一度逼近到距離灘頭三公里內，但之後德軍戰車就被海軍的砲火擊退。義大利利沃諾師（Italian Livorno Division）是僅存仍具有戰力的部隊，盟軍登陸當天，利沃諾師進攻西部，戰車排成一字縱隊前進，卻被外海兩艘驅逐艦與兩艘巡洋艦超過千次的砲轟消滅一空。[117]事實證明，海軍岸轟對於盟軍登陸作戰有著極其重要的貢獻。英美部隊開始朝內陸挺進，蒙哥馬利決心讓自己的部隊擔負起切斷敵軍退路與奪取東北港口墨西拿的主力，而美軍則負責保護他的左翼。巴頓早就對於英軍在突尼西亞的行為感到不滿，他也認為「這場戰爭完全是為了大英帝國的利益」。[118]巴頓不理會蒙哥馬利，他率軍通過幾乎毫無抵抗的西岸地區，於七月二十二日攻下巴勒摩，然後趕赴墨西拿，他決心搶在蒙哥馬利之前拿下這座城市。七月十四日，英國第八軍團未經戰鬥就占領了卡塔尼亞（Catania），兩天後，美國第七軍團攻下阿格里真托（Agrigento）。數以千計的義大利士兵持續向盟軍投降，德國南方戰區總司令凱賽林認為西西里島敗局已定，決定放棄義大利盟友，取回德軍的指揮權。蒙哥馬利在埃特納山

（Mount Etna）附近遭遇德軍的頑強抵抗，部隊難以前進，而與此同時德軍已經開始準備撤離。第八軍團只比巴頓慢一點，於八月十六日抵達墨西拿，但英美兩軍都未能切斷敵軍退路，因為軸心國部隊出人意料地利用白天渡過墨西拿海峽逃離西西里島。德軍撤離了三萬九千五百六十九人、九千輛車輛與四十七輛戰車；義軍撤離了六萬兩千人，但車輛只有兩百二十七輛，另外還有十二頭騾子。盟軍俘虜了十二萬兩千兩百零四人，軸心國死亡或失蹤四萬九千七百人，相較之下，盟軍死亡或失蹤只有四千兩百九十九人，這樣的比例比較常見於太平洋戰場。[119]

到了一九四三年，墨索里尼仍以為在西西里島進行抵抗可以挽救義大利帝國疆土日漸縮水的命運，然而他的胡言亂語只是顯示他已完全失去理智。西西里島的陷落使他長達二十一年的統治戛然而止。義大利本土的情況早已耗盡民眾對法西斯政權僅剩的一丁點支持。糧食的缺乏與猛烈空襲的開始，包括七月十九日德義雙方針對盟軍問題進行討論之後，羅馬也成為轟炸的目標，都讓義大利民眾清楚意識到，至少就義大利而言，這場戰爭已經輸了。民眾的幻滅使獨裁政體無法再掌控民眾，但民眾並未因此發起革命。事實上，墨索里尼是在一場宮廷政變中失去了權力，發動者是他底下的軍事將領與其他法西斯黨成員，這些人從一開始就不支持墨索里尼發動無限制戰爭，也反對卑躬屈膝地與德國同盟。一九四三年三月，義大利陸軍參謀總長安布羅西奧將軍（Vittorio Ambrosio）向國王進言，必須撤換墨索里尼，接替的人選或許可以選擇巴多格里奧元帥。到了六月，安布羅西奧擬定了逮捕墨索里尼的計畫。七月十九日，也就是羅馬遭到轟炸當天，墨索里尼與希特勒在多羅米提山（Dolomite Mountains）山腳的加吉亞別墅（Villa Gaggia）開會，將領們要求墨索里尼向希特勒提出讓義大利脫離戰爭的建議，但遭到拒絕。未能得到德國援助承諾的墨索里尼返回羅馬後，立即召開從一九四〇年之後就未曾召開的法西斯黨大委員會。他希望獲得大委員會支持，使他在危機中重新取得權威，繼續進行戰爭。

黨內反對墨索里尼最力者是前駐倫敦大使格蘭迪（Dino Grandi），他認為這是推翻獨裁政權的大好良機。格蘭迪草擬了一份動議，準備在大委員會提出，這份動議反對獨裁統治，要求恢復王室權力，並以內閣與國會為基礎建立共治政府。格蘭迪把自己的計畫透露給國王知道，包括終止與軸心國的同盟關係與加入同盟國陣營。七月二十四日，格蘭迪的決議終於提交大委員會，會議開了九個小時，一直持續到七月二十五日凌晨，最後終於到了表決格蘭迪臨時動議的時刻。與會者十九票贊成，七票反對。[120]墨索里尼離開時完全沒有意識到這項決議代表的意義。同日稍晚，墨索里尼進宮向國王進行例行簡報會議，而國王則當面告訴墨索里尼，他已經被解除職務，首相將由巴多格里奧接任。當這名獨裁者離開王宮時，他立刻被警察逮捕並且被押送到警方營區。墨索里尼進宮時並未讓安全人員隨行，他以為自己可以對大委員會的投票結果置之不理。墨索里尼的妻子對希特勒的口譯表示，「令人無法理解的是」，墨索里尼「完全沒想過」國王可能發動政變。[121]這個短暫帶領義大利走向帝國之路，最終又帶領義大利走向災難的獨裁政權，就這樣和平落幕。

與墨索里尼不同，希特勒與德國高層早已預料義大利可能發生危機。墨索里尼下臺的消息，讓希特勒對於羅馬的「猶太人與暴徒」大感憤怒。[122]希特勒第一個想法是下令德軍逮捕國王、巴多格里奧與其他陰謀政變者，讓墨索里尼重新上臺，但隨即又打消念頭，因為國王與新政府都堅稱將繼續與德國並肩作戰。然而此時德國國防軍最高統帥部卻命令大批德軍進駐義大利，這項重新部署東線德軍的行動其實早在盟軍入侵西西里島時就已經開始進行。不到兩個星期的時間，德軍進行的「阿拉里克作戰」（Operation Alarich）已經轉移八個師進入義大利北部，到了九月初，已有十九個德國師進駐或正前往義大利半島途中。德軍也開始進行「康斯坦丁作戰」（Operation Konstantin）加強防衛巴爾幹半島，以預防盟軍下一步的入侵。[123] 德軍進駐義大利，部分原因是為了阻止盟軍進攻，真正的目的則是為義大利的「背叛」預做準備，因為希特勒認為巴多格里奧政府很有可能與盟軍談和。而巴多格里奧確實尋求停戰，他的停戰決定於九月八日生效，這使得義大利與進駐的德軍陷入直接對抗的局面，而德軍也在一夜之間迅速將義大利從盟邦轉變成軍事占領區。義大利士兵被解除武裝與遭到監禁，絕大多數被送到德國強制勞動。在希臘的凱法羅尼亞島（Kefalonia），當地的義大利將領拒絕解除武裝，九月十五日，義大利駐軍與德國駐軍爆發戰鬥。希特勒下令不留俘虜，於是在短暫戰鬥與之後的報復行動中，有兩千名義大利人陣亡或被殺。[124]

希特勒不確定要如何處置這個前盟友。軍方高層傾向於直接占領，但希特勒擔心這麼做可能對其他軸心盟邦產生不良影響。希特勒首先考慮的是建立一個新的法西斯政府，無論有沒有墨索里尼都沒關係，這樣可以讓外界產生義大利並未遭到占領的印象。九月十二日，德國傘兵發動大膽奇襲，將囚禁在大薩索山（Gran Massif）的墨索里尼救出後送往慕尼黑。兩天後，希特勒與墨索里尼見面，極力對外表現兩人之間的友誼。墨索里尼很快就發現，自己雖然重新上臺，卻必須完全聽從德國盟友的指示，義大利實際上還是受德國支配。拉恩（Rudolf Rahn）隨即被任命為第三帝國駐義大利全權代表，而德國軍事長官堅持在義大利劃分行動區，組織軍政府。義大利地方行政長官被保留下來，繼續維持平日的行政工作，但他們必須接受德國「顧問」的指揮，實際上等同於聽令於德國，這種狀況其實無異於滿洲國。[125]墨索里尼對於自己的政府完全被「架空」深感不滿，但他也別無選擇。新政權的所在地不能設在羅馬，而墨索里尼屬意位於義大利東北部的伯爾查諾（Bolzano）或梅拉諾（Merano）也遭到拒絕，最後德國將新政府所在地設在加爾達湖（Lake Garda）畔一個名叫薩羅的小鎮。這個新政府稱為「義大利社會共和國」，領土只涵蓋波河流域的幾座城市。[126]德國現在把義大利視為「占領的盟邦」，這個矛盾的詞彙讓人一望即知義大利已經徹底淪為德國的附屬國。為墨索里尼倒臺歡呼的義大利人，此時發現自己又要受到新獨裁政權的統治。

對同盟國來說，義大利的政權變動似乎意謂著邱吉爾藉由維持地中海戰場來打倒義大利的想法已經奏效。但一九四三年八月在魁北克召開的「四分儀會議」，邱吉爾發現美國仍然決定限制地中海戰役的規模。史汀生強烈反對他所謂的「不痛不癢的戰爭」，美國代表手中都拿著戰爭部作戰處在會議前發給他們的文件，裡面詳細說明對地中海地區投入任何額外的資源都是「不經濟的」，這麼做只會讓德國在歐洲形成「戰略僵局」，文件也提出各種事例做為佐證。[127]雖然邱吉爾已經在思考未來在地中海東部採取可能的軍事行動與進攻義大利，但美國堅持進行大君主作戰使他不得不按捺自己的野心。雙方都同意首要目標是趁著軸心國部隊陷入混亂之際盡快攻下羅馬（艾森豪希望十月能夠達成），但他們並未考慮到德國所做的準備。德國南方戰區總司令凱賽林建議希特勒，必須在羅馬以南阻擋盟軍，隆美爾現在是義大利北部德軍的指揮官，可以讓他進行支援。

從後見之明來看，選擇義大利做為主要前線其實相當令人費解。義大利完全不適合做為戰場，只要一攤看地圖就能發現，多山地形與無數橫亙的河流使具有機動性的部隊在面對善戰的敵軍時難以發揮快速移動的優勢。同盟國領袖以為不會在義大利遭遇強烈抵抗，或者說，他們沒想到德軍能在極短時間內把義大利變成充滿堅固要塞的前線。進攻義大利也沒有任何明顯壓倒性的戰略優勢，唯一有利的地方是義大利有可能遵守停戰協定。蒙哥馬利不喜歡在進攻時「毫無清楚的想法，或對於如何作戰毫無詳細計畫……以及未設定明確的目標。」[128]英國第八軍團與克勒克將軍（Mark Clark）的美國第五軍團負責進行義大利戰役，長時間的戰鬥令他們疲憊不堪，秋季天氣與崎嶇地形也讓他們一籌莫展，難以朝羅馬推進一步。除此之外，進行這場戰役的前提是不久必須從義大利戰場抽調至少七個師與大量登陸艦艇來進行大君主作戰，這項決定同樣毫無戰略意義。如果盟軍真的認真看待義大利戰場，那麼絕不能輕易減少進攻兵力。

結果一如美國分析人士預期，入侵義大利南部的行動很快演變成戰略僵局。一九四三年九月三日的「灣鎮作戰」（Operation Baytown），蒙哥馬利的第八軍團在義大利半島的足尖部分登陸，然後一路通過卡拉布里亞地區，途中只遭遇了輕微抵抗。關鍵的是「雪崩作戰」（Operation Avalanche），克勒克的第五軍團要在拿坡里以南的薩來諾灣登陸。這項計畫十分冒險，因為盟軍只動用三個師在長達五十公里的灣岸登陸，而且當中還有河川阻隔。克勒克認為不需要在登陸前進行轟炸，因為情報顯示當地的德軍數量不多，因此很有可能做到奇襲。九月九日，一個英國軍與一個美國軍在灘頭登陸，但兩軍相隔甚遠。德國第十軍團早已等候多時。凱賽林發起「軸心作戰」（Operation

Achse），迅速動用德軍預備隊進攻灘頭，激烈的戰鬥隨即展開，登陸作戰一時間似乎可能失敗。然而海軍的岸轟與盟軍的空優挽救了這場行動。一個多禮拜後，艾森豪警告聯合參謀首長會議，這次作戰「是在驚險中獲勝」。凱賽林命令被擊敗的德軍撤退到一道道龐大防線之後，這些防線位於羅馬南方，每道防線都從半島的西岸延伸到東岸，橫跨了卡西諾山，這些防線的代號分別是「古斯塔夫」、「希特勒」與「伯恩哈德」。十月一日，在民眾群起反抗德國占領者的狀況下，盟軍順利進入拿坡里，另一方面，東部的福賈（Foggia）機場也被第八軍團占領，做為美國第十五航空軍對羅馬尼亞油田、奧地利與德國南部目標進行戰略轟炸的基地。到了十月底，艾森豪迅速攻下羅馬的願望破滅，十一月，盟軍在古斯塔夫防線前止步，雙方陷入代價高昂的消耗戰。亞歷山大將軍為這場戰役提出辯護，他認為這場戰役可以牽制德國兵力，然而同盟國的兵力也同樣遭到牽制，而且還沒有良好的理由。

※ ※ ※

太平洋地區等其他盟軍前線也面臨類似的問題，要消滅每座島嶼基地的頑強守軍極其困難，而且就算占領這些島嶼，似乎也離擊敗日本還有很長一段路要走。瓜達康納爾戰役勝利之後，麥克阿瑟與尼米茲於一九四三年三月十日開會商討未來對抗日本的戰略。南方周邊海域的日本駐軍與基地數目極多，分布的範圍又很遼闊，要解決這些日軍的方法只能緩慢地推進，一個一個地消除，同時也要持續擴充同盟國（主要是美軍）的海上與空中力量，才有可能直接威脅日本本土。第一階段代號「車輪作戰」(Operation Cartwheel)，由麥克阿瑟指揮，尼米茲的中太平洋司令部臨時指派擁有航空母艦與戰鬥艦的海爾賽第三艦隊前往支援。車輪作戰包括一連串兩棲作戰行動，數量達十三次，範圍涵蓋所羅門群島與新幾內亞海岸，目的是孤立與摧毀位於新不列顛島拉布爾的日本陸海軍基地。這些基地原本屬於澳洲所有，一九四二年二月日本占領澳屬新幾內亞領地後被日軍奪取。[130] 作戰計畫由麥克阿瑟位於新幾內亞的司令部擬定，巴貝海軍少將（Daniel Barbey）全權負責兩棲登陸計畫，曾經指揮瓜達康納爾島兩棲作戰的屠納海軍少將再次擔任此次登陸作戰的指揮官。尼米茲由於已無艦艇可用，必須等待新船到來才能執行任務。一九四三年十一月，參謀首長聯席會議命令尼米茲進攻吉爾伯特與埃利斯群島（今日這兩個群島已獨立成為兩個國家，分別是吉里巴斯與吐瓦魯），但馬紹爾群島的戰事卻要等到一九四四年六月才能進行，此時中太平洋戰役進行的地點依然離日本本土超過三千八百公里。一九四三年十一月，尼米茲準備進攻吉爾伯特群島的塔拉瓦島與馬金島，此時他已經擁有十七艘全新的航空母艦與十三艘戰鬥艦，這支龐大的水面力量已經完全凌駕日本帝國海軍。總計光是一九四三年，美國造船廠就建成了四百一十九艘新軍艦，包括四十艘新航空母艦，可以部署於全球各地。[131]

日本海軍的主要職責是防衛占領島嶼的周邊海域。根據一九四三年海軍發布的第兩百一十三號訓令，海軍認為防守這些島嶼的外圍區域是「維護帝國本土防衛的核心」。[132]「新作戰政策」要求每個防禦據點都要戰至最後一人，以消耗美國的戰爭力量，事實上等同於將每一座島嶼基地轉變成要塞以遲滯盟軍前進，日軍為此還宣示了一個充滿雄心的口號：「百年戰爭」。[133]一九四三年一整年，日本各島嶼的守軍枕戈待旦，但隨著美國陸海軍航空軍的擴大，日軍補給線也逐漸受到威脅。車輪作戰首先攻擊的目標是所羅門群島，由海爾賽第三艦隊發起，這次作戰的代號是有點奇怪的「腳趾甲」(Toenails)。六月三日攻擊命令下達，兩個星期之後，美軍開始對新喬治亞島進行初步攻擊，主要目標蒙達島則於七月底順利攻占。絕大多數日軍駐紮在面積較大的科隆班加拉島與布干維爾島，但美軍認為可以採取繞道、孤立與斷絕補給的方式，而不採取代價高昂的登陸作戰——這項策略在戰爭最後兩年的「跳島戰役」中廣泛施行。面積較小的維拉拉維拉島於八月十五日輕鬆攻下，美軍準備以此做為攻打布干維爾島的跳板，日軍則為了避免遭到圍困而從科隆班加拉島撤離。布干維爾島上估計有三萬五千名日軍防守機場與灘頭，百武晴吉中將指揮的日本第十七軍總計有六萬五千人，是迄今為止美軍進攻所羅門群島最大的挑戰。美軍決定不占領整座島嶼，而是在西岸的托羅基納角附近建立灘頭陣地，這裡可以建立機場，也能設置堅固防線抵禦駐紮在北方與南方的大量日軍反擊。[134]盟軍持續空襲削弱日軍在島上與在拉布爾的空中力量，在發動主要攻勢之前，美軍與紐西蘭軍（後者從北非戰場返回）在幾乎未遭遇抵抗下先於十月二十七日占領特雷熱里島，以此做為登陸作戰的發起點並且在此設置先進的雷達站。攻擊布干維爾島的「長勺作戰」(Operation Dipper)於十一月一日展開，到了十二月中已有四萬四千名美軍上岸建立灘頭堡。零星的戰鬥持續到十二月十八日，美軍終於鞏固了陣地。一九四四年三月，百武晴吉的部隊遭受疾病與飢餓的嚴重打擊，但他還是下令進行一連串的正面攻擊，完全重蹈他在瓜達康納爾島的錯誤戰術。某天夜裡，日軍進行萬歲衝鋒，隔天早上統計才發現日軍死亡三千人，在火砲與機關槍的猛烈攻擊下，整個慘狀只能用「屍橫遍野」來形容。百武把部隊撤退到叢林中。[135]到了一九四五年八月戰爭結束時，百武的部隊只剩三分之一還存活。車輪作戰針對所羅門群島的攻勢順利完成。

麥克阿瑟得知腳趾甲作戰成功後，於一九四三年九月針對新幾內亞北岸發動第二起攻勢。九月四日，澳大利亞第九步兵師占領萊城（Lae）港口，除了遭遇空襲外並未遇到抵抗，九月二十二日，澳軍進攻芬什港（Finschhaen），遭遇守軍抵抗，但戰鬥並不激烈。十月二日，另一支澳洲部隊搶灘成功，攻克芬什港。兩個星期後，日軍登陸試圖奪回芬什港，但遭到殲滅。盟軍保住了初期的戰果，但直到七個月後，盟軍才再度對新幾內亞北岸殘存的日本軍隊發動進攻。由於車輪作戰的成功，日本位於拉布爾的海軍基地開始受到美國陸海軍航空軍的攻擊。一九四四年二月，日本艦隊離開拉布爾，前往北方加羅林群島的特魯克環礁，此後直到戰爭結束，仍然駐紮在拉布爾的九萬五千名日軍完全遭到孤立。由於所羅門群島戰役即將結束，尼米茲取得麥克阿瑟同意，調回支援陸軍作戰的海軍艦艇，開始進行中太平洋的作戰計畫。尼米茲選擇吉爾伯特與埃利斯群島的兩座島嶼做為目標：塔拉瓦環礁的貝蒂奧島與馬金島。這次行動由新成立的第五艦隊司令史普勞恩斯海軍中將指揮，曾經參與瓜達康納爾戰役的屠納指揮第五十一兩棲特遣艦隊，史密斯（Holland Smith）指揮海軍陸戰隊第五兩棲軍。埃利斯群島的兩座島嶼，富納富提島與納努梅阿島於十月占領，之後美軍在上面興建機場以支援接下來的登陸作戰。[136]馬金島只有三百名日軍防守，此外還有兩百七十一名朝鮮工人。十一月二十一日，馬金島的日軍面臨六千名美軍進犯，其中絕大多數是毫無作戰經驗的第二十七步兵師。儘管兵力懸殊，美軍還是到了第二天下午才攻下這座島嶼，而且造成美軍五十六人陣亡與一百三十一人傷病。[137]

然而這個數字完全比不上同一天海軍陸戰隊第二師進攻貝蒂奧島造成的傷亡。日本記取教訓，駐守貝蒂奧島的特別陸戰隊把整座島變成了要塞，他們逐層設置防線，將碉堡與掩體隱藏起來，使美軍無從辨識砲火的來源。這座小島幾乎沒有掩蔽之處，在登陸之前，美國海軍與空軍花了數天的時間進行砲擊與轟炸，儘管日軍通信遭到破壞，防守的士兵無法協調作戰，但日軍挖掘的地下防禦工事卻足夠牢固，使他們撐過美軍的猛烈轟炸。這場登陸戰的激烈程度遠超過之前的戰役，美軍花了將近三天的時間才成功攻下這座島嶼與占領島上的大型機場。日軍奉行高層的「新作戰政策」，島上士兵幾乎戰至最後一人。大約四千名日軍陣亡，存活的只有一百四十六人，其中絕大多數是被強徵的朝鮮工人。美國海軍陸戰隊有九百八十四人陣亡，兩千零七十二人受傷。[138]海軍陸戰隊指揮官史密斯在巡視已經成為焦土的島嶼後表示：「看看這一重又一重的防禦工事，這些王八蛋確實是高手……你可以攻擊其中一座堡壘，但每座堡壘都有另外兩座堡壘進行掩護。」[139]儘管一開始公布的數字遭到誇大，但攻占一座小島造成這麼大的傷亡還是令美國民眾感到震驚。海軍高層與兩棲作戰部隊決定共同努力，確保接下來進攻馬紹爾群島時（原本排定在一九四四年夏天進行，但現在已經攻下塔拉瓦環礁，所以決定將進攻的日期提前）能更有效率與減少美軍傷亡，但這場戰役卻差一點遭到取消。一九四四年一月，尼米茲答應麥克阿瑟把重點放在西南太平洋與打通前往菲律賓的路徑，但海軍上將金恩對於麥克阿瑟的「愚蠢」計畫感到「憤怒與沮喪」，於是他要求參謀首長聯席會議批准攻打馬紹爾群島的計畫，代號「燧發槍作戰」（Operation Flintlock）。[140]尼米茲決定繞過馬紹爾群島東端防守最嚴密的沃特傑島與馬洛埃拉普島，因為祕密情報顯示這兩座小島就像貝蒂奧島一樣有日軍增援。尼米茲選擇馬紹爾群島西邊的瓜加林島與恩尼維托克島做為目標，從這裡就可以轟炸位於特魯克的日本海軍基地。

美軍先占領瓜加林島附近的四座小島，然後在島上架設火砲，對瓜加林島守軍進行砲擊。一九四四年二月一日，美軍開始進攻瓜加林島。瓜加林島守軍只倉促挖掘了壕溝與散兵坑，不像貝蒂奧島那樣挖了很深的坑道，但美國海軍陸戰隊第四師與第七步兵師還是花了四天的時間才攻下瓜加林島。日軍大約有八千人被殺，美國海軍陸戰隊陣亡三百一十三人。尼米茲對於結果感到滿意，原本預定進攻恩尼維托克島的時間是五月一日，他決定把日期提前。這一次，美軍同樣先占領附近幾座小島，四天後，也就是二月二十一日進攻恩尼維托克島。這座島嶼的防禦較為堅固，但還是在兩天後陷落，美軍損失三百四十八人，日本人與朝鮮人死亡四千五百人，幾乎是全員戰死。馬紹爾群島的東部島嶼仍被日軍掌握，並且一直持續到一九四五年日本投降為止，然而這些日軍完全斷絕對外的海空聯繫，因此也只能困守孤島，難有作為。[141]尼米茲與史普勞恩斯現在終於可以把目光轉向馬里亞納群島，與日本本土的距離一口氣拉近到兩千一百五十公里。

※　※　※

一九四三年太平洋戰爭與地中海戰爭的規模，仍遠遠比不上德國在史達林格勒戰敗後幾個月的德蘇戰爭規模。在延伸超過一千五百公里的陸地前線，紅軍依然面對軸心國兩百個師以上的軍力。史達林與蘇聯高層希望卡薩布蘭加會議在英美即將征服北非的情況下，能夠做出英美將在一九四三年反攻法國的決定。然而卡薩布蘭加會議非但未提供任何具體方案，反而只提出入侵西西里島的可能性，如邱吉爾所擔心的，這讓史達林感到「沮喪與憤怒」。史達林告訴羅斯福，西西里島無法取代「在法國開闢第二戰場」的重要性。[142]當史達林得知五月的三叉戟會議決定西方盟國要等到一九四四年春天才開闢第二戰場，在此之前仍將繼續進行地中海戰役時，同盟國的關係很可能降到了冰點。邱吉爾認為自己的地中海計畫也許能阻止德國對紅軍發動新一波攻勢，但他的說法無異是在傷口上撒鹽，因為與此同時史達林已經得知德國即將發動「衛城作戰」（Operation Zitadelle），而這場德國在一九四三年發起的主要軍事行動將成為整場戰爭中規模最大的一場戰役。六月二十四日，史達林做出憤怒的回應，他把過去一年來西方盟國的所有承諾與保證全複述了一遍：「這已經不是令人失望的問題……而是蘇聯政府必須努力說服自己相信西方盟國的問題……。」[143]往後六個月，史達林拒絕回覆英美的信件，引發華府與倫敦當局的焦慮，他們擔心史達林可能單方面與德國談和，這項毫無根據的說法在當時受到諸多傳聞的渲染，到了戰後還有一些歷史作品提出這樣的論點。[144]對於任何地中海計畫，史達林一貫認為這些行動只具有「牽制性」。即使到了一九四三年下半年，大君主作戰計畫正如火如荼展開之時，史達林依然對盟國感到懷疑。十一月底，在前往德黑蘭參加同盟國三國領袖首次高峰會途中，有人聽到史達林說道：「現在最重要的議題是他們到底要不要幫我們。」但隨著蘇聯在一九四三年節節勝利，對史達林而言，此時英美的協助似乎已變得可有可無。朱可夫記得史達林曾經說道：「我們已有足夠的力量，憑自己就能打敗希特勒的德國。」[145]我們無法驗證史達林的說法能不能成真，但可以確定的是，蘇聯在將近三年的時間裡一直獨自承受軸心國的攻擊。史達林提醒邱吉爾，與蘇聯做出的「重大犧牲」相比，英美的損失簡直「微不足道」。[146]

到了一九四三年底，東線戰場的態勢開始讓史達林感到樂觀。經過一整年的苦戰，整體局勢已經轉而對紅軍有利。史達林格勒會戰結束時，東線戰場仍前途未卜，兩軍的勝負明顯取決於烏克蘭城市哈爾科夫的命運上，從二月到三月這短短一個月之內，這座城市已兩度易手。紅軍在頓河大草原上擊退德軍之後，經過幾個月的戰鬥，士兵們早已疲憊不堪，但史達林仍然堅持紅軍必須在廣大的正面繼續採取攻勢。在東線戰場的最北面，紅軍於一月十二日發起「火花作戰」（Operation Spark），不到一個星期就打通一條前往列寧格勒的狹窄走廊，有限地突破列寧格勒長期圍城的狀態。但紅軍發起的第二起包圍德國北面集團軍的行動，卻在德軍司令屈希勒陸軍元帥（Georg von Küchler）縮短與加強防線下被迫放棄。包圍與摧毀德國中央集團軍的計畫交由羅柯索夫斯基率領重組的中央方面軍來進行，但並未獲得任何成果。羅柯索夫斯基抱怨說：「我們的胃口超越了我們的實際能力。」二月初，在南方針對庫斯克與哈爾科夫進行的「星作戰」（Operation Star）則較為成功。蘇軍於二月八日收復庫斯克，同日攻克貝爾哥羅（Belgorod），隨著德國武裝親衛隊裝甲軍於二月十六日撤離，蘇軍收復哈爾科夫，深入德軍防線形成一個巨大的突出部。[147]但蘇聯大本營重蹈一年前的錯誤，他們迫使疲憊不堪的部隊一次又一次地進行充滿野心的計畫，既要切斷德國南面集團軍的後路，又要占領烏克蘭南方工業區。曼斯坦說服希特勒同意讓他發動防守反擊，二月十九日，他率領加強過的部隊在哈爾科夫以西攻擊已經過度延伸的紅軍。蘇聯的先頭部隊迅速崩潰，曼斯坦於三月十五日占領哈爾科夫，幾天後又占領貝爾哥羅。曼斯坦取得貝爾哥羅之後便停止前進，使蘇軍原本已經深入德軍防線的突出部變得更加明顯。這個突出部以庫斯克為中心，寬一百八十五公里，深一百二十八公里。

庫斯克突出部成為二戰一場主要會戰的發生地。對希特勒來說，史達林格勒的失敗使他不知如何因應新的形勢。一九四二年十二月，國防軍最高統帥部計畫人員建議再次嘗試奪取高加索地區油田與奪回戰略主動權，但到了二月，希特勒終於承認這只是軍事幻想。[148]一九四三年二月十八日，希特勒向各級將領明確表示：「這一年他將不會發動大規模的軍事行動⋯⋯。」但在曼斯坦於哈爾科夫獲勝之後，希特勒接受他的建議，由中央集團軍與南面集團軍負責「掐掉」庫斯克突出部，如此不僅可以縮短德軍防線，消滅被包圍的紅軍，還能洗刷史達林格勒以來的種種恥辱。[149]這次作戰不是屬於一九四一年或一九四二年規模的攻勢作戰，而是要重創局部地區的蘇軍，以遏止蘇軍在一九四三年繼續發動攻勢。德軍計畫在哈爾科夫以南發動小規模的「隼作戰」(Operation Habicht)與「豹作戰」(Operation Panther)來支持庫斯克作戰，但到了四月中，希特勒發布第六號作戰訓令，代號「衛城作戰」，德軍將分別從北部的奧勒爾與南部剛奪取的貝爾哥羅出兵，切斷庫斯克突出部的頸部。[150]蘇聯大本營早已預料庫斯克突出部將成為德軍的目標，並且判斷春季融雪期結束、地面泥濘的狀況一消失，德軍就會動手。不久，蘇軍的偵察小隊發現德軍確實開始行動。四月十二日，史達林、朱可夫與華夫列夫斯基共同商討對策。史達林對於守勢作戰的構想不太滿意，但他也同意在庫斯克周圍建立堅固的防禦可以損耗德軍兵鋒，等到德軍疲憊之時，再從後方調派預備隊進行猛烈反擊，一舉擊退德軍，讓他們往聶伯河方向撤退。命令下達給羅柯索夫斯基的中央方面軍與范屠亭將軍（Nikolai Vatutin）的沃羅涅日方面軍，預期德軍最遲在五月十日就會發動進攻。到了四月底，羅柯索夫斯基與范屠亭都表示已經做好防守準備。[151] 五月初，必要的裝備與額外的兵員都已就位，在突出部裡，蘇聯動員三十萬平民協助建立八個防衛圈，挖掘三千英里的壕溝與反戰車壕，還有數千座用泥土與木材建造的砲臺，陣地四周纏繞了厚厚數層鐵絲網，並且鋪設了九十四萬兩千枚反戰車與反步兵地雷。[152]

德軍的作戰計畫完全依循可預測的模式，發動鉗形攻勢切斷與包圍為了防守突出部而大量湧入的敵軍。北方由莫德爾一級上將（Walter Model）的第九軍團擔任主攻，南部由霍斯的第四裝甲軍團擔任主攻，肯夫兵團（因指揮官肯夫將軍〔Werner Kempf〕而得名）擔任支援。對希特勒來說，問題在於何時發動進攻。南方與中央集團軍司令曼斯坦與克魯格陸軍元帥（Günther von Kluge）都希望趁著蘇軍還沒做好準備，愈早開戰愈好，但莫德爾認為在歷經冬季與春季的艱苦作戰之後，他的部隊需要時間補充步兵與戰甲車。五月四日，希特勒把衛城作戰延後到六月十二日，但中央集團軍所在地區的敵後活動十分活躍，嚴重影響德軍的人員與車輛補充，莫德爾不得不發動懲罰性的「吉普賽男爵作戰」（Operation Gypsy Baron）來確保部隊的補給線，而這又讓攻擊發動的時間延後到六月十九日。此時正值突尼西亞戰役結束，希特勒擔心義大利可能要求停戰，不過墨索里尼決定繼續戰爭，衛城作戰的風險也隨之降低。儘管如此，此時的德軍似乎並非穩操勝算，裝甲部隊總監古德林將軍與德軍東線情報長官格倫（Reinhard Gehlen）都建議取消行動。[153]希特勒再次延後攻擊時間，但這次只是為了讓最新型的五號戰車「豹式」與六號戰車「虎式」等重型戰車及時運抵前線。雖然希特勒終於決定在七月五日早上發動進攻，但開戰之時也只有三百二十八輛新戰車抵達戰場，其中只有兩百五十一輛實際參與作戰。絕大多數戰車仍然是較弱的三號戰車（三百零九輛）與四號戰車（兩百四十五輛），而每個裝甲師平均擁有的戰車只有七十三輛，只達到預定輛數的一半。[154]

對蘇聯而言，這場即將來臨的會戰出乎他們的意料之外。這是紅軍第一次進行守勢作戰，而且違背了史達林採取「先制攻擊」的期望。[155]蘇軍接受的是攻勢作戰的訓練，在一般狀況下不會選擇縱深防禦作戰。由於對這項新戰術感到陌生，因此會戰開打之後便出現許多問題。蘇軍沒有想到德軍會延後開戰，雖然這讓蘇軍有機會持續增援，但也為戰局增添許多不確定性。到了六月，防守區已經聚集了四成的紅軍與百分之七十五的蘇聯裝甲部隊，蘇軍的防衛力量幾乎已經達到頂峰。史達林感到不耐，他在六月時又開始考慮先發制人，但最後還是朱可夫守勢作戰的想法勝出。紅軍持續警戒，但預期的德軍攻擊卻遲遲不出現。到了六月底，截聽到的無線電訊息與蘇聯巡邏小隊俘虜並訊問德軍士兵的結果都顯示大戰在即。從七月二日開始，紅軍進入全面警戒狀態。七月四日，一名被俘的德軍確認衛城作戰將在隔天早晨展開。午夜過後，朱可夫下令以火砲、火箭與轟炸機進行反砲擊，德軍各級將領在驚嚇之餘，反而以為自己成為被攻擊的一方。[156]當德軍發現蘇軍的砲擊只是一場擾亂性的襲擊之後，便在清晨四點三十分正式發起進攻。這場戰爭雙方都投入了大量兵力。蘇聯陸軍與空軍總計出動一百三十三萬六千人（部分是女性）、三千四百四十四輛戰車與自走砲、一萬九千門火砲與迫擊砲，以及兩千六百五十架飛機（加上預備隊的遠程飛機則是三千七百架）；在突出部後方的是柯涅夫將軍指揮的大草原方面軍則擁有五十七萬三千人，一千五百五十一輛戰車與自走砲，七千四百零一門火砲與迫擊砲。[157]德國兩個集團軍總計九十萬人（不過只有六十二萬五千兩百七十一人是戰鬥部隊）、兩千六百九十九輛戰甲車、九千四百六十七門火砲與一千三百七十二架飛機。[158]德軍的戰車、自走砲與轟炸機性能較佳，但蘇軍的兵力與武器數量較多。

接下來的戰爭，庫斯克突出部本身的會戰只持續十天左右，最後以德軍失敗告終，這一結果十分關鍵。儘管德國地面與空中部隊展現出卓越的戰術技巧，衛城作戰依然不是曼斯坦在戰後回憶錄裡所說那令人扼腕的「失去的勝利」，反而是朱可夫計畫成功的明證。在北部戰線，莫德爾的第九軍團在前兩天推進了十一公里，抵達小鎮波里尼（Ponyri），但隨即受到蘇軍猛烈砲火襲擊，德國步兵必須在非常艱難的狀況下攻克每個防守牢固的據點。七月七日，德軍在奧可伐特卡山脊（Olkhovatka ridge）遭遇頑抗，蘇聯第十三軍團協調空軍進行地面攻擊，成功阻擋德軍攻勢。莫德爾發動猛攻試圖突破蘇軍防線，但未能成功。七月九日，德軍攻勢完全停擺。朱可夫示意史達林，首次進行反攻的時機已經到來。七月十二日，西部方面軍、布里安斯克方面軍與中央方面軍發起「庫圖佐夫作戰」（Operation Kutuzov），迅速突破德軍戰線並且對德軍第二裝甲軍團進行包圍，不過這個軍團名字雖然有裝甲，卻沒有戰車。莫德爾讓散布在焦土上的第九軍團撤退，試圖堵住被突破的戰線，德國北翼的攻勢至此完全失敗。德國南翼的攻勢較為成功，部分是因為蘇聯情報單位誤以為北線的兵力較強，因此給予羅柯索夫斯基較多資源。南翼的霍斯部署了九個裝甲師，兩個較弱的裝甲師編入第二十四裝甲軍擔任預備隊。兩天的戰鬥中，范屠亭的戰線不斷沿著聯繫奧波揚（Oboyan）與庫斯克的道路潰退了三十公里，到了七月七日，德軍裝甲部隊首次遭遇由第一戰車軍團固守的防線。經過激戰之後，德國裝甲師終於成功渡過普賽爾河（Psel River），這是通往庫斯克的最後一道天然屏障。儘管如此，武裝親衛隊「骷髏」裝甲師（SS 'Death's Head' Panzer Division）在建立橋頭堡之後，卻怎麼樣都無法向前推進。[159]霍斯於是命令武裝親衛隊第二裝甲軍進攻普羅科羅夫卡（Prokhorovka）一處小型鐵路交匯站。

多年來，在普羅科羅夫卡爆發的這場戰車戰一直被描繪成二戰規模最大的戰車戰，這場會戰摧毀了數百輛戰車，最終由蘇聯取得勝利。然而，真實戰況卻是平淡無奇。為了阻止武裝親衛隊第二裝甲軍的兩個師推進，蘇軍緊急派出預備隊。羅特米斯托夫將軍（Pavel Rotmistrov）指揮的第五親衛戰車軍團在沒有做好偵察工作或計畫之下於七月十二日倉促投入戰鬥。羅特米斯托夫誤以為自己屬於貝爾哥羅反擊作戰的一環，因此讓所有裝甲部隊傾巢而出，直撲武裝親衛隊的「希特勒近衛」師（Leibstandarte）與「帝國」師（Das Reich），蘇軍大約有五百輛戰車，而德軍有兩百零四輛戰車。羅特米斯托夫的部隊陷入隱匿的反戰車壕，遭到裝設改良戰車砲的四號戰車優越火力壓制。兩天的時間，第五親衛戰車軍團就損失了三百五十九輛戰車與自走砲（兩百零八輛全毀）；而德國兩個裝甲師在七月十二日當天只損失三輛戰車。[160]然而這場重大的戰術勝利卻無法如曼斯坦所希望的讓衛城作戰朝成功更進一步。蘇軍的南部防線非但沒有崩潰，反而能繼續反擊；到了七月十六日，甚至就連遭受重創的第五親衛戰車軍團也重新補充了四百一十九輛戰車與二十五輛自走砲。[161]蘇軍在北部戰線發起的庫圖佐夫作戰，迫使曼斯坦派出部隊與飛機到北部協助克魯格，不過南部戰線的持續戰鬥已經讓德國的空中支援嚴重折損，步兵師也消耗過大。即使裝甲部隊節節勝利，也沒有足夠的步兵守住占領地。事實上，過度強調庫斯克會戰是一場戰車大決戰，會讓人忽略這其實是一場結合了步兵、火砲與飛機的戰爭，就像第一次世界大戰末尾的幾場會戰一樣。逐漸喪失信心的霍斯，又針對普羅科羅夫卡南部發動幾次進攻，試圖突破蘇軍的抵抗。七月十四日，德軍發起「羅蘭德作戰」（Operation Roland），然而士兵已經精疲力盡，加上沒有預備隊，完全無法突破蘇軍防線。一名德國士兵提到，「那些被打死的士兵都犯了最基本的錯誤，因為他們早已累到無法專心打仗。」[162]到了七月二十三日，南翼的德軍已經完全停止進攻，因為蘇軍在更南方的位置朝米烏斯河（Mius）與頓內次河發動新的攻勢，迫使曼斯坦從衛城作戰分兵前去防守。[163]

希特勒早在七月十三日就召集克魯格與曼斯坦開會，告訴他們必須結束這場會戰。一般認為這是受到盟軍登陸西西里島的影響，然而這只是希特勒考量的諸多因素之一，真正的原因是莫德爾戰線被突破後急遽引發的危機。希特勒並不急於對義大利危機做出回應，七月十七日，他實際上只派了武裝親衛隊第二裝甲軍三個師當中的一個師（希特勒近衛師）前往地中海。衛城作戰無法達成最初的目標，於是只能草草結束。蘇軍的反攻完全出乎德軍意料之外，加倍打擊失敗的德軍。這場發生在七月與八月的消耗戰，德軍總計傷亡二十萬零三千人，幾乎喪失三分之一的兵員，飛機則損失一千零三十架。在整個東線戰場上，德軍損失一千三百三十一輛戰車與自走砲。蘇軍的損失遠比德軍慘重，光是在庫斯克戰場就有七萬人死亡或失蹤，損失一千六百輛戰車與四百架飛機。雖然損失慘重，但到了一九四三年夏天，蘇聯的武器設備已經比德國更容易補充，因為蘇聯的工廠著重量產，而非講究品質。[164]蘇軍花了較長時間圍堵德軍南翼的攻勢，直到八月三日才有能力進行「魯緬采夫作戰」（Operation Rumiantsev），在南方發動反攻，讓擔任預備隊的大草原方面軍與范屠亭的沃羅涅日方面軍朝貝爾哥羅推進。到了這個階段，在經過幾個星期的消耗戰之後，曼斯坦的集團軍只剩下一百三十七輛戰甲車與十七萬五千人，到了八月底更減少到十三萬三千人。紅軍迅速在八月五日占領貝爾哥羅，史達林下令在莫斯科首次舉行戰爭勝利慶典，除了以一百二十門大砲鳴放禮砲，晚上也施放煙火。儘管曼斯坦試圖阻擋蘇軍推進，哈爾科夫還是在八月二十三日落入蘇軍手中，德軍從此再也未能奪回這座城市。

庫斯克會戰之後，情勢已全面對蘇聯有利。七月，蘇軍試圖在哈爾科夫以南騷擾曼斯坦，使其無法全力進攻庫斯克，但收效不大。到了八月中，蘇聯大本營下令西南方面軍與南部方面軍全力收復頓巴斯西部地區，然後進一步往前收復烏克蘭工業區與突破更西邊的聶伯河。紅軍於八月三十日攻下塔干洛格（Taganrog），九月八日攻占史達林諾（今日的頓內次克），九月二十二日抵達聶伯羅彼得羅夫斯克（Dnepropetrovsk）以南的聶伯河岸。史達林要求所有戰線都必須採取攻勢戰略，讓德軍沒有休息的機會。八月七日，索科洛夫斯基將軍（Vasily Sokolovskii）率領西部方面軍發起「蘇沃洛夫作戰」（Operation Suvorov），目標是斯摩稜斯克，這裡曾在一九四一年爆發了幾場最激烈的戰鬥。德蘇雙方在長達兩百四十公里的戰線上艱苦戰鬥，到了九月二十五日，蘇軍已成功收復斯摩稜斯克。當德軍防線被攻破時，希特勒下令建立東牆（東部防線），讓德軍可以依托防線阻擋蘇軍攻勢。這條東部防線的南段代號「沃坦」（Wotan），從亞速海的梅利托普（Melitopol）延伸到札波羅熱，這道防線可以保護尼科普與克里維里赫（Krivoi Rog）的原料與工業。希特勒（誇大地）表示，這些資源對往後戰爭的進行至關重要。東部防線的北段又稱「豹線」（Panther Line），這條防線沿聶伯河與傑斯納河（Desna）往北，一路延伸到波羅的海岸邊的納爾瓦（Narva）。光看這道防線的長度就可以知道，要在上面蓋滿能夠有效防禦的要塞基本上是不可能的。德軍只要抵達防線就會發現，所謂的「防線」根本只存在於地圖上，實際上根本沒有任何堅固的防禦工事。德軍井然有序地撤離，避免出現潰不成軍的狀況，儘管如此，到了九月底，當曼斯坦下令南面集團軍渡過聶伯河繼續撤退時，他率領的六十個師底下平均每個師只剩下一千人，整個集團軍只剩下三百輛戰車。[165]在撤退途中，部隊奉命採取無情的焦土政策，盡可能炸毀一切設施，燒毀村落，裹脅村民一起撤退，充當苦役。位於最北方的德國北面集團軍派出大量兵力與武器協助南方戰場，面對蘇軍的進攻，只剩下三十六萬人與七輛戰車進行抵抗，但北面集團軍依然成功建立了防守圈，並且一直支撐到一九四四年一月才被突破。此時接替屈希勒擔任北面集團軍司令的莫德爾下令部隊撤退到豹線，至此被圍困兩年半的列寧格勒終於重見天日。

從一九四三年八月到一九四四年四月，紅軍持續戰鬥，幾乎完全沒有休息，他們順利穿過烏克蘭，進入白俄羅斯東部地區。然而希特勒仍堅持德軍必須守住尼科普與克里維里赫，因此當紅軍迅速從南方與北方橫掃而過時，這兩個地區便完全陷入孤立。直到一九四四年二月為止，烏克蘭仍有一些工業區掌握在德軍手裡。一九四三年九月底，蘇軍抵達聶伯河，朱可夫為了加速奪取領土，提議派空降部隊占領河的對岸。與許多戰時的空降行動一樣，這次作戰完全失敗，但河的對岸還是建立了多達四十處小型橋頭堡，許多部隊得知第一個渡河者可以獲頒「蘇聯英雄」的榮銜，莫不奮勇爭先。最後竟有兩千四百三十八人得到獎賞，其中有四十七人日後當上將軍。[166]十月，德國南面集團軍的實力仍足以圍困基輔以南的橋頭堡。但范屠亭的沃羅涅日方面軍（此時已改名為烏克蘭第一方面軍，因為負責的戰場已經轉移到烏克蘭）已經加派一個師從基輔北方的小村落柳季日（Liutezh）渡河。由於上岸後的地區完全是沼澤與濕地，因此德軍並未在此設防。第三親衛戰車軍團神不知鬼不覺地建立了橋頭堡。另一方面，惡劣的天氣阻礙德軍進行空中偵察，蘇軍在基輔南方也進行了佯攻，曼斯坦因此誤以為蘇軍準備在基輔南方大舉渡河。十一月三日，蘇聯兩個完整的軍團從沼澤地蜂擁而出，德國守軍猝不及防。

三天後，也就是十一月七日布爾什維克革命紀念日前夕，蘇軍攻下基輔。史達林在紀念演說中表示，這是「重大轉折的一年」。莫洛托夫舉辦了一個奢侈的慶祝晚宴，讓賓客無限暢飲，結果英國大使居然醉倒趴在桌子上。[167]與史達林格勒一樣，基輔的勝利具有象徵意義，與此同時，紅軍正橫掃烏克蘭的剩餘地區。在南方，柯涅夫的大草原方面軍（此時已改名為烏克蘭第二方面軍）已經大舉橫渡聶伯河，對尼科普構成威脅；在更南方，位於克里米亞的德國第十七軍團已經完全被切斷後路，幾乎已經沒有逃脫的可能。在經過五個月持續不斷的戰鬥之後，蘇聯的攻勢終於停止，部隊精疲力盡，不僅缺乏補給，甚至連靴子也來不及補充。但到了一九四四年春初，蘇軍終於收復烏克蘭南部剩餘地區，二月八日攻下尼科普，兩個星期後占領克里維里赫。三月中，柯涅夫抵達聶斯特河與摩爾多瓦邊境，四月七日又從博托沙尼（Botoşani）進入羅馬尼亞境內。在北方，朱可夫與范屠亭攻占羅夫諾（Rovno，前烏克蘭總督轄區首府）與盧次克（Lutsk），後者曾在一九四一年夏天爆發大規模戰車戰。之後朱可夫與范屠亭調頭向南，抵達喀爾巴阡山脈，經由亞布盧尼齊亞隘口（Jablonica Pass）進入匈牙利。這是史達林所說的一九四四年「十大決定性攻勢」的第一項攻勢。[168]

蘇聯在一九四三年發動的攻勢規模十分龐大，從列寧格勒前線到南方的亞速海，消耗了大量的人力物力。從七月到十二月，六百萬紅軍幾乎無休止地投入戰鬥。自從蘇聯檔案開放以來，擊敗德軍的蘇軍在各方面的缺失逐漸呈現在世人面前：軍隊各層級訓練不足、參謀不稱職、情報蒐集不夠、戰術笨拙、軍事生產品質低劣等等。若從這個角度來看，我們反而很難理解曾在一九四一年與一九四二年遭到痛擊的紅軍，為何能夠戲劇性地扭轉失敗的命運。傳統的見解認為，如俄羅斯史家索科洛夫（Boris Sokolov）所言，德軍完全是「被屍體埋葬」，紅軍用大量的人命擊敗了德軍。[169] 然而，這其實是莫大的誤解。在經歷一九四一年到一九四二的慘敗之後，到了一九四三年，紅軍其實與德軍同樣面臨兵員不足的問題。失去領土之後，蘇聯可以運用的人口基數其實沒有比軸心國大多少，大約一億兩千萬人左右。德軍必須廣泛分散在歐洲占領區，但絕大多數精銳部隊都部署在東線戰場，反觀紅軍必須在遠東保留可觀的部隊數量以防範日本可能的威脅。蘇聯的動員較為嚴酷：與德國相比，蘇聯的徵兵範圍延伸到更年輕與更年長的年齡層，此外還有數量龐大的女性，傷兵很快就會被送回作戰單位，而勤務支援部隊的人數遠比德軍來得少。然而，若不是蘇聯於一九四二年後持續從錯誤中學習、改善訓練方式與調整戰術以減少傷亡，那麼再多的兵員也是枉然。十一月，蘇聯正式設立「戰爭經驗運用局」，總結教訓並且要求紅軍與空軍做出改進，讓作戰更有效率。[170]與此同時，蘇聯也把武器量產列為優先事項，生產出La－5、Yak－1b與Yak－7b戰鬥機，以及ML－20與SU－152重型自走砲，希望藉由更強大的火力、空中支援與機動性來彌補軍隊訓練的不足，讓士兵使用的武器能與德軍並駕齊驅。蘇聯量產武器的計畫獲得美國《租借法案》的支持，不過直到庫斯克會戰爆發時，《租借法案》提供的援助依然杯水車薪。儘管蘇聯軍隊仍存在許多缺點，但各方面的改進已足以使其從一九四一年的笨拙無能，搖身一變成為龐大的戰鬥機器。此時德軍就算再怎麼具有作戰經驗與戰術技巧，也難以將其擊敗。

※ ※ ※

一九四三年夏天之後，邱吉爾與羅斯福不斷催促舉辦高峰會，十一月，史達林終於答應參加會議。在此之前，史達林一直以忙於巡視前線做為推託藉口（實際上在整個戰爭期間，史達林只在一九四三年八月一日巡視過西部方面軍司令部一次），而且他也不願意在邱吉爾建議的斯卡帕灣開會。最後，三國領袖同意在伊朗（於一九四一年被英國與蘇聯軍隊共同占領）首都德黑蘭召開會議。在史達林與羅斯福的認知裡，這場高峰會只有一個主要目的：建立堅強共識，西方盟國終於要於一九四四年在法國發動重要戰役，以緩和蘇聯前線的壓力。十月，為了替德黑蘭會議預做準備，同盟國在莫斯科先召開了外交部長會議，美國國務卿赫爾向蘇聯外交部長莫洛托夫詳細說明大君主作戰，以此向蘇聯保證，英美絕不會讓盟邦失望。為了展現誠意，美國從十月底在莫斯科派駐了軍事代表團，每天向蘇聯高層簡報入侵作戰的準備進度。[171] 雖然八月邱吉爾在魁北克與羅斯福見面時被迫支持大君主作戰，但他仍對同時在義大利與法國開闢戰場存有很深的疑慮，他懷疑「兵力分散的結果，是否會讓兩條戰線都無法實現原本應達成的目標」，英國帝國參謀本部也對於以大君主作戰做為「其他地區所有軍事作戰的樞紐」感到忐忑不安。當羅斯福於十一月啟程前往德黑蘭開會時，戰爭部長史汀生提醒他，邱吉爾「想在『大君主』的背後插刀」。[172] 羅斯福與他的親信霍普金斯健康狀況都不太好，這趟德黑蘭之行對他們的身體都是重大考驗，但選擇搭乘愛荷華號（*Iowa*）戰鬥艦經由海路前往，卻讓陪同總統的參謀首長聯席會議有機會達成一項絕對的共識，那就是大君主作戰將是一九四四年「英美對德國採取的首要陸空軍事行動」。至於義大利戰役將只推進到比薩到里米尼（Rimini）一線，之後便將義大利戰場的資源移轉到反攻法國南部的戰役上，這場戰役的代號是「鐵砧作戰」（Operation Anvil）。參謀首長聯席會議提出的工作文件也表示，不應該接受邱吉爾的主張把兵力分散到巴爾幹半島或愛琴海。羅斯福隨後在文件上寫道：「阿門！」[173]

英美兩國領袖先在開羅召開「六分儀會議」，又稱「開羅會議」，他們也邀請蔣介石前來商討中國戰場的問題。蔣介石對於獲邀參與會議感到受寵若驚，特別是在十月的莫斯科會議上，蘇聯高層曾經反對讓中國成為《四強宣言》(Four Power Declaration)的簽字國。蔣介石能夠與會，使中國終於能夠與其他強大的盟邦平起平坐，同時也讓中國日後得以成為聯合國安全理事會的成員國。[174]羅斯福希望中國能繼續對日作戰，他承諾蔣介石將在緬甸發動戰役重啟補給線，由英國在孟加拉灣進行代號「海盜作戰」(Operation Buccaneer)的兩棲登陸作戰，將日軍驅逐出去。中美領袖討論了終結殖民主義的問題，雙方也同意戰後大英帝國將不復存在。[175]羅斯福拒絕與邱吉爾私下進行會議，他擔心史達林會因此懷疑英美共組「陣營」對付他。英美代表團於十一月二十七日飛往德黑蘭，史達林雖然害怕飛行，但還是從巴庫搭機抵達當地。第二天，史達林與羅斯福見面，邱吉爾並不在場。羅斯福向史達林保證一九四四年盟軍將發動大規模的入侵作戰——這場對話其實是為了先發制人，不讓邱吉爾有見縫插針破壞共識的機會。二十九日，史達林當面詢問邱吉爾是否想進行大君主作戰，邱吉爾知道自己是少數，只能點頭說是。邱吉爾雖然擔憂，但也無計可施。第二天，羅斯福宣布三國領袖已經就開闢第二戰場這項主要議題達成協議。「我對這項決定感到高興。」史達林只簡單地做了這樣的評論。[176]史達林也同意美國的建議，在開闢第二戰場的同時，也在法國南部發起進攻，史達林同樣認為英國想在巴爾幹半島與地中海東部採取行動是「不具決定性」的做法，事實上也的確是如此。在其他議題上，根據十月外交部長會議的基礎，羅斯福同樣獲得史達林的支持。三國暫時同意戰後國際秩序由羅斯福所謂的「四警察」(美國、蘇聯、英國與中國)支配，而德國戰敗後將由三國共同占領與分割。史達林首度表示，一旦打敗希特勒，他將對日宣戰。達成所有協議之後，英國大使館為邱吉爾舉辦生日宴會，也藉此增進領導人之間的友好關係。微醺的史達林舉杯高呼，「我的戰友羅斯福」與「我的戰友邱吉爾」，邱吉爾則稱呼「羅斯福，總統，我的朋友」，但對另一人則稱以「強大的史達林」，其中的差異不言可喻。[177]

當羅斯福與邱吉爾返回開羅，繼續討論中國與地中海戰場的問題時，兩人之間的關係顯得沒那麼和睦。羅斯福對蔣介石的承諾（幾天前，蔣介石從開羅返回中國，發現有一群「年輕將領」趁他出國時密謀政變失敗），成了英國人爭執的焦點。在此之前英美已針對打通滇緬公路的問題（代號「安納基姆作戰」〔Operation Anakim〕）爭論了將近一整年，英國始終反對這項行動。[178]羅斯福決心履行在緬甸採取軍事作戰的承諾，以協助中國繼續對日抗戰，但在與英國爭論三天之後，英國對於海盜作戰的看法與之前的安納基姆作戰一致，那就是如果沒有美國的大力援助，英國絕不會執行這項軍事計畫，羅斯福只好作罷。十二月七日，蔣介石得知緬甸作戰將延後到一九四四年下半年，他並不感到意外。[179]這段期間，偏執的邱吉爾還另外提出新的目標，並且再度引發與美國之間的分歧：他打算從德軍手中奪取前義大利殖民地羅得島（十月，不滿的布羅克在日記裡寫下「羅得島狂熱」幾個字），並且在開羅與羅斯福會談時持續提出要求。[180]然而美國並不想對地中海東部做出任何承諾。邱吉爾想說服土耳其政府參戰，甚至試圖打一場成功的多德卡內斯群島戰役來引誘土耳其同意，但當土耳其總統伊諾努（Ismet Inönü）抵達開羅與英美領袖會談時，伊諾努依然維持不介入的立場，不想改變土耳其的中立地位。開羅會議與德黑蘭會議一樣，暴露出英美在思考未來同盟戰略時有著很大的分歧，而邱吉爾無法讓美國更改反攻法國的堅定立場。當羅斯福回到華府時對史汀生說：「我把『大君主』完好無缺地帶了回來。」[181]

德黑蘭會議與開羅會議決定了未來一年的軍事方針。同盟國領袖知道，一九四三年的勝利已經除去敵對的義大利帝國，其餘兩個軸心帝國的失敗已經指日可待，即使還無法判斷那一天什麼時候到來，或者是要付出多少代價。一九四四年春夏，盟軍發起的一連串大規模的複雜戰役，已充分顯示軸心國沒有能力抵擋同盟國的攻勢。到了秋天，沒有人懷疑盟軍即將獲得勝利，但德國與日本最終的戰敗仍讓人等得心急。雖然德國與日本被迫採取守勢，但兩國運用既有的科技與有利的地形就能抵擋甚至削弱擁有龐大資源的敵人，當採取主動防禦時更是如此，有限的反擊與擾亂性的襲擊，都能一定程度放大防守方的打擊能力。守軍可以建立堅固的防禦工事，將火砲乃至於戰車藏匿起來，在燃料不足無法進行機動作戰的狀況下，戰車不失為定點防禦的利器。這些隱匿的火砲難以定位也難以摧毀。碉堡或防守陣地相互交錯，裡面部署了機關槍與迫擊砲，就像貝蒂奧島的防衛一樣，能有效發揚火力，使進攻的敵軍步兵與戰車陷入極度危險之中。使用無煙火藥的迫擊砲特別難以定位（通常從反斜面發射）而且致命。現代迫擊砲重量輕，一名士兵就可攜帶，能夠一分鐘發射二十五到三十發砲彈，射角高，可以攻擊近距離敵人，適合對抗持續前進的敵軍。面對德軍防線的迫擊砲火，英軍攻擊受挫，一九四四年八月，英國成立了反迫擊砲委員會，希望取得對抗迫擊砲的科學建議。到了秋天，窄波雷達研發成功，並且製造出能協助定位迫擊砲的設備，但未能做到廣泛使用，因此迫擊砲的威脅還是無法完全消除。[182]

除了迫擊砲，還有各式各樣的戰防砲，這些戰防砲也能隱匿起來進行伏擊。德國的手持單次射擊反戰車武器「鐵拳」（Panzerfaust）容易使用且便於攜帶，對盟軍裝甲部隊造成重大損失。地雷與鐵絲網這類一戰以來廣泛使用的武器也起到額外的防禦作用。現代戰場防禦有多難攻破，我們可以舉兩個例子說明。一九四四年九月，美軍進攻帛琉島鏈的小島貝里琉。日軍把這場戰爭轉移到了地下，他們在這座珊瑚島挖掘了五百座洞穴與坑道，許多裝設了鐵門，頂部覆蓋巨石與鋼樑，幾乎都以巧妙手法進行偽裝。日軍將珊瑚炸開後，裡面放置火砲，然後再將坑洞封住，只留下一道縫隙讓火砲射擊。火砲與碉堡的設置能使入侵的敵軍遭受來自四面八方的火力攻擊，最大程度利用島上的特殊地形。美軍從九月十五日開始進攻這座小島，到了十一月二十五日才完全攻占。這場艱苦的戰役讓美國海軍陸戰隊第一師足足休養了六個月才能再度出戰。[183]第二個例子發生在義大利，其防守之嚴密與貝里琉島不相上下。英國第八軍團發起「橄欖作戰」（Operation Olive），從靠近亞得里亞海一側進攻德國的哥德防線（Gothic Line）。但在此之前，德國工兵已經建立了龐大的防守陣地，包括八千九百四十四公尺長的反戰車壕、七萬兩千五百一十七枚反戰車地雷、兩萬三千一百七十二枚反步兵地雷、十一萬七千三百七十公尺長的鐵絲網、三千六百零四座地下掩體、兩千三百七十五處機關槍陣地與四百七十九門戰防砲。[184]令人吃驚的不是在義大利、太平洋或諾曼第鄉間戰場上的推進有多緩慢，而是這些具有縱深且致命的防禦陣地最後究竟是如何被攻破的。盟軍在一九四四年的戰役主要面對的是持續撤退與採取守勢的敵軍，為了擊敗眼前的敵人，他們必須發展出戰術與技術來抵銷防守方的優勢，以充分發揮自身擁有的強大物質力量。

在亞洲戰場，日軍為了防止發生戰略災難，曾一度放棄守勢，轉而在緬甸與中國採取攻勢作戰。在中國戰場的日本占領軍已經有一年時間未發起大規模會戰，只是針對占領地的中國游擊隊進行徵罰性掃蕩。之後決定重新發起攻勢，主要源自日本陸軍參謀本部作戰課長服部卓四郎上校的倡議。這場「大陸打通作戰」試圖打通連結日本華中占領地與印度支那的鐵路走廊，以此建立連結東南亞占領地與日本本土的補給線，因為此時海上補給線已經受到美軍的嚴密封鎖。服部卓四郎希望這麼做可以穩定戰局，並且在一九四六年重新在太平洋地區發起攻勢。日軍於是開始計畫在一九四四年夏天於河南、湖北與湖南發動攻勢，目標是奪取平漢與粵漢鐵路以連通印度支那邊境。一九四三年十二月，東條英機批准這項代號為「一號作戰」的計畫，但他堅持計畫目標僅限於奪取作戰地區的美軍機場，也就是說，東條認為應採取守勢而非攻勢戰略。服部與派駐中國的日軍將領都希望採取攻勢作戰，於是他們違背東京方面的指示，於一九四四年四月中開始了兩階段的戰役：首先是「京漢作戰」（コ號作戰），目標是鞏固北平到漢口的鐵路線；第二階段是「湘桂作戰」（ト號作戰），日軍往南進攻長沙與衡陽，與從印度支那北上的日軍會合。華北方面軍與中國派遣軍總數有六十二萬人，兩軍共派出五十萬人參與這次作戰，這是日本歷史上投入兵力最多的一場戰役。[185]與日軍正面對峙的中國軍隊長期缺乏補給，士兵訓練不足，缺少醫療設施，甚至連軍服也不夠，而他們也無法期盼蔣介石派出其他部隊支援，因為史迪威將軍為了打通從印度通往中國的補給路線已調派了大量中國軍隊。

一號作戰的兩階段戰役，儘管需要漫長的補給線才能將物資運抵前線，而且有經驗的作戰部隊都已經送到太平洋戰場，留在中國戰場的都是素質較低的士兵，但由於面對的是戰力及士氣都十分不足的中國軍隊，因此還是大獲全勝。日軍完全控制平漢鐵路之後，五月二十六日，十五萬日軍湧入湖南省，六月十八日，日軍攻克先前一直無法占領的長沙。防守長沙的中國指揮官薛岳將軍只有一萬人，而他要對抗的圍城日軍則有三萬。第二個目標衡陽則由薛岳與方先覺將軍防守了四十七天，最終於八月八日陷落。美國第十四航空軍指揮官陳納德將軍（Claire Chennault）努力運送補給物資給衡陽守軍，但史迪威卻聲稱「不用為他們操心」。[186] 隨著緬甸與太平洋戰役持續延長，危機也不斷加深，日本參謀本部因此又有了結束一號作戰的念頭，但服部卓四郎堅持，即使已經取得六座美軍空軍基地，還是必須繼續這次作戰。日軍從廣州的一小塊占領地與印度支那往北進攻，最終成功打通粵漢鐵路。一號作戰造成日軍兩萬三千人傷亡，但蔣介石的中國軍隊在耗盡資源的狀況下，損失竟高達七十五萬人。[187]

日本第十五軍司令牟田口廉也中將也計畫在緬甸對盟軍採取攻勢，與服部一樣，牟田口認為日軍占領印度東北部，不僅可以攫取阿薩姆邦的空軍基地，使盟軍無法越過山區空運《租借法案》物資給中國，也能在印度煽動反英暴動，促使同盟國與日本協商。一九四四年一月，東條批准「烏號作戰」（ウ號作戰），這是一個比較審慎的軍事行動，目標是占領「印度東北英帕爾附近的戰略地區」。然而此時英印軍隊正朝緬甸南方的阿拉干（Arakan）地區推進，二月底，阿拉干的日本守軍遭遇嚴重挫敗。三月七日到八日，日軍三個步兵師與印度國民軍兩萬名志願軍進攻英帕爾與柯希馬（Kohima），印度國民軍司令錢德拉．伯斯希望這支部隊能協助「解放」他的祖國。由於缺少運輸車輛，日軍徵用了一萬兩千匹馬與騾子，以及超過一千頭大象。英軍指揮官史林中將（原本是少將）預先得知日軍即將入侵，因此在英帕爾平原做好了防衛準備。英國守軍有十五萬五千人與龐大空軍，兵力遠超過牟田口的八萬五千人，且日軍缺乏補給，沒有戰車，幾乎沒有空中支援。這場戰鬥對雙方來說都很慘烈。史林日後回憶說：「沒有人求饒，也沒有人留情。」[188]雖然柯希馬遭到圍困，空中補給卻使柯希馬與英帕爾守軍能繼續戰鬥，最後日軍因飢餓、疾病與幾個月的消耗而無以為繼，在損失七成兵力的狀況下撤退。一九四四年七月四日，日軍大本營下令終止烏號作戰。[189]

儘管開羅會議做出延後緬甸軍事作戰的決定，但史迪威還是試圖說服蔣介石讓他再度率領在印度受訓武裝的中國駐印軍在緬北打通滇緬公路，中國遠征軍則從雲南出兵支援。蔣介石不想重蹈兩年前的災難，但羅斯福送來措詞強烈的訊息，明確表示如果蔣介石不同意，那麼「中美未來繼續合作的機會將很有限」。蔣介石悲觀地認為，中國今後也許「要獨自進行這場戰爭」，但這次他還是決定讓步。[190]一九四四年五月中，史迪威抵達密支那，他在這裡再次遭遇日軍頑抗。等到英國、印度與中國軍隊在八月迫使日本第三十三軍往南撤退時，史迪威的部隊已經傷亡八成。史林沿著伊洛瓦底江平原一路追擊撤退的日軍。一九四五年三月二十日，英軍攻占曼德勒，四月底，英軍進入已經被盟軍炸成廢墟的仰光，翁山領導的緬甸國民軍也於此時倒向同盟國。殘餘的日軍撤退到馬來亞。在緬北，中國駐印軍與中國遠征軍終於在一九四五年重新打通滇緬公路（此時已改名為「史迪威公路」，不過如此命名似乎有失公允），但中國直到幾個月後才收到第一批補給物資。[191]對日本來說，防守緬甸成了一場致命的戰役。三年來，日軍投入了三十萬三千五百零一人，有十八萬五千一百四十九人因戰鬥、疾病或飢餓而死亡，這個可怕的數字再次提醒我們日軍對帝國邊境仍存在著補給嚴重不足的問題。在整場戰役中，英軍陣亡四千零三十七人，擔任主要戰鬥任務的印度與西非軍隊則損失六千五百九十九人。[192]

無論是一號作戰還是烏號作戰，首要目標都是要掃除美國的空中力量，防止美國空軍補給蔣介石軍隊與轟炸日本本土。但對日本軍方來說，最大的危險其實來自於太平洋，尼米茲在成功占領馬紹爾群島的基地之後，便以馬里亞納群島其中三座島嶼為下一波目標，分別是塞班島、天寧島與關島。這三座島嶼離日本夠近，可以對剩下尚未遭到攔截的日本海上航線進行封鎖，也能直接轟炸日本本土。史普勞恩斯的第五艦隊現在有了龐大的海軍資源可供使用。密茲契海軍少將（Marc Mitscher）指揮的第五十八特遣艦隊擁有十五艘航空母艦與七艘新戰鬥艦，負責抵禦日軍對島嶼的進攻。一九四四年三月十二日，參謀首長聯席會議下達訓令，命令尼米茲於六月十五日開始行動；西南太平洋戰場的麥克阿瑟將軍此時已經占領新幾內亞北部，準備以此為跳板進攻菲律賓南部。為了加速軍事作戰，麥克阿瑟命令下轄的兩棲部隊與航空部隊採取跳島戰術，繞過日本守軍，等之後再回頭壓制或消滅他們。在金開德海軍中將（Thomas Kinkaid）第七艦隊的護衛下，加上巴貝海軍少將指揮的美澳兩棲聯合部隊，美軍一共發動了五次兩棲登陸，首先攻占的是阿得米拉提群島，島上的席亞德勒灣（Seeadler Harbour）日後成為進攻菲律賓的前進基地。接下來的「迫害作戰」（Operation Persecution）與「魯莽作戰」（Operation Reckless），計畫在一九四四年四月二十二日荷蘭第亞港附近登陸並且建立灘頭堡。這三次登陸作戰都未遭遇激烈抵抗，因為日軍的通信遭盟軍截聽，而且被設立於布里斯班賽馬場上的澳洲基地破譯，這些情報讓麥克阿瑟的軍隊能夠預先知道日軍的攻擊行動或他們的增援計畫。[193] 鞏固了荷蘭第亞之後，美軍繼續進攻華克德島（Wakde

Island)，經過激烈的戰鬥，終於在六月二十五日成功占領該島，之後也拿下五月二十七日開始進攻的比克島。然而比克島上的日本守軍實力被嚴重低估，經過一個月的苦戰之後，盟軍才取得機場，至於整座島嶼則一直要到八月份，在盟軍損失了五分之一的步兵且日本守軍幾乎全員陣亡之後才得以占領。西新幾內亞由澳洲軍隊平定，之後便開始興建機場準備向北進攻。至此，日本帝國的東南國防圈已完全遭到突破。[194]

日本海軍很清楚馬里亞納群島將是美軍下一個目標，因此在六月，剛好在美軍計畫進攻之前，日本便開始增援馬里亞納群島。齋藤義次中將在塞班島上的部隊有三萬一千六百二十九人，遠比美軍情報單位估計的多，美軍以為島上只部署了一萬人。島上的防禦工事尚未完成，但足以造成嚴重傷亡。美軍三個海軍陸戰隊師與兩個陸軍師奉命進行「覓食者作戰」(Operation Forager)，指揮官仍是屠納與史密斯，總兵力達到十二萬七千人。運載士兵到島上的特遣艦隊有五百三十五艘艦艇，能夠運送的補給物資達到驚人的三十二萬噸。[195]塞班島預定的進攻日期是六月十五日，關島曾經是美國基地所在地，進攻日期定在十八日，天寧島則是七月十五日，然而塞班島的激烈抵抗打亂了原訂時程。六月十五日，海軍陸戰隊第二師與第四師組成的進攻隊伍分別從八個不同位置登陸灘頭，但日軍的火砲從可以俯瞰灘頭的山嶺進行砲轟，導致美軍傷亡慘重。美國海軍艦砲進行岸轟仍無法摧毀隱匿的火砲陣地，海軍陸戰隊因此遭受機關槍、迫擊砲與重型火砲的無情掃射。六月十八日，小澤治三郎海軍中將率領的機動艦隊接近塞班島，密茲契命令第五十八特遣艦隊前去迎擊，以避免美軍的入侵行動受到影響。史普勞恩斯認為日軍艦隊想摧毀登陸艦，破壞美軍的兩棲作戰，但小澤其實想尋求與美國主力艦隊交戰的機會，他打算「一舉」殲滅第五十八特遣艦隊。

小澤治三郎率領了九艘航空母艦與五艘戰鬥艦，這已經是日本聯合艦隊剩餘的主力，但實力仍不足以與密茲契的艦隊相抗。密茲契的航空母艦搭載了九百架飛機，全是最現代的海軍艦載機，包括格魯曼「地獄貓」、柯蒂斯「地獄俯衝者」與格魯曼「復仇者」魚雷轟炸機，機組人員受的訓練也比這個時期的日本飛行員來得精實。密茲契擁有的飛機數量是小澤的兩倍，而小澤也無法指望日本陸基航空部隊的支援，因為美軍飛機將近一個星期的持續轟炸與低空掃射，已經使日本陸基航空部隊的軍機數量大為減少。[196]這場被稱為「菲律賓海海戰」的戰役，對日本機動艦隊是一場災難。六月十九日早上，小澤對密茲契艦隊發動兩波艦載機攻勢，此時密茲契艦隊所處的位置剛好能最大程度地發揮雷達情報蒐集能力。小澤派出了一百九十七架飛機，只有五十八架返航。當天早上第三波攻勢的四十七架只有二十七架返航，但第四波也是最後一波的八十二架飛機未能找到美軍艦隊，於是他們飛往關島，其中三十架被擊落，剩餘的飛機絕大多數墜毀於損壞的跑道上，只有九架平安返回航空母艦。雖然實際擊落的飛機數量無法確認，但至少有三百三十架日軍艦載機與陸上基地的飛機在這場美國飛行員戲稱的「馬里亞納射火雞大賽」中被擊落。第二天，又有六十五架日本艦載機被擊落，日本航空母艦翔鶴號與大鳳號被美軍潛艦擊沉。當日本機動艦隊返回日本時，艦上只剩下三十五架可用的艦載機。[197]

日本海空力量幾乎遭到消滅後，塞班島戰役便成了日復一日的消耗戰，齋藤中將下令部隊逐步從一層層的防衛圈往後撤退到塞班島北部。到了六月三十日，缺乏食物與飲水，又遭到美軍艦砲無情轟擊，日本守軍決定採取最後行動。齋藤中將自殺，底下四千多名官兵在飲盡清酒之後，便拿起現有或臨時能找到的物品充當武器，進行集體萬歲衝鋒。在第一波衝鋒之後，第二波是傷者與病患，他們綁著繃帶、拄著拐杖，選擇與同袍一同赴死。七月七日到八日晚間，剩餘的日軍大聲呼喊集體衝鋒。與日軍正面交鋒的美軍部隊，一千一百零七人當中有九百一十八人陣亡或受傷。經過數小時幾乎全是肉搏戰的激戰之後，日軍有四千三百人死亡。兩天後，美軍宣布占領塞班島，但在此之前卻有數百名平民在島嶼北岸的懸崖邊集體自殺，他們先刺死或勒死自己的子女，然後再跳崖自盡。[198]日本守軍幾乎全部陣亡，但美軍也傷亡一萬四千一百一十一人，占作戰部隊的五分之一。[199]

七月二十一日，美軍登陸關島，在此之前美軍先對關島轟炸了十三天，創下太平洋戰爭最長的轟炸紀錄。關島的防禦更為嚴密，美軍因此花了一個星期建立大型灘頭堡，之後經過三個星期的激戰，於八月十一日占領關島，一千七百四十四名美軍陣亡。估計有三千名日本士兵躲進叢林，其中一些人甚至一直待到戰爭結束才離開叢林。七月二十四日，美軍進攻第三座島嶼天寧島，但並未遭遇塞班島或關島那樣的頑強抵抗，八月一日就順利攻占。先是新幾內亞失守，然後是馬里亞納群島陷落，日本領導高層無法原諒這樣的錯誤。七月十八日，東條英機被迫辭去首相職務，他希望在緬甸、中國與馬里亞納群島取勝，以換取與美國協商和平的機會，然而他的希望沒有一樣獲得實現。

到了這個階段，日本領導高層已經清楚認識到，德意志帝國的冒險之路已經走到盡頭。一九四四年六月初，日本駐德大使大島浩警告東京外交部，「從目前的態勢來看，德國很難再發動戰爭。」這項觀點立即引發憂慮，接下來日本將成唯一一個對抗同盟國的軸心國國家。[200]大島浩向東京發出訊息後的兩個星期，歐洲的西線與東線戰場都出現了具決定性的軍事行動。一九四四年六月六日早上的大君主作戰終於讓羅斯福履行了在德黑蘭向史達林許下的承諾。兩個星期之後，六月二十三日，紅軍發起「巴格拉奇翁作戰」(Operation Bagration)，將德軍逐出白俄羅斯。隨後的幾場會戰雖然還無法結束這場戰爭，但已經決定了德國的命運。

※ ※ ※

德黑蘭會議之後，在西線開闢第二戰場幾乎已成定局，但對於要冒多大風險則仍有爭議，尤其邱吉爾始終懷疑這場軍事作戰的可行性。計畫的擬定早在一九四三年四月就已經展開，主事者是英國將領摩根中將（Frederick Morgan），但之後卻引發英美更嚴重的爭執。計畫可能的登陸地點有兩個，一個是加萊，這裡是英吉利海峽最狹窄的地方，另一個是從塞納河河口到諾曼第的柯騰丁半島；美國傾向於諾曼第，而英國則支持加萊。英美雙方在蒙巴頓勳爵（Louis Mountbatten）主掌的聯合作戰司令部爭論兩天之後，終於決定選擇諾曼第。一九四三年八月，在魁北克的四分儀會議上，摩根提出一個小規模攻擊計畫，預定於一九四四年五月三日以三個師進行登陸作戰。[201]德黑蘭會議之後，盟軍開始認真準備計畫的細節部分，羅斯福同意必須任命一名最高司令來主掌這次行動。馬歇爾想爭取這個直接在戰場上指揮部隊的機會，但羅斯福需要他在華府定期提供建言，因此最後選擇了艾森豪。一九四四年一月，艾森豪把地中海司令部交給英國將領亨利·梅特蘭·威爾遜

（Henry Maitland Wilson）。儘管與蒙哥馬利關係緊張，艾森豪仍任命蒙哥馬利擔任盟軍地面部隊總司令，負責指揮第二十一集團軍。一九四四年一月二十一日，新指揮團隊開會討論計畫內容，認為登陸作戰只用三個師毫無成功的可能，於是改為五個師，之後又增加為六個師。瑟堡港是計畫的核心目標，而岡城（Caen）也是奪取的重點，後者可以在登陸成功之後做為盟軍的空軍據點。盟軍將在灘頭陣地集結三十七個師，之後再將德軍逐出法國。大君主作戰能否成功，還要取決兩項關鍵因素：首先是卡薩布蘭加會議同意採取的聯合轟炸攻勢，這項行動必須削弱德國的空軍力量與充分破壞德國的軍需生產，如此才能降低大君主作戰的風險；其次是必須穩定義大利戰線，讓軍隊與物資順利轉移到英國以準備入侵。

直到一九四三年夏天，聯合參謀首長會議才認為集中轟炸德國有助於大君主作戰的進行。美國陸軍航空軍擬了一份清單，上面列了七十六個關鍵目標，首要目標是德國的飛機生產地區，這個目標與旨在摧毀德國空軍戰力的「零距離指令」整合之後，於一九四三年六月十日交由英國轟炸機司令部與美國第八航空軍執行。英美空中部隊必須定期向聯合參謀首長會議提出報告，分析轟炸攻勢的可行性，以協助參謀首長判斷何時才是適合發動進攻的時機。九月，聯合參謀首長會議把支援大君主作戰列為轟炸機部隊的最優先事項。[202]然而轟炸的結果卻不如預期。主掌轟炸機司令部的哈里斯空軍中將（Arthur Harris）認為，持續在夜間對工業城市進行轟炸，是打擊德國戰時經濟的最佳戰略。一九四三年七月底與八月初的「蛾摩拉作戰」（Operation Gomorrah），哈里斯對漢堡進行了多次轟炸，導致三萬四千名平民死亡，卻對軍需產業影響不大。美國第八航空軍直到一九四三年底才有能力進行有效攻擊，他們的目標是德國負責生產滾珠軸承與飛機的工廠地區，然而美軍出勤的傷亡率太高，到了十一月，日間轟炸任務幾乎完全停止，直到一九四四年二月才又恢復深入德國的轟炸任務。哈里斯在轟炸漢堡之後，又在一九四三年冬天持續轟炸柏林，但這些空襲任務雖然造成大量人命傷亡，卻未對德國空軍力量帶來決定性的損害。根據估計，哈里斯只用了百分之二的炸彈來轟炸德國戰鬥機裝配廠，上級於是要求他調高比例。[203]證據顯示，儘管持續轟炸，德國戰鬥機力量仍持續增長。美國第八航空軍司令依克將軍（Ira Eaker）與一九四四年一月接任司令的杜立德准將都被告知，若想真正削弱德國的空軍力量，「就必須將零距離指令做到最極限。」[204]同月，史巴茲將軍（Carl Spaatz）被任命為美國駐歐洲戰略航空軍司令，史巴茲認為，想徹底消滅德國空軍，不能只靠摧毀飛機生產中心，還要利用德國戰鬥機升空攔截美國轟炸機群的時候與德國戰鬥機交戰來進行消耗戰。

於是，遠程戰鬥機便成為消滅德國空軍力量的關鍵。美軍轟炸機在德國境內進行日間轟炸任務時，原本旁邊都沒有戰鬥機護航，這種狀況一直持續到一九四三年的最後幾個月。軍方後來理解到，除非加派戰機護航，否則不可能降低轟炸機的傷亡，於是便緊急在P－38洛克希德「閃電式」、P－47共和「雷霆式」與P－51北美「野馬式」這三種戰鬥機上加掛副油箱。其中尤以野馬式最為成功，其航程足以飛抵柏林或更遠的地區，最遠甚至可以到達維也納。美國第八戰鬥機司令部司令克普納少將（William Kepner）急欲使用遠程戰鬥機與德國空軍作戰，他在一九四四年初可以運用的戰鬥機超過一千兩百架，他因此允許飛行員「獨立」判斷：當敵機集結或升空準備攔截時，飛行員可自行迎擊敵機，甚至可以追擊敵機直到對方的基地，然後掃射地面敵機，目的是不讓敵軍戰機有喘息的機會。[205]一九四四年春，美國第八航空軍轟炸機群以德國飛機生產地區為首要攻擊目標，但在史圖姆普夫一級上將（HansJürgen Stumpff）指揮重組的德意志帝國航空軍進行攔截下，出現了有史以來最高的傷亡率，不過也造成德國戰鬥機難以恢復的耗損。二月，德國損失了三分之一的戰鬥機，到了四月，損失增加到百分之四十三。由於有將近五分之四的戰鬥機用來防守帝國本土，大量損耗使得德國在各個戰線的戰鬥機都無法適時得到補充。一九四四年一月到六月，德國空軍作戰損失的飛機已達六千兩百五十九架，意外墜毀的卻有三千六百二十六架，顯示德國飛行員訓練素質持續降低。[206]結果，在德國上空進行的空戰反而比轟炸空襲更能確保大君主作戰能獲得完全的空優。六月六日大君主作戰的發起日，法國北部的德國第三航空軍團只有五百二十架可用飛機，戰鬥機只有一百二十五架，反觀西方盟國總共有一萬兩千八百三十七架飛機，包括五千四百架戰鬥機。[207]一名德國士兵在盟軍入侵的前幾天寫道：「天上的美國戰鬥轟炸機與轟炸機比鳥還多……德國飛機一架也沒有。」[208]

與消滅德國空軍相比，義大利戰事顯然處於次要地位，但聯合參謀首長會議仍定下目標，義大利戰役必須在發動大君主作戰之前推進到羅馬以北的「比薩—里米尼」線，以確保地中海戰場不會耗費過多的人力物力，影響接下來的大規模作戰。一九四三年底，盟軍在古斯塔夫防線陷入僵局，但這個狀況勉強可以接受，因為德軍的兵力也同樣受到牽制；凱賽林在義大利南部投入了十三個師，在北部則部署了八個師。德黑蘭會議之後，邱吉爾一直把「義大利戰事的停滯不前」視為英國的奇恥大辱，他再度要求做出最後努力，必須在反攻法國之前，甚至要在二月底之前推進到羅馬。[209]克勒克將軍提出一個解決方法，那就是從古斯塔夫防線後方進行兩棲登陸，切斷德軍與後方的聯繫，當德軍撤退時，盟軍或許可以尾隨追擊，跨越阿爾班山直抵羅馬。艾森豪反對這個想法，但最後邱吉爾的路線勝出，他甚至想進行更具野心的行動，在台伯河河口登陸，這裡雖然遠離古斯塔夫防線，卻離羅馬更近。邱吉爾必須說服羅斯福同意讓數量足夠的登陸艦在地中海多留幾個星期，如此才能發起「鵝卵石作戰」(Operation Shingle)，但亞歷山大與克勒克都堅持實施規模較小的登陸作戰，只需要兩個師的部隊在安奇奧（Anzio）灘頭登陸——離德國防線夠近，能夠構成威脅，但也離通往羅馬的山嶺不遠。[210]這次行動的計畫太過匆促，並未考慮到登陸之後的事。指揮官美國第六軍司令盧卡斯少將（John Lucas）對於前景感到悲觀，他懷疑這又會是一場加里波里之役，「當初推動那場戰役的外行人……現在還在指揮調度。」[211]在進行兩棲作戰演練時，盧卡斯也覺得是「一場災難」，有四十三輛兩棲登陸車輛與十九門重型火砲沉入海中。一九四四年一月二十二日，登陸作戰展開，登陸地區只有很少的德軍防守。第二天，盟軍已經建立了一條長四十公里的防線，但此時盧卡斯卻選擇堅守，而非大膽積極地推進到德軍後方。凱賽林發出代號「理查德」(Richard)的警報，要求德軍向海岸進攻，並且集結他在羅馬的少數部隊與從北部調派來的三個師。二月二日，盧卡斯依然按兵不動，麥肯森將軍（Eberhard von Mackensen）的第十四軍團於是圍住灘頭堡，此後直到五月，美軍都無法前進一步。[212]盧卡斯遭到撤換，由他底下的師長屈斯考特少將（Lucian Truscott）接任，然而屈斯考特除了稍微提振美軍士氣，還是無法在突破封鎖上更有作為。

安奇奧登陸作戰是一次戰略失敗，也讓原本對大君主作戰存有疑慮的人更加質疑這場作戰能否成功。在發起安奇奧登陸作戰的同時，盟軍也嘗試突破古斯塔夫防線，目標是與從灘頭堡挺進的部隊會師，然而在惡劣天氣下，盟軍還是無法擊敗在有利山岳地形堅守的德軍。古斯塔夫防線的樞紐位於卡西諾鎮與上方高聳的懸崖，卡西諾山頂有一座本篤會修道院。盟軍為了在半島上繼續推進，不惜摧毀這座城鎮與強攻卡西諾山，結果卻是得不償失。一九四四年二月與三月，一支紐西蘭軍，包括第四印度師，兩度進攻卡西諾鎮失敗，部分是因為攻擊前的轟炸使小鎮成為斷垣殘壁，所有街道全被瓦礫覆蓋，反而不利進攻。二月十五日，美軍誤以為德國守軍躲在修道院，於是派第十五航空軍轟炸機朝修道院投下三百五十一噸的炸彈，炸死了在裡面避難的兩百三十名義大利平民。[213]德國第一傘兵師隨即占領已經變成廢墟的修道院，並且一直堅守到五月。亞歷山大被迫重新檢討這場戰役。接下來的「王冠作戰」(Operation Diadem）把位於亞得里亞海的英國第八軍團調來協助打破僵局：根據計畫，盟軍在進攻卡西諾山的同時，克勒克的美國第五軍團將沿西岸往北推進，第八軍團則負責打通里里河谷（Liri Valley），等到突破德軍防線後再反過來包圍凱賽林的部隊。盟軍總兵力超過三十萬人，包括朱安將軍（Alphonse Juin）的法國遠征軍與安德爾斯中將（Władysław Anders）的波蘭第二軍。一般相信，這場戰役的勝利可以防止德國將駐紮在義大利的軍隊轉移到法國對抗大君主作戰。[214]

王冠作戰終於在五月十一日發動，此時離反攻法國只剩三個星期。一個星期之內，英國第十三軍便打通了里里河谷，而屈斯考特也終於從安奇奧灘頭堡突圍。連續數月艱苦的山地作戰令德軍精疲力竭，盟軍的奇襲因此充分發揮了效果；四名德軍將領剛好不在前線，其中兩名回國是為了接受希特勒親自授勳。最困難的戰鬥是攻克能俯瞰卡西諾鎮廢墟的高地。安德爾斯的部隊一路往上攻，面對德軍近乎不要命的抵抗，波蘭軍隊的傷亡極為慘重。五月十七日，波蘭軍隊才剛抵達修道院下方，耗損嚴重的德軍就已經開始撤退。第二天，波蘭偵察兵發現修道院裡只剩下傷兵。殘破的建築物升起了波蘭國旗，一名波蘭號兵吹奏了一首波蘭民族歌曲，《克拉科夫的黎明》（Kraków Hejnal）。波蘭人多年來一直與德國人奮戰，終於迎來最具象徵性的勝利時刻。幾個小時之後，英國軍官才表示英國國旗也應該要懸掛上去。[215]凱賽林知道他不可能擋得住盟軍龐大的兵力，於是下令撤退以避免遭到包圍。此時克勒克非但未要求封閉包圍圈，反而命令正從安奇奧推進的屈斯考特往北直攻羅馬，以確保義大利首都能落入美軍之手。就像在墨西拿一樣，德國第十與第十四軍團努力從盟軍包圍的夾縫中逃生，往北方的羅馬撤退。克勒克的軍隊在六月五日進入羅馬，剛好是入侵諾曼第的前一天，邱吉爾怒不可遏，因為英國到手的勝利居然被美國搶走。[216]義大利的德軍原本可能遭到殲滅，卻因為美軍搶占羅馬而逃過一劫。義大利戰線可以幫助大君主作戰的說法開始遭到質疑。亞歷山大擁有超過二十五個師的大軍，卻在往羅馬推進的戰役中損失了四萬兩千人。這些士兵如果參加諾曼第登陸作戰，很可能讓盟軍更早獲得勝利，而且幾乎可以確定不會造成這麼大的傷亡。

在倫敦，盟軍高層只關心義大利戰役不會耗費太多大君主作戰需要的登陸艦，而最終艾森豪還是取得了令他滿意的登陸艦數量。一九四四年一月，盟軍決定擴大登陸規模，這表示必須花更多時間集結更多的資源與物資，因此登陸的日期不得不延後。二月，盟軍決定在五月三十一日採取行動，但有利橫渡海峽進行登陸的條件，例如適當的月光與退潮，卻集中在六月第一個星期。五月，艾森豪終於下令將D日訂在六月五日。為了確保作戰成功，必須想辦法將補給物資安全送上岸，因為占領與修復主要港口肯定需要一段時間。盟軍決定用鋼筋混凝土建造兩座人工港，代號「桑樹」（Mulberries），在D日當天，所有零件會拖到諾曼第灘頭外，等登陸成功後便動用一萬名工人進行組裝。[217]另外一個重點是阻止德軍迅速增援諾曼第守軍。一月，艾森豪的英國籍副司令泰德空軍上將聘請英國政府科學家祖克曼（Solly Zuckerman）擬定計畫，針對法國鐵路網的一百個節點進行轟炸，以癱瘓德軍的運輸。艾森豪批准這項計畫，卻引發廣泛的反對。四月，邱吉爾對戰時內閣表示，轟炸法國目標與殺害法國平民很可能使法國與西方盟國產生「難以癒合的裂痕」。美國駐歐洲戰略航空軍司令史巴茲與英國轟炸機司令部司令哈里斯都認為使用重型轟炸機轟炸小型的鐵路目標「不會有效」，而且在使用轟炸機上也「很不經濟」。[218]兩人的反對激怒了艾森豪。艾森豪表示他寧可辭職，也不願與這兩個「妄自尊大的人」並肩作戰。史巴茲與哈里斯也拒絕釋放指揮權給艾森豪的戰術空軍司令李馬洛空軍中將（Trafford Leigh-Mallory）。在絕望下，艾森豪告訴邱吉爾，如果不照他的指示去做，那麼他將「收拾東西走人」。[219]於是雙方達成妥協，轟炸機部隊由艾森豪直接指揮，但也允許史巴茲在有機會時繼續轟炸德國的空軍與石油設施。羅斯福介入調解，表示不應該對轟炸有任何疑慮。根據後來法國官方的數字，可以得知盟軍曾為了入侵法國而進行連續五個星期的轟炸，造成一月份法國北部與西部的鐵路運量只剩下原本的百分之十到十五，以及兩萬五千名以上的法國平民死亡。[220]到頭來，李馬洛的戰鬥轟炸機與輕型轟炸機其實要比重型轟炸機更能勝任這項任務，這些轟炸機在入侵前幾天才開始轟炸，卻能透過精確攻擊摧毀七十四座橋樑與隧道，成功孤立了整個法國西北部。[221]

第三項成功要素在於能否順利欺騙德軍，使其誤判盟軍登陸的方向與時間。要做到這點並不容易，因為在英國南部集結的盟軍部隊數量相當龐大，最終將達到將近三百萬人。一月，盟軍批准了代號「保鏢」(Bodyguard）的欺敵計畫，目的是讓德軍以為加萊才是盟軍入侵的真正目標。盟軍在英國東南部設立了一個完全虛構的「第一集團軍」，然後大張旗鼓地交由巴頓將軍指揮，在此之前巴頓因為掌摑了罹患戰爭心理創傷的士兵而被暫時解除指揮權。假的軍營與武器裝備，假的無線電站與雙面諜提供的虛假資訊，都使德軍誤以為盟軍在加萊的對岸集結了更為強大的兵力。一九四四年六月，德軍情報顯示，盟軍已經集結了八十個師準備入侵，儘管實際上只有三十八個師。[222]為了讓欺敵計畫成功，計畫內容也盡可能符合德軍的假定。希特勒與德軍高層認為，英吉利海峽最狹窄處離脆弱的魯爾與萊茵蘭工業區最近，因此是最明顯的入侵目標。隆美爾元帥被指派負責法國防務，他也相信加萊是盟軍的主要目標，但春末在英國西南部也有大量兵力集結的跡象，隆美爾因此認為諾曼第可能是盟軍佯攻或次要的登陸目標，目的是測試德國的防衛力量，之後盟軍主力才會進攻加萊。因此，駐守法國的B集團軍分成了兩支：沙爾莫斯一級上將（Hans von Salmuth）指揮第十五軍團，下轄二十個師，幾乎包括了所有的摩托化師與裝甲師，防守從塞納河到荷蘭之間的地區；多爾曼一級上將（Friedrich Dollmann）指揮第七軍團，下轄十四個師，但只有一個裝甲師，防守布列塔尼與諾曼第。由於盟軍的欺敵計畫太過成功，導致希特勒直到該年八月才授權第十五軍團離開駐地到法國西部抵擋盟軍。

希特勒很早就預期盟軍將會入侵，他認為擊敗西方盟國才是真正「決定性的一戰」。一九四三年十一月三日，希特勒在第五十一號訓令中表示，西線的入侵比東線更加危險，我們必須給予決定性打擊，一勞永逸地解除英美的威脅。根據隆美爾的描述，一九四四年三月，希特勒向德軍各級將領「清楚明瞭地」說明他的西線戰略：

敵軍整個登陸作戰只能持續幾個小時，頂多幾天，第厄普的慘敗就是個「理想例證」。一旦登陸失敗，敵軍便沒有下次機會。就算他們想捲土重來，也需要幾個月的時間準備。登陸失敗不僅會讓英美推遲再次入侵的計畫，登陸失敗對軍隊士氣的打擊，也會讓英美檢討發動登陸作戰的可行性。

希特勒又說，登陸失敗意謂著羅斯福將連任失敗，而邱吉爾年事已高，又病又弱的他勢必不會有心力再進行一次入侵作戰。[223]

隆美爾必須在一九四四年開始的幾個月就著手構築防衛陣地，因為不確定英美何時入侵，只好盡早進行防禦。德軍雖然已經興建了大西洋長城（Atlantic Wall），但這還不構成完整的防禦。托德組織的建設大隊提供隆美爾七十七萬四千名工人與三千七百六十五輛車輛，到了六月六日，預定的一萬五千座防衛哨站已完成了一萬兩千兩百四十七座，沿岸灘頭放置了五十萬個障礙物與埋設了六百五十萬枚地雷，但東北海岸的防衛依然比諾曼第來得嚴密。在東岸，德軍部署了一百三十二門岸防砲，西岸只有四十七門。[224]可用的德軍部隊戰力已大不如前，因此不能光用師級部隊的數量來推斷德軍的實際戰力。許多士兵的年齡偏高，或者是剛傷癒返回部隊，這些人比較適合靜態防禦——駐守大西洋長城的六個師，平均年齡達到三十七歲。駐守法國的五十八個師當中，有二十個師是原本就駐紮在當地的衛戍部隊。這些部隊來自不同國家，也包括從俄羅斯大草原徵召的部隊。整體而言，這些衛戍部隊已經有很長一段時間沒有實際作戰經驗。他們缺乏資源，也沒有現代裝備，甚至沒有制式武器，至於海防師更是非常缺乏燃料。[225]

面對敵方的兩棲作戰通常有兩種選擇，第一種是敵軍一登陸就馬上發動反擊，第二種是等待敵軍建立灘頭堡，再派機動預備隊發動攻擊，將敵軍全部趕進海裡。隆美爾傾向於前者，他部署了海岸防衛師，並且在海岸防衛師後方一小段距離部署預備隊，使其能隨時上前支援。但德軍西線總司令倫德斯特與駐法國裝甲兵司令希維本堡將軍（Geyr von Schweppenburg）卻傾向於後者，他們主張把大量機動預備隊保留在後方，等敵軍主力出現時再出擊——他們的重點在加萊地區，而且這個地區也比較適合裝甲部隊作戰。希特勒為了解決雙方歧見，做出了令人遺憾的妥協：隆美爾可以進行海岸防衛，因為他預料盟軍登陸的地點可能不只一處，而是兩處甚或三處，至於希維本堡仍控制中央機動預備隊的四個裝甲師，並且視情況進行部署。結果就是中央預備隊的實力並未強大到足以扭轉戰局，即使他們可以在持續空襲與交通路線遭到破壞下趕赴前線，至於海岸防衛也因為兵力有限而無法消滅登岸的敵軍。[226]時機是致勝關鍵，但德軍無從得知盟軍入侵的時間。德軍通常只有在有明顯出現危險時才會進入高度警戒狀態。盟軍故意安排法國東北部受到猛烈轟炸，而諾曼第只受到輕微轟炸，好讓德軍以為盟軍即將入侵加萊海岸。當盟軍並未趁五月的好天氣發動進攻時，希特勒的最高統帥部開始懷疑盟軍是否到八月之前都不會採取任何行動。六月初，天氣突然轉壞，讓德軍有了放鬆的機會。隆美爾回德國為妻子慶生，而在最關鍵的入侵日，許多高階指揮官也因為進行兵棋推演而不在部隊。

五月中，艾森豪與蒙哥馬利向入侵行動的各級將領詳細說明計畫內容。在西部，在柯騰丁半島的底部位置，布萊德雷將軍（Omar Bradley）的第一軍團將以兩個師進攻猶他與奧馬哈灘頭；往東接近岡城的地區，鄧普賽將軍（Miles Dempsey）的英國第二軍團將以三個師（包括加拿大與自由法國部隊）進攻黃金、朱諾與寶劍灘頭。兩支進攻部隊的側翼都有空降行動支援，英軍的側翼由第六空降師保護，美軍的側翼由第八十二與第一〇一空降師保護。超過一萬兩千架飛機進行空中支援，另外有一千兩百艘海軍艦艇為四千艘兩棲登陸艦護航。蒙哥馬利預期幾天之內就能占領岡城，然後以岡城做為東部樞紐抵抗德軍的反攻，與此同時，美軍必須先攻入布列塔尼，然後轉而攻向巴黎與塞納河；根據他的時程，盟軍可以在九十天內抵達巴黎。計畫宣布後的三個星期，所有資訊完全封鎖，好讓行動能造成奇襲的效果。軍隊不許離開營區，水兵不許下船，所有的外交聯繫、對外郵件與電報暫時中止。隨著登陸的日子愈來愈近，艾森豪也變得愈來愈不安與沉默。他的副官寫道：「他因為D日而變得神經兮兮。」從後見之明來看，不難想見手握大軍的他有多麼害怕釀成一場災難。布羅克在日記裡更加悲觀，他表示在最糟的狀況下，這次行動「很可能成為整場戰爭中最慘烈的災難」。[227]天氣轉壞更加重兩人的焦慮，也讓隆美爾安心返回德國。連續三天緊鑼密鼓地開會，艾森豪一直質問資深氣象學家斯戴格（John Stagg）未來的天氣狀況。原本的進攻日期定在六月五日，現在因為狂風暴雨而不得不延後，但斯戴格卻在六月四日晚間表示，到了白天天氣即會轉好，風險應該是在可以承受的範圍。艾森豪反覆思量之後，大聲喊出廣為後人所知的那句名言：「好，我們動手吧。」入侵艦隊於第二天出發，準備在六月六日清晨發動進攻。[228]

奇襲的條件已完全具備。德軍將領一直相信盟軍準備在諾曼第進行佯攻，導致他們難以確定盟軍這次入侵究竟是不是以諾曼第做為主要目標。希特勒直到中午才得知盟軍入侵，聽到消息時反而有從等待的焦慮中解脫的感覺。希特勒對他的參謀說，盟軍「就在我們預期的地方登陸！」[229]各地的抵抗力道不一，戰況真正激烈的地方只有奧馬哈灘頭（兩棲作戰的詳細狀況將在第五章討論），而在經過一天的鏖戰之後，總共已有十三萬兩千四百五十人成功上岸，重裝備與數千噸補給物資也順利送達。當天傍晚，隆美爾下令第二十一裝甲師進行反攻，然而如同他先前所預期，希維本堡的裝甲預備隊遭到盟軍空中部隊攔阻，動彈不得。六月七日，各個灘頭堡已經連成一片，六月十一日，盟軍占領區已經集結了三十二萬六千人、五萬四千輛車輛與十萬四千噸補給物資。[230]巴約（Bayeux）在兩天內攻下，但蒙哥馬利快速攻占岡城的計畫，卻因為德軍出乎意料地堅守而無法實現。六月十三日發起的「棲息地作戰」（Operation Perch），目標是攻占波卡基村（Viller-Bocage）後朝岡城推進，但薄弱的德軍防線卻意外造成英軍第七裝甲師的嚴重損失，雙方因此形成僵持的局面。

在德意志國防軍最高統帥部，約德爾曾在盟軍入侵前不久預言，這場戰鬥將顯示雙方士氣的差異，「德國士兵會為了不讓祖國遭到毀滅而英勇作戰，至於英美士兵則到現在還搞不清楚自己為什麼要在歐洲打仗。」德國士兵作戰時確實相當英勇，但這場戰爭在許多人眼中卻撐不了多久。一名德軍裝甲擲彈兵回憶這場交戰時認為，這「就像是一場上個世紀的戰鬥，宛如白人對印第安人的戰爭」。[231]前線德軍成功建立一道薄弱防線，使隆美爾有時間抽調後方預備隊前來防守。盟軍必須在有利防守的地形中進行戰鬥，樹叢、矮丘、窄巷與鄉野間縱橫交錯的高聳灌木籬牆，德軍可以輕易在這種地形進行埋伏，狙擊手也能獲得充分掩護。盟軍擁有空優，迫使德軍在白晝只能利用多雲的時候移動，儘管如此，德軍的防守戰術依然讓盟軍難以突破。一名加拿大士兵寫道：「真正的『納粹』德國人會戰鬥到最後，絕不投降。他們年輕、強悍而且狂熱到了極點。」[232]

儘管盟軍擁有許多優勢，但進展依然相當緩慢，艾森豪最高司令部開始擔心，這場戰役可能演變成一戰的壕溝戰僵局。此時最初的勝利消息傳來，布萊德雷已經進入柯騰丁半島，準備進攻瑟堡。半島上的四個德國師與其他防線失去聯繫，不久就開始潰敗。六月二十二日，美軍地面部隊在海軍岸轟協助下，開始圍困瑟堡港。希特勒下令守軍指揮官施利本中將（Karl-Wilhelm von Schlieben）不計一切代價死守，但施利本卻於二十六日投降，只剩部分守軍繼續堅守了五天。希特勒對於施利本選擇投降而非戰死感到憤怒，並且痛罵他是「可恥的豬」。希特勒此時已經完全放棄把盟軍推進海裡的想法，六月二十九日，他命令隆美爾「透過小規模的戰鬥」包圍敵軍。[233]希特勒也對倫德斯特在這場會戰的表現感到不滿，他撤換倫德斯特，改由前中央集團軍司令克魯格元帥接替。

在東部，蒙哥馬利的軍隊在岡城北部遭到阻擋。惡劣的天氣使隆美爾得以在不受盟軍空優影響下調來四個裝甲師加強岡城的防務，六月二十九日到七月一日，隆美爾對盟軍的岡城前線發動反攻，但被盟軍猛烈的砲火擊退。七月初，艾森豪巡視前線，當他看到蒙哥馬利過度謹慎的策略時，不得不感到挫折與憤怒，但在瑟堡戰役之後，布萊德雷軍團的進展也慢了下來，因為法國的鄉野地區非常不適合快速的機動作戰。七月八日，蒙哥馬利終於對德軍陣地發動全面攻擊，代號「查恩伍德作戰」（Operation Charnwood），但隆美爾已經把部隊撤退到預先準備的岡城南部防守區，縱深有十六公里，背後依托布爾蓋比山脊（Bourguébus Ridge），隆美爾在山脊部署了七十八門戰車剋星八十八公釐防空砲。七月十三日，蒙哥馬利再計畫了一次猛攻，代號「佳林作戰」（Operation Goodwood），企圖牽制與摧毀德國裝甲部隊以協助布萊德雷突破西部防線。蒙哥馬利在給布羅克的報告上寫道：「東翼所有的軍事行動都是為了協助西翼的部隊。」[234]

佳林作戰激戰了三天，英國與加拿大部隊突破了前三道防線，卻被山脊上的戰防砲擋住。七月二十日，傾盆大雨使地面陷入泥濘，蒙哥馬利只好停止行動。儘管如此，以高昂代價耗損德國守軍的目標卻達成了。戰役結束的第二天，克魯格告訴希特勒，「這道防線耗損太大，已經到了崩潰的邊緣。」此時德軍已經損失兩千一百一十七輛戰甲車輛與十一萬三千人，連隆美爾也在盟軍飛機低空掃射時受傷。盟軍損失了大量戰車，但到了七月底仍有四千五百輛，反觀德軍只剩下八百五十輛。盟軍已經在灘頭堡集結超過一百五十萬人與三十三萬輛車輛。[235] 艾森豪的失望可以理解，但蒙哥馬利確實達成了目的。七月底，在岡城南部東部軸線的德軍有六個裝甲師，總計六百四十五輛戰車，但布萊德雷率領重新命名的第十二集團軍，面對的德軍只有兩個裝甲師與一百一十輛可用的戰車。七月二十五日，布萊德雷的十五個師，在巴頓的美國第三軍團支援下，發起了「眼鏡蛇作戰」（Operation Cobra），這次進攻終於突破德軍易碎的防線，使盟軍得以繼續推進。防守的二十五個德國師在幾個星期的消耗戰之後，戰力嚴重下滑，但又未能得到任何增援，至少有十一個師已經失去作戰能力，軍隊的機動性只能仰賴馬匹——希特勒得知情況後，反而下令德軍堅守，因為在喪失機動性的狀況下，這些德軍已不可能撤退到法國東部防線。236

德國西部防線開始迅速走向全面崩潰。眼鏡蛇作戰開始的第一天早上，在一千五百架重型轟炸機進行轟炸之後，被炸得頭昏眼花的德國守軍馬上被突破防線。原本被高聳的灌木籬牆阻擋的美軍裝甲部隊，現在使用了推土機與裝了「鋼牙」的雪曼戰車（綽號「犀牛」）來劃開橫亙的灌木叢與果樹，德國的裝甲部隊則只行駛於道路上，完全暴露在美國戰鬥轟炸機的掃射與轟炸之下。兩天後，盟軍擊敗六個疲憊不堪的德國步兵師，占領庫唐斯（Coutances），布萊德雷接著朝布列塔尼城鎮阿夫蘭士（Avranches）推進，在三十六個小時內前進了四十公里。此時巴頓的軍團也使出全力，迅速席捲整個布列塔尼，迫使六個仍位於布列塔尼的德國師撤退到希特勒宣稱的三個「要塞城市」港口，分別是布勒斯特、聖納澤爾（St Nazaire）與洛里昂（Lorient）。巴頓接著轉而向東朝巴黎與塞納河推進，一路上幾乎沒有德軍阻攔。德國將領察覺整個B集團軍有被包圍的危險，但希特勒命令克魯格組織反攻，防止美軍突破阿夫蘭士防線。克魯格只能以五個未滿編的裝甲師與四百輛戰車，從莫爾坦（Mortain）地區發起攻勢，試圖從側面切斷巴頓的推進。然而德國的情報遭「極機密」攔截破解，布萊德雷因此得到預警而得以事先部署反戰車防線。

八月七日晚間，德軍發起攻勢，卻因為遭遇美軍猛烈的空中攻擊而難以前進，不到一天時間，德軍又退回到攻擊起始線，而且兩翼開始遭到威脅。[237]在岡城地區，由於裝甲師被調往莫爾坦參與攻擊行動，導致德軍的防線嚴重削弱。八月八日，蒙哥馬利再度發動全面攻勢，兩天之內便接近德軍防線後方的法萊斯（Falaise）。為了包圍德軍，巴頓奉命派出一部分第三軍團往北推進，到了十一日，巴頓的部隊已經抵達阿戎頓（Argentan），距離在法萊斯附近的加拿大部隊只有三十二公里，巴頓於是在此停住。盟軍的鉗形攻勢已經形成包圍圈，希特勒決定撤換克魯格，改由從東線調回的莫德爾接任，然而德軍已難挽回頹勢。莫德爾下令殘餘的第七軍團從「法萊斯缺口」逃離包圍圈，但過程中仍有二十一個師遭到殲滅，包括七個裝甲師與兩個傘兵師。[238]雖然有數萬人成功逃脫，卻不得不遺棄大量的重裝備與數千輛車輛。火砲與卡車的殘骸，連同士兵與馬匹的屍體捲曲在一起，成堆地堵塞了道路。兩天後艾森豪巡視混亂的現場，他日後寫道：「連續走了數百碼，居然沒有一塊乾淨的空地可踩，到處都是死人與腐爛的屍體。」[239]

德軍為了避免遭到俘虜而往東逃竄，巴頓一路穿過幾乎無人防守的鄉野地帶，最後抵達塞納河畔的芒特—加西庫爾（Mantes-Gassicourt），此地位於巴黎的西北部。巴頓第三軍團的南翼從巴黎南方渡過塞納河，到了八月二十五日，第三軍團的兵鋒離德國邊境只剩一百公里。一小隊德國士兵努力想渡過塞納河，有人臨時拼湊了木筏，有人甚至直接游到對岸。一名德國士兵在給家人的信上寫道：「我們不斷往前衝，只是朝著背對敵軍的方向。」[240]在塞納河對岸，莫德爾只能勉強湊足四個戰力不足的師與一百二十輛戰車，他要面對的是來勢洶洶的盟軍四十個師。此時盟軍也在法國地中海沿岸發動第二場登陸作戰，德軍負責防守的是布拉斯可維茲一級上將（Johannes Blaskowitz）指揮的G集團軍。這場登陸作戰原本的代號是鐵砧作戰，在盟軍最初的計畫中，鐵砧作戰是與諾曼第登陸的大槌作戰相對應，而且應該與大君主作戰同時發起，但由於缺乏登陸艇與盟軍在古斯塔夫防線投入太多時間而導致這次行動延後。邱吉爾強烈反對恢復鐵砧作戰，他希望攻下羅馬之後能讓亞歷山大迅速往義大利東北部進軍，甚至尋求一路攻向維也納的可能——亞歷山大也跟邱吉爾存有一樣的幻想。然而事與願違，盟軍部隊離開義大利，包括四個法國師與七成的戰術空軍，用以支援重新命名的「龍騎兵作戰」（Operation Dragoon）。這次行動的目標是登陸普羅旺斯海岸，以呼應諾曼第的軍事行動。這項決定令邱吉爾大為光火，他對英國帝國參謀本部表示：「阿諾德、金恩、馬歇爾這三個人是我見過最愚蠢的戰略團隊。」不過邱吉爾進攻維也納的想法其實更脫離戰略現實，即使給他再多的兵力也不可能成功。[241]法國南部的德軍由於往北增援諾曼第而大幅削弱，與凱賽林撤退到羅馬北方的部隊相比，法國南部的德軍其實是更容易擊敗的目標。與大君主作戰一樣，德軍一直無法確定盟軍在地中海登陸的地點與時間。即使在八月十二日，德軍在薩丁尼亞島以西發現盟軍的運兵船護航艦隊，國防軍最高統帥部依然相信熱那亞灣是最有可能的登陸地點。布拉斯可維茲為了防備盟軍真的在法國南岸登陸，因此做了有限的準備工作，但到了八月中旬，許多防禦工事仍尚未完成。[242]

七月二日，聯合參謀首長會議批准龍騎兵作戰，這項行動將於八月十五日展開，也就是盟軍在法萊斯合圍那天。龍騎兵作戰交由巴區中將的美國第七軍團執行，先鋒由曾經參與安奇奧登陸作戰的屈斯考特率領的第六軍負責。登陸的第二天，塔西尼將軍（Jean de Lattre de Tassigny）指揮的自由法國軍會以七個師的兵力攻占土倫海軍基地與重要港口馬賽。這次登陸作戰獲得龐大的海軍支持，包括五艘戰鬥艦、九艘航空母艦與二十四艘巡洋艦，此外還有地中海空軍四千架以上的飛機支援。邱吉爾甚至登上驅逐艦，親眼見證這場他仍認為「雖然進展順利，但無關也無助戰局的軍事行動」。[243]這場登陸作戰暨空降作戰的目標是土倫與坎城之間的普羅旺斯海岸，這個地點完全出乎德軍意料之外，因此只部署了一個裝甲擲彈兵團進行防衛。盟軍在所有登陸地點幾乎都只遭遇象徵性的抵抗，而後便立即朝內陸挺進。G集團軍司令部的反應遲緩，因為他們不確定這是盟軍主力登陸抑或只是一場大規模的襲擊行動。德軍第十一裝甲師位於隆河對岸，但因為所有橋樑都被盟國空軍炸斷，因此無法渡河圍堵灘頭堡。到了第一天結束時，盟軍已經有六萬零一百五十人與六千七百三十七輛車輛上岸，灘頭堡也迅速擴大。[244]

希特勒的最高統帥部終於意識到整個法國防線有崩潰的危險，希特勒一反常態並未要求德軍死守，而是命令防守法國南岸的第十九軍團撤退。命令裡除了提到撤退，還要求第十九軍團沿隆河北上時要執行焦土政策，而且必須捉捕所有法國役齡男子做為人質，然而這項命令顯然無法執行。由於通信幾乎完全中斷，布拉斯可維茲兩天後才接到希特勒的命令；往後幾個星期，布拉斯可維茲在遭受盟軍空襲下仍巧妙地讓軍隊沿著隆河撤退到瑞士邊境與亞爾薩斯之間的防守據點。法國部隊解放了土倫與馬賽，美國師則在八月二十三日抵達格勒諾布爾（Grenoble），並且改組為狄費爾斯中將（Jacob Devers）指揮的第六集團軍，而後與巴頓的第三軍團會師。八月二十日，德國安全部隊迅速將維琪政府轉移到德國南部康斯坦茨湖（Lake Constance）附近的西格馬林根（Sigmaringen）以避免被盟軍俘虜。五天後，雖然艾森豪並無解放巴黎的計畫，但在戴高樂堅持下，巴黎還是由勒克萊爾將軍（Philippe Leclerc）率領的法國軍隊占領。不到三個月的戰鬥，法國境內的德軍幾乎完全遭到驅逐，戴高樂率領的民族解放委員會返回國內建立新的法國政權。[245]

法國戰役對德軍來說是一場災難。大約有二十六萬五千人傷亡，三十五萬人被俘。德軍倉皇逃逸，幾乎捨棄了所有裝備。盟軍的入侵作戰原本讓艾森豪、布羅克與邱吉爾感到憂心，但戰事最後獲得成功，其原因卻也不難解釋。壓倒性的空中力量與強大的海軍使盟軍可以進行複雜的兩棲登陸作戰，地面部隊除了曾一度發生短暫的後勤危機，其他時候補給完全不虞匱乏，這些都構成了有效作戰的有利環境。儘管德國士兵仍以優秀的戰術持續捍衛難以防守的陣地，但結果終究無可挽回。如果希特勒能早一點讓德軍撤退到德國邊境的防守據點，那麼儘管無法保住法國，至少可以避免一場全面潰敗。盟軍獲勝的代價也很高昂。到了八月底，盟軍傷亡達到二十萬六千七百零三人，其中超過半數是美國人。[246]諾曼第登陸與德國B集團軍的覆滅是英美在二戰取得的最大戰果。當前線敗戰的消息傳回德國，民心士氣降到了低點。一名巴伐利亞警察在報告裡寫道：「沒有人相信我們能打贏，因為每個戰場都傳來撤退的消息。在這種狀況下，一般民眾的心情有多麼低落，就不難想像了。」[247]

※　※　※

正當西方盟軍仍試圖突破德軍在諾曼第的防線時，紅軍也在東線發起了二戰規模最大且最具決定性的一場軍事作戰。史達林以對抗拿破崙的戰爭英雄，與他一樣來自喬治亞的將軍巴格拉奇翁（Pyotr Bagration）為這次作戰命名，巴格拉奇翁作戰於六月二十三日全面展開。不過這場針對白俄羅斯德軍後方地區的作戰，其實早在兩天前就已經開始。雖然史達林總是對外宣稱這次作戰是為了協助西線盟軍，當時盟軍正卡在法國鄉野高聳的灌木籬牆中動彈不得，但實際上這場對抗布西元帥（Ernst Busch）中央集團軍（蘇聯境內最後一支具有實力的德軍部隊）的作戰，早在幾個月前就已經計畫妥當，是蘇聯針對整個廣大東部戰線發動一連串攻勢的一環。這些攻勢從六月十日攻擊卡內里亞地峽的芬蘭軍隊開始，到八月二十日在南方對羅馬尼亞與普洛什蒂特油田發動大規模會戰結束。這是一個規模驚人的作戰任務，顯示紅軍與日俱增的信心與資源物力。德軍方面，為了防守西線、南線與東線而必須將軍隊一分為三，因此在兵力不足的狀況下，軍方必須正確推測蘇聯夏季攻勢的主要目標。由於紅軍剛在烏克蘭南部取得勝利，德軍因此認為紅軍應該會把重心放在南部與羅馬尼亞軸線上。東線情報長官格倫繼續重蹈之前情報工作的錯誤，認為中央集團軍可以有一個「平靜的夏天」——這是他在這場戰爭中犯下的最大一項錯誤。[248]東線戰場於是呈現一個南部德軍較強、中部較弱的態勢，這一狀況對蘇聯的作戰計畫正好十分有利。

除了德軍本身的誤判，紅軍也採取了欺敵作戰，不讓德軍發現他們正準備消滅中央集團軍。只有五個人知道完整的作戰計畫，他們是朱可夫、華西列夫斯基與他的副手安東諾夫（Alexei Antonov），以及兩名作戰官。這五個人不許提起「巴格拉奇翁」這個名稱，無論在電話、信件或電報裡都不能。作戰發起日將等到準備工作就緒再決定，紅軍在與中央集團軍直接對峙的陣地裡明顯採取守勢，持續地挖掘壕溝與建立碉堡。在南方，紅軍用大量的假戰車、假營區與假火砲陣地構築了一個幽靈軍團，還設置了現役的防空砲加以保護，同時持續派遣戰鬥機進行巡邏，讓德軍信以為真。蘇聯調派了幾個方面軍進行增援，包括白俄羅斯第一、第二與第三方面軍，以及波羅的海第一方面軍，所有的軍隊調動完全保密。到了七月，已經有一百萬噸補給物資與三十萬噸燃料送到前線，其中一些是由《租借法案》所提供——一九四四年正值《租借法案》援蘇的高峰。[249]要進行巴格拉奇翁作戰，不僅要渡過數條大河，橫越不適合機動作戰的鄉野地區，還要對抗從一九四三年秋天以來數度擊退蘇軍攻擊的德國中央集團軍。紅軍能夠一一克服這些挑戰，欺敵固然是其中一項重要因素，但真正的主因還是紅軍改變了作戰方式。紅軍如今採用了德軍在一九四一年使用的戰術，用強大的箭頭撕開敵軍防線，深入敵軍後方進行包圍，讓敵軍陷入混亂。布西擁有五十一個未滿編的師，總數四十八萬人，但其中只有十六萬六千人是正規作戰部隊，希特勒命令他守住白俄羅斯幾座「要塞城市」，如莫吉廖夫、奧爾沙（Orsha）、維特斯克與波布魯斯克（Bobruisk），以此做為靜態防線，他們預期蘇軍會跟過去一樣不計死傷地進行正面強攻。布西沒有裝甲師，只有五百七十輛戰甲車，由於德軍預期紅軍將攻擊南方，因此駐守南方的莫德爾下轄的北烏克蘭集團軍被分配了八個裝甲師。中央集團軍的防線有六百五十架飛機支援，其中只有六十一架是戰鬥機，因為絕大多數戰鬥機全調去防守帝國本土或前往法國作戰。德軍的防衛極其薄弱，每一公里的防線平均只有一百人防守。[250]蘇聯四個方面軍總共有一百六十六個步兵師、騎兵師與裝甲師，兩百四十萬名男女士兵，三萬一千門火砲，五千兩百輛戰車與自走砲，五千三百架飛機，不過一開始攻擊時動用的兵力肯定沒有這麼多。[251]

六月二十三日早上，大批蘇軍發動猛攻，他們先入侵北部的突出部，往後兩天逐漸將戰線往南延伸。清晨，天還沒亮，掃雷戰車一馬當先穿越雷區，後面跟著步兵、戰車與火砲。照明彈照亮了前線，探照燈的強光讓守軍目眩；隨著德國守軍崩潰，紅軍機械化部隊穿過缺口，趁著德軍陷入混亂迅速往前突破，他們的任務不是消滅眼前的敵軍，而是製造出口袋，由後頭的步兵清除被包圍的德軍。紅軍的推進戳破了德軍的偏見，他們還以為紅軍跟過去一樣只會採取一成不變的戰術與笨拙地進行作戰。要塞城市迅速被紅軍包圍，德國最高統帥部拒絕讓城內的軍事首長撤離。維特斯克於六月二十六日陷落，一天後，奧爾沙也被攻占，再過兩天，莫吉廖夫與波布魯斯克也落入紅軍手裡。蘇聯裝甲部隊即使遭遇地形問題，依然迅速向前推進，他們不顧一切地往西衝刺，直到白俄羅斯首府明斯克的西側。明斯克於七月三日遭到占領，德國第四軍團頓時陷入巨大的包圍圈之中。六月二十九日，希特勒的軍事救火員莫德爾取代布西擔任中央集團軍司令，但他也認為局勢已難挽回，當前要做的就是盡可能讓德軍井然有序地撤離。兩個星期的時間，德軍防線被鑿開一個寬四百公里、深將近一百六十公里的缺口，超過三十萬名德軍被俘。一名駐莫斯科的英國記者提到，蘇聯報紙在提到西線盟軍進展緩慢時，語氣中總是帶著「批評與鄙視」，[252]然而兩者的對比確實相當鮮明。在紅軍追擊下，德軍因為害怕被俘而慌亂撤退，這種狀況一直要等到一個月後才在法國出現。白俄羅斯第三方面軍進入立陶宛，七月十三日攻占維爾紐斯，八月一日占領考納斯。波羅的海方面軍的前鋒於八月初抵達里加灣，暫時切斷了德國北面集團軍與殘餘的中央集團軍的聯繫。到了八月底，紅軍的前鋒速度逐漸減慢並且停止，此時距離作戰的發起線已有四百八十公里，這是蘇聯主要會戰中戰果最輝煌的一次。

巴格拉奇翁作戰已經明顯成功，但在南方發動的攻勢還將帶來更多成果。七月八日，史達林與朱可夫計畫兵分兩路進攻波蘭，第一個攻勢於七月十三日發動進攻，由烏克蘭第一方面軍（由柯涅夫指揮）負責，目標是利沃夫與布洛帝（Brody）；第二個攻勢由羅柯索夫斯基的白俄羅斯第一方面軍撥出部分兵力進攻布列斯特，然後朝流經波蘭首都華沙的維斯杜拉河挺進。柯涅夫在惡劣天氣下緩慢朝利沃夫前進，七月十六日，德國防線被突破，雷巴爾科將軍（Pavel Rybalko）在猛烈砲火下催促第三親衛戰車軍團穿過狹窄的走廊。與明斯克一樣，這次的突破相當成功，有八個德國師在羅茲地區遭到包圍。柯涅夫繼續前進，七月二十七日攻下利沃夫，在抵達維斯杜拉河後，又在桑多梅日（Sandomierz）建立重要的橋頭堡。羅柯索夫斯基也同樣節節勝利，與北方的巴格拉奇翁作戰一樣，他的進攻瓦解了德軍的防線。盧布林於七月二十四日攻占，位於蘇聯邊境的布列斯特則在四天後占領。羅柯索夫斯基迅速前進，於七月二十六日抵達維斯杜拉河，然後沿河北上，占領維斯杜拉河東岸，與華沙隔河相望。紅軍也嘗試渡過納雷夫河（Narew）與維斯杜拉河，但德軍已經在一處狹窄而易於防守的地點設防，並且擊退了紅軍的前鋒部隊。德軍這次勝利同樣要感謝莫德爾的部署，然而不久之後他就被調往法國。蘇聯在東線戰場的最後一場攻勢是針對巴爾幹半島，這裡的德軍因為派出十二個師（包括六個裝甲師）增援北方而實力大為減弱。從八月二十日到二十九日，德國南烏克蘭集團軍幾乎完全崩潰，損失將近十五萬人，在史達林格勒慘敗後重新組建的第六軍團，也於這次戰役再度遭到圍殲。[253]八月二十三日，安東尼斯古元帥的政府被推翻，羅馬尼亞軍方尋求停戰。從六月到八月，蘇聯的連番勝利促使德國的軸心夥伴與盟邦開始趁著時猶未晚放棄這場即將失敗的戰爭。

事實上，幾乎所有德國的戰時盟友都早已預期德國即將戰敗，有些國家甚至早在一九四三年就已經試圖脫離軸心國陣營，以免日後遭到同盟國制裁。同盟國向芬蘭政府施壓，要求停戰，但芬蘭政府擔心芬蘭會像義大利與匈牙利一樣被德軍占領。芬蘭政府的憂慮不是沒有道理，因為德軍有二十萬人就駐紮在芬蘭北方的極地領土。當蘇聯巴格拉奇翁作戰獲勝已成定局，芬蘭政府終於決定冒險放棄戰爭。一九四四年九月五日，芬蘭新任國家元首曼納海姆元帥（Carl Gustaf Mannerheim），宣布芬蘭軍隊放棄戰鬥。芬蘭與蘇聯（還有一九四一年十二月向芬蘭宣戰的英國）的停戰協定要求芬蘭歸還一九四〇年第一次蘇芬戰爭併吞的蘇聯領土與割讓赫爾辛基附近一處軍事基地給蘇聯，但史達林不想占領芬蘭，他只堅持芬蘭必須驅逐境內的德國人。十月以降，芬蘭依約執行驅逐德國人的政策，一開始只是隔著一段距離目送德軍撤離，直到看到德軍在拉普蘭執行焦土政策後，芬蘭才開始以武力驅逐德軍。[254]羅馬尼亞領導人早已與西方盟國有過祕密接觸，但直到紅軍入侵造成的震撼：在短短三天之內就突破羅馬尼亞防線，才迫使羅馬尼亞國王米哈伊（King Michael）決定逮捕安東尼斯古元帥。到了八月三十一日，紅軍進入首都布加勒斯特，前一天也控制了普洛什蒂特油田。儘管希特勒堅稱石油是德國進行戰爭的命脈，卻幾乎未設重兵防守油田。羅馬尼亞境內仍有德國駐軍，但羅馬尼亞軍隊轉換陣營，反而與過去的敵人蘇聯並肩作戰。到了九月中，羅馬尼亞已經將軸心國軍隊驅逐出境。

在保加利亞、匈牙利與斯洛伐克，狀況則完全不同。一九四二年，德軍在東線失利之後，斯洛伐克試圖減少對德國的軍事支持，但一直到了一九四四年，也就是巴格拉奇翁作戰之後，斯洛伐克軍事高層才決定退出與德國的同盟。八月二十九日，德軍進入斯洛伐克鎮壓民眾暴亂，最後在十月平定亂事；斯洛伐克最終直到一九四五年四月初才被紅軍解放。保加利亞雖然是《三國同盟條約》的簽字國，而且也與德國一起向英美宣戰，但與斯洛伐克不同的是，保加利亞並未向蘇聯宣戰。儘管如此，史達林仍想在保加利亞駐軍，因為早在一九四〇年十一月，史達林就曾經想與希特勒達成協定，讓蘇聯在保加利亞取得利權。九月五日，蘇聯向保加利亞宣戰，三天後，蘇聯在羅馬尼亞的駐軍開始南進。九月九日，保加利亞共產黨「祖國陣線」（Fatherland Front）在首都索菲亞奪取權力並且下令軍方停止抵抗。一個星期之後，蘇聯陸軍與空軍抵達索菲亞，保加利亞軍隊被迫像芬蘭人與羅馬尼亞人一樣在塞爾維亞與匈牙利與德國人作戰。此時德國的情報人員也已得知匈牙利打算退出戰爭。一九四三年九月，匈牙利代表在伊斯坦堡與英國外交人員協商，但英方表示匈牙利必須無條件投降，而且必須等到盟軍抵達邊境時再向同盟國投降。同月，希特勒下令擬定作戰計畫，準備占領這個不值得信任的盟邦：希特勒認為匈牙利的原料資源對德國至關重要。一九四四年初，霍爾蒂政府仍搖擺不定，三月十九日，德軍發起「瑪格麗特作戰」（Operation Margarethe），幾乎完全沒遭到抵抗就占領了匈牙利。匈牙利政府領導人改由德梅將軍（Döme Sztójny）擔任，德國也任命費森麥耶（Edmund Veesenmeyer）擔任駐匈牙利全權代表，不過德國仍讓霍爾蒂留任攝政一職，並保有部分影響力。到了秋天，霍爾蒂再度試圖讓匈牙利脫離戰爭，並且與史達林達成協議。[255]十月十一日，一名匈牙利代表在莫斯科達成初步協議，匈牙利同意放棄一九三七年以來獲得的所有領土並且轉而向德國宣戰。這一次，德國占領者決定逼迫霍爾蒂辭去攝政一職，由匈牙利法西斯主義箭十字黨領導人暨時任首相的費倫茨（Ferenc Szálasi）主持政府，費倫茨很快將自己的職位與國家元首結合在一起，並且以匈牙利元首自居。[256]匈牙利持續戰鬥到一九四五年四月戰爭結束為止，與墨索里尼奄奄一息的義大利社會共和國一樣，匈牙利最後也成為身不由己的軸心國夥伴。

代價高昂的勝利

一九四四年七月，當法國、俄羅斯與中國戰場仍打得難分難解之時，有兩個刺殺德國與日本戰爭領袖的陰謀正不約而同地醞釀著。隨著戰敗的陰影逐漸逼近，兩國的軍官都想避免最糟狀況發生。在日本軍方與政治菁英持續幾個月批評東條英機領導無方之後，一名參謀本部軍官津野田知重少校計畫用一枚裝滿氰化鉀的炸彈炸死東條。他和其他共謀者隸屬於「東亞聯盟」這一激進組織，該組織是由退役的石原莞爾中將所創立。他們希望東條英機下臺，改由皇族東久邇宮稔彥王領導政府，並且立刻透過蘇聯與同盟國和談。然而津野田還沒來得及實行計畫，東條就辭去了首相職位。津野田遭到告發、逮捕與監禁兩年。令人驚訝的是，包括石原莞爾在內的其他共謀者並未遭到監禁，石原甚至在幾個月後毫無忌憚地說：「人民已經厭倦軍隊與政府，他們已經不在乎戰爭的結果。」[257]

刺殺希特勒的陰謀與津野田胎死腹中的政變幾乎沒有共通點，兩者唯一相同的地方就是刺殺失敗。主要的密謀者是一群德國參謀軍官，他們發現高層將領雖然對於希特勒的軍事領導感到挫折與幻滅，卻不願支持他們刺殺最高統帥。密謀刺殺的圈子很小，主要以垂斯考上校（Henning von Tresckow）領導的中央集團軍參謀軍官為核心，但到了一九四四年，這些軍官開始與郭德勒（Carl Goerdeler）領導的民間保守抵抗運動以及前陸軍參謀總長貝克建立聯繫。一九四三年四月，史陶芬堡中校（Claus Schenk von Stauffenberg）加入他們的圈子，史陶芬堡原本是希特勒民族革命的熱情追隨者，全力支持希特勒進行戰爭，直到他看到猶太人與戰俘遭受的暴行之後，才完全改變立場。與其他反抗者一樣，史陶芬堡想阻止希特勒，以免德國遭到毀滅，民族榮譽遭到玷汙。然而史陶芬堡希望希特勒死後，西方盟國能容許德國繼續維持大國地位，並且由真正的「納粹主義者」進行威權統治。保守抵抗運動也抱持相同的想法，他們希望能與西方達成妥協，讓德軍能專注抵抗蘇聯的威脅。[258]往後一年多的時間，這些軍方密謀者不斷尋找刺殺希特勒的機會，但都未能成功。到了一九四四年，隨著德國面臨入侵與毀滅，這些密謀者不只想刺殺希特勒，還希望顛覆政權。他們同意在殺死希特勒之後，立即發起「女武神作戰」（Operation Valkyrie），這項作戰是原本就已經擬好的應變計畫，目的是讓陸軍平定國內可能發生的政變或革命。在六月的法國危機與蘇軍突破白俄羅斯之後，這些密謀者決定採取行動。

只有史陶芬堡有機會執行這項計畫，儘管他在突尼西亞戰役失去了右手、右眼與左手的兩根指頭，他還是自願帶著炸彈到希特勒出席的參謀會議上，伺機引爆炸彈。這項行動成功的可能性其實很低，史陶芬堡攜帶炸彈三度參加希特勒在上薩爾斯堡（Obersalzberg）與狼穴司令部召開的會議，不過史陶芬堡卻沒有引爆炸彈，因為他想等到希姆萊與戈林同時出席時再下手。一九四四年七月二十日，史陶芬堡終於決定這次不能再拖延下去。今日，這起刺殺未遂的事件已廣為人知。這枚炸彈原本應該炸死希特勒與他兩名最親信的軍事參謀凱特爾與約德爾，但炸彈卻未能發揮最大殺傷力，因為炸彈安放在小木屋裡一張厚實的橡木桌底下，而非放在四周封閉的掩體。史陶芬堡回到柏林，以為希特勒肯定已經死去，於是就在當天稍晚發起女武神作戰。然而此時希特勒已經與柏林的戈培爾取得聯繫，告訴對方自己還活著，但爆炸的威力確實讓他感到身體不適。同一天，參與刺殺行動的陸軍參謀也在巴黎命令陸軍安全部隊逮捕所有親衛隊、保安處人員與蓋世太保。[259]然而幾個小時之後，當忠於元首的部隊知道希特勒還活著時，政變計畫隨即失敗。史陶芬堡與主要共犯迅速在國內軍總司令部的庭院遭到處決。在巴黎，犯人全部獲釋。往後幾個星期，親衛隊與蓋世太保根據從主要密謀者拷問出來的線索，又陸續逮捕了數百人。秋天，希姆萊發起「雷雨作戰」（Operation Thunderstorm），把五千名社會民主黨員與共產黨員牽扯到這個恐怖網絡中，以免這些人日後圖謀不軌。這起政變反而讓希特勒相信「整個參謀本部已經遭到汙染」，更糟的是，他再也不相信德軍的專業將領。[260]然而，證據卻顯示武裝部隊仍然壓倒性地效忠他們的最高統帥，而絕大多數民眾則對希特勒遇刺感到震驚，唯有在聽到他平安無事之後才鬆一口氣。一名被俘的德國中尉對同樣也被俘虜的父親解釋說：「士兵在前線被殺，後方的軍官卻違背自己效忠元首的誓言，這當然讓民眾感到憤怒。」[261]信件與日記顯示當時的民眾擔心，一旦沒有希特勒，政治與軍事將陷入混亂，甚至很可能爆發內戰。一名父親寫信給在軍中的兒子，他說這「又是一則新的刀刺在背傳說」。[262]這起炸彈事件反而在短期內鞏固了希特勒的領導權威，使民眾更堅決繼續戰爭來彌補少數人的背叛行徑。

在日本與德國，許多人都對戰敗的可能性與戰爭的可怕代價感到悲觀，但這種低落情緒未能激化成強烈的社會或政治反抗，也無法對主戰派構成明確威脅。直到現在，仍有人認為史陶芬堡的行動之所以失敗，在於密謀者未能尋求群眾支持，但以第三帝國當時的背景來說，要讓群眾起而要求停止戰爭與建立新政府無異於緣木求魚。在日本，高階軍官與知識分子可以批評戰爭的進行方式，甚至可以公開鼓吹終止戰爭，但這僅限於菁英階層。近衛文麿是日本重臣會議的元老，經常對戰爭結果發表悲觀的看法，而且極力要求天皇撤換東條英機。一九四四年初，內大臣木戶幸一已認為戰敗勢不可免，幾名海軍與陸軍將領也抱持相同看法，但他們不願公然與軍方高層為敵。一九四四年七月，小磯國昭陸軍上將接任東條的首相職位，他雖然表面上支持戰爭，私底下卻傾向於談和。然而在當時日本的政治秩序裡，首相無法駁回陸海軍高層的命令，而陸海軍高層依然決心推動最後一場大戰來拯救祖國，也就是本土決戰。[263]

另一方面，對於一般日本民眾來說，只要顯露出失敗主義與非法抵抗的傾向，就會遭到當局的嚴厲制裁。日本國內的反戰情緒早在一九四二年就以各種方式出現，可能是脫口而出的輕率批評，可能是匿名的塗鴉與標語，也可能是街頭巷尾流傳的戰敗傳言。這些言論都會受到特別高等警察

（一般稱為「思想警察」）的調查，他們尤其注意這些反戰情緒是否可能形成對共產主義有利的革命局勢。特別高等警察甚至逮捕了政府的企畫院成員，因為他們的國家經濟計畫觀點太傾向於馬克思主義。[264]要找出造謠者與「在公共場所塗鴉」的人其實相當困難，諸如此類的事件雖然數量不多，但隨著戰爭持續，卻有逐漸增多的趨勢。根據內務省的紀錄，從一九四二年四月到一九四三年三月，平均每月有二十五起反戰與煽動事件，但從一九四四年四月到一九四五年三月，卻增加到平均每月五十一件。[265]對天皇的怨恨也隨著戰爭持續而逐漸累積，這一點可以從塗鴉文字明顯看出。當局很少進行逮捕與起訴，但塗鴉者一旦被憲兵隊捉住，便很可能受到拷問，逼他們說出更多的失敗主義者名單。對地方層級的控制主要仰賴鄰里組織的監視，由鄰里領導人向上級告發社群裡的異議人士或失敗主義者。凡是被懷疑有反戰傾向的家庭，在整個戰爭期間都會受到憲兵隊的監視。組織抗爭完全不被容許，違反禁令的人將受到嚴厲懲罰。[266]

德國人從事任何反戰行為，無論是涉嫌顛覆破壞或發表失敗主義言論，都會受到恐怖威脅。主政者內心充滿了疑懼，他們擔心國內的不安會重蹈一九一八年的危機，因此無論任何小事都會施以嚴懲。與日本一樣，德國具有反戰傾向的人其實只占人口中的極少數。專門審理戰時叛國案件的柏林人民法院，起訴的案件數量從一九四〇年的五百五十二件，增加到巔峰時期一九四四年的兩千零三件，一九四四年也是炸彈案發生的那一年。戰爭的最後幾年的一九四三年到一九四五年，被判刑的人數達到八千三百八十六人。[267]在獨裁體制下，表達反戰或失敗主義言論的風險極大，隨時可能遭到告發，在戰爭最後兩年更是危險，蓋世太保與憲兵往往私設刑堂任意取供，凡是涉嫌妨礙戰爭的人都可能被判處死刑。炸彈案發生的第二天，希姆萊被任命為國內軍司令（負責訓練與組織剛入伍的新兵），國內軍原本的參謀人員因為參與密謀刺殺而被逮捕。希姆萊警告各級將領，絕對不能重演一九一八年的危機。他也囑咐他在最高統帥部的代表，軍隊內部只要出現任何失敗主義傾向，都要予以嚴懲，讓招募來的軍官朝著「這些張口散布失敗主義的人」開槍。[268]隨著戰爭局勢惡化，恐怖手段也更加肆無忌憚，政治犯遭到任意處死，逃逸的外籍勞工乃至於不願支持對敵人進行最後抗爭的一般平民與士兵都會遭到制裁。到了一九四五年的前幾個月，特別警察與軍事巡邏隊巡視被轟炸的城市，他們有權任意處死可疑人士。在杜塞道夫，一名被判刑十年的年輕士兵只因為說這場戰爭毫無意義就被拉出去槍斃。一名十七歲的年輕人因為裝病而被拉下病床，接著被帶走殺害。一名老人被指控提供逃兵食物而遭到嚴刑拷問，最後被公開絞死，他的脖子上還吊了一個牌子，上面寫著：「我是叛國賊。」[269]在鄰近的波琴（Bochum），一名男子對轟炸後正在清理瓦礫堆的人說：「這場戰爭已經輸了。」旁邊一名並非執法者的民眾聽見後，竟將他毆打致死。[270]

隨著戰敗的可能性愈來愈大，針對國內人口的恐怖手段也愈來愈嚴酷，民眾噤若寒蟬，不敢發表任何反對戰爭與戰爭結果的言論，想發起更廣泛的社會與政治運動來結束戰爭更是不可能。十餘年來，日本與德國的民眾一直遭受警察的嚴密監控，他們很清楚發表異議會付出什麼代價。但是光憑恐怖手段無法合理解釋日本與德國民眾為什麼願意乃至於熱切地支持一場終將失敗的戰爭。日本與德國各自有著複雜的因素，無論是心理還是物質因素，這些因素以各種不同方式對個人產生了影響。兩國的軍人與平民投入戰爭並沒有一套標準模式。一九四四年秋天，德國治安單位提出的報告指出，雖然民眾似乎已經聽天由命、恐懼、渴望和平、冷漠與無動於衷，但他們依然願意「無條件堅持下去」。[271]在士氣低落的狀況下，對勝利的任何一絲期望都足以推動他們前進。希特勒在七月奇蹟般地逃過一劫，確實讓許多德國人相信勝利依然在望。日本與德國的領導人依然大談勝利，儘管說法十分空洞，但廣大民眾仍想抓住任何可能的救命稻草，說服自己相信潮流即將轉變。在德國，戈培爾從一九四三年就定期宣傳國家研發了新的祕密「神奇武器」，許多人的日記與信件也都提到這點，而民眾也相信希特勒手裡還握有讓盟軍感到吃驚的利器，這種想法一直持續到戰爭的最後幾個月。不過也有人懷疑這些報復性武器的實際效果，例如V1飛彈與V2火箭，這兩種武器在一九四四年夏天開始用來對付英國，但造成的損害不大。一九四四年，當德軍發起「秋霧作戰」（Operation Autumn Mist），對阿登的美軍防線發動猛攻時，德國民眾顯然出現了一波樂觀熱潮，他們認為德軍可以重演一九四〇年的戰役奇襲敵人，重啟勝利之路。[272]一九四四年秋天，日軍開始使用「神風」特攻隊的自殺戰術，同樣也引發了民眾熱情。大家相信日本終於使出了最後手段，正如報紙上的一封讀者投書所言：「這會迫使敵軍投降。」[273]

日本與德國之所以要奮戰到底，還有一個更重要的原因，那就是士兵們相信，即使戰敗，即使他們對民族領袖已完全失去信心，他們仍有責任作戰到最後來保護整個民族。這是一種毀滅與自我毀滅的情感。隨著死亡一天天逼近，強烈的命定論或虛無主義也進一步強化這樣的傾向。即使勝利已變得不切實際與遙不可及，日本與德國軍人仍想讓即將獲勝的敵軍付出高昂代價，殺死敵人就成了一種抗拒自身命運的行為。神風特攻隊顯然就是這種行為的表徵，四千六百人犧牲自己來破壞敵艦與殺死敵軍。日本文化強調為天皇與民族獻身的榮譽，而這份榮譽足以讓日本人克服道德上的不安，毅然決然地把人送去執行自殺任務。一九四四年十月開始進行自殺任務時，海軍報導提到「神鷹不渝的忠誠」，並且給予這些自殺飛機榮譽稱號，如純忠隊與至誠隊。[274]這些執行自殺任務的人必須盡可能多殺傷一點敵軍。同樣地，一九四五年開始一般士兵也接到命令，每個人都要準備一個信封，裡面放入自己的遺書與一綹頭髮，做為不可避免要在戰爭中犧牲的遺物。有些士兵認為自己的死相當值得，因為美國人也會死。一名日本軍官寫道：「我們必須從『塞班島』與『瓜達康納爾島』學到教訓。我們必須捉住這些混蛋，殺死他們，挫骨揚灰。」他想著自己即將戰死，內心感受到莫名的「平靜」。[275]一般民眾也被期待用能取得的各種武器至少殺死一名入侵的敵軍。每個小學女童都應發給一支錐子，要她們將錐子刺進美國人的下腹。

德軍並未組織自殺部隊，但他們也總是盡全力造成敵軍損失，儘管處於無望境地也不改初衷。「不是勝利就是毀滅」這句話顯然無法激起每個士兵的鬥志，因為後者顯然更有可能發生，但殺死敵軍卻能給予德國士兵一個說服自己的理由，相信自己獲得了勝利，儘管這個勝利全是自己想像。到了一九四四年，許多士兵的同袍都已戰死，光是一九四四年就有一百八十萬零兩千名德軍陣亡，這讓倖存士兵產生了一股為死者復仇的激憤情緒。一名士兵在自傳裡寫道，殺人或被殺都無所謂，這是「一種英雄式的虛無主義」，但也是一種被強烈復仇心玷汙的英雄主義，迫使他們向占領地的民眾與敵軍士兵復仇。[276]一名在義大利作戰的德國老兵解釋，戰鬥變得愈來愈野蠻，反映了「士兵對於自己年復一年投入犧牲，最終卻換來一場空感到憤怒，同時也對這場毫無意義的戰爭感到不滿」。[277]士兵們都知道自己面對嚴峻的現實，但在民族即將面臨一場不可避免的失敗之時，許多人仍願意投入這場充滿戲劇性與強烈情感的戰鬥。在德軍即將在西線發起最後一次反攻之前，倫德斯特元帥對他的部隊說：「你們的偉大時刻到了……不需要我多說。你們一定都有感覺：這場會戰，不是存活，就是滅亡。」[278]在戰爭的最後半年，有許多德國士兵認為死亡已不可避免，對自己能否存活不抱任何期待，因此不吝惜生命地投入一場又一場的自殺式抵抗，直到戰爭的最後一天。

對民族命運的憂心，不只在戰爭最後幾個月左右了公共政策，也影響了個人的思考。日本與德國政府持續警告國內民眾，一旦戰敗，必須預期最壞的狀況到來，因為敵人必定會將日本與德國連同所有人口一起去除。最早從一九四三年開始，德國官方就持續宣傳，一旦無法得勝，猶太人收買的非神聖同盟就將滅絕德意志民族。一九四五年二月的宣傳訓令強調，德國一旦被蘇聯占領將會面臨何等命運：「與敵人計畫加諸在德國身上的『布爾什維克和平』相比，戰爭帶來的一切苦難與危險顯得微不足道。」德國人如果不想讓布爾什維克的「子彈打在自己的後腦勺」，就必須傾全國之力抵抗到最後一刻。[279]在日本，人們大談西方的野蠻主義，認為日本人民必須群起抵抗，才能避免西方的野蠻主義在日本社會橫行。一些宣傳甚至表示，若讓西方人為所欲為，所有的日本婦女都會被強姦，所有的日本男子都會被閹割。這種若不反抗，婦女就會遭到性侵害的說法引發廣泛恐懼。[280]我們不知道日本一般民眾或武裝部隊到底存在多少這種幻想式的恐懼，但在當時的時代背景下，日本人確實不清楚盟軍會採取什麼樣的報復措施，在政府不斷灌輸民族將被滅絕而人民將被侵犯之下，不難想見日本軍民會做出超乎人們想像的非理性抵抗。

在戰爭的最後幾年，日本與德國的國家與政治體制在仍具有強制力的狀況下，繼續利用這種恐懼來最大限度地動員人民。日本打算將所有民眾動員起來，在最後一場戰爭中將入侵的美軍趕入海中。一九四五年三月，《公共法第五十號》動員所有沿海地區民眾興建防禦工事，包括學齡兒童，同月第二道命令又要求成立愛國民眾戰鬥軍，由十六歲到六十歲男性與十七歲到四十歲女性組成國民義勇戰鬥隊。[281]民眾只是名義上自願參加，事實上沒有人承擔得起拒絕參加的風險；參加訓練的男女手裡拿的是竹槍，並且藉由投擲石塊來模擬投擲手榴彈。日本計畫至少動員一千萬民眾來進行最後防守。與日本一樣，德國在七月炸彈事件之後，盱衡整個情勢，也開始大規模動員民眾。七月二十一日，刺殺事件失敗的第二天，戈培爾被任命為總體戰總指揮，根據祕密情報顯示，這項任命獲得國人的歡迎，因為這證明當局正準備傾全力扭轉失敗的局面與驅散民眾對戰敗的恐懼。這次動員可以說是德國的最後一搏，許多更年邁與更年輕的德國人都在動員的範圍內，他們雖然不情願，但面對最後一次「為祖國奮鬥」的訴求，他們只能披掛上陣。一九四四年九月二十九日，納粹黨開始組織本土民兵，也就是國民突擊隊（Volkssturm），由那些不符合正常兵役條件的男子組成一支人數達六百萬的部隊，負責在最後的危機來臨時保衛帝國。希特勒在設立民兵的命令中指出，敵人的「最終目標是滅絕德意志民族」。希特勒青年團在一九二八年出生的團員被問到是否願意早一點入伍時，居然有七成的人表示同意。幾年後，一名年輕的自願者回憶當初只是抱持著簡單的想法：「我們想保衛祖國。」[282]

相對於軸心國，盟軍遇到的困難是缺乏明確的口號來動員同盟國民眾為勝利進行最後的努力。

到了一九四四年秋天，雖然盟軍已經明顯「贏得」這場戰爭，但同盟國民眾，特別是西方盟國，對於戰爭的厭倦與不確定感卻不亞於軸心國民眾。同盟國民眾已經不用像先前一樣擔心戰敗可能帶來的威脅，因此很難喚起他們的決心一勞永逸地結束這場戰爭。另一方面，一九四四年夏天的軍事勝利，使得羅馬、巴黎與布魯塞爾紛紛落入盟軍之手，但這場勝利並未如民眾原先所希望的給予軸心國致命一擊，民眾內心的挫折感一時之間難以消除。同盟國與軸心國民眾有著明顯的心理差異。對德國人與日本人來說，並不存在明確的「戰後」，只有勝利或毀滅兩種結果；同盟國民眾則希望迅速與盡可能以最少成本結束戰爭，讓軍隊早日復員與建立更美好的未來。同盟國士兵與民眾最初認為勝利就在眼前，之後發現勝利不僅難以實現，而且似乎愈來愈遙不可及，其內心的失望可想而知。一九四三年十一月，當美國總統羅斯福結束德黑蘭會議返國時，發現民眾普遍認為「這場戰爭已經贏了，我們可以鬆一口氣」，而他對此感到無法認同。[283]幾個星期之前，《生活》(*Life*) 雜誌首次獲准刊登美軍士兵陣亡的照片，想藉此喚起民眾對戰爭的熱情。諾曼第登陸與盟軍在法國進展迅速，使後方民眾樂觀地以為德國即將失敗。然而戰爭部長史汀生卻發現，一旦戰役進展變慢，民眾不僅「喪失了迅速取勝的信心」，甚至意識到盟軍「可能陷入一場長期戰爭，必須進行艱苦的戰鬥」。[284]在英國，德國開始以Ｖ１飛彈與Ｖ２火箭進行復仇攻擊，澆熄了英國民眾對法國戰役的熱情，英國國土情報局的報告指出，遭受復仇武器威脅的民眾感到焦慮與「極度厭戰」，比以往都更加渴望戰爭早日結束。蒙哥馬利原本想藉由市場花園作戰來滿足民眾的期望，但到了十月，情況已相當明顯，想要結束戰爭還需要很長一段時間。「在我們眼前還要許多硬仗要打，」蒙哥馬利向布羅克表示：「如果進展順利，我們幾乎可以說已經打贏這場戰爭。但如果我們遭遇抵抗，難以前進，就表示戰爭很可能要繼續延長。」一九四五年二月，英國帝國參謀本部預測歐洲戰事在六月最後一個星期之前都不可能結束，甚至可能持續到十一月。[285]

在各個前線，陷入苦戰的士兵也反映出與國內民眾相同的情緒。法國戰役雖然起初獲得成功，但接下來的戰鬥卻變得愈來愈艱困。一九四四年九月與十月陣亡的英國士兵已經超過諾曼第登陸。「輝煌的一日似乎已成為過去，」一名英國士兵抱怨，「眼前的路將愈來愈難走。」士兵們原本認為秋天戰爭就會結束（當時預測是十月），但後來卻跟他們的父輩一樣困在法蘭德斯平原的泥濘與大雨中，持續面臨著危險，只能渴望戰爭早日結束。緩慢的推進速度與巨大的傷亡，使人產生憤世嫉俗的想法，咒罵著從手中溜走的勝利。一九四四年十二月，一名美國戰車兵對記者瑪莎（Martha Gellhorn）說道：「這場戰爭已經結束了。妳不知道嗎？我一個星期前從廣播聽到的……該死，一切都結束了。我問我自己，我還在這裡做什麼。」[286]九月初，在已經解放的布魯塞爾，一名士官告訴一名英國軍官，廣播宣布「德國已經投降，希特勒已經逃到西班牙」，但這其實只是一廂情願的說法。幾天後，這名軍官動身前往下一個戰場，他在日記裡寫道：「要是和平的傳言是真的就好了！」[287]隨著和平愈來愈接近，有些士兵愈來愈不肯冒險，他們不想太快戰死。德國與日本士兵則不同，他們努力堅守，心知自己生還的機會渺茫。美軍由於超乎預期地急需士兵，因此針對十八歲以上的男子進行動員，美軍的兵員補充往往是讓有缺額的部隊一次補滿，這些新兵在沒有同伴或充分準備下倉促上陣，儘管跟老兵一同作戰，但老兵在急欲保命下往往犧牲新兵性命，導致新兵傷亡率極高。[288]紅軍也有類似的問題，比較年輕與比較年邁的新兵，或尚未完全傷癒的士兵，被用來補充較有經驗的部隊缺額。紅軍前線士兵的狀況非常糟糕，缺乏糧食與鞋子，醫療物資有限，竊盜與暴力橫行。一名士兵在給家人的信裡提到：「最近一段時間，我對戰爭感到非常厭倦……當然，這麼想是沒有用的，這場戰爭到今年冬天都不會結束。」巴格拉奇翁作戰的成功讓士兵們感到振奮，許多蘇聯士兵以為德軍已經戰敗，只要打到蘇聯邊境就可以結束戰爭，結束他們的軍人工作。結果發現，他們還必須攻進德國境內。士兵身心俱疲，需要長期休養。也就是說，勝利至少還需要幾個月的苦戰才能獲得，一切都要等到一九四五年才有可能結束。[289]

人們渴望和平，但現實上仍有需要擊敗的致命敵人，兩者之間的拉扯造成了緊張與不安。不僅如此，早在勝利出現曙光之前，一九四三年就已經出現復員與返歸和平生產的計畫，這對英美的軍隊也構成影響。在美國，軍事生產開始遭到削減，之後又推出重啟工廠生產少量民生物品的計畫，一些商業廣告甚至開始宣傳勝利後即將銷售的商品。恢復工業生產的計畫，使軍事官員與民政官員為此爭論了一年，前者要求生產更多的彈藥、炸彈與戰車，因為入侵法國與義大利的損耗太大，急需補充，而後者認為必須回應民眾的需求，盡早結束管制與配給。許多工人轉而投入他們認為比較安全的民生產業，導致軍事生產量萎縮了四分之一。[290]有些士兵已經藉由「調整兵役評分」計畫而退伍返國，這項復員計畫主要根據士兵的作戰月數、年齡、家庭狀況、負傷與動章來進行評分。從一九四二年或一九四三年初就參與戰鬥的人，只要獲得八十五分就能返家與退出戰鬥行列。轟炸機機組人員在出勤三十次後就可返回美國（如果他們真能活那麼久的話），這些人被戲稱為「快樂勇士」。陸軍與航空軍士兵可以努力爭取這樣的資格，然而只要離符合資格的門檻愈來愈近，他們冒險的動機也會愈來愈低。[291]在英國，一九四四年九月出版了一本手冊《退伍與安置》，裡面列出了復員的資格，同樣引發類似的問題。同月，當希特勒下令成立國民突擊隊時，英國的志願民兵本土防衛隊（Home Guard）卻功成身退，因為英國已不需要這些民兵服役。在戰場上，年紀較大的人與長久在海外作戰的人可以獲得較高的復員評分，但所有服役的人都有機會提高自己的復員分數。百分之十的士兵將被歸類為擁有核心技能的工人，符合重建計畫的需要而可以首先退役，許多人因此爭相證明自己擁有別人沒有的「技能」。[292]雖然英美的退役政策並未阻礙兩國繼續作戰，但對軍人與民眾而言，當所有人的目光已開始望向戰後世界時，眼前的戰鬥就更令人難以忍受。一九四五年初，艾森豪的副參謀長表示：「從各種跡象來看，要讓戰爭成為優先選項，簡直比登天還難。」[293]

從這點來看，德國與日本領導人希望藉由延長戰爭與擴大戰爭損失來消磨敵人的戰鬥意志之事，並非毫無根據。戰略上的爭論依然困擾著英美關係，而與蘇聯的合作，則因為一九四四年秋天史達林對東歐的野心逐漸浮上檯面而開始生變。在歐洲與太平洋戰場，前線的持續推進造成後勤補給線不斷拉長與複雜化，導致盟軍的進展緩慢，使其在最需要後勤補給的地方喪失了原有的物質優勢。德軍將領嘲弄盟軍在遭遇劣勢時往往反應遲緩，德國情報單位也發現盟軍逐漸喪失快速推進的能力，而且同盟國之間也出現矛盾。八月底，希特勒對他的將領們表示：「歷史告訴我們，所有的同盟都會破裂，但你必須等待破裂的時刻到來……我們必須持續這場鬥爭，直到腓特烈大帝所說的，『其中一個該死的敵人在絕望中放棄』為止。」[294]在日本，直到一九四五年仍有許多人認為，只要一次局部性的勝利就有可能迫使厭戰的敵軍進行和談，就連裕仁天皇也相信這點。

在歐洲與亞洲的每個主要戰線都出現了僵局。日本在中國戰場的最後一次反攻使雙方精疲力竭。雖然一號作戰一直持續到一九四五年初，但此後日本已無力進行更具野心的奪取重慶計畫。從越南通往朝鮮的鐵路線，證明只是一場空洞的勝利。陳納德將軍的駐華第十四航空軍仍持續從新的機場起飛，轟炸鐵路線與交通運輸。雖然一九四四年的漫長戰役幾乎致命性地削弱蔣介石的國民政府，但中國終究阻止了日本更進一步入侵，因此勝負仍懸而未決。馬歇爾與羅斯福長久以來都認為在亞洲大陸進行大規模會戰毫無意義，因此一直不願給予中國軍隊需要的補給物資。絕大多數送往中國的物資都是用來支援美國空軍，包括新型的波音B－29重型轟炸機。美國認為相較於在中國進行地面戰，使用B－29反而更能有效削弱日軍的抵抗力量。

在對日作戰的最後幾個月，蔣介石終於實現一件願望：他堅持美國必須把尖酸刻薄的史迪威調職，因為儘管史迪威在緬甸的表現極其糟糕，史迪威仍不斷要求羅斯福指示蔣介石把中國軍隊的指揮權交給他。當美國提出移交指揮權的要求時，蔣介石在日記裡寫道：「這是赤裸裸的帝國主義。」[295]在蔣介石的抗議下，羅斯福勉為其難地同意撤換史迪威，十月底，兩年來處心積慮破壞中美關係的史迪威終於被迫離開中國。史迪威的位子由魏德邁將軍（Albert Wedemeyer）接任。魏德邁原是東南亞戰場總司令蒙巴頓的參謀長，蒙巴頓認為史迪威的能力連一個團都無法指揮，而他的說法幾乎沒有人反對。魏德邁上任後著手改革蔣介石的軍隊，一開始先建立三十六個美械師。他計畫進行「黑金剛石作戰」（Operation Carbonado），在一九四五年底或一九四六年在華南地區發動戰役，奪取香港或廣州，只不過在作戰發起前日本就宣布投降。[296]史迪威去職後，蔣介石接受美國領導，不過在一九四五年三月，他曾祕密派繆斌前往東京，試圖協商日本從中國全面撤軍。[297]一九四五年夏初，日本遠征軍試圖奪取陳納德位於芷江的新機場。這是日本最後一次發動攻勢。魏德邁部署了六十七個中國師，共六十萬人，對抗日本第二十軍的五萬人。在這場中日戰爭最後一場主要會戰中，國民政府的軍隊終於擊敗了衰弱不堪的日軍。[298]

在東南亞與太平洋戰場，盟軍在戰略上一直爭論不休，導致盟軍在塞班島與緬甸戰役獲勝後遲遲未能有所進展。一九四四年初以來，邱吉爾一直想著要在蘇門答臘北部進行兩棲登陸以做為收復新加坡的跳板，他為這次作戰取的代號是「蛇砲作戰」(Operation Culverin)。邱吉爾想藉此恢復英國一九四二年潰敗後在亞洲帝國的名聲與重新建立殖民統治；他深信必須由英國擔任解放者的角色，而非美國。[299]對美國領導人來說，蘇門答臘作戰跟打敗日本一點關係也沒有，這項提案充分顯示邱吉爾把帝國利益放在最重要的位置。邱吉爾的參謀一直勸他專心協助美國進行太平洋戰爭，但邱吉爾依然堅持己見。英國皇家海軍參謀總長在會議上試圖說服邱吉爾放棄固執的想法，但徒勞無功，於是抱怨說：「這個人簡直在拖累大家。」[300]英國駐美資訊服務處提出警告，「一般美國民眾對我們的評價愈來愈差。」一九四四年十二月的民調顯示，百分之五十八的美國民眾認為英國阻礙盟國之間的合作，只有百分之十一的民眾認為問題出在蘇聯。[301]蘇門答臘計畫最後只能放棄，因為登陸艦、兩棲裝備與護航艦隊是登陸作戰的必要條件，這些條件無法滿足，計畫自然無法進行。但邱吉爾仍不滿意，他繼續提出一些無法實現的計畫，如入侵馬來亞，代號「拉鍊作戰」(Operation

Zipper），與入侵新加坡，代號「鎧甲拳作戰」（Operation Mailfist），但這些計畫全都遭到放棄。

除了與英國的爭論，更大的問題還在於尼米茲與麥克阿瑟對於一九四五年太平洋戰略走向存在歧見。一九四四年初以來，參謀首長聯席會議一直認為可以繞過菲律賓，讓美國海軍在麥克阿瑟部隊的支援下直接攻取臺灣，然後入侵日本本土。儘管日本軍方高層認為失去菲律賓可能對日軍的作戰構成災難性損失，但金恩海軍上將仍認為菲律賓無關緊要。麥克阿瑟認為自己對於兩年前拋下的菲律賓人有道德上的義務，因此他必須解放菲律賓群島，但參謀首長聯席會議認為這項理由不足以說服他們放棄臺灣，畢竟臺灣是進攻日本最合適的跳板。直到美軍發現臺灣的防衛森嚴，而相較之下菲律賓較容易進攻時，金恩與尼米茲才同意由麥克阿瑟指揮入侵菲律賓，但他們反對為這次戰役設立聯合司令部。雖然麥克阿瑟話說得很好聽，表示自己可以在「三十天內」征服菲律賓，而且會避免他所謂的跳島戰役中「美國人遭到悲劇而毫無必要的屠殺」，但馬歇爾與其他將領仍認為陸軍會困在菲律賓的崎嶇地形中，使美軍盡可能接近日本的計畫遭到延後，至於海軍則擔心菲律賓戰役若曠日費時，那麼他們進攻硫磺島與沖繩島的時程就會遭到延宕。[302] 麥克阿瑟似乎忽略了日軍堅守菲律賓的現實，也忘了一旦戰事延長，對菲律賓人將帶來巨大的傷害。美軍顯然可以繞過菲律賓，而且可以用更低的代價消滅菲律賓的日軍。到了一九四四年九月，美軍終於擬定新的戰略方針，所有的爭論到此結束，並且決定於十月二十日進行第一次登陸作戰，目標是菲律賓的雷伊泰島。一九四四年秋天，歐洲與中國戰場都陷入僵局，而接下來南太平洋似乎也將出現另一個新的僵局。

在龐大海軍艦隊護航下，六個陸軍師（兩個預備師）總數達二十萬兩千五百人登陸了雷伊泰島，島上守軍只有一個日本師團，人數兩萬人。如馬歇爾所擔心的，這次作戰幾乎從一開始就陷入困境。往後兩個月，美軍遭遇了三個颱風與將近九百公釐的雨量。士兵們在雨季的泥淖中努力卸下與保護裝備。興建機場是這次作戰的核心任務，但多雨的氣候條件使得工程進度落後，結果三座作戰用的機場直到十二月中才完工。士兵們長期穿著濕透的軍服與軍靴，導致許多人罹患壕溝足等疾病。這座防守薄弱的島嶼歷經超過兩個月的苦戰，直到十二月三十一日才攻下，受困山區與叢林的日軍則直到一九四五年五月才完全消滅。戰役陷入困境令麥克阿瑟感到挫折，尼米茲警告他必須延後接下來的軍事作戰。菲律賓的最大島呂宋島必須等到一月九日才能攻打。征服菲律賓顯然不是三十天可以輕鬆取勝的事，甚至可能持續到一九四五年下半年。一九四五年二月，在雅爾達會議上的聯合參謀首長悲觀地預言，對日戰爭恐將持續到一九四七年。

這場會戰唯一的亮點是海軍在十月二十四日到二十五日取得勝利，當時日本海軍嘗試做到他們在瓜達康納爾島與塞班島未能做到的事：企圖攻擊與消滅雷伊泰灣的登陸艦與儲存物資。日本的「捷號作戰」（Operation Shō-Go）跟日本先前幾次大規模海軍作戰一樣，都有計畫過度複雜的問題。四支艦隊各自集結，而非集中力量進行一擊：主力艦隊擁有兩艘超級戰鬥艦、三艘老舊戰鬥艦與十艘重型巡洋艦，構成鉗形攻勢的西路；第二分遣艦隊擁有兩艘戰鬥艦與一艘重型巡洋艦，構成鉗形攻勢的東路，這支艦隊將進入雷伊泰灣，由做為預備隊的第三分遣艦隊從旁支援。在北方，只搭載少量飛機的四艘航空母艦與兩艘老舊戰鬥艦組成的艦隊擔任誘餌，引誘支援雷伊泰作戰的海爾賽航空母艦特遣艦隊北上。海爾賽順利上鉤，在十月二十四日到二十五日晚間往北航行，試圖攔截日本航空母艦，但途中接到緊急警報要求返航，因為此時日軍艦隊正分成東西兩路包圍雷伊泰灣。海爾賽把艦隊分成兩半，留下一半負責擊沉四艘日本航空母艦，但此時雷伊泰灣已經不需要他的協助。[303]雷伊泰灣的美軍飛機、外圍的驅逐艦與戰鬥艦艦砲先消滅了經過蘇利加海峽的東路分遣艦隊，然後回頭阻擋栗田健男海軍中將率領的主力艦隊。栗田艦隊在抵達雷伊泰灣之前穿過西邊的聖貝爾納地諾海峽，途中經歷的海戰使他損失了兩艘重型巡洋艦與超級戰鬥艦武藏號。栗田遭遇意想不到的抵抗，他在震驚之餘決定撤退，表面上說是（他日後宣稱）要追擊一支不存在的美國航空母艦部隊，然而他的艦隊沒有飛機，若真有那麼一支艦隊存在，他也不是對手。日本海軍損失三艘戰鬥艦、四艘航空母艦、六艘重型巡洋艦與十七艘軍艦。[304]雷伊泰灣海戰重創了已所剩無幾的日本水面艦隊，即使雷伊泰島的灘頭與登陸艦遭受嚴重損失，美國海軍幾乎一定能恢復原狀。十月二十五日，日本首次發動神風攻擊，美軍三艘護航航空母艦遇襲，其中一艘重創。這是個不祥的開端，往後一年將會陸續出現一連串的自殺攻擊。

※ ※ ※

在歐洲，法國與比利時、義大利、波蘭等三條面向德軍的主要戰線，到了秋天之後便停滯不前。除了因為德軍的頑抗，也因為盟軍從夏天持續作戰至今，士兵們早已疲憊不堪，此外補給基地遠在後方，出現了補給上的問題。德軍從白俄羅斯與法國倉皇撤退之後，依然能持續挫敗盟軍，使盟軍深感意外。九月四日，當蒙哥馬利集團軍接近安特衛普時，艾森豪曾向各級將領表示，整個戰線的德軍都已經瀕臨崩潰：「他們在全面撤退下組織散亂，不可能出現像樣的抵抗。」[305]雖然艾森豪拒絕讓蒙哥馬利率領集團軍孤軍深入越過萊茵河直取柏林（「蒙哥馬利想得太簡單」，一個星期後艾森豪對馬歇爾說道），但他確實認為在可預見的未來可以取得魯爾與薩爾工業區。[306]在義大利，德軍從羅馬撤退到佛羅倫斯以北的哥德防線，亞歷山大認為此時的德軍剛剛遭到擊潰，許多師只剩下兩千五百人左右，既沒有裝備也沒有空中支援，他打算一口氣突破防線掃蕩義大利北部，然後再進攻維也納。[307]無論在法國還是義大利，盟軍都認為德軍已瀕臨崩潰，然而事實證明為時尚早。在義大利，由於撥出大量部隊支援法國南部戰役，亞歷山大缺乏攻擊所需的兵力，英國帝國參謀本部也認為面對困難地形與即將到來的惡劣天氣，必須採取審慎態度。盟軍最後決定兵分兩路：克勒克的美國第五軍團現在只剩下五個師，準備越過山區進攻波隆那，由新成立的美國第十山地師從旁支援；李斯中將（Oliver Leese）的英國第八軍團將進行橄欖作戰，從海岸平原往里米尼推進。雖然盟軍成功突破沿岸地區的哥德防線，卻造成慘重的傷亡。而在突破防線之後，前方還有幾條河流橫亙，在秋天的大雨之下，原本平靜的河川變成洶湧的急流。亞歷山大面對頑強的德軍，地形又有利敵軍防守，自己的部隊卻因為這場戰役而力不從心，泥濘的地面與低落的士氣使義大利前線成為盟軍高層眼中的死水。克勒克日後提到，他的部隊「完全無法前進，因為士兵們無法繼續打仗……我們耗盡了前進的衝力，行動既遲緩又費力」。[308]到了十一月底，亞歷山大修改目標，打算在十二月攻下波隆那與拉溫納（Ravenna），然而疲倦的軍隊還是力有未逮，戰線依舊毫無進展。十二月三十日，亞歷山大決定停止更進一步攻勢，一切等來年春天再說。

在西線戰場，盟軍經過最初的瘋狂追擊後，到了九月的第一個星期，步調開始放慢，等待後方的補給物資與重砲運抵前線。艾森豪向聯合參謀首長會議表示，補給線已經「延伸到了極限」，因為裝備的運補維修必須仰賴港口，而港口位於法國西北部，離前線將近五百公里遠。[309]儘管如此，艾森豪還是批准了蒙哥馬利提出的一項充滿野心的計畫，由盟軍第一空降軍團攻占奈美根（Nijmegen）與安恆（Arnhem）以控制橫渡萊茵河的渡口，由何洛克斯中將（Brian Horrocks）率領英國第三十軍經由安特衛普前方的突出部前往支援。這次行動完全不是蒙哥馬利典型的作戰方式：計畫匆促，空中支援整合不足，對德軍兵力的情報掌握不夠充分，沒有事先部署火砲支援，兩個側翼都暴露在一定數量的德軍面前。艾森豪批准「市場花園作戰」（Operation Market-Garden）僅僅是因為他認為德軍仍處於混亂狀態，不太可能抵擋得住盟軍大膽的攻擊。此外艾森豪也希望控制萊茵河下游的渡口，如此當布萊德雷的第十二集團軍順利在南方取得渡口時，就能南北相互呼應。另一方面，蒙哥馬利認為市場花園作戰可以確保他支持的戰略獲得執行，也就是迅速攻進德國境內，直取柏林——但美軍將領並不希望由英軍獨享戰果。這次作戰的結果如今已十分清楚。從九月十七日開始作戰之後，許多潛藏的陷阱一一浮現。盟軍順利攻占奈美根的橋樑，但在安恆卻遭遇武裝親衛隊第二裝甲軍的反攻，這點完全出乎蒙哥馬利的預料之外。第三十軍卡在一條狹窄的道路上，步兵無法迅速前進，因而遭到德軍的攻擊。安恆的空降部隊在關鍵時刻得不到地面支援，造成了災難，絕大多數士兵陣亡或被俘。九月二十六日，市場花園作戰中止，盟軍一萬五千人傷亡，德軍則是三千三百人傷亡。從北部攻入德國的計畫就此破滅。

英國第二十一集團軍必須花費數月的時間，在惡劣的天氣下，對突出部鄰近地區進行掃蕩。這裡的地勢平坦，運河交錯，許多村落在戰火下遭到嚴重破壞，一名士兵說道：「荒涼的景象令人慘不忍睹。」[310]艾森豪認為蒙哥馬利接下來必須專注於開啟安特衛普港，在此之前德軍第十五軍團的殘餘部隊令人意外地以井然有序的方式從安特衛普撤退到瓦刻藍島（Walcheren），德軍因此可以從這座島嶼控制須耳德河（Scheldt）河口，使盟軍無法從海上進行運輸。加拿大第一軍團奉命肅清安特衛普以北地區，但在此前仍須先攻占利哈佛、布洛涅、加萊與敦克爾克這幾座希特勒指定堅守的港口與要塞，因此一直到了十月，加拿大第一軍團才真正能夠往更東部的地區進行掃蕩。十一月八日，盟軍攻下瓦刻藍島，安特衛普終於可以成為盟軍海上運輸的港口。第一批自由輪於十一月二十八日在安特衛普停靠，盟軍自此有了較近的補給基地，因而有能力對德國進行更長期的軍事作戰。惡劣的天氣加上慘重的傷亡，西線戰場逐漸形成僵局。持續將近六個月的戰鬥，人力與物資都消耗巨大，蒙哥馬利集團軍底下的每個步兵師，平均損失兵力高達四成。[311]在當前的狀況下，無論是直搗柏林還是急襲維也納，顯然都不切實際。

秋末，美軍在南方進攻薩爾區與魯爾河水壩的攻勢也陷入停頓，德軍撤退到西牆要塞與胡特根森林（Hürtgen Forest）防線。美軍面對濃密的森林地帶，無法施展必勝的空中、裝甲與火砲聯合攻擊。霍奇斯將軍（Courtney Hodges）的美國第一軍團必須在最惡劣的狀況下擊退敵軍，造成美軍約有兩萬九千人傷亡，這場戰役的核心目標並非爭奪領土，而最重要的水壩最後還是掌握在德軍手裡。[312]巴頓將軍指揮的美國第三軍團有四個師成功渡過摩塞爾河，但也因此耗費大量的燃料與補給，最後在未能達成艾森豪的目標下停頓下來。等到十一月美軍能夠重啟攻勢的時候，天氣已變得十分惡劣，而西線的德軍已從九月初的只有十三個步兵師與三個裝甲師能夠戰鬥，暴增到七十個師，包括十五個裝甲師。[313]此時布萊德雷跟先前的蒙哥馬利一樣，突然極度樂觀地認為，第十二集團軍在沿著隆河流域北上的第六集團軍支援下，將可奪取薩爾盆地，進而攻占魯爾工業區。到了十二月，美軍在德軍頑強抵抗下終於攻破西牆要塞，但還是無法渡過萊茵河。與義大利一樣，美軍的大規模攻勢必須等到來年春天才能進行。

在東線戰場，德軍的抵抗也十分頑強。東部各省的民眾全動員起來挖掘壕溝與興建新的東牆，在強制命令下，約有七十萬名德國男女與青少年，還有波蘭勞工全要接受動員。在一些地區，女性與男孩的數量甚至超過成年男性，他們每十二小時輪一次班，在幾個星期之內完成了數百公里的臨時壁壘。納粹黨與親衛隊大力主張動員民力來興建防禦工事，但軍方對此抱持懷疑的態度。當時流傳著一則笑話，說紅軍需要一個小時又兩分鐘突破新的東牆，一小時的時間用來嘲笑，兩分鐘用來越過東牆。然而納粹黨動員民眾的主要目的其實是為了避免民眾恐慌與逃亡，並且加強民眾的決心，讓他們為祖國作戰到最後一刻。[314]更重要的是，希特勒在遇刺後的七月二十一日任命古德林擔任陸軍參謀總長，古德林根據希特勒的訓令建立據點遲滯蘇軍推進。古德林在命令中要求從波羅的海沿岸的梅梅爾（Memel）到西利西亞的奧珀恩（Oppeln）興建二十五個要塞，構成一個要塞城市網。[315]然而，原本預期蘇軍將越過維斯杜拉河進行攻擊，結果蘇軍並未出現。蘇軍經歷漫長的橫越白俄羅斯與波蘭東部的戰役後已精疲力竭，軍隊需要休養、重整與建立更健全的補給線，之後才能進攻德國本土，而這一切都將延後到一九四五年一月。

北方的蘇軍試圖切斷但澤與東普魯士的德軍後路，卻因為德軍堅強抵抗與蘇軍傷亡慘重而失敗。史達林於是轉而將重點放在占領波羅的海國家上，想藉此孤立北面集團軍。而希特勒既不准北面集團軍撤退，又不准他們突圍。到了十月十日，紅軍抵達波羅的海岸邊，已經接近梅梅爾。三十三個德國師，總數將近二十五萬人，受困在拉脫維亞的庫爾蘭半島上，他們絕大多數一直遵守希特勒的命令，直到德國最終戰敗為止。[316] 十月十日，蘇聯另一支部隊越過德國邊境進入東普魯士，幾乎攻抵重要的鐵路樞紐弓賓倫（Gumbinnen），但令蘇軍感到意外的是，德軍依然有能力擊退蘇軍，導致蘇軍必須暫時停止攻勢。此時史達林另一個關切的重點，無論是基於軍事還是政治考量，乃是迅速地將紅軍送進巴爾幹半島與中歐，使西方盟國無法介入這些地區。十月底，在蘇聯支持下，南斯拉夫民族解放軍攻占貝爾格勒，之後蘇軍試圖入侵匈牙利，想藉由匈牙利進入奧地利維也納，但德軍與匈牙利軍隊的激烈反抗使蘇軍難以推進，因為希特勒無論如何都要保住巴拉頓湖（Lake Balaton）西南部的小油田。布達佩斯成為南方的重要堡壘，由德軍與匈軍共同防守。十月二十八日，史達林命令馬利諾夫斯基將軍（Rodion Malinovskii）的烏克蘭第二方面軍在一天之內攻下布達佩斯，因為經由匈牙利進攻維也納在政治上至關重要，但直到十二月二十六日，蘇軍也僅能包圍西半部的布達，而圍城也造成慘重的傷亡。[317] 這場戰役一直到隔年二月才結束，匈牙利首都在轟炸與砲轟下幾乎完全摧毀，守軍也從十二月的七萬九千人減少到只剩一萬一千人。大約十萬名匈牙利士兵與平民死亡。[318]到了一九四四年底，無論是亞歷山大在義大利的盟軍部隊，還是史達林的紅軍，兩者顯然都無法打通前往維也納的道路。

德國的波蘭與東普魯士防線暫時穩定下來，這讓希特勒打算冒險嘗試他在八月時曾經考慮過的一項戰略計畫，當時他要求派出一支專門部隊，從佛日山脈防線進攻美國第十二集團軍的後方與側翼。當時希特勒計畫成立一支G特遣部隊，下轄六個裝甲師與六個新裝甲旅，不過由於德軍持續撤退，這項反攻計畫因而取消。[319]到了九月中，希特勒將計畫擴大，他想發動攻勢，從美國集團軍與英國集團軍之間插入，迫使蒙哥馬利的第二十一集團軍掉進口袋，然後德軍繼續往安特衛普推進，使盟軍縮短補給線的夢想破滅。希特勒甚至希望這個軍事作戰可以引發西方盟國之間的重大政治危機。九月十六日，他對自己的親信說道：「從阿登反攻：目標安特衛普。」[320]德軍才剛在法國打了敗仗，而且德國邊境已經開始出現戰鬥，希特勒此時提出這樣的計畫，顯然無法得到絕大多數德軍將領的支持，包括在九月初重新回任西線總司令的倫德斯特，以及被任命為此次戰役指揮官的莫德爾。希特勒的構想只能仰賴集中少數兵力，因為整個防線仍需要兵力防守，此外成功的條件在於陸軍必須攻占對方的燃料庫與仰賴盟軍的補給繼續作戰。德軍將領很清楚在機動性不足（這次行動需要五萬匹馬）、各種補給物資缺乏與部隊訓練有限的狀況下，要發動大規模攻勢有多麼危險，但他們無法改變希特勒的想法。

希特勒堅持「守護萊茵作戰」（Operation Wacht am Rhein）必須完全保密，他不顧眾人反對，依然堅持他的直覺，認為無論發生什麼問題，這場會戰都將改變西線戰場的態勢，或許還會改變「整場戰爭」。[321]十一月中，希特勒接受聲帶手術，導致這場已經更名為秋霧作戰的計畫延後，直到十二月一日他再度現身，至少能夠低聲說話時作戰才開始進行。[322]作戰發起日持續延後，起初是十二月十日，之後為了利用惡劣天氣使盟軍飛機無法起飛，因此又延後了六天。十二月十六日早上，二十四個師共四十一萬人、一千四百輛裝甲戰鬥車輛、一千九百門火砲與超過一千架飛機出其不意地奇襲盟軍。德軍兵分三路：北路由狄特里希（Sepp Dietrich）的武裝親衛隊第六裝甲軍團穿越阿登森林與攻占安特衛普；中路由曼陶菲爾將軍（Hasso von Manteuffel）進攻與橫渡繆斯河；南路由布蘭登貝格將軍（Erich Brandenberger）掩護行動的側翼。幾天之內，攻勢形成一個巨大的突出部，主要是由中路造成，而這個「突出部」也成為美國人為這次會戰命名的根據。十二月十一日，希特勒在簡報中對各級將領表示，他對於德軍能夠採取「成功的攻勢」，而不是「曠日費時地頑強防衛」感到很滿意，他也對戈培爾說，這次會戰對盟軍的影響是「巨大的」。[323]

希特勒認為這次攻勢將讓盟軍感到吃驚，而他說得沒有錯。就在德軍進攻的前一天，十二月十五日，蒙哥馬利還曾表示德軍已無力發起攻勢。即使在德軍發起攻勢的隔天，艾森豪依然認為這是「相當具有企圖心的反擊」，很快就會被擊退。然而到了十八日，情勢很明顯，德軍的大規模攻勢正逐漸切斷盟軍，而且矛頭將轉向比利時海岸。[324]在此之前，盟軍情報單位已經警告艾森豪的盟軍遠征部隊最高統帥部，說盟軍防線比較薄弱的阿登對面有大量德軍預備隊正在集結，但最高司令部過度自信地認為德軍已陷入危機，因此將這個警告拋諸腦後。盟軍最高司令部情報首長史壯（Kenneth Strong）認為，在這場消耗戰中，德軍每個月就耗損二十個師，因此德軍集結預備隊應該是為了防守萊茵河這最後一道防線。此時的盟軍就跟一九四〇年五月的法國總司令部一樣，認為德軍不可能穿過阿登森林發動進攻。[325]德軍盡可能隱藏準備工作，除了保持絕對無線電靜默，計畫也只有極少數人知道。與此同時，盟軍的空中偵察也因為惡劣天氣而無法順利進行。

德軍針對美軍防線最脆弱的部分發起攻勢，這裡有美國第一軍團的五個師，這幾個師要不是正在休整，就是補充了大量新兵，所有部隊散布在整個阿登地區。第一軍團司令霍奇斯與第十二集團軍司令布萊德雷對於德軍一開始的攻擊並未做出強烈回應（事實上，布萊德雷一直待在位於盧森堡的司令部，靠著無線電與電話指揮調度），但現地指揮官在極為不利的狀況下，在聖維特與巴斯通這兩個關鍵道路樞紐成功抵擋了德軍。巴頓早已準備好應變計畫，以便在上級要求他率軍北上協助第一軍團時做出回應，他迅速重新部署六個師，進攻突出部的南翼。在北部的艾森波恩山脊（Elsenborn Ridge），狄特里希的武裝親衛隊第六裝甲軍團遭到堅強的反戰車防線阻擋。只有曼陶菲爾的第五裝甲軍團有所進展，他在十二月二十四日逼近到離繆斯河只有五公里的地方，之後便遭到阻擋與擊退。十二月二十三日，天氣開始轉好，盟軍空中部隊大舉出擊。德國空軍雖然數量可觀，但實際戰力有限，除了因為燃料不足與缺乏準備充裕的前進空軍基地，數百名新手飛行員也缺乏經驗。一月一日，德軍集中一千零三十五架戰鬥機與戰鬥轟炸機進行一場大規模作戰，這場代號「底板」（Bodenplatte）的作戰試圖攻擊盟軍的戰術空軍基地，以便讓德軍攻占巴斯通。盟軍實際損失的飛機數量難以估計，但大約落在兩百三十架到兩百九十架之間，絕大多數被擊毀的都是停放在地面未偽裝的飛機，但德軍卻損失超過三百架飛機，是二戰單日最大的損失數字。[326]然而盟軍禁得起損失。一九四四年底，歐洲戰場的英美飛機已經多達一萬四千六百九十架。[327]

到了這個階段，美軍的協同作戰已經逐漸阻止突出部繼續擴大，並且開始擊退德軍攻勢，但整個過程依舊艱困、代價高昂且傷亡慘重。許多德軍將領先前都曾提出警告，由於缺乏燃料與裝備，加上許多新兵首次在冬季作戰，將會造成人員與裝備的龐大損失，而這不是德軍作戰英勇所能彌補的（或者如艾森豪所言，德軍作戰帶著「一種聽天由命或『保家衛國的熱血』情緒」）。[328]到了一月三日，希特勒承認作戰失敗，但他希望這場冰天雪地的苦戰能消耗掉盟軍的預備隊、削弱盟軍其他地區的防線並且使其推遲對萊茵河的進攻。雖然德軍這次攻勢有許多缺失，但確實對盟軍造成巨大傷害。五天後，希特勒接受莫德爾與曼陶菲爾的請求，讓損失慘重的部隊撤退，以免造成更大傷亡。雙方的傷亡數字都很驚人：從十二月中到一月底，美軍損失十萬三千一百零二人，包括一萬九千兩百四十六人死亡。國防軍最高統帥部則估計德軍損失八萬一千八百三十四人，其中一萬兩千六百四十二人陣亡，三萬零五百八十二人失蹤。希特勒不受失敗影響，再度下令在亞爾薩斯發動一次小規模反攻，作戰代號「北風」（North Wind），但結果也跟秋霧作戰一樣。國防軍最高統帥部在一月十四日的戰爭日誌裡記錄說，主動權「已經轉移到盟軍手中」。事實上，這個時間比原先預估的提前了不少。[329]

希特勒不知道的是，他分化西方盟國的策略，其實比他發動的會戰本身更有成功的機會。就在德軍發起阿登攻勢期間，蒙哥馬利、英國帝國參謀本部與艾森豪之間的緊張關係曾一度惡化到瀕臨破裂。當時為了化解眼前的威脅，艾森豪要求蒙哥馬利指揮美國第一與第九軍團攻擊突出部的北翼。布萊德雷認為艾森豪的命令顯示對他的指揮缺乏信心，他感到憤怒，但最終還是接受命令。蒙哥馬利確實對於穩定突出部北面的盟軍軍心很有幫助，但他幾乎沒有派出手中的英國與加拿大部隊，因此在這場會戰中的英加部隊只損失一千四百人，其中兩百人死亡。蒙哥馬利太晚下令反擊，美國的批評者也抓住這點抨擊他的指揮能力。十二月底，蒙哥馬利再度提出先前的要求，他希望跟諾曼第登陸時一樣，由他來掌握盟軍所有地面部隊的指揮權，否則盟軍有可能在未來入侵德國時遭遇失敗。蒙哥馬利私底下也向英國參謀總長布羅克表示，他認為艾森豪「根本不知道自己在做什麼」。馬歇爾告訴艾森豪不要做出任何承諾，兩人也對英國屢次暗示艾森豪戰略錯誤的做法深表不滿。[330] 一個星期之後，在一月七日的記者會中，蒙哥馬利不知是有心還是無意，他對外的發言給人一種是英國挽救了突出部之役的印象。艾森豪警告蒙哥馬利，如果他再這樣下去，將會破壞「盟軍在共同目的下投入的善意與心血，而這在人類歷史上是獨一無二的」。[331]

一月底，盟軍聯合參謀首長會議在馬爾它召開會議，同時也為雅爾達高峰會預做準備。在會議中，布羅克重新提出設立單一指揮官與從英國戰線出兵進攻德國的議題。布羅克的提案差點造成英美的公開決裂。在這場充滿火藥味的會議上，馬歇爾告訴英國各參謀首長，如果他們繼續在背後批評艾森豪對這場戰役的決策，那麼艾森豪將會辭職，到了第二天的二月一日，羅斯福總統堅持艾森豪必須留下來。英方的堅持很可能引發重大危機，但最終邱吉爾還是支持羅斯福的決定。這場爭議就這樣一直維持到戰爭結束。在這場辯論中，雙方各有立場，但真正的關鍵因素還是美軍的規模遠比英軍來得龐大，美軍高層不可能接受英國元帥的指揮，更不可能接受獨厚英國的戰略，讓英國盟友獨占打敗德國的戰功。艾森豪對馬歇爾說道：「整個指揮體系當然不盡完美，但考量到這場戰爭牽涉到不同的國家與不同的人員，不得不說這個組織仍是最可行的……。」[332]英美驚險避免了公開決裂，但我們始終不清楚為什麼蒙哥馬利無法看清英美同盟的微妙政治關係。

※ ※ ※

到了一九四五年一月，德日戰敗已經是時間的問題，但最後幾個月為了打垮這兩個即將崩潰的帝國，卻進行了最為血腥，代價也最為高昂的戰爭。從一九四四年十二月到一九四五年五月，美軍在所有戰場的戰死者總數達到十萬零六百六十七人，占其二戰期間戰死者的三分之一以上。從一九四五年一月到五月，蘇聯為了進攻德國領土而發動的幾場主要戰役，士兵的損失人數（死亡與失蹤）也高達三十萬零六百八十六人。這個時期也是德國與日本死傷最慘重的時期，無論是軍人或平民都是如此。在戰爭的最後四個月，德軍陣亡一百五十四萬人，有許多是為了補充德軍缺額而被徵召的青少年或超過役齡的男子，另外也至少有十萬平民在轟炸中死亡。會有這樣的結果也不令人意外。到了一九四五年初，盟軍已擁有壓倒性的空中力量，一九四四年十二月底的德國空軍兵力只有英美的百分之十五，而在戰車與自走砲方面，德軍與盟軍的比率是一比四，如果光以西線戰場來看則是一比六。兵力對比如此懸殊，繼續抵抗猶如自殺，而這也反映出德軍為了保衛帝國本土，最終必須付出極端的代價。一月，德國某個集團軍對全體官兵下達訓令，「為祖國每一寸土地而戰，是我們的神聖職責。」[333]硫磺島是第一個遭到盟軍入侵的日本領土，守軍指揮官向軍隊下達「敢鬥之誓」，其中包括一條訓令：「每個人在戰死之前必須殺死十名敵軍。」[334]

希特勒很清楚，自己即將面臨「最後一戰」，也就是最終的戰敗時刻。希特勒的空軍副官回憶一月時絕望的元首與他的對話：「我知道戰爭已經輸了，敵人的優勢實在太大……但我們絕對不會投降。我們也許會倒下，但要拉著全世界一起陪葬。」[335]雖然希特勒想要勝利，但在他扭曲的道德世界裡，絕對的失敗並非毫無價值。這解釋了為什麼希特勒如此執著於勝利或毀滅，因為在他的眼中，德意志民族想要洗刷一九一八年可恥投降的汙名，就必須奮戰到只剩最後一口氣，而非放下武器。雪恥在德國歷史文化中具有象徵性的意義，不僅深刻影響了希特勒，也對那些仍願意奮戰到底的德國人具有強烈的號召力。[336]絕對失敗是一種救贖式的犧牲，是一種英雄式的道德行為，能讓未來世代的德國人從中學習，重建種族的健康與活力。一九四五年四月二十九日，希特勒在柏林掩體裡口授了他的「政治聲明」。他在聲明中表示，德國對戰爭的投入「將名垂青史，它是民族生存鬥爭最輝煌與最英雄式的展現」，將帶來真正的「民族共同體」重生。[337]

歐戰的最後幾個月，盟軍空軍為希特勒幻想的德意志民族的英雄式毀滅，提供了恰如其分的末日場景，最終的懲罰式轟炸讓城市只剩下被夷平的街道與熾烈的火舌。一九四四年九月，艾森豪把重型轟炸機的指揮權交還給英國空軍與美國陸軍航空軍。英國皇家空軍轟炸機司令部與美國第八與第十五航空軍於是聯手進行戰爭開始以來最大規模的轟炸，盟軍在短短八個月內投下的炸彈量占了整場戰爭的四分之三，而這個時期的德國空防也遭受入侵德國領空的盟軍戰鬥機嚴重消耗，每個月傷亡率高達一半。[338]美國陸軍航空軍司令阿諾德與英國轟炸機司令部司令哈里斯都希望轟炸機也許可以達成盟軍地面部隊到目前為止未能實現的最後一擊，但對已經反覆遭到轟炸的城市繼續進行轟炸，也反映了盟軍的憂慮：如果未能無情地進行轟炸，德國也許會找到新的方式來扭轉戰局，例如發明新武器或重新恢復工業生產。盟軍可用的空中兵力相當驚人：美國陸軍航空軍在歐洲駐紮了五千架重型轟炸機，另外有五千架戰鬥機護航，負責壓制殘餘的德國空軍；英國轟炸機司令部有大約一千五百架轟炸機，主要是蘭開斯特重型轟炸機。一九四三年時，轟炸機的高傷亡率幾乎一度使轟炸行動全面中止，但此時每次出擊的傷亡率平均只有百分之一到二。[339]

盟軍發起的「颶風作戰」（Operation Hurricane）派出了大量轟炸機，依照艾森豪的要求，盡可能讓德國西部的軍事與運輸目標陷入混亂，以利盟軍接下來的入侵，但盟軍並未針對「目標」做出清楚定義。為了解決目標不明確的問題，一九四四年十一月一日，盟軍遠征部隊最高統帥部公布第二號戰略訓令，要求盡全力轟炸石油與各種交通運輸設施；當遭遇惡劣天氣時，轟炸機可以繼續對「工業中心」採取區域攻擊。[340]英國轟炸機司令部雖然也依照命令轟炸石油與交通運輸設施，但哈里斯對於精準轟炸目標的效果抱持懷疑。哈里斯的轟炸機絕大多數時間都在轟炸城市，包括許多尚未被轟炸過的小城市，他相信一直轟炸下去，總有一天社會與心理的損害會讓德國人無法繼續這場戰爭。美軍轟炸機透過雷達導引，儘管在雲層中投彈，還是能嚴重破壞德國的交通運輸，德國國內的石油產出也因為轟炸而比前一年同期少了三分之二。然而，儘管德國城市、工業與平民的累積損害與傷亡在一九四五年春達到史無前例的新高，包括二月十三日到十四日晚間遭到風暴性大火殺害的兩萬五千名德勒斯登市民（根據最近的估計），但光憑轟炸還是無法給予德國最後一擊。

一九四五年三月，德國軍需部長史佩爾向希特勒示警，交通運輸與關鍵工業區的崩潰，意謂著軍事生產只能再支撐六個星期。然而希特勒既然已決心奮戰到底，就表示德國已無投降可能，而最終地面部隊的入侵也無法避免。盟軍地面部隊指揮官認為轟炸有利地面戰爭的進行，可以為盟軍陸軍（包括紅軍）清出一條前進的道路。盟軍轟炸德國東部城市，主要是為了協助蘇聯推進，德勒斯登只是這項計畫的一部分。轟炸德東的決定是在二月初的雅爾達會議獲得同意，最初是由英國建議，之後蘇聯接受了這項提案，但條件是雙方必須協調劃出一條適當的轟炸線，以免誤炸紅軍。341 盟軍的轟炸不太可能對蘇聯的迅速推進產生直接幫助，主要是能在逐漸縮小的作戰區域內降低德軍的機動性。

一九四五年二月四日到十一日，盟軍在雅爾達召開會議，會議地點在里瓦迪亞宮，宮殿周圍全是遭戰火摧殘的克里米亞城鎮。早在會議召開之前，史達林終於發動了他計畫已久的軍事作戰，蘇軍開始渡過波蘭中部的維斯杜拉河，朝德國首都進軍。這項計畫始於一九四四年十月，但為了建立新的補給線、補充耗損的部隊與訓練在快速穿越白俄羅斯與波蘭東部時招募的大量新兵，因此計畫延宕了三個月才開始進行。史達林重新取回紅軍總司令的權力，命令原本代理總司令的朱可夫擔任白俄羅斯第一方面軍司令，這支部隊將是進攻德國的主力，柯涅夫的烏克蘭第一方面軍則從南方維斯杜拉河畔的桑多梅日橋頭堡發動進攻。與蒙哥馬利一樣，計畫一開始設定的目標十分樂觀：二月三日抵達奧得河，三月初進攻柏林與易北河，紅軍可以長驅直入德國境內。第一個目標顯然符合實際，因為蘇軍擁有壓倒性的物質優勢。朱可夫與柯涅夫指揮的軍隊總共有兩百二十萬人、三萬三千門火砲與迫擊砲、七千輛戰車與五千架飛機。而根據俄國的情報，與蘇軍對峙的德國A集團軍與中央集團軍僅有四十萬人、五千門火砲、一千兩百二十輛戰甲車與六百五十架飛機。[342]在北方，白俄羅斯第二與第三方面軍也同時進攻東普魯士與波美拉尼亞，這兩支軍隊總計也有一百六十七萬人與三千八百輛戰車。

這個龐大的攻勢最終決定在一月十二日到十四日之間發動。朱可夫與柯涅夫很快就突破缺乏組織的德軍防線並且快速推進。一月三十一日，紅軍抵達奧得河畔的要塞城市庫斯特寧（Küstrin），短短兩個星期就推進了三百公里，距離德國首都只剩下六十五公里。在南方，柯涅夫的部隊在一月二十四日抵達奧得河畔的布勒斯勞，到了一月底，柯涅夫順利渡河，占領了大部分西利西亞工業區。在北方，由於遭遇德軍的激烈抵抗，進展較為緩慢，但到了一月二十六日，紅軍還是抵達了波羅的海岸邊而且包圍了東普魯士。東普魯士首府哥尼斯堡於一九四四年被設立為要塞城市，一月二十九日，哥尼斯堡遭到圍攻，不過這座城市繼續堅守了兩個月以上的時間。在雅爾達會議召開前三個星期，紅軍已經解放了波蘭西部、攻下西利西亞與包圍東普魯士的德軍。

無論史達林是否想利用這場戰役的迅速獲勝來增加自己在雅爾達會議上的談判籌碼，紅軍在東線突破的結果，與同時間英美盟軍在西線的缺乏進展形成強烈對比。整個一月與二月，盟軍一直停留在清除萊茵河西岸與西牆防線的德軍部隊。蒙哥馬利從西線北部發動主要攻勢，代號「真實作戰」（Operation Veritable），目標是穿越帝國森林（Reichswald）；美國第九軍團的「手榴彈作戰」

（Operation Grenade）則試圖突破魯爾河防線，然而這兩個行動都設定在二月八日，也就是雅爾達會議快結束時才開始。抵達雅爾達的三位同盟國領袖主要的關切不是戰爭，而是戰後的和平問題，因為戰爭的結果已經可以預期。雅爾達會議的議程主要是為了滿足史達林的要求。美國參謀首長聯席會議主席回憶說，與之前會談的狀況不同，西方代表這次看到的是一個友善而克制的獨裁者，而且「在各方面」都準備好「與西方妥協，以達成協議」。[343]外表是會騙人的。幾個星期之前，史達林才在莫斯科接見南斯拉夫代表團時表示：「應對資產階級政治人物時，你必須非常小心……我們不能感情用事，而是要理性分析與計算。」除了這些，史達林或許還用上了諜報，因為蘇聯已經掌握了羅斯福與邱吉爾手中的敏感文件，而且在會議所在地里瓦迪亞宮到處都裝設了隱藏式麥克風。[344]羅斯福經過九千五百公里的旅程，中間還在馬爾它停留與邱吉爾見面，他看起來非常疲倦，而且明顯病得很重。艾登是邱吉爾的外交大臣，他認為羅斯福「模稜兩可、不明確與難以勝任」，但羅斯福之所以出席會議，是因為他知道自己必須讓美國民眾留下盟國團結一致共同為戰後民主秩序努力的印象。而羅斯福也取得了其他兩國的同意，成立聯合國組織，並且在最後一天簽署《解放歐洲宣言》（Declaration on Liberated Europe）：美英蘇三國將協助各國建立以自由選舉與人民意志為基礎的政府。羅斯福也與史達林達成協議，蘇聯將在德國戰敗之後對日宣戰。美國當時認為，為了結束太平洋戰爭，達成這項協議具有戰略上的必要性。[345]

這份宣言實際上只是一張壁紙，用來掩蓋盟國之間的明顯裂痕。事實上，邱吉爾在羅斯福不知情的情況下，早在前一年十月就已經在莫斯科與史達林會面，而且出賣了絕大多數東歐國家的利益。邱吉爾列出一份非正式的蘇聯與西方瓜分比例清單，此即所謂的《百分比協定》（percentage agreement），邱吉爾同意將羅馬尼亞與保加利亞劃歸蘇聯的勢力範圍，相對地，英國則在希臘擁有發言權。邱吉爾極力確保英國繼續維持地中海霸權，並且允許法國也參與占領戰後德國，關於後者，史達林勉為其難地同意了。最大的絆腳石是波蘭的未來問題，而此時的波蘭已經成為蘇聯的囊中物。羅斯福與邱吉爾勉強同意蘇聯保有一九三九年占領的波蘭領土，但對於波蘭從德國東部取得多少領土做為補償則沒有定論。一九四四年，史達林已經在新波蘭成立共產黨委員會進行臨時統治，這個委員會接下來準備在波蘭成立新政府，但邱吉爾與羅斯福都無法接受這個新政權，他們希望由非共產黨的波蘭人統治波蘭。史達林表示，他希望波蘭能夠民主獨立，但這個波蘭必須符合蘇聯利益，而實際上西方盟國也難以辦法改變結果，因為蘇聯基於自身的安全考量，無論如何都不會在波蘭問題上讓步。雙方後來暫時達成妥協，史達林同意在莫斯科成立委員會，成員包括莫洛托夫與英美大使，三方開會商討成立「民主」波蘭的方案，但委員會一成立便遭遇僵局。一九三九年的歐戰始於波蘭，但等到戰爭結束，波蘭卻不得不接受共產主義統治的命運。

儘管雅爾達會議讓外界留下了盟國團結一致共同進行戰後合作的印象，從許多歷史照片中也可以看到三位領袖面帶微笑的表情，但在會議結束後到德國投降的幾個月期間，這三位領袖的關係卻急遽惡化。史達林依然擔心他的盟友有可能單獨與德國議和。三月底，史達林在莫斯科接見捷克代表團時表示：「我們的盟友可能會試著挽救德國人，與他們簽訂協定。」羅斯福很快就發現，在雅爾達簽訂的「宣言」，對史達林來說毫無意義。三月二十四日，羅斯福再度提到史達林拒絕美國的要求，拒絕將關在波蘭戰俘營的美國人遣返回國。羅斯福用拳頭猛敲輪椅，挫折地說：「我們不能跟史達林打交道，他在雅爾達做出的承諾沒有一件有做到。」[346]

儘管如此，同盟國對外仍維持緊密團結的樣子，絲毫不受內部缺乏信任與相互指責的影響。往後兩個月，盟軍分別從西部、東部與南部進逼，德國的包圍圈愈來愈小。與盟軍不同，德軍面臨著不可跨越的障礙，已不可能扭轉軍事失敗的命運。德國國內的補給線與運輸線，因為運輸體系破壞得太嚴重而無法供應需求。軍事補給絕大多數必須仰賴馬匹運往前線，地面部隊能得到的空中支援已所剩無幾。德國軍隊缺乏人力，只能隨機進行補充，許多新兵來自於非役齡或完全未受過訓練的男子。國民突擊隊零散取得各式各樣的軍服、為數不多的步槍與機關槍，甚至有部隊拿到一千兩百枚沒有引信的手榴彈。[347]盟軍士兵提到，德軍的抵抗開始出現分歧，有些人「充滿決心，抵抗極其猛烈」，有些人則「一副事不關己的樣子」。[348]最重要的是，到了最後幾個星期，身為最高統帥的希特勒似乎連僅存的一點現實感也喪失了，他把無法堅守的高階軍官一一革職，堅持「每個街區、每間屋子、每一層樓、每一道灌木籬牆、每個彈坑，都要堅守到最後」。[349]希特勒不讓困在庫爾蘭半島或東普魯士的德軍在還有可能的狀況下從海路撤離，讓這兩支軍隊可以返回德國防守核心地帶。他拒絕讓德軍撤退到萊茵河防線後方，也不讓在義大利的德軍撤退到波河以北。二月與三月，希特勒仍派出急需用於德國本土防衛的部隊前往布達佩斯，試圖擊敗圍城的蘇軍，他希望德軍能重新掌控匈牙利巴拉頓湖的產油區。然而可想而知的是，這項任務最後以慘敗收場。希特勒還在三月十九日頒布法令，一般稱為《尼祿法令》（Nerobefehl），要求對剩餘的德國領土實施焦土政策，從橋樑到糧食儲備全部予以破壞，不要讓盟軍有使用的機會。這項法令時常被人解釋成對德意志民族的棄絕，因為德意志民族未能完成他的召喚，實現帝國的榮耀，因此要讓德意志民族一無所有。但事實上，這項法令的實際文字顯然僅指破壞軍事設施、生產與運輸，希特勒的做法其實跟四年前德軍入侵蘇聯時，蘇聯當局實行的焦土政策沒有兩樣。[350]到了這個階段，各地的軍事指揮官與黨機關都開始各行其是，許多人不願執行這項法令，因為這麼做顯然會讓平民百姓活活餓死。至於大城市早已不需要執行希特勒的法令，因為盟軍的轟炸早已讓各地化為灰燼。

崩潰一旦開始，便猝不及防。在雅爾達，同盟國領袖討論歐戰何時結束，大家的結論是七月一日之前不會結束，比較肯定的答案是十二月三十一日年底之前。德軍脆弱的防線依然保衛著德國，然而無論部署在本土還是義大利的德軍，此時都已經完全缺乏戰略縱深。在西線，艾森豪終於在三月十日完全清除萊茵河西岸的德軍，此時盟軍估計德軍已經損失三分之一的兵力，包括被俘的二十五萬人。在萊茵河西側，盟軍集結了四百萬人共七十三個師，到了德國投降時，將達到四百五十萬人共九十一個師。[351]艾森豪再次面臨蒙哥馬利與布萊德雷兩方的壓力，他必須決定由誰先渡過萊茵河。艾森豪一方面支持英軍在三月二十三日發起「戰利品作戰」(Operation Plunder)，並且派出空降部隊發起「大學校隊作戰」(Operation Varsity)從旁支援，但他也不反對布萊德雷第十二集團軍利用德軍在西部防線中央地帶敗退的機會發動進攻。三月七日，第九裝甲師的偵察小隊完整無缺地攻下位於雷馬根的魯登道夫橋，布萊德雷在艾森豪的允許下率軍渡過萊茵河。美軍隨後在對岸建立橋頭堡，然而只往前移動一小段距離就遭到德軍圍堵，雙方一直僵持到三月底。巴頓認為，與其等待蒙哥馬利與英軍作戰成功，不如自己先動手。他於是率領美國第三軍團在四十八小時內急馳八十八公里，於三月七日攻下科布林茲（Koblenz），又於三月二十二日於尼爾施泰因（Nierstein）與歐本漢（Oppenheim）渡過萊茵河，比北方的英軍早了一步。

一天後，在三千五百門火砲密集砲轟後，蒙哥馬利的第二十一集團軍於威塞耳（Wesel）渡過萊茵河。德軍從萊茵河西岸敗退，而一旦盟軍渡過萊茵河，德軍在整個東岸的抵抗就變得零星而有限；有些被包圍的德軍依然頑強抵抗，但也有愈來愈多的德國士兵投降。雖然部隊渡過萊茵河需要時間，直到二十八日才完成渡河的工作，但此後盟軍的進展就跟一月時的朱可夫一樣迅速。英國第二軍團被派往易北河與漢堡，加拿大第一軍團前往荷蘭。美國第九軍團重新交由布萊德雷指揮，負責包圍魯爾與萊茵蘭工業區。布羅克元帥批評「盟友的民族主義傾向」，削弱蒙哥馬利的集團軍，讓英軍擔負掩護盟軍左翼的次要任務。[352]盟軍在平坦的北方平原進展迅速，城鎮一個接一個投降，然而過程中並不是沒有遭遇抵抗。四月二十日，英軍抵達不來梅，德軍在此抵抗了六天。蒙哥馬利奉命搶在紅軍之前迅速抵達丹麥與波羅的海港口呂北克，因為盟軍與史達林並未針對丹麥或荷蘭的占領達成協議。五月二日，第二軍團進入呂北克，德國北部的戰事實際上已經算是告終。

在南方，布萊德雷集團軍幾乎全數渡過萊茵河，而且很少遭遇激烈抵抗。布萊德雷命令第九軍團由北往南，第一軍團由南往北，兵分兩路包圍德軍，在形成魯爾口袋後，再將口袋一分為二。德國B集團軍總計三十一萬七千人，終於在四月十七日放下武器，他們的指揮官莫德爾元帥事前已經先解散集團軍，這樣他就沒有必要投降。四天後，莫德爾在杜伊斯堡（Duisburg）附近的樹林裡舉槍自盡。[353]此時艾森豪與布萊德雷突然對美軍的戰略進行更動。雖然原本的目標是渡過萊茵河之後便進攻柏林，去年九月艾森豪就曾表示要「迅速攻取柏林」，但此時卻出現了令人困惑的情報，顯示殘餘的德軍精銳，主要是武裝親衛隊，正在南方集結建立阿爾卑斯要塞，他們在山裡儲存糧食與武器裝備，甚至設有地下飛機工廠。[354]經過阿登戰役的衝擊，美軍將領擔心德軍又會故技重施。布萊德雷在回憶錄裡提到，德軍明顯增援，另外也擔憂仍在義大利的大批德軍部隊很可能轉往阿爾卑斯山，「如此危險的威脅，實在不容忽視。」三月二十八日，艾森豪直接告知史達林、馬歇爾與蒙哥馬利，他已經命令第六集團軍與巴頓的第三軍團前往德國南部與東南部，不讓德軍在阿爾卑斯山建立最後據點。[355]艾森豪向聯合參謀首長會議表示：「柏林已經受到嚴重破壞，它的戰略價值已經大打折扣。」[356]其他美軍在消滅魯爾口袋之後便朝易北河前進，並且在當地等候俄軍。

從後見之明來看，所謂的「阿爾卑斯要塞」其實是情報人員的幻想，但當時德國南方確實存在一定數量的武裝親衛隊與裝甲部隊，盟軍的擔憂並非如今日認為的毫無道理。邱吉爾與英國帝國參謀本部都對改變優先目標感到失望，但艾森豪憤怒地表示，這一次他不會容許喜歡找碴的盟友提出任何反對意見。美軍迅速從萊茵河前往法蘭克尼亞（Franconia）的陶伯河，但在施戴格森林（Steigerwald）與沿著法蘭克尼亞高地前進時，卻碰上德軍匆促完成的防線。負責防守的絕大多數是軍校學生與希特勒青年團，這場戰鬥於是成了一場慘烈的殺戮，雙方都毫不留情地拼殺。美軍花了三個星期才突破這道防線抵達多瑙河，而疲憊不堪的殘餘德國守軍已無法進行任何有組織的抵抗。一名旁觀者看到德國士兵的模樣後寫道：「看到這群累得不成人形，全身衣服破爛，而且絕大多數都沒有武器的殘餘德軍落荒而逃的樣子，真讓人感到悲哀。」[357]美軍穿過奧地利，封鎖通往義大利的布倫納隘口，然後迅速進入捷克斯洛伐克，在布拉格西部與紅軍建立共同戰線。美軍的到來使德軍多了一個比起紅軍較不恐怖的投降對象，南方的德軍因此紛紛放棄戰鬥。到了四月底，德軍戰俘已高達六十萬人。

艾森豪如果瞭解義大利戰線的狀況，他也許就不會那麼在意阿爾卑斯最後據點的問題。義大利的德軍同樣以波河與亞得里亞海沿岸做為防線進行堅守，把盟軍阻擋在波河前方最後一道山脊上。德軍駐義大利指揮官凱賽林元帥於三月十日接替倫德斯特擔任西線總司令，他在義大利的指揮工作交給了魏庭霍夫一級上將（Heinrich von Vietinghoff-Scheel）。魏庭霍夫只有二十三個未滿編的師（其中有四個師來自墨索里尼殘餘的義大利軍隊），來防守從西部的利古里亞（Liguria）延伸到東部的拉溫納防線。整個義北的防務十分緊繃，魏庭霍夫面對的盟軍擁有壓倒性空優，火砲數量是德軍的兩倍，裝甲戰鬥車輛則是三倍。在冬季僵持之後，盟軍準備發動最後一場戰役。在盟軍八百二十五架重型轟炸機投擲破片彈進行可怕的空襲之後，四月九日，英國第八軍團開始發動進攻。兩天後，英軍抵達且渡過桑特諾河（Santerno River），擊敗無心戀戰的敵軍，紐西蘭部隊也迅速朝波隆那推進。[358]克勒克升任駐義大利第十五集團軍司令之後，由屈斯考特中將接任美國第五軍團司令，四月十四日，屈斯考特從亞平寧山脈北部進行突破，雖然遭受零星而激烈的抵抗，但最終還是在四月十九日突破成吉思汗防線。盟軍的兩路攻勢現在可以朝波隆那與波河推進，四月二十二日，盟軍抵達波河。一旦最後幾道防線遭到突破，德軍為了避免崩潰，便開始像一九四四年八月在法國的德軍一樣迅速撤退。德軍退守波河以北，確保接下來能順利轉往義大利東北部與奧地利。此時，義大利北部主要城市已經出現游擊隊，開始攻擊德國守軍。隨著盟軍逼近，愈來愈多的士兵投降，而德國最高統帥部也開始試圖透過祕密協商，尋求全面投降的可能。幾個月前，蒂羅爾—福拉爾貝格弗（Tirol-Vorarlberg）帝國大區長官霍佛（Franz Hofer）曾經向柏林建議建立阿爾卑斯要塞，但柏林當局認為這個建議帶有失敗主義傾向，因此興趣缺缺。到了四月底，義大利的德軍瀕臨崩潰，最後據點的構想已不可能實現。

對史達林來說，美國擔憂阿爾卑斯要塞反而讓他鬆了一口氣，因為這意謂著可以避免盟國之間出現競相進攻柏林的狀況。史達林向西方盟國表示，蘇聯也認為柏林不是個重要目標，然而攻占希特勒的首都雖然在軍事上並不重要，卻不代表在政治上不具意義。一九四五年一月，史達林宣示他要攻下敵方巢穴，活捉希特勒，蘇聯軍隊因此把「berlog」（俄文的巢穴）認定為最終的作戰目標，而非柏林。[359]紅軍抵達奧得河防線後，卻出乎意料地開始停滯不前。二月初，朱可夫告訴史達林，他可以在二月中「迅速襲擊」並且攻下柏林。當史達林在雅爾達開會時，朱可夫再度請求批准，讓他立刻進攻柏林。在南方，柯涅夫也急於進攻，他表示可以在二月最後幾天攻抵易北河。[360]史達林感到猶豫，由於西方盟國此時仍深陷於萊茵河西岸戰場，他因此決定先清除在紅軍側翼大量集中的德軍。雖然清除側翼敵軍，避免紅軍在進攻柏林時遭到攻擊是合理的戰略考量，但史達林這麼做的真正動機卻難以確知。史達林投入龐大的人力物力進攻與占領德國核心地帶，他無法承擔攻擊柏林失利的風險。朱可夫奉命前往北方協助掃蕩波美拉尼亞，並且成功抵達波羅的海岸邊，他花了兩個月協助羅柯索夫斯基的白俄羅斯第二方面軍擊敗東普魯士與前波蘭走廊的殘餘德軍。三月三十日，但澤落入紅軍之手。這兩個月的戰鬥雖然消滅了北方德軍的反抗力量，但紅軍的傷亡人數卻是一月進行維斯杜拉河與奧得河作戰時的三倍。在南方，柯涅夫為了進攻西利西亞，不得不與舒奈爾將軍（Ferdinand Schörner）的中央集團軍進行幾次大規模會戰，而在多瑙河防線，狄特里希的第六裝甲軍團進行了德軍在二戰的最後一次反攻，代號「春醒作戰」（Operation Spring Awakening），目標是收復匈牙利油田。紅軍在三月中擊退德軍，但自己也付出慘重的傷亡代價。[361] 通往維也納與布拉格的道路已經敞開。四月十三日，紅軍圍攻並且占領維也納。五月，德國投降之後，在布拉格發生的戰鬥為這場歐戰畫下句點。

三月底，盟軍成功渡過萊茵河，顯然接下來盟軍將會迅速推進，史達林於是命令紅軍立刻準備向柏林與柏林以西地區發動攻勢，而且要推進到易北河一線。紅軍在盡快準備軍事作戰的同時，也必須把大批部隊從側翼調回最前線。史達林希望在五天內攻下德國首都，為了完成這項任務，紅軍開始集結龐大兵力：朱可夫、柯涅夫與羅柯索夫斯基的三個方面軍出動一百七十一個師與二十一個機動部隊，總計兩百五十萬人，六千兩百五十輛戰車、七千五百架飛機、四萬一千門火砲與迫擊砲；德國負責防守奧得河的第九軍團與第三裝甲軍團則僅有二十五個師與七百五十四輛戰車，負責防守柏林的則是溫克中將（Walther Wenck）的第十二軍團，該軍團是在四月份用拼湊的六個師組成，幾乎沒有任何重武器。上述德軍總計只有七十六萬六千人，其中許多人因為受傷、戰爭疲勞或年齡而缺乏作戰能力。雙方都焦急等待著這場即將終結一切的大會戰。四月十六日，攻勢從朱可夫的戰線開始，他的戰線正對著西洛高地（Seelow Heights），這是通往柏林最直接的路徑。朱可夫部署了一百四十三具探照燈，讓德國守軍看不清楚前方。但一開始龐大的火砲彈幕將戰場地面轟得到處都是彈坑，不僅不利裝甲部隊前進，砲轟造成的濃密煙幕也將探照燈的強光反射到前進的紅軍身上。[362]第二天結束時，進攻西洛高地的紅軍傷亡十分慘重，朱可夫向史達林報告攻勢陷入停頓，史達林於是激勵在南方進展順利的柯涅夫，要他從南部率軍北上，盡快奪取柏林。在南方，柯涅夫集團軍的目標是橫渡奈塞河（Neisse），這是項艱難的任務，但在四月十六日，柯涅夫利用砲擊與人造煙霧掩護紅軍搭乘小艇渡河，一小時之內就在奈塞河西岸建立橋頭堡。德軍在第一天就迫後撤十三公里，之後隨著柯涅夫烏克蘭第一方面軍繼續朝西與西北往柏林進軍，德軍的抵抗也持續遭到擊潰。四月十八日，柯涅夫的前鋒占領位於左森（Zossen）的德國陸軍司令部，並且繼續朝柏林進軍。四月二十五日，柯涅夫分兵繞過柏林，然後朝易北河前進，一路上仍持續遭遇德軍抵抗，最後終於在托爾高（Torgau）附近的村落與美軍會師。

柏林周圍最後幾道脆弱的防線被一個個地突破。當第三與第四親衛戰車軍團進入柏林郊區，朝德國政府中心與希特勒巢穴前進時，柯涅夫篤定地認為自己將會率先奪取柏林。四月二十五日，柯涅夫準備下令部隊衝入政府中心與帝國議會，但他的前鋒卻發現自己開火的對象是崔可夫將軍的第八親衛軍團——第八親衛軍團隸屬於朱可夫轄下的方面軍，他們連夜趕路，終於比柯涅夫早了幾個鐘頭抵達首都市中心。崔可夫的部隊取得攻占巢穴的榮譽。四月三十日，一支軍事小隊衝進帝國議會大樓，升起了巨幅紅旗。[363]在幾百公尺外，希特勒與一小群隨員躲在帝國總理府底下的掩體中。

希特勒已經完全脫離現實，他幻想天命可以扭轉德國戰敗的局面。四月十二日，當希特勒得知羅斯福因腦出血去世，便開始想像命運即將扭轉：「既然命運已經為世界除去史上最大戰犯，那麼接下來戰爭的潮流也將迎來轉捩點。」[364] 希特勒成天幻想柏林有可能解圍。四月二十四日，他下令柏林周邊的德軍「重建與柏林的聯繫，打贏柏林戰役」。[365] 四月二十八日，當蘇聯砲轟掩體上方的建築物時，戈培爾在臨時發行的柏林報紙《裝甲熊》（*Panzerbär*）上再次發起號召，宣揚希特勒是德意志民族英雄的神話：「希特勒依然在這場塑造世界歷史的自由之戰中發號施令……他在交戰最激烈的戰場上，身旁圍繞著最優秀的戰士……。」[366] 實際上希特勒早已走投無路。當盟軍訊問者訊問約德爾，希特勒面對災難性的失敗為什麼不乾脆早點投降，約德爾對此回答說：「在你還沒輸掉戰爭之前，你會放棄整個帝國與人民嗎？像希特勒這種人是不會的。」[367]

※　※　※

日本並未出現像德國那樣的「最後鬥爭」，因為日本本土並未遭到入侵，但軍方強硬派高層仍認為應該發動類似的救贖戰爭來挽救即將戰敗的帝國榮譽。一九四五年一月，盟軍距離日本本土還有一段距離，日本軍方因此認為透過一連串艱苦的戰役仍可實現一九四二年的目標：讓盟軍認為擊敗日本的代價太大，最後願意與日本達成妥協的和平。日本縮小了國防圈，將圈域的前緣設在臺灣、華東、朝鮮半島南部與太平洋上的小笠原群島。然而盟軍對日本貿易進行海空封鎖，導致日本戰時經濟逐漸崩潰，加上盟軍的物質優勢，這個防衛圈遭到突破也只是遲早的事。但問題出在盟軍前進的速度，到了一九四五年，盟軍推進仍比預想的更為緩慢，日本派駐帝國各地的守軍無所不用其極地誘使敵軍在他們選定的地點進行長期消耗戰。

麥克阿瑟在菲律賓投入了大量美軍，他認為菲律賓是美軍進攻日本本土的最佳中途站，然而菲律賓戰役進展緩慢，使美軍對於最後幾場戰役的規畫再度陷入緊張。金恩海軍上將認為，現在美軍已經可以從馬里亞納群島基地起飛轟炸日本本土，那麼接下來對日本進行海空封鎖，或許可以讓日本不戰而降。但尼米茲與麥克阿瑟都相信，除非進攻與占領日本本土，否則日本絕對不會投降。為了進攻日本本土，尼米茲與陸軍航空軍司令阿諾德都需要硫磺島與沖繩島做為海空軍的中途基地。攻下硫磺島也可以阻止日軍繼續攻擊駐紮在馬里亞納群島的B－29重型轟炸機。[368]在進攻硫磺島與沖繩島之前，麥克阿瑟必須盡快占領菲律賓島鏈的最大島呂宋島。一九四五年一月七日，美軍進攻呂宋島，美軍有十七萬五千名兵力，少於山下奉文中將統率的二十六萬七千名日軍。當麥克阿瑟聽到雙方兵力對比時，只是絕望地說出一句：「胡扯。」[369]山下奉文的目標是謹慎地採取拖延戰術，延緩美軍入侵日本的時間，他把呂宋島的日軍撤退到鄰近主要河谷的山區。結果美軍進攻的第一個星期，雙方只進行了小規模的戰鬥。麥克阿瑟命令庫魯格將軍（Walter Krueger）盡快奪取首都馬尼拉，這樣他才能宣布獲得決定性勝利，並且以勝利者的姿態回到這座他在一九四一年之前以此為家的城市。

馬尼拉的戰鬥對抗的主要是岩淵三次海軍少將率領的海軍地面部隊。隨著這場戰鬥逐漸演變成長期而殘酷的戰役，美軍將領因此變更交戰規則，允許砲兵砲轟平民區，而日軍將領也下令「戰場上的平民格殺勿論」。[370]日軍重演在南京的殘暴行徑，把男子成群綑綁起來放火焚燒，毫無節制地殘殺婦孺，強姦婦女與少女。美軍進攻馬尼拉的中部與南部時，必須逐一摧毀街區，殲滅所有的日本守軍。馬尼拉城區遭到摧毀，麥克阿瑟之前在馬尼拉飯店居住的頂樓套房也付之一炬。估計有十萬名菲律賓人死於砲火、轟炸與日軍的屠殺；一萬六千名日軍在防守馬尼拉時陣亡，但美軍只有一千零十人死亡，在太平洋戰爭中，這個數量算是出奇地少。[371]三月三日，已經成為廢墟的馬尼拉獲得解放，在這種狀況下，麥克阿瑟取消原先計畫在首都中心進行的凱旋式。雖然美軍現在可以使用呂宋島的港口與空軍基地進行下一階段的進攻，但撤退到山區的山下奉文卻依然堅守要塞，直到八月日本投降為止。往後的戰鬥讓美日都付出極大的代價，雙方的部隊在熱帶氣候中苦戰，崎嶇的地形有利守方藏匿，疾病與戰爭疲勞嚴重削弱士兵的作戰能力。菲律賓戰役結束時，日軍傷亡達到三十八萬人，絕大多數死亡，盟軍在戰場上的損失則是四萬七千人，但有九萬三千人罹患疾病、戰爭疲勞與心理崩潰。[372]美軍攻占菲律賓的代價遠超過預期，山下奉文因此如願延宕與削弱了美軍入侵日本的能力。

硫磺島位於日本南方的小笠原群島，沖繩島則是琉球群島的最大島，入侵這兩座島成了太平洋戰爭最慘烈的兩場戰役。入侵硫磺島的「特遣作戰」（Operation Detachment）定於一九四五年二月展開，之後則於四月發起「冰山作戰」（Operation Iceberg），入侵沖繩島。這兩座島嶼嚴格上來說屬於日本領土，日本士兵都得到訓令，守衛日本領土是神聖的職責。硫磺島這場島嶼戰役之所以惡名遠播，在於美軍這場戰役的傷亡居然超過日軍。日本軍方預期硫磺島將成為美軍目標，硫磺島指揮官栗林忠道中將命令兩萬名日軍將整座島嶼建設成一座要塞，利用洞穴與火山岩建立起防禦網，內部以隧道連通，人員、槍砲與各種儲備都能在敵人無法察覺下進行集中。栗林忠道的司令部設在二十二公尺深的地底下，頂端有一座掩體，屋頂是厚達三公尺的鋼筋混凝土。硫磺島長十公里，寬只有三公里，但在表層的火山岩底下，日軍開鑿了長十七公里的隧道網。島上有三座機場，其中一座機場四周設置了多達八百座碉堡。[373]

硫磺島在徹底要塞化之後，所有的地點全覆蓋在日軍的火力範圍之內，於二月十九日登陸的三個美國海軍陸戰師七萬零六百四十七名士兵將完全暴露在日軍的攻擊之下。登陸部隊希望美國海軍能對硫磺島岸轟十天，但史普勞恩斯的第五艦隊卻只岸轟了三天，因為海軍想北上直接攻擊日本的海岸線。雖然估計島上的重砲有二分之一被毀，碉堡與砲臺有四分之一被破壞，但日本守軍依然保有強大火力。栗林忠道等待美軍完全上岸之後才發起猛烈砲轟，由此開啟了長達六個星期的硫磺島戰役，美國海軍陸戰隊將持續承受火砲、機關槍與迫擊砲的攻擊。雖然美軍在幾天之內就攻下機場，但要攻占整座島嶼顯然是一項極其困難的挑戰。二月二十三日，美軍在硫磺島南端摺缽山的山頂上象徵性地豎起國旗（三個小時之後，美軍重新豎起旗幟，美聯社攝影師才拍下了流傳後世的照片），但往後六天，日軍卻源源不斷地從山裡的洞穴衝出。[374]在北方，海軍陸戰隊在島上防守最嚴密的區域緩慢推進，用手榴彈、炸藥與火焰噴射器摧毀敵軍設施。美軍持續戰鬥一個月，士兵們都感到疲倦，反應與判斷也跟著變差，傷亡人數節節攀升。栗林忠道的掩體終於被炸藥炸開，但栗林已經在裡面壯烈自殺。三月二十七日，美軍終於占領整座島嶼，總計有六千八百二十三人陣亡，一萬九千兩百一十七人受傷或傷殘；而兩萬多名日軍只有一千零八十三人被俘。[375]硫磺島成為美國的空軍基地，P－51遠程戰鬥機可以從這裡起飛，為日間空襲日本城市的轟炸機護航，數百架B－29轟炸機可以在此加油或解決技術與戰鬥損害的問題。

沖繩戰役是一場比硫磺島規模更大的軍事行動。沖繩島是日本領土，東京當局想以沖繩島做為測試，瞭解盟軍入侵日本本島時可能採取什麼策略。沖繩島指揮官牛島滿中將仿效硫磺島曾經使用的「休眠戰術」，先讓美國兩棲部隊登陸，然後引誘入侵者進攻沖繩島南部日軍重兵防守的地方。日軍在這裡有大約八萬三千名作戰部隊，主要來自第三十二軍，而且同樣密密麻麻挖掘了洞穴、隧道與碉堡網。[376]美軍對於日本在沖繩島採取的戰略所知有限，但這一次美國海軍沒有太多選擇，他們必須連續十天岸轟這座島嶼。另一方面，一支小部隊將先攻占外圍的慶良間群島，做為水上飛機基地與海軍的中途站。美軍集結了龐大的入侵艦隊，總計超過一千兩百艘各式艦艇，但早在美軍登陸之前，宇垣纏海軍中將已經在三月五日正式編成一支由自殺飛機組成的特別攻擊隊，讓他們進行了首次任務。而在往後近三個月的戰役裡，這些自殺飛機將持續攻擊逼近的美軍艦隊。在首次任務中，也就是沖繩戰役開始的前兩天三月三十日，一架自殺飛機成功擊中美軍艦隊司令旗艦印第安納波利斯號（*Indianapolis*），使得艦隊司令不得不轉移到新墨西哥號（*New Mexico*）。日軍前後總共派出一千四百六十五架自殺飛機，擊沉艦艇三十六艘，擊傷三百艘，其中也包括規模較小的英國太平洋艦隊的船隻。英國太平洋艦隊此時終於接受美軍指揮，但他們只擔負比較次要的作戰任務，之後於五月返回澳洲維修。[377]

四月一日，十七萬三千名陸軍與海軍陸戰隊組成的七個師，在巴克勒將軍（Simon Bolivar Buckner）指揮下登陸沖繩島。除了自殺攻擊，美軍幾乎未遭遇任何抵抗，而且在幾天內就攻占機場地區。美軍隨後開始往南北移動，並於四月八日首次接觸日軍。牛島滿在沖繩南部山區隱匿了大批部隊，與硫磺島一樣，美軍必須費力而緩慢地擊退日軍，儘管火砲與海軍艦砲對山嶺發射了兩百三十萬發砲彈，美軍依然只能逐一地剷除日軍設置的防禦工事。[378]美軍在沖繩島的前進速度與硫磺島一樣緩慢，連續一百天毫不停歇的戰鬥也讓士兵承受極大的壓力，加上五月底的天氣使整個山區充滿令人無法動彈的泥沼，空氣中也瀰漫著屍體腐爛的惡臭。到了六月，美軍把殘餘的日軍逼到沖繩島西南角，缺乏彈藥、糧食與醫療物資的日軍，數量一天天減少。六月二十一日，日軍終於停止抵抗，然而就在三天之前，巴克勒將軍卻在巡視前線時被砲彈破片擊中身亡。牛島滿與栗林忠道一樣，最後選擇自殺。大約有九萬兩千名日軍與沖繩民兵陣亡，此外還有大量平民死亡，估計人數在六萬兩千人到十二萬人之間。美國海軍、陸軍與海軍陸戰隊有一萬兩千五百二十人陣亡，三萬六千六百一十三人受傷，此外還有三萬三千零九十六人深受戰鬥疲勞與疾病之苦，總計美軍的傷亡人數與日軍不相上下。[379]沖繩島與硫磺島的傷亡數字在美國國內引發不滿，人們無法理解為什麼要花費這麼大的代價去占領兩個戰略價值並不明顯的小島，而輿論的反應也讓華府深感焦慮，他們擔心進攻日本本土要耗費的人力恐怕將超過民眾願意支持的限度。

雖然日軍在預先設置好的陣地頑強抵抗，卻無法掩蓋日本在推動戰爭上已顯得力不從心。在美軍的海上封鎖，以及一九四五年三月後猛烈的空中轟炸之下，日本國內產業與國內民眾都開始出現生存危機。一九四四年與一九四五年，美軍潛艦與飛機對日本遠洋與近海運輸的打擊達到巔峰。從一九四二年到一九四四年，日本的商船船團已經從五百九十萬噸減少為八十九萬噸，到了一九四五年，由於美軍潛艦與水雷的威脅，日本即使還有商船，也無法出海運輸南洋或亞洲大陸的貨物。[380]一九四五年，美軍在日本沿海布下大量水雷，使日本完全無法進口原料、煤與糧食等必需品。原本日本進口的大宗貨物在一九四一年還有兩千萬噸，到了一九四五年只剩下兩百七十萬噸。日本鋼鐵工業需要的鐵礦砂，一九四一年進口四百七十萬噸，到了戰爭最後六個月只剩下三十四萬一千噸。橡膠進口直接歸零，而主要從亞洲大陸進口的煤，也從一九四一年的兩千四百萬噸進口量，降低到只剩下五十四萬八千噸。[381]在缺乏資源的狀況下，到了一九四五年夏天，日本的軍火工業已瀕臨崩潰。

在美軍有系統地轟炸日本城市之前，美軍的海空封鎖已經對日本的軍火工業造成根本性的破壞，日本民眾的糧食也大為減少。儘管如此，美國第二十一轟炸機司令部進行的猛烈轟炸，仍進一步加強了封鎖的效果。一九四五年一月與二月，美軍對日本飛機與造船工業進行精準轟炸，但成效不彰，因為美軍在日間使用B－29轟炸機，飛機必須在高空投彈，但日本上空強勁的噴射氣流導致轟炸失準。三月初，第二十一轟炸機司令部新任司令李梅中將（Curtis LeMay）將原本的轟炸戰術顛倒過來，他要求美軍轟炸機在夜間進行低空轟炸（五千到八千英尺，而非原先的三萬三千英尺），並且使用大量M－69集束燃燒彈，這種燃燒彈含有由哈佛大學化學家研發的高效凝固汽油燃燒凝膠，對大部分是木造房屋的日本城市有著致命效果。[382] 一九四五年三月九日到十日晚間，美軍首次以新戰術空襲東京，三百二十五架B－29轟炸機攜帶一千六百六十五噸燃燒彈，進行了二戰期間最致命的空襲行動，風暴性大火摧毀了東京四十平方公里的區域。根據日本警方的估計，空襲總計造成八萬三千七百九十三人死亡。[383] 從三月到六月，李梅的轟炸機在日本最重要的都市與工業區投下四萬一千五百九十二噸燃燒彈，燒毀半數都市地區；從六月到八月，B－29轟炸機轟炸較不具工業重要性的小城市，有些城市甚至有九成的區域遭到燒毀。[384] 根據戰後的調查顯示，在這個時期，日本被轟炸地區的軍火工廠產出平均只有戰時高峰的百分之二十七，而未受轟炸的地區則平均減少一半。[385] 李梅試圖說服馬歇爾與參謀首長聯席會議，集中轟炸日本鐵路網可以徹底毀滅日本，美軍甚至可以不用進攻日本本土。

海軍與空軍將領都支持這項主張，他們認為海空封鎖造成的損害已足以迫使日本投降，但美軍高層仍相信唯有進攻日本本土才能確保日本投降。美日都開始準備這場看似無法避免的最後決戰。一九四五年春天，日軍開始籌備「決號作戰」（Operation Ketsu-gō）。日本設立兩個戰區司令部：第一總軍負責防衛本州中部與北部，第二總軍負責防衛本州西部、四國與九州。總計要建立六十個師團，其中三十六個師團負責反擊入侵敵軍，二十二個師團負責海岸防衛，剩下兩個師團是機動裝甲師。有必要的話，日本陸海軍也會使用自殺（特攻）戰術，包括水中特攻隊的「伏龍」（人肉魚雷）與水上特攻隊的「震洋」（裝滿炸藥的自殺小艇）。[386] 一九四五年六月八日，御前會議制定了「戰至最後一兵一卒」的基本大綱。第二天，天皇在詔書中呼籲日本人民要「粉碎敵國野心，達成征戰目的」。就在一個星期之前，美國參謀首長聯席會議已經要求提出正式的入侵計畫，麥克阿瑟被指派為此次入侵的地面部隊指揮官，他因此擬定了「沒落作戰」（Operation Downfall），該計畫又分兩部分：於十一月一日入侵九州南部，代號「奧林匹克作戰」（Operation Olympic），之後於一九四六年春天入侵東京地區，代號「小冠冕作戰」（Operation Coronet）。奧林匹克作戰總計需要十七個師，小冠冕作戰需要二十五個師，兩個作戰都有龐大艦隊支持，包括戰鬥艦、兩棲登陸艦與二十二艘美國航空母艦。[387]此時英國領導人主動要求參與這次行動，希望藉由表現善意，讓英美在戰後依然能維持合作關係。大英帝國願意派出五個師（其中只有一個英國師），但馬歇爾卻認為英國這項舉動只是令人「感到為難」。[388]英國皇家空軍轟炸機中隊主動要求參與的提議立刻獲得受理，而接替巴克勒指揮沖繩島美軍部隊的史迪威不改酸言酸語的本性，很快抱怨起「該死的蘭開斯特轟炸機」。不過直到戰爭結束之前，整個作戰都毫無實際進展。[389]

六月十七日，新任美國總統杜魯門（Harry S. Truman）與參謀首長聯席會議必須做出艱困決定。杜魯門希望透過海上封鎖與空中轟炸來對日本施壓，但他也跟陸軍參謀總長一樣，認為只要傷亡人數不要像硫磺島與沖繩島那麼慘重，那麼入侵行動就有嘗試的必要。雖然杜魯門對於五十萬到一百萬人的傷亡數字感到憂心（這個數字是一九四五年五月一名美國記者憑空杜撰出來的，而杜魯門日後也在回憶錄提到這點），但最後他接受的還是陸軍給他的估計數字，而這個數字比較沒有那麼危言聳聽。[390]麥克阿瑟提供的數字顯示，在九十天的戰役中，死亡與失蹤可能達到十萬五千人；參謀首長聯席會議則認為兩次行動的死亡與失蹤人數將會是四萬三千五百人。而在與杜魯門和參謀首長聯席會議主席李海（William Leahy）的會議上，馬歇爾認為傷亡總數約在三萬一千人到四萬一千人之間，不過他也表示所有數字都是猜測，而事實上也是如此。到了八月，西原貫治中將指揮的第五十七軍共十五萬人在九州進行防守，等待美軍入侵，他們認為美軍或許最早在十月就會採取行動。[391]杜魯門總統批准於十一月入侵九州，美軍代號「凶險作戰」（Operation Diabolic）。六月之後，隨著沖繩島被美軍攻下，日軍在菲律賓與緬甸的抵抗實際上已經告終，美日雙方都開始等候攤牌時機。除非日本領導人放棄決號作戰與接受無條件投降，否則最後一戰勢所難免。

最後行動：無條件投降

在經歷這麼一場大規模戰爭之後，一九四五年德日的投降，讓原本槍林彈雨的血戰場面突然陷入一片死寂。政府宣布投降後，只有極少數人依然堅持作戰了幾天或甚至幾個星期，對絕大多數服役的男女來說，投降使他們突然從長期的暴力折磨中解脫。不過，強迫投降是個複雜的過程，無論在政治上還是軍事上，或者是對戰勝國與戰敗國來說，都是如此。一九四三年一月，羅斯福總統在卡薩布蘭加會議上宣布，同盟國只接受無條件投降，這麼做一方面是為了防止盟邦單獨與軸心國議和，另一方面則是為了確保軸心國瞭解，同盟國絕不接受協商和平，要軸心國不要再白費力氣。同盟國當然設定了一些投降條件。羅斯福表示，勝利意謂著「摧毀德國、義大利與日本基於征服與奴役其他民族而建立的一套哲學」——事實上，他指的就是德國、義大利與日本建立的帝國。[392]往後兩年，同盟國又陸續增加了一些投降條件：軍事占領與軍事統治，解除武裝，審判戰犯，整肅發動戰爭的官員與政治人物，在同盟國監督下建立民主的政治與社會體制。軸心國知道，如果他們依照同盟國所言無條件投降，那麼這些就是他們可能要面對的條件，但無論是軸心國領導人還是一般民眾，都認為實際上他們會遇到更糟的狀況。同盟國提出的要求，是否反而讓戰爭拖得更久，這個問題至今仍廣受討論，然而同盟國如果願意接受妥協，卻有可能破壞同盟國之間的共同目標，同時也會助長侵略國的氣焰。

希特勒與墨索里尼都不願成為無條件投降協定的同意者與簽訂者，而最後他們也都沒有這麼做。在日本，無論是不是無條件投降，「投降」一詞本來就不是日本文化語彙的一部分；除非天皇介入，否則沒有人應該投降，也沒有人能夠投降。只有天皇的詔書才能結束戰爭狀態，但要讓裕仁天皇自願做出這項史無前例的決定，則是一個極為棘手的政治、軍事與憲政議題。同盟國面臨的狀況原已如此複雜，此時羅斯福又宣布他只接受無條件投降，更讓局面橫生變數。羅斯福日後表示，這個詞並不是他「隨便想出來的」。最早從一九四二年五月開始，美國國務院官員已經著手研擬以無條件投降做為同盟國的訴求。無條件投降與停戰不同，停戰可以協商，如德國在一九一八年十一月簽訂停戰協定後試圖進行協商一樣。一九四三年一月七日，在動身前往卡薩布蘭加之前，羅斯福向參謀首長聯席會議保證，他會對外表示，無條件投降是美國戰時立場的基礎。[393]邱吉爾傾向於保留可以與反墨索里尼派系領導的義大利單獨議和的可能，但英國戰時內閣推翻了他的決定，堅持義大利也必須接受無條件投降。[394]史達林對於羅斯福的主張並未做出評論，但到了一九四三年五月一日，他在演說中首次提到無條件投降。不過，相較於西方盟國希望藉由無條件投降讓史達林繼續與德國作戰，史達林自己卻不像西方盟國那樣重視這件事。到頭來，三個軸心國首先投降的對象都是美國。[395]

卡薩布蘭加會議之後不到幾個月，無條件投降的概念首次受到考驗。到了一九四三年夏天，義大利顯然即將成為第一個崩潰的軸心國。義大利政府想進行和平協商與恢復義大利君主體制，而英美對於這兩項條件出現重大分歧：邱吉爾兩項條件都願意接受，但美國則有所疑慮。在討論時，英國使用了「停戰」一詞，但美國人卻反對使用這個詞。最後兩國同意使用「投降協定」這個比較中性的詞彙。一九四三年夏天，義大利危機已經近在眼前，英美終於同意在義大利「無條件投降」之後共組軍事政府，之後一九四五年的德國也沿用相同做法。[396]

一九四三年七月二十五日，墨索里尼政權遭到推翻，巴多格里奧元帥建立的新政權與同盟國都不知道接下來該怎麼做。巴多格里奧宣布戰爭將繼續進行，但他其實更希望結束戰爭。雙方對於接下來事態的發展都心存幻想。同盟國甚至認為義大利軍隊會在同意投降之前將德軍逐出義大利，但義大利國王埃馬努埃萊卻深信義大利士兵會繼續「抵抗與作戰」，直到與盟軍協商和平為止。同盟國開始使用「光榮投降」一詞來引誘義大利人投降，但這個詞似乎有讓義大利領導人利用及操縱的空間。英美對於義大利投降協定的內容產生歧見。八月初，艾森豪終於提出「短期停戰」，內容只涵蓋軍事投降與解除武裝，英國則提出「長期停戰」，列出比較嚴苛的政治與經濟條件。直在八月下旬的魁北克會議，邱吉爾與羅斯福才對長期停戰達成共識。巴多格里奧派代表與同盟國接觸，針對可能的軍事合作進行討論，但還沒有提出投降提案。擔任主要代表的卡斯特拉諾將軍（Giuseppe Castellano）認為義大利若能承諾給予同盟國軍事支援，同盟國應該會感到滿意，他說服巴多格里奧與義大利陸軍參謀總長盡快簽署短期停戰協定，讓義大利有機會改變陣營。八月三十一日，卡斯特拉諾前往位於西西里島卡西比雷（Cassibile）的盟軍司令部；九月三日，雙方簽署軍事投降協定。艾森豪希望幾天後盟軍開始進攻薩來諾時再公布此事，以免德軍搶先一步占領義大利。

巴多格里奧拒絕告訴其他政府成員投降協定之事，他雖然已經得知盟軍即將登陸薩來諾，卻沒有下令義大利軍隊做好抵抗德軍與支援盟軍的準備。九月七日到八日晚間，已經入睡的他在家中被人喚醒，只能穿著睡衣與一名憤怒的美軍空降師師長見面。這名美軍將領奉命在次日抵達羅馬支援義大利首都防務與抵抗德軍，為此他偷偷潛入羅馬，判斷義大利軍方的立場。巴多格里奧在逼問下，坦承義大利武裝部隊還沒做好準備，並且要求延後公布停戰。艾森豪此時終於發現巴多格里奧的表裡不一，盛怒的他於是在九月八日宣布義大利已經無條件投降，想藉此逼迫義大利政府配合。八日晚上，巴多格里奧透過廣播宣布義大利停戰（卻絕口不提投降）。[397] 九月十日，巴多格里奧與義大利國王從羅馬逃往南方。九月二十九日，兩人在馬爾它簽署正式投降協定，裡面涵蓋英國要求長期停戰的四十四項條件。但問題還是沒完全解決。蘇聯政府不明白自己為什麼被排除在投降協定之外，而且未來無法參與軍事控制義大利，畢竟紅軍早在一九四一年就在俄羅斯前線與義大利軍隊作戰。西方盟國拒絕蘇聯的直接參與，只讓蘇聯在義大利的盟軍諮詢委員會擔任顧問。蘇聯的抗議相對節制，但史達林顯然從中得到教訓。當紅軍於一九四四年逼迫羅馬尼亞與保加利亞停戰，一九四五年逼迫匈牙利停戰時，西方盟國就被排除在外。[398]隨後與羅馬尼亞、保加利亞與匈牙利的和約便完全依照蘇聯的條件簽訂。不過，史達林也允許美國主導日本的軍事占領與和約事宜。[399]

一九四三年的無條件投降未能結束義大利戰爭。九月八日，就在巴多格里奧宣布投降之後，反而是德軍解除了幾乎所有義大利軍隊的武裝，實際統治了幾乎整個義大利半島。在德國保護下建立的墨索里尼新政權，不承認之前義大利政府簽訂的停戰協定。義大利境內的所有軸心國部隊，包括仍為墨索里尼作戰的義大利人，一直要到一九四五年才正式無條件投降，而且投降的處理過程依然複雜而冗長。一九四五年初，義大利防線的德軍高層軍官開始討論結束戰爭的可能性，三月，親衛隊沃爾夫將軍（Karl Wolff）透過瑞士人蓋弗尼茨（Gero von Gaervenitz）居間牽線，祕密前往伯恩與美國戰略情報局（中央情報局的前身）代表杜勒斯（Allen Dulles）見面。沃爾夫回到義大利，試圖說服德軍駐義大利總司令凱賽林元帥同意投降。英美積極推動這場代號「日出作戰」（Operation Sunrise，邱吉爾堅持稱為「填字遊戲」）的計畫，但四月二十日，杜勒斯接到指示終止接觸，因為派駐義大利的德軍指揮官魏庭霍夫希望與盟軍達成協議，讓他保全德軍的榮譽，率領德軍返回德國，而非無條件投降。幾天前，沃爾夫飛往柏林與希特勒見面，希特勒告訴他要與美方繼續聯繫以取得更好的停戰條件，沃爾夫提到希特勒的說法：「無條件投降實在荒謬。」[400]與希特勒見面後，沃爾夫幸運地全身而退。他返回義大利，卻接到希特勒最高統帥部的命令，要求德軍必須堅守義大利，不許撤退。

三月，英美與德國祕密協商的消息透過蘇聯間諜傳到了莫斯科，史達林再次擔心西方正尋求與德國單獨議和，而這麼做很可能讓德國抽調駐義大利的德軍抵擋正在進攻中歐的蘇聯軍隊。蘇聯外交部長莫洛托夫立刻要求蘇聯代表也應參與協商，卻被告知英美戰線事務唯有英美才能參與——回絕的理由與一九四三年一樣。雙方接下來陷入唇槍舌戰，蘇聯指控西方盟國「隱瞞蘇聯政府」與德國議和。四月三日，史達林埋怨西方正計畫「放寬德國的停戰條件」，讓英美軍隊可以繼續往東推進。兩天後，史達林針對羅斯福的嚴正反駁提出回應，他解釋說，投降問題開啟了一個惡例，「盟邦之間可以彼此欺瞞，為所欲為。」[401]這不只造成巨大的裂痕，也預示同盟國內部的嫌隙將逐步擴大成戰後的對立。為了至少在形式上能夠安撫莫斯科當局，西方盟國同意蘇聯參加所有的投降儀式，以確保德國不會獲得較寬鬆的和平條件。四月二十五日，盟軍諮詢委員會（於一九四三年設立）的蘇聯代表基斯連科少將（Aleksei Kislenko）抵達位於卡塞塔（Caseta）的盟軍司令部。[402]

到了這個階段，德國戰敗已近在眼前，投降只是遲早的事。但墨索里尼不想投降。四月中，墨索里尼從政府所在地薩羅前往米蘭，卻發現他的德國盟友背著他與同盟國協商投降。雖然墨索里尼抱怨自己遭到「背叛」，他的直覺卻告訴他必須逃跑，於是他喬裝成德國士兵，往瑞士邊境的方向逃亡。四月二十八日，墨索里尼與其他法西斯黨領袖被游擊隊捕獲並且遭到處決。他們的遺體像肉鋪的肉一樣，倒吊在米蘭的廣場上。格拉齊亞尼元帥指揮散布各地的義大利軍隊及法西斯民兵繼續與盟軍對抗，他要求德國人代表義大利人向同盟國投降，以避免義大利第二次無條件投降。[403]四月二十五日，魏庭霍夫派出兩名代表再次前往伯恩會晤杜勒斯，這一次是為了向盟軍表示願意接受無條件投降。邱吉爾得知消息之後立刻發電報通知史達林，希望取得他的同意。史達林出乎意料地同意了，四月二十七日，兩名德國軍官抵達盟軍司令部並且完成所有正式手續。此時已經有四萬名軸心國士兵同意於現地投降，到了四月底又有八萬名士兵投降。[404] 四月二十九日，十九頁投降文件終於正式簽署，定於三天後生效，讓德軍各級將領有時間通知散布各地的德軍。[405] 但投降還未成為定局，因為投降文件必須送到阿爾卑斯山麓戰場首府伯爾查諾的德軍司令部，由德軍總司令魏庭霍夫正式批准。為了不驚動柏林當局，這兩名代表先飛到里昂，然後開車經由瑞士返回伯爾查諾。等到他們抵達伯爾查諾的時候，已經是四月三十日的午夜，希特勒已經從帝國大區長官霍佛口中得知投降之事，霍佛同時也是阿爾卑斯山麓戰場的最高總督。希特勒在自殺之前仍採取了最後幾項行動，其中一項就是下令逮捕魏庭霍夫，由舒爾茨少將（Paul Schultz）接任總司令，此外也命令舒爾茨必須進行撤退戰，讓德軍撤退到奧地利。只不過舒爾茨一抵達司令部就被沃爾夫的武裝親衛隊逮捕。五月一日，魏庭霍夫終於下令所有軍隊停火。五月二日，德軍西線總司令凱賽林勉為其難地接受希特勒已經死亡，繼續抵抗毫無意義，因此同意投降。盟軍最高司令部監聽德軍無線電，確認投降訊息確實已經傳達給各地德軍。五月二日晚上六點三十分，義大利第二次宣布無條件投降。[406]

實際的投降狀況最終證明是一團亂。有些軸心國部隊不僅拒絕投降，還企圖經由義大利北部邊境的弗留利（Friuli）谷地打回奧地利，包括在義大利北部搜捕游擊隊時，一路上燒殺強姦的德軍哥薩克騎兵師。這些部隊途中遭到游擊隊伏擊，為了報復，居然還在戰爭尾聲做出殘暴行徑，他們在阿凡齊斯（Avanzis）屠殺了五十一名村民，又在奧瓦羅屠殺了二十三名村民。當義大利北部邊境的戰鬥在五月十四日結束時，離德軍全體投降已過了一個星期。一名決心拼戰到底的法西斯領袖率領的狙擊手隊伍，則是一直到五月二十九日才被消滅。[407]還有一些部隊拒絕解除武裝。五月四日，當盟軍委員會驅車前往位於伯爾查諾的魏庭霍夫司令部時，經過的路障仍駐守著目露凶光的德國士兵與武裝親衛隊，他們手上還拿著武器，彷彿戰爭只是暫停而非結束。德軍將領宣稱士兵保有武器是為了防止游擊隊報復，盟軍委員會在武裝部隊支持下，花了十天的時間才讓德軍交出武器。有些部隊繼續抵抗。有一個多月的時間，一支遭到包圍的德國、俄羅斯與義大利法西斯主義部隊躲藏在梅拉諾谷地附近的濃密森林與陡峭山區裡，憑藉武力搶奪糧食。這批德軍肆無忌憚搶掠了幾個星期，才被當地的盟軍將領消滅。一名英國特別行動執行處軍官提到，當地民眾認為自己的「日子過得比在德軍占領時期還差」。[408]

義大利的投降危機才發生幾天，盟軍內部的矛盾馬上又浮上檯面，而最終要讓歐洲各地所有殘餘的德軍無條件投降更證明是一件困難的事。一九四五年春天，大量盟軍部隊已經湧入德國核心地帶，德國全面戰敗與遭到軍事占領已毋庸置疑。然而西方盟國一直無法與德國建立直接溝通管道。在一九四三年義大利問題之後，西方盟國不想讓外界產生西方會祕密與德國單獨協商的聯想。無條件投降的文件早在一九四四年就已經擬好，而且獲得英美蘇三國同意，這份文件大致遵循義大利「長期停戰」協定的內容，不過義大利最初簽署的其實是「短期停戰」協定。同盟國也同意分占德國領土，每個國家各占領一個區，但這項決定並未記載在最終的投降文件上。另一方面，同盟國對於由誰代表投降，在什麼條件下投降之事也並未得出明確看法。西方情報單位曾經考量德國可能爆發民眾暴亂而導致戰爭結束，但到了一九四五年春天，各種情況都顯示這只是一種政治幻想。聯合情報委員會呈交給邱吉爾的報告上表示，德國民眾缺乏「精力、勇氣或組織來推翻恐怖統治」。[409]盟軍不認為希特勒會遭到逮捕並被迫簽署投降文件，他或許會為了避免被捕遭受羞辱而選擇自殺。希特勒確實不想淪為階下囚。四月二十八日，當墨索里尼被殺的消息傳到帝國總理府的地下掩體時，希特勒大感震驚，他擔心自己的遺體也可能遭到褻瀆或被展示在憤怒的德國群眾面前。四月二十九日，希特勒決定自殺，他認為這麼做可以避免自己的歷史形象因被捕、被殺或審判而遭到汙衊。四月三十日下午，希特勒與他新婚一天的新娘伊娃（Eva Braun）一起自殺，伊娃服用氰化物自盡，希特勒則對著自己的頭部開槍自戕。希特勒的副官京舍（Otto Günsche）回憶說，希特勒下令將他的遺體火化，以免「被帶到莫斯科，當成珍奇物品展示」。[410]

希特勒曾經想過這場戰爭會怎麼結束，他一直希望德國可能還有操作的空間。沃爾夫曾在四月十八日到地下掩體面見希特勒，沃爾夫後來對杜勒斯提到，希特勒向他解釋德軍可以集中到一連串的要塞堡壘中，一旦紅軍企圖越過在雅爾達會議約定的分界線時，美軍與紅軍將不可避免發生衝突，屆時德軍就有反攻的機會。希特勒期待能堅守柏林六到八個星期，然後在美蘇戰爭中選擇加入其中一方，這樣就能避免投降的命運。[411]希特勒的空軍副官在回憶錄裡提到，希特勒希望西方「不再堅持無條件投降」。[412]四月二十日，希特勒對外交部長說，如果自己因為保衛柏林而死，那麼接下來李賓特洛甫就必須與西方進行和平協商，盡可能找到雙方同意的基礎。在給最高統帥部總長凱特爾陸軍元帥的信中（這封信在最後幾天從地下掩體寄出，但最後並未送到），希特勒重申他的核心信念，也就是德意志民族的未來目標「仍是為德意志民族在東方取得領土」，儘管他已經無法完成這項任務。[413]即使到了最後，希特勒滿腦子仍充斥著這類幻想。希特勒將德國人民帶到災難邊緣，卻絲毫不在意德國人民的命運，因為投降意謂著他們「已經放棄他們存在的權利」。[414]希特勒的自殺，表示他最終還是不願負起結束戰爭的責任。由此產生的問題是，面對已經陷入崩潰的政府體系與向各地盟軍將領投降的大量武裝部隊，該如何要求他們無條件投降。五月二日，義大利境內的德軍投降，兩天後，德國北部、荷蘭與丹麥的所有德軍也向蒙哥馬利投降。前述投降地區包括了一座位於德國與丹麥邊境的小鎮弗倫斯堡，重組的德國政府就是在這座小鎮重新開始運作。希特勒在最後遺言中指定了繼承人：由鄧尼茲海軍元帥擔任德國總統，宣傳部長戈培爾擔任德國總理。希特勒自殺後，戈培爾也在地下掩體內自殺，鄧尼茲因此成為即將崩潰的德國與新成立的「弗倫斯堡政府」名義上的領袖。

弗倫斯堡政府在憲政體制上處於妾身未明的狀態，但蒙哥馬利卻未下令占領弗倫斯堡或逮捕新政府成員，即便這些成員中的許多人甚至名列同盟國主要戰犯名單。這種現象再次引發蘇聯的強烈懷疑，猜測鄧尼茲將成為德國的巴多格里奧。五月六日，紅軍副參謀總長安東諾夫在莫斯科告訴盟軍代表，蘇聯拒絕承認新德國政府，而且堅持必須由德國最高統帥部無條件投降。否則的話，安東諾夫又表示，莫斯科當局將認為西方盟國正單方面與德國商議停戰，好讓德軍可以專心對付紅軍。[415]鄧尼茲知道投降不可避免，但蘇聯擔心的是，鄧尼茲有可能只向西方國家投降，然後繼續在東方進行戰鬥。鄧尼茲曾經拖延投降的時間，好讓德國的士兵與難民有時間逃離入侵蘇軍的控制。但到了五月五日，艾森豪告訴鄧尼茲，他必須要求所有軍隊無條件投降，而非只是部分軍隊。鄧尼茲只好派作戰部長約德爾一級上將前往位於法國城市蘭斯的盟軍遠征部隊最高統帥部簽訂投降協定。他依然抱著一線希望，期待投降協定的範圍僅限於西線戰場。約德爾抵達之後，終於發現一切已經沒有轉圜餘地。五月七日清晨，在未知會史達林之下，約德爾簽署了無條件投降文件。[416] 蘇聯代表蘇斯洛帕羅夫將軍（Ivan Susloparov）也出席觀禮，但他不確定在未獲上級指示下能否在協定上簽字，但最後他還是在惴惴不安下簽下自己的大名。不難想像史達林有多麼憤怒，他堅持美國所持有的文件並非無條件投降書，而是他日後所謂的「預備議定書」。蘇聯要求必須在柏林舉行正式投降儀式。[417] 艾森豪於是派出英國籍副司令泰德空軍上將代表他前往柏林，此外還有一名美軍高階將領與一名法軍高階將領出席。五月八日深夜，在柏林卡爾斯霍斯特（Karlshorst），希特勒的最高統帥部總長凱特爾陸軍元帥另外簽署一份盟軍一致認定的無條件投降書。雙方的差異在於認定的歐戰勝利紀念日不同：西方盟國是五月八日，蘇聯則是五月九日，這個區別一直延續至今。

與義大利一樣，無條件投降書簽訂之後，並不代表戰爭就此徹底結束。捷克的戰鬥持續到五月十二日，最後一批堅持戰鬥的德軍終於遭到消滅。鄧尼茲的政府依然維持運作，英美的戰後轟炸調查團陸續前往弗倫斯堡與德國部長討論轟炸的影響，而他們發現弗倫斯堡依然到處可見武裝部隊與親衛隊。[418] 五月十二日，蒙哥馬利司令部同意弗倫斯堡政府的請求，讓布西陸軍元帥取得什列斯威—霍爾斯坦省的指揮權，以維護當地秩序與協助提供當地民眾糧食，這項決定無異於承認新政權的權威。儘管可能遭遇政治難題，但邱吉爾仍傾向於支持鄧尼茲政府，因為新政權可以協助穩定被占領的德國。邱吉爾寫道，如果他「對我們而言是個有用的工具」，那麼他在「戰時的暴行」就可暫時略而不談。[419]這種立場隨即引發蘇聯新一波的抗議，蘇聯報紙宣稱西方國家正計畫給予德國新政權正當性，好讓他們共組反蘇同盟。為了火上加油，史達林允許報紙大肆宣傳希特勒其實沒有死在柏林，而是逃離了柏林，而且很可能受到西方盟國的庇護。蘇聯的奚落促使英國情報單位努力證明希特勒確實已經自殺身亡，但其實史達林早就已經從帝國總理府花園（希特勒遺體火化的地方）取得的法醫報告得知此事。[420]這種惡意的指控並非偶然。兩年來，史達林一直對盟邦會怎麼處理德國戰敗問題深感懷疑。鄧尼茲政權能夠繼續存在，證實了他最深的疑慮。最後，身為歐洲軍事最高司令的艾森豪決定無視邱吉爾與支吾其詞的聯合參謀首長會議意見，授權占領弗倫斯堡與逮捕鄧尼茲及其閣員。五月二十三日，距離最初簽署降書已超過兩個星期，一批英國士兵逮捕了弗倫斯堡的德國領導人。[421]在此之後，英美蘇三國才得以共同成立盟國管制理事會，並且於一九四五年六月五日正式宣布德國戰敗與無條件投降。

與逼迫日本投降的困難相比，歐洲的投降問題簡直不值一提。對日本軍方來說，投降是不可想像的，這種心態可以從數十萬名寧可戰死也不願在無望戰爭中投降的日本官兵身上得到印證。對日本高層來說，太平洋戰爭的整體戰略完全建立在藉由初期取勝來換取與西方國家妥協的機會，以避免日後必須戰至投降。日本認為瑞士是中立國，可以為日本居間調停；或者梵蒂岡也適合擔任這個角色，日本為此在太平洋戰爭開始之初就在梵蒂岡設立了日本外交使節團。一九四三年義大利投降，日本政府對於這件事十分關注，而且從中得出一種看法：如果巴多格里奧在無條件投降的狀況下還能保留政府與國王，那麼日本也可以尋求「巴多格里奧方案」來保留日本的天皇體制。[422]在連續幾個月的軍事危機之後，日本於一九四五年四月成立新內閣，新任首相七十八歲的鈴木貫太郎在廣播中表示：「目前戰事十分嚴峻，不容樂觀。」前首相東條英機聽了廣播之後對一名記者說道：「戰爭要結束了。這個內閣將成為我們的巴多格里奧政府。」[423]裕仁天皇在與重臣會議討論之後決定任命鈴木貫太郎擔任首相，主要便是著眼於鈴木的主和立場。鈴木貫太郎想找到可接受的條件來結束這場戰爭，然而鈴木雖然傾向於和平，但他也與巴多格里奧一樣，必須繼續進行戰爭來安撫絕不投降的軍方強硬派。往後幾個月直到投降為止，日本政府一直處於主和派與主戰派（如果和平代價太高昂便戰鬥到底）僵持的局面。

日本透過正式與非正式管道向美蘇提出協商和平的可能，不過從一九三八年以來，日本也持續向蔣介石政府提出同樣的要求，卻一直遭到拒絕。儘管如此，日本依然沒有放棄嘗試。一九四五年四月，當沃爾夫與杜勒斯進行會談時，日本開始思考是否可以利用瑞士做為協商管道。日本駐柏林海軍武官派藤村義一海軍中校前往瑞士，五月三日，藤村成功見到杜勒斯。藤村義一看到沃爾夫的協商促使駐義大利德軍順利投降，他因此希望自己也能說服杜勒斯，讓美日能夠進行和平協商，使日本能夠保留天皇制與繼續占領密克羅尼西亞島嶼。然而這場會談很快就沒有下文，除了因為美國國務院表明只接受日本無條件投降，東京當局也不信任自己未能直接掌控的談判協商。[424]日本之後也嘗試透過與瑞典斯德哥爾摩當局進行聯繫，但未能成功（早在一九四五年初，德國就曾透過瑞典與同盟國協商，但遭遇失敗）。最後日本只剩下蘇聯這個選項，因為兩國至今尚未宣戰。

日本雖然希望蘇聯協助進行和平協商，但對於蘇聯干預東亞事務也充滿疑慮。日本認為莫斯科當局遲早會廢除一九四一年與日本簽訂的互不侵犯條約，但無法確定會不會因此引發戰爭，也不知道何時將引發戰爭。如果蘇聯不願居間調停，協助日本與同盟國協商，那麼日本希望蘇聯介入亞洲事務至少可以對強大的美國產生牽制的效果，或許可以營造出比美國支配的東亞更有利保存日本民族未來的戰後形勢。與希特勒和德國領導高層一樣，日本希望這兩個戰時盟友的衝突可以讓日本獲得操作空間（最後確實是如此）。[425]七月，日本駐莫斯科大使探詢蘇聯居間調停的意願，卻發現蘇聯的態度十分冷淡。此時，蘇聯軍隊已經在滿洲邊境集結，但無法確定確切的入侵時間。日本想藉由蘇聯干涉來促使美國放棄提出嚴苛的和平條件，這種想法其實具有極高的政治風險，尤其日本思想警察發現到，這個時期日本與朝鮮境內的共產主義思潮都有擴大的趨勢。但日本高層為了避免無條件投降，也只能出此下策。[426]

到了六月，日本政府面臨僵局。日本已經找不到中立國做為協商結束戰爭的管道。陸軍堅持準備要在美國入侵本土島嶼時進行最後一戰，而根據裕仁的親信內大臣木戶幸一的說法，民眾不安的情緒愈來愈高漲。在經歷三個月的轟炸之後，城市牆壁上經常留下宣洩不滿的塗鴉文字，甚至出現了對天皇的怨恨之詞。六月八日，裕仁天皇批准了武裝部隊《戰爭指導基本大綱》，他仍認為必須在軍事上取得勝利才能獲得較好的結束戰爭條件，但到了六月二十二日，沖繩島失守，裕仁天皇終於下令最高戰爭指導會議「盡快針對結束戰爭提出詳細計畫……」，因為「日本內外的情勢已十分嚴峻」。[427]往後幾個星期，主和派與主戰派依然未能化解僵局，但無論哪一派，包括天皇在內，仍希望獲得同盟國的讓步。這些讓步包括保留殖民帝國與在中國的利益，避免遭到占領，允許日本自行解除武裝與自行懲罰戰犯，以及最重要的，保留天皇制與國體。日本認為協商仍有可能，因為從美國得到的消息顯示，美國國內的厭戰情緒與日俱增，而復員與重新部署也造成混亂，而這些確實是一九四五年夏天美國的實際狀況。在六月八日會議之前，最高戰爭指導會議得到通知，鑑於美國國內的政治阻力，應推動軍事計畫，「瓦解敵人繼續作戰的意志」。[428]

不過日本領導人不知道的是，從一九四二年春天之後，美國內部已經針對日本與無條件投降地位的關係進行過多次討論。可以在德國實施的無條件投降，在日本卻問題叢生。支持「軟和平」的國務院官員擔心，如果同盟國堅持廢除天皇制，將埋下「暴亂與復仇的永久誘因」。[429] 一九四五年夏天，美國領導人一方面希望戰爭盡快結束，另一方面又不希望在日本本土進行兩棲登陸作戰，因為情報顯示，日本已經在九州島部署重兵，而這裡正是美軍計畫登陸的地方。以戰爭部長史汀生為首的保守派擔心戰爭拖得愈久，蘇聯干預的可能性就愈高，甚至可能導致蘇聯占領日本；此外，長期戰事也可能助長日本境內的激進勢力乃至於共產主義運動，而這點也呼應了東京當局的擔憂。史汀生傾向於用一段聲明來定義無條件投降，其中包括保留天皇制的「軟和平」。反對「軟和平」的人士則主張「硬和平」，為首的是剛被任命為國務卿的伯恩斯（James Byrnes）。伯恩斯認為主張「軟和平」的人都是綏靖主義者，他堅決不接受日本提出的任何條件。杜魯門總統也反對用聲明來定義一個完全不需要解釋的詞彙，但他最終還是同意在宣言上強調日本求和的意願。七月十七日於波茨坦召開的同盟國會議，旨在協調同盟國之間對於歐洲未來的剩餘爭議，與日本投降有關的宣言草稿也在會上進行討論，但最後未能如史汀生所願，將保留天皇地位的條款列入。杜魯門視裕仁天皇為戰犯，他同意用「日本人民將可自由選擇自己的政府形式」這項條款來取代史汀生保留天皇制的條款，然而新條款卻留下很大的解釋空間。[430]美國、英國與中國簽訂的《波茨坦宣言》（Potsdam Declaration）於七月二十六日公布，並且向日本發出最後通牒，如果日本不無條件投降，將立即遭到毀滅。宣言延後了一個星期才公布，因為需要時間將文件送到重慶附近的蔣介石野戰司令部進行解密與翻譯，然後獲得蔣介石的批准。[431]蘇聯此時尚未對日宣戰，所以沒有簽字。史達林確實同意要履行在雅爾達會議的承諾，也就是蘇聯將對日宣戰，而他也向盟邦表示，他準備在八月中發動進攻。美蘇雙方都不相信對方對亞洲的意圖，兩國實際上打的是兩場不同的戰爭。[432]

《波茨坦宣言》公布時，杜魯門知道宣言中威脅的「迅速而完全的毀滅」並非虛語。七月十六日，杜魯門在波茨坦接到通知，在新墨西哥州阿拉莫戈多空軍基地進行的核武試驗已經獲得成功。這項代號「曼哈頓計畫」的核子武器研究開始於三年前，最初曾得到英國計畫的研究材料支持。發展核子武器的工業規模只有美國才具備。日本物理學家仁科芳雄曾經進行過一項實驗，試圖從鈾分離出同位素鈾－235，而鈾－235是製造原子彈的必要元素。仁科芳雄的木造實驗室在一場空襲中燒毀，他的研究計畫也因此中斷。在美國，曼哈頓計畫獲得大量資源，由國際各領域頂尖物理學家投入研究，而且也被列為重點發展目標。美國研發了兩種類型的原子彈，一種以濃縮鈾為基礎，另一種以鈽為基礎，鈽是源自於同位素鈾－239的人造元素。如果德國沒有在一九四五年五月投降，那麼依照英國人最初的想法，第一枚原子彈很可能在歐洲使用。美國參謀首長聯席會議對於該不該使用原子彈看法分歧，但最終的決定是基於政治而非軍事考量。[433]一九四五年七月，美國只製造出兩枚原子彈，剛好一種類型各一枚。杜魯門獲得邱吉爾的同意，準備從過去尚未遭到盟軍轟炸的日本城市挑出兩個做為目標，以評估武器的效果。杜魯門在日記裡寫道：「我們發明了世界史上最恐怖的炸彈。」即使杜魯門因為道德顧慮而對於批准使用原子彈感到猶豫，此時為了加快結束戰爭，也只能將這些不安拋諸腦後。杜魯門在日記裡又寫道：「但我們可以讓這些炸彈發揮最大的用處。」[434]按照杜魯門的觀點，這幾年研發原子彈的目的，當然就是在原子彈完成後拿來使用。

兩天後，鈴木貫太郎拒絕了《波茨坦宣言》，並表示「日本政府將無視這份宣言」。美國於是決定使用原子彈。鈴木貫太郎的拒絕被視為日本並非真心想尋求和平的明證，但比較可能的狀況是東京當局認為《波茨坦宣言》只是同盟國再次重申日本必須無條件投降——而關於這點，同盟國與日本早已理解彼此的立場，因此沒有回應的必要。陸軍航空軍司令阿諾德列出一張城市清單，包括廣島、小倉、新潟、長崎與京都，最後選擇了廣島。[435]八月六日，B－29轟炸機艾諾拉蓋號（*Enola Gay*）從馬里亞納群島的天寧島起飛，投下了第一枚原子彈，美國人事不關己地把這枚原子彈命名為「小男孩」。早上八點十五分，原子彈在地面上方一千八百英尺的高度爆炸，爆炸半徑一點五公里內的所有人全部熔化，五公里內的人全被燒成灰燼。巨大的衝擊波過後，在最初爆炸閃光中存活下的人，皮膚開始掉落，內臟也開始壞死。轟炸機上的機組人員在返航時看到巨大的火球與蕈狀雲。轟炸機副駕駛路易斯（Robert Lewis）在日記裡寫道：「就算我活到一百歲，我也不會忘記那幾分鐘的景象。」[436]

三天後，日本最高戰爭指導會議花了一天的時間辯論戰爭該如何結束。西方領袖普遍認為原子彈是促使日本投降的決定性因素，一九四五年後許多研究日本投降的歷史作品也如此認為。兩者間的因果關係似乎說得通，但卻掩蓋了更複雜的日本現實。從傳統轟炸攻勢的面向來看，原子彈對廣島地面的衝擊其實與燃燒彈的破壞差別不大，而當時燃燒彈已經炸毀了日本將近六成的都市地區，殺死了超過二十六萬名平民。日本最高戰爭指導會議開會的時候，還必須考慮蘇聯入侵滿洲的問題。八月八日，蘇聯外交部長通知日本駐莫斯科大使，日蘇兩國將在次日進入戰爭狀態。鈴木貫太郎認為蘇聯對日宣戰是個決定性因素，這表示日本無法再期望蘇聯居間協調，甚至蘇聯還有入侵朝鮮或日本本土的可能。[437]八月九日早上，最高戰爭指導會議開會，開始了漫長的辯論。占最高戰爭指導會議半數的軍方代表認為，除非同盟國放棄占領日本的計畫，允許日本自行解除武裝與自行懲處戰犯，並且允許日本保留天皇制，否則日本應該繼續戰鬥。另一半的成員則支持外務大臣東鄉茂德的主張，接受《波茨坦宣言》的要求，讓日本能保留天皇制。簡單地說，軍方主張「四個條件」，非軍方主張「一個條件」。[438]就在早上開會時，消息傳來，第二枚原子彈「胖子」（屬於鈽彈）落在長崎（原定目標是小倉，因為小倉上空雲層太厚才改投長崎），但出席者依然沒有人願意接受無條件投降。當天稍晚，僵局終於有化解的可能。在鈴木貫太郎與木戶幸一勸說下，裕仁天皇終於同意在晚間召開御前會議。樞密院議長平沼騏一郎在會議上表示，國內局勢已經處於危機關頭：「繼續戰爭造成的國內混亂將遠遠超過結束戰爭。」裕仁天皇已在過去幾個星期得到警告，民眾反對戰爭與反對天皇的情緒因為轟炸與廣泛的糧食危機而升溫，對裕仁而言，民心向背對他造成的壓力不下於轟炸與蘇聯入侵。[439]到了八月十日清晨，鈴木貫太郎終於請求裕仁做出聖斷，天皇於是宣布批准接受《波茨坦宣言》，讓天皇制能夠獲得保存。第二天，同盟國得到正式通知，日本有條件地接受他們的要求。

美國的回應顯得模稜兩可，因為杜魯門與伯恩斯在華府受到極大壓力，大多數人都希望接受日本的要求以避免繼續流血。美方的照會確認天皇與日本政府將在無條件投降之下服從於駐日盟軍最高司令的權威，但照會中並未詳細說明天皇制將會暫時擱置還是廢除。八月十四日，召開第二次御前會議，裕仁天皇排除陸軍的反對，堅持必須接受美國的版本。軍方高層不敢違反聖斷，只能接受。同日，裕仁錄製了終戰詔書，準備在第二天早上播放。當天稍晚，同盟國透過瑞士得知天皇的決定。廣播也通知日本民眾，八月十五日中午有重要訊息要宣布，要民眾按時收聽。早上，民眾聚集在有收音機的地方，此前日本民眾從未聽過天皇的聲音。當「玉音」終於開始播送時，天皇的遣詞用句都讓人難以聽懂，不僅因為裕仁說的是古老而正式的日文，也因為廣播接收訊號不清所致。一名聆聽者注意到，天皇說話的「音調比較高，咬字不太清楚，斷斷續續」，但「從天皇嚴肅的聲調可以清楚知道，他是在告訴我們日本已經戰敗」，即使他說的話大家都聽不太懂。440

裕仁並未說出「投降」二字，他只表示他會接受《波茨坦宣言》，並且與民眾一起「忍所難忍」。裕仁為什麼要踏出史無前例的一步，干預政府的政治爭論，並且親自宣布無條件投降的決定，箇中原因仍有待猜測，但每一種解釋都各得其理，我們很難說有哪一種說法特別具說服力。裕仁天皇害怕轟炸（不僅是原子彈，也包括傳統炸彈），他知道日本每個戰場都在潰敗，不希望日本被蘇聯占領，也知道日本隨時可能爆發大規模社會危機。裕仁天皇自己也是日本帝國的歷史產物，但西方歷史學家由於太過討厭他而不願正視這個事實。七月，裕仁曾經表達他個人的擔憂，皇室數百年來代代相傳用來保護國體與皇族的三神器（八咫鏡、天叢雲劍與八尺瓊勾玉），可能會輕易落入入侵的盟軍手中。在投降後的「獨白」中，裕仁再度重申，盟軍若奪走三神器，將意謂日本過去歷史的終結：「然而，即使過程中我必須做出犧牲，我仍決心締造和平。」[441]

接下來才是投降的開始，而非結束。八月十五日，具有過渡性質的「巴多格里奧式政府」成立，由皇族東久邇宮稔彥王出任首相。十七日，日本試圖說服美國同意，在某些特定地點只做有限占領，但遭到拒絕。與戰敗的德國不同，日本廣袤的帝國領土絕大部分仍掌握在日本手裡，日本政府必須派皇族成員到帝國的西部與南部傳達詔令，讓當地指揮官下令軍隊投降。西貢、新加坡與南京各自舉行了投降儀式。太平洋的日軍向尼米茲上將投降，北緯三十八度線以南的朝鮮、菲律賓與日本的日軍向麥克阿瑟投降。新加坡的日軍向蒙巴頓的東南亞戰區司令部投降。[442]九月九日，在南京，駐華日軍最高指揮官岡村寧次將軍率領在中國、臺灣與越南北部的日軍向蔣介石的代表何應欽將軍投降。毛澤東無視盟軍協定，率領共產黨軍隊接受中國西北部日軍投降，並且進攻不願向他們投降的日軍，奪取他們的武器與補給。[443]八月二十八日，第一批美國占領軍抵達日本。兩天後，最高司令麥克阿瑟將軍也抵達日本。九月二日，日本外務大臣重光葵在東京灣的美國密蘇里號（*Missouri*）戰鬥艦上簽署主要投降文件。雖然史達林希望與美國一起占領日本，並且主張由蘇聯派兵占領北海道北半部，但被杜魯門一口回絕。蘇聯對日宣戰之後，完全依照自己的步調行事。即便裕仁宣布投降之後，紅軍仍繼續朝滿洲剩餘地區推進，最終進入朝鮮。八月十九日，滿洲的日軍終於簽訂停戰協定，但庫頁島南部的戰鬥仍持續到八月二十五日，與此同時史達林也下令蘇軍占領千島群島，包括原本在《波茨坦宣言》中承諾由美國占領的千島群島南部島嶼。這些征服行動一直到九月二日才完成，剛好是日本投降儀式前一天。在日本投降儀式舉行之後，蘇聯自己又在北方舉行停戰儀式。[444]

無條件投降結束了歐洲與東亞的所有戰爭，也結束了這些戰爭所開啟的帝國計畫，但無論在歐洲還是東亞，結束戰爭並不像「無條件」這個淺顯易懂的詞一樣簡單直接。在德國與日本，投降引發了自殺潮，這些自殺者可能是害怕遭到報復，或對於民族帝國的全面戰敗感到恥辱，或者是窮盡心血建立新秩序卻終告失敗，在情感與心理上都無法承受打擊，抑或是相信官方宣傳，認為自己可能遭受敵人野蠻地摧殘。在戰爭的最後階段有多達數千人自殺，希特勒也是其中之一，而在戰爭結束後的幾個星期也有許多人尋短，其中包括弗里德堡海軍上將（HansGeorg von Friedeburg）。弗里德堡很不幸地這輩子經歷了三次德國投降，最後當鄧尼茲政府遭逮捕時，他決定舉槍自盡。其他的自殺者還包括八名納粹黨帝國大區長官、七名親衛隊領導高層、五十三名陸軍將領、十四名空軍將領與十一名海軍將領。五月八日，駐挪威帝國總督特博文在身上綁了五十公斤炸藥，將自己炸成碎片。[445]在德國投降的前後幾個月，也有大批納粹黨員與忠誠的親衛隊自殺，包括在紐倫堡被傳訊的幾個主要戰犯。弗朗克自殺未遂，萊伊（Robert Ley）與戈林則自殺成功。希姆萊被捕且被指認出來之後，為了逃避審判，便吞下氰化物自殺。

日本與帝國海外領土在投降後也出現類似的反應，許多人在日本戰敗後為了追求榮譽而集體自殺（玉碎）或切腹。在沖繩島，日本第一個被美軍征服的領土，當地民眾與守軍被下令集體自殺，以免落入敵人手中。有些平民被分發手榴彈，還有一些民眾使用剃刀、農具或棍棒。一名沖繩年輕人日後回憶自己親手用石頭砸死自己的母親與妹妹。[446]日本菁英階層自殺的現象非常普遍。九名陸軍高階將領與海軍高階將領在日本投降後立即自殺，包括陸軍大臣阿南惟幾與前任陸軍大臣杉山元。杉山元舉槍自盡，第二天他的妻子身穿白衣吞下氰化物以短刀刺胸自盡。東條英機嘗試切腹失敗，最後於一九四六年接受審判。[447]然而，無論在德國還是日本，對其他數千萬人來說，投降都意謂著從總體戰的需索無度中解脫。而同盟國之間圍繞著投降與投降後的種種爭論，也預示了未來冷戰的來臨。至於歐洲、中東、非洲與亞洲帝國主義產生的眾多未解危機，往後還將引發連綿數年的暴力與政治衝突。

編輯說明：以下注釋內容，為方便讀者閱讀，將會採用橫排文字的方式排版，有意參照的讀者建議從本書最後一頁開始回頭讀起。

442 Ronald Spector, 'After Hiroshima: Allied military occupation and the fate of Japan's empire', *Journal of Military History*, 69 (2005), 1122-3; Shillony, *Politics and Culture in Wartime Japan*, 89.

443 Van de Ven, *China at War*, 203-5, 209-13.

444 Sarah Paine, *The Japanese Empire: Grand Strategy from the Meiji Restoration to the Pacific War* (Cambridge, 2017), 167-70.

445 Christian Goeschel, *Suicide in Nazi Germany* (Oxford, 2009), 149-52.

446 Haruko Cook and Theodore Cook (eds.), *Japan at War: An Oral History* (New York, 1992), 364-5.

447 Yamashita, *Daily Life in Wartime Japan*, 188.

421 TNA, WO 219/2086, SHAEF G-3 Report, 'Arrest of members of Acting German Government', 23 May 1945.

422 Gerhard Krebs, 'Operation Super-Sunrise? Japanese-United States peace feelers in Switzerland 1945', *Journal of Military History*, 69 (2005), 1081, 1087, 1115-17.

423 Shillony, *Politics and Culture in Wartime Japan*, 77-8, 81.

424 Krebs, 'Operation Super-Sunrise?', 1087-96.

425 關於這個想法,更完整的說明見Yukiko Koshiro, 'Eurasian eclipse: Japan's end game in World War II', *American Historical Review*, 109 (2004), 417-26, 434-7.

426 Jeremy Yellen, 'The specter of revolution: reconsidering Japan's decision to surrender', *International History Review*, 35 (2013), 209-10, 213-14.

427 Shillony, *Politics and Culture in Wartime Japan*, 85; Yellen, 'The specter of revolution', 214.

428 Heinrichs and Gallicchio, *Implacable Foes*, 523-6.

429 Eric Fowler, 'Willtofight: Japan's imperial institution and the United States strategy to end World War II', *War & Society*, 34 (2015), 47-8.

430 Heinrichs and Gallicchio, *Implacable Foes*, 512-13, 541; Andrew Rotter, *Hiroshima: The World's Bomb* (Oxford, 2008), 162-4.

431 Michael Neiberg, *Potsdam: The End of World War II and the Remaking of Europe* (New York, 2015), 244-5.

432 David Holloway, 'Jockeying for position in the postwar world: Soviet entry into the war with Japan in August 1945', in Tsuyoshi Hasegawa (ed.), *The End of the Pacific War: Reappraisals* (Stanford, Calif., 2007), 172-5.

433 Phillips O'Brien, 'The Joint Chiefs of Staff, the atom bomb, the American military mind and the end of the Second World War', *Journal of Strategic Studies*, 42 (2019), 975-85.

434 Heinrichs and Gallicchio, *Implacable Foes*, 552

435 LC, Arnold Papers, Reel 199, note 'Atomic Bomb Cities' [n.d.].

436 Rotter, *Hiroshima*, 191-3.

437 Sumio Hatano, 'The atomic bomb and Soviet entry into the war', in Hasegawa (ed.), *End of the Pacific War*, 98-9.

438 Ibid., 99-101.

439 Yellen, 'The specter of revolution', 216-17.

440 Yamashita, *Daily Life in Wartime Japan*, 173-9; Gibney (ed.), *Sensō*, 215.

441 引自the Japanese in Yellen, 'The specter of revolution', 219.

Apr. 1945; Stalin to Roosevelt, 7 Apr. 1945.

402 TNA, WO 106/3974, Military Mission Moscow to AGWAR, 24 Apr. 1945; Moscow Mission to SHAEF, 25 Apr. 1945.

403 Giorgio Bocca, S*toria dell'Italia partigiana, settembre 1943-maggio 1945* (Milan, 1995), 506, 519-20; Max Corvo, *OSS Italy 1942-1945: A Personal Memoir of the Fight for Freedom* (New York, 2005), 267-9.

404 J. Lee Ready, *Forgotten Allies: Volume 1, European Theater* (Jefferson, NC, 1985), 426-7.

405 TNA, CAB 106/761, Instrument of Local Surrender of German and Other Forces, 29 Apr. 1945; PREM 3/198/3, Churchill cable to Stalin, 29 Apr. 1945.

406 TNA, PREM 3/198/3, Alexander to Eisenhower, 2 May 1945; Richard Lamb, *War in Italy 1943-1945: A Brutal Story* (London, 1993), 293-5; Bocca, *Storia dell'Italia partigiana*, 523.

407 David Stafford, *Mission Accomplished: SOE and Italy 1943-1945* (London, 2011), 325; Bocca, *Storia dell'Italia partigiana*, 521-2; Lamb, *War in Italy*, 262-5.

408 Stafford, *Mission Accomplished*, 318-19.

409 TNA, PREM 3/193/6° , JIC report 'German strategy and capacity to resist', 16 Oct. 1944, p. 2.

410 Eberle and Uhl (eds.), *The Hitler Book*, 269.

411 Dulles, *Secret Surrender*, 176-8.

412 Von Below, *At Hitler's Side*, 239.

413 Brendan Simms, *Hitler: Only the World was Enough* (London, 2019), 516; TNA, FO 1005/1701, CCG (British Element), Bulletin of the Intelligence Bureau, 28 Feb. 1946, interrogation of von Below (Hitler's air adjutant).

414 Dulles, *Secret Surrender*, 178.

415 TNA, PREM 3/197/4, telegram from John Deane to the British Foreign Office, 7 May 1945.

416 Kershaw, *The End*, 367-70.

417 TNA, WO 106/4449, Moscow embassy to Foreign Office, 12 May 1945; Eisenhower to the CCS, 7 May 1945.

418 John Galbraith, *A Life in Our Times: Memoirs* (London, 1981), 221-2; Albert Speer, *Inside the Third Reich* (London, 1970), 498-9.

419 TNA, PREM 3/197/4, minute from Churchill to Orme Sargent, Foreign Office, 14 May 1945; Foreign Office minute on General Busch, 12 May 1945.

420 Richard Overy, '"The chap with the closest tabs": Trevor-Roper and the hunt for Hitler', in Blair Worden (ed.), *Hugh Trevor-Roper: The Historian* (London, 2016), 192-206.

379 Ibid., 271; Heinrichs and Gallicchio, *Implacable Foes*, 400-401.

380 Theodore Roscoe, *United States Submarine Operations in World War II* (Annapolis, Md, 1949), 523.

381 USSBS, *The Effects of Strategic Bombing on Japan's War Economy* (Washington, DC, 1946), 180-81; Akira Hari, 'Japan: guns before rice', in Mark Harrison (ed.), *The Economics of World War II: Six Great Powers in International Comparison* (Cambridge, 1998), 245; Roscoe, *United States Submarine Operations*, 453.

382 Barrett Tillman, *Whirlwind: The Air War against Japan 1942-1945* (New York, 2010), 139-45.

383 Coox, 'Strategic bombing in the Pacific', 317-21.

384 Ibid., 340-48.

385 USSBS, Pacific Theater, Report 1, 'Summary Report', Washington, DC, 1 July 1946, p. 19.

386 Frank, *Downfall*, 84-5, 182-4.

387 Ibid., 96-8.

388 Thomas Hall, '"Mere drops in the ocean": the politics and planning of the contribution of the British Commonwealth to the final defeat of Japan, 1944-45', *Diplomacy & Statecraft*, 16 (2005), 101-4, 109.

389 Sarantakes, 'Royal Air Force on Okinawa', 479.

390 Barton Bernstein, 'Truman and the Abomb: targeting non-combatants, using the bomb, and his defending his "decision"', *Journal of Military History,* 62 (1998), 551-4.

391 Frank, *Downfall*, 134-45.

392 Heinrichs and Gallicchio, *Implacable Foes*, 515.

393 Elena Agarossi, *A Nation Collapses: The Italian Surrender of September 1943* (Cambridge, 2000), 14-22.

394 David Ellwood, *Italy 1943-1945* (Leicester, 1985), 22-3.

395 Agarossi, *A Nation Collapses*, 14-26.

396 Ibid., 28-32.

397 Ibid., 64-72, 80-87; Morgan, *Fall of Mussolini*, 91-3; D'Este, *Eisenhower*, 449-52.

398 Ellwood, *Italy*, 41-6.

399 Marc Trachtenberg, 'The United States and Eastern Europe 1945: a reassessment', *Journal of Cold War Studies*, 10 (2008), 106, 124-31.

400 Allen Dulles, *The Secret Surrender* (London, 1967), 97-100, 177-8.

401 Reyonolds and Pechatnov (eds.), *The Kremlin Letters*, 570-71, 578-9, Stalin to Roosevelt 3

'Zerstörungsmassnahmen im Reichsgebiet', 19 Mar. 1945.

351 Buckley, *Monty's Men*, 278; D'Este, *Eisenhower*, 681.

352 Buckley, *Monty's Men*, 286.

353 Kershaw, *The End*, 304-5.

354 D'Este, *Eisenhower*, 683, 696-7.

355 Fritz, *Endkampf*, 15-19.

356 Chandler (ed.), *Papers of Dwight David Eisenhower*, 2569, Eisenhower to the CCS, 31 Mar. 1945.

357 Fritz, *Endkampf*, 40-41.

358 Brooks, *The War North of Rome*, 363-6.

359 Merridale, *Ivan's War*, 243.

360 Mawdsley, *Thunder in the East*, 355-6.

361 Hill, *Red Army*, 523-31.

362 Zhukov, *Reminiscences*, 353-5.

363 Ivan Konev, *Year of Victory* (Moscow, 1969), 171-2; Erickson, *The Road to Berlin*, 809-11.

364 Eberle and Uhl (eds.), *The Hitler Book*, 219.

365 Moll (ed.), *FührerErlasse*, 495-6, Directive, 24 Apr. 1945.

366 Ibid., 241, footnote 2.

367 Geyer, '*Endkampf* 1918 and 1945', 51.

368 Alvin Coox, 'Strategic bombing in the Pacific 1942-1945', in R. Cargill Hall (ed.), *Case Studies in Strategic Bombardment* (Washington, DC, 1998), 296-7. 從一九四四年十一月到一九四五年一月，日本轟炸機持續攻擊B-29機場。

369 Heinrichs and Gallicchio, *Implacable Foes*, 231-3.

370 Ibid., 248-55.

371 Ibid., 255-6.

372 Ibid., 358-9.

373 Ibid., 265-6.

374 Hough, *Island War*, 342-3.

375 Heinrichs and Gallicchio, *Implacable Foes*, 281-3; Symonds, *World War II at Sea*, 606.

376 Frank, *Downfall*, 69-70.

377 Symonds, *World War II at Sea*, 619-26.

378 Frank, *Downfall*, 70.

331 D'Este, *Eisenhower*, 658; Harry Butcher, *Three Years with Eisenhower: The Personal Diary of Captain Harry C. Butcher, 1942-1945* (London, 1946), 626-8.

332 Chandler (ed.), *Papers of Dwight David Eisenhower*, 2419, Eisenhower to Marshall, 10 Jan. 1945.

333 Heinrich Schwendemann, 'Strategie der Selbstvernichtung: Die Wehrmachtführung im "Endkampf" um das "Dritte Reich"', in Rolf-Dieter Müller and HansErich Volkmann (eds.), *Die Wehrmacht: Mythos und Realität* (Munich, 1999), 228.

334 Hough, *Island War*, 732-3.

335 Nicolaus von Below, *At Hitler's Side: The Memoirs of Hitler's Luftwaffe Adjutant 1937-1945* (London, 2001), 223.

336 Michael Geyer, '*Endkampf* 1918 and 1945: German nationalism, annihilation, and self-destruction', in Alf Lüdtke and Bernd Weisbrod (eds.), *No Man's Land of Violence: Extreme Wars in the 20th Century* (Göttingen, 2006), 45-51.

337 Werner Maser (ed.), *Hitler's Letters and Notes* (New York, 1974), 346-50.

338 Boog et al., *Das Deutsche Reich und der Zweite Weltkrieg: Band 7*, 105.

339 Davis, *Carl A. Spaatz*, Appdx. 8; Henry Probert, *Bomber Harris: His Life and Times* (London, 2006), 305-6.

340 Webster and Frankland, *Strategic Air Offensive*, 174-6, Directive from Bottomley to Harris, 13 Oct. 1944; pp. 177-9, '1st November 1944: Directive No. 2 for the Strategic Air Forces in Europe'.

341 Overy, *The Bombing War*, 391-4.

342 Mawdsley, *Thunder in the East*, 325.

343 S. M. Plokhy, *Yalta: The Price of Peace* (New York, 2010), 330.

344 Roberts, *Stalin's Wars*, 235; Plokhy, *Yalta*, xxv.

345 Fraser Harbutt, *Yalta 1945: Europe and America at the Crossroads* (Cambridge, 2010), 305, 313-17.

346 Plokhy, *Yalta*, 331-4, 343-4.

347 Richard Bessel, *Germany 1945: From War to Peace* (New York, 2009), 21-2.

348 Brooks, *War North of Rome*, 371; L. P. Devine, *The British Way of Warfare in Northwest Europe, 1944-5* (London, 2016), 163-7.

349 Bessel, *Germany 1945*, 17-18.

350 Martin Moll (ed.), *FührerErlasse: 1939-1945* (Stuttgart, 1997), 486-7,

1944.

307 Gooderson, *Hard Way to Make a War*, 281-4.

308 Brooks, *The War North of Rome*, 254-8, 304.

309 Chandler (ed.), *Papers of Dwight David Eisenhower*, 2125-7, Eisenhower to the CCS, 9 Sept. 1944.

310 Buckley, *Monty's Men*, 240.

311 Fennell, *Fighting the People's War*, 582.

312 D'Este, *Eisenhower*, 626-7.

313 Ludewig, *Rückzug*, 206-7.

314 Alistair Noble, *Nazi Rule and the Soviet Offensive in Eastern Germany 1944-1945* (Eastbourne, 2009), 102-17.

315 Bastiann Willems, 'Defiant breakwaters or desperate blunders? A revision of the German late-war fortress strategy', *Journal of Slavic Military Studies*, 28 (2015), 353-8.

316 Fritz, Ostkrieg, 432-4; Mawdsley, Thunder in the East, 303-5. 蘇聯表示，一九四五年五月庫爾蘭德軍投降時，總共被俘虜了二十七萬四千人。

317 Krisztián Ungváry, *Battle for Budapest: 100 Days in World War II* (London, 2019), 4-6, 49-56.

318 Ibid., 330-31.

319 Ludewig, *Rückzug*, 204-5.

320 Ullrich, *Hitler: Downfall*, 507.

321 Ibid., 508.

322 Ibid., 509.

323 Walter Warlimont, *Inside Hitler's Headquarters 1939-45* (London, 1964), 486; Ullrich, *Hitler: Downfall*, 514.

324 Buckley, *Monty's Men*, 259; Chandler, *Papers of Dwight David Eisenhower*, 2355, Eisenhower to Brehon Somervell, 17 Dec. 1944.

325 D'Este, *Eisenhower*, 635-6.

326 Charles MacDonald, *The Battle of the Bulge* (London, 1984), 608; British Air Ministry, *The Rise and Fall of the German Air Force 1933-1945* (London, 1986), 376-80.

327 Richard Overy, *The Air War 1939-1945* (London, 1980), 77.

328 Chandler (ed.), *Papers of Dwight David Eisenhower*, 2407, Eisenhower to the CCS.

329 Warlimont, *Inside Hitler's Headquarters*, 487-9.

330 Jablonsky, *War by Land, Sea and Air*, 129-30.

283 Kennedy, *The American People in World War II*, 358.

284 Klein, *A Call to Arms*, 681-6.

285 Daniel Todman, *Britain's War: A New World 1943-1947* (London, 2020), 582, 591, 654.

286 Martha Gellhorn, *The Face of War from Spain to Vietnam* (London, 1967), 142.

287 Geoffrey Picot, *Accidental Warrior: In the Front Line from Normandy till Victory* (London, 1993), 196-7, 201.

288 Paul Fussell, *The Boys' Crusade: American GIs in Europe: Chaos and Fear in World War II* (London, 2003), 93-9.

289 Catherine Merridale, *Ivan's War: The Red Army, 1939-45* (London, 2005), 230-32, 242-3.

290 Klein, *A Call to Arms*, 676-83, 717-19.

291 Heinrichs and Gallicchio, *Implacable Foes*, 424-6.

292 Todman, *Britain's War*, 655-6.

293 Heinrichs and Gallicchio, *Implacable Foes*, 422.

294 Fritz, *First Soldier*, 336-7.

295 Mitter, *China's War with Japan*, 342.

296 Van de Ven, *China at War*, 196-7.

297 Shillony, *Politics and Culture in Wartime Japan*, 76.

298 Tohmatsu Haruo, 'The strategic correlation between the Sino-Japanese and Pacific wars', in Peattie, Drea and van de Ven (eds.), *Battle for China*, 438-9.

299 Christopher Baxter, 'In pursuit of a Pacific strategy: British planning for the defeat of Japan, 1943-45', *Diplomacy & Statecraft*, 15 (2004), 254-7; Nicholas Sarantakes, 'The Royal Air Force on Okinawa: the diplomacy of a coalition on the verge of victory', *Diplomatic History*, 27 (2003), 481-3.

300 Mark Jacobsen, 'Winston Churchill and a Third Front', *Journal of Strategic Studies*, 14 (1991), 349-56.

301 Todman, *Britain's War*, 673; Sarantakes, 'Royal Air Force on Okinawa,' 486.

302 Heinrichs and Gallichio, *Implacable Foes*, 150-54.

303 Ibid., 180-90.

304 Symonds, *World War II at Sea*, 585-7.

305 Chandler (ed.), *Papers of Dwight David Eisenhower*, 2115, Eisenhower to all commanders, 4 Sept. 1944.

306 Ibid., 2143-4, Eisenhower to Marshall, 14 Sept. 1944; Eisenhower to Montgomery, 15 Sept.

264 John Dower, *Japan in War and Peace: Essays on History, Race and Culture* (London, 1993), 102-7.

265 Ibid., 129.

266 Frank Gibney (ed.), *Sensō: The Japanese Remember the Pacific War* (New York, 2007), 169-78; Samuel Yamashita, *Daily Life in Wartime Japan 1940-1945* (Lawrence, Kans, 2015), 163-72.

267 Alfons Kenkmann, 'Zwischen Nonkonformität und Widerstand', in Dietmar Süss and Winfried Süss (eds.), *Das 'Dritte Reich': Eine Einführung* (Munich, 2008), 150-52.

268 Kershaw, *The End*, 36-7.

269 Hansen, *Disobeying Hitler*, 209-10.

270 Ralf Bank, *Bitter Ends: Die letzten Monate des Zweiten Weltkriegs im Ruhrgebiet, 1944/45* (Essen, 2015), 232.

271 Michael Sellmann, 'Propaganda und SD - "Meldungen aus dem Reich"', in Salewski and SchulzeWegener (eds.), *Kriegsjahr 1944*, 207-8.

272 Stargardt, *The German War*, 477-80.

273 Benjamin Uchigama, *Japan's Carnival War: Mass Culture on the Home Front 1937-1945* (Cambridge, 2019), 241.

274 Ibid., 242-3.

275 Aaron Moore, *Writing War: Soldiers Record the Japanese Empire* (Cambridge, Mass., 2013), 237-8.

276 Thomas Kühne, *The Rise and Fall of Comradeship: Hitler's Soldiers, Male Bonding and Mass Violence in the Twentieth Century* (Cambridge, 2017), 160, 171.

277 Thomas Brooks, *The War North of Rome: June 1944-May 1945* (New York, 1996), 363.

278 Stargardt, *The German War*, 476.

279 Jeffrey Herf, *The Jewish Enemy: Nazi Propaganda During World War II and the Holocaust* (Cambridge, Mass., 2006), 257-61.

280 Robert Kramm, 'Haunted by defeat: imperial sexualities, prostitution and the emergence of postwar Japan', *Journal of World History*, 28 (2017), 588-91.

281 Richard Frank, *Downfall: The End of the Japanese Imperial Empire* (New York, 1999), 188-90.

282 Stargardt, *The German War*, 456-7; Stephen Fritz, *Endkampf: Soldiers, Civilians, and the Death of the Third Reich* (Lexington, Ky, 2004), 91.

250 Stephen Fritz, *The First Soldier: Hitler as Military Leader* (New Haven, Conn., 2018), 320-21; Gerd Niepold, 'Die Führung der Heeresgruppe Mitte von Juni bis August', in Salewski and Schulze-Wegener (eds.), *Kriegsjahr 1944*, 61-3; Rolf Hinze, 'Der Zusammenbruch der Heeresgruppe Mitte', ibid., 97.

251 Fritz, *First Soldier*, 296; 蘇聯的資料提出的數字較少，見Hinze, 'Der Zusammenbruch der Heeresgruppe Mitte', 79-80.

252 Paul Winterton, *Report on Russia* (London, 1945), 23.

253 Karl-Heinz Frieser et al., *Das Deutsche Reich und der Zweite Weltkrieg: Band 8: Die Ostfront 1943/44* (Munich, 2007), 814-15.

254 Oula Silvennoinen, 'Janus of the North? Finland 1940-44', in John Gilmour and Jill Stephenson (eds.), *Hitler's Scandinavian Legacy* (London, 2013), 141-2; Juhana Aunesluoma, 'Two shadows over Finland: Hitler, Stalin and the Finns facing the Second World War as history 1944-2010', ibid., 205-7.

255 Deborah Cornelius, *Hungary in World War II: Caught in the Cauldron* (New York, 2011), 256-9, 271-80.

256 Peter Sipos, 'The fascist Arrow Cross government in Hungary (October 1944-April 1945)', in Wolfgang Benz, Johannes Houwink ten Cate and Gerhard Otto (eds.), *Die Bürokratie der Okkupation: Strukturen der Herrschaft und Verwaltung im besetzten Europa* (Berlin, 1998), 50, 53-5.

257 BenAmi Shillony, *Politics and Culture in Wartime Japan* (Oxford, 1981), 62-3.

258 Theodore Hamerow, *On the Road to the Wolf's Lair: German Resistance to Hitler* (Cambridge, Mass., 1997), 320-21; Klemens von Klemperer, *German Resistance against Hitler: The Search for Allies Abroad* (Oxford, 1992), 432-3.

259 Randall Hansen, *Disobeying Hitler: German Resistance in the Last Year of WWII* (London, 2014), 38-44.

260 Ullrich, *Hitler: Downfall*, 475-7.

261 Sönke Neitzel, *Tapping Hitler's Generals: Transcripts of Secret Conversations, 1942-45* (Barnsley, 2007), 263, 記錄了一段父子的對話。Gen. Heinz Eberbach and Lt Heinz Eugen Eberbach, 20/21 Sept. 1944.

262 Nick Stargardt, *The German War: A Nation under Arms, 1939-45* (London, 2016), 452-3; Ian Kershaw, *The End: Hitler's Germany 1944-45* (London, 2011), 31-3.

263 Shillony, *Politics and Culture in Wartime Japan*, 51-2, 59-60, 71-4.

233 Volker Ullrich, *Hitler: Downfall 1939-45* (London, 2020), 427-9.

234 Alistair Horne and David Montgomery, *The Lonely Leader: Monty, 1944-1945* (London, 1994), 207; L. Ellis, *Victory in the West: Volume I: The Battle for Normandy* (London, 1962), 329-30.

235 Percy Schramm (ed.), *Kriegstagebuch des Oberkommandos der Wehrmacht*, 4 vols. (Munich, 1963), iv, 326; Eddy Bauer, *Der Panzerkrieg*, 2 vols. (Bonn, 1965), ii, 104-5, 125-6; John English, *The Canadian Army and the Normandy Campaign* (New York, 1991), 227-31.

236 Joachim Ludewig, *Rückzug: The German Retreat from France, 1944* (Lexington, Ky, 2012), 34-5, 40.

237 Ralph Bennett, *Ultra in the West: The Normandy Campaign of 1944 to 1945* (London, 1979), 112-16; Martin Blumenson, *Breakout and Pursuit: U.S. Army in World War II* (Washington, notes to pp. 309-323 907DC, 1961), 457-65.

238 KlausJürgen Müller, 'Die Zusammenbruch des deutschen Westheeres: Die operative Entwicklung im Bereich der Heeresgruppe B Juli bis Ende August', in Michael Salewski and Guntram SchulzeWegener (eds.), *Kriegsjahr 1944: im Grossen und im Kleinen* (Stuttgart, 1995), 31-2.

239 D'Este, *Eisenhower,* 572.

240 Milton Shulman, *Defeat in the West* (London, 1947), 175.

241 Jones, Britain, *The United States and the Mediterranean War*, 183.

242 Ludewig, *Rückzug*, 58-62.

243 D'Este, *Eisenhower*, 567.

244 Ludewig, *Rückzug*, 73.

245 關於戴高樂與戰鬥法國的角色，見Wieviorka, *Histoire du Débarquement*, 402-8.

246 Fennell, *Fighting the People's War*, 565.

247 Bischof and Steininger, 'Die Invasion aus der Sicht von Zeitzeugen', 65.

248 David Kahn, *Hitler's Spies: German Military Intelligence in World War II* (London, 1978), 440-41.

249 John Erickson, *The Road to Berlin: Stalin's War with Germany* (London, 1983), 253; David Glantz, 'The red mask: the nature and legacy of Soviet deception in the Second World War', in Michael Handel (ed.), *Strategic and Operational Deception in the Second World War* (London, 1987), 213-17; S. L. Sokolov and John Erickson, *Main Front: Soviet Leaders Look Back on World War II* (New York, 1987), 177-8, 192.

the Poles in the Second World War (London, 2012), 473-5.

216 Jones, Britain, *The United States and the Mediterranean War, 163-5; Gooderson, Hard Way to Make a War*, 278-9.

217 Stephen Roskill, *The War at Sea: Volume IV* (London, 1961), 25-8.

218 TNA, AIR 37/752, Harris memorandum, 'The Employment of the Night Bomber Force in Connection with the Invasion of the Continent', 13 Jan. 1944; LC, Spaatz Papers, Box 143, Spaatz to Eisenhower [n.d. but April 1944].

219 Stephen Ambrose, *Eisenhower: Soldier and President* (New York, 1991), 126; Davis, *Carl A. Spaatz*, 336-8.

220 Andrew Knapp and Claudia Baldoli, *Forgotten Blitzes: France and Italy under Allied Air Attack, 1940-1945* (London, 2012), 29; 死亡數字出自Richard Overy, *The Bombing War: Europe 1939-1945* (London, 2013), 574.

221 Wesley Craven and James Cate, *The Army Air Forces in World War II: Volume III* (Chicago, Ill., 1983), 158. 關於橋樑的轟炸，見Stephen Bourque, *Beyond the Beach: The Allied War against France* (Annapolis, Md, 2018), ch. 9.

222 Detlef Vogel, 'Deutsche Vorbereitungen auf eine allierte Invasion im Westen', in Bischof and Krieger (eds.), *Die Invasion in der Normandie*, 52.

223 Bischof and Steininger, 'Die Invasion aus der Sicht von Zeitzeugen', 56.

224 Vogel, 'Deutsche Vorbereitungen', 45; Olivier Wieviorka, *Histoire du Débarquement en Normandie: Des origins à la liberation de Paris 1941-1944* (Paris, 2007), 191-3.

225 Vogel, 'Deutsche Vorbereitungen', 46-8.

226 Gordon Harrison, *Cross Channel Attack: The United States Army in World War II* (Washington, DC, 1951), 154-5, 249-52; Friedrich Ruge, *Rommel und die Invasion: Erinnerungen von Friedrich Ruge* (Stuttgart, 1959), 174-5.

227 Danchev and Todman (eds.), *War Diaries*, 554, entry for 5 June 1944.

228 D'Este, *Eisenhower*, 518-22.

229 Eberle and Uhl (eds.), *The Hitler Book*, 149.

230 *Report by the Supreme Commander to the Combined Chiefs of Staff on the Operations in Europe of the Allied Expeditionary Force* (London, 1946), 32

231 Vogel, 'Deutsche Vorbereitungen', 50-51; Bischof and Steininger, 'Die Invasion aus der Sicht von Zeitzeugen', 66.

232 Fennell, *Fighting the People's War*, 534.

200 Boyd, *Hitler's Japanese Confidant*, 157.

201 Frederick Morgan, *Overture to Overlord* (London, 1950), 134-6, 142-4; John Ehrman, *Grand Strategy: Volume V: August 1943 to September 1944* (London, 1946), 54-6.

202 TNA, AIR 8/1103, CCS meeting minutes, 4 June 1943; Charles Webster and Noble Frankland, *Strategic Air Offensive against Germany: Volume IV* (London, 1961), 160, Directive to Harris, 3 Sept. 1943.

203 TNA, AIR 14/783, Portal to Harris encl. 'Extent to which the Eighth U.S.A.A.F and Bomber Command have been able to implement the G.A.F. Plan', p. 1.

204 TNA, AIR 14/739A, 'Conduct of the Strategic Bomber Offensive before Preparatory Stage of "Overlord"', 17 Jan. 1944; LC, Spaatz Papers, Box 143, Arnold to Spaatz, 24 Apr. 1944.

205 Air Force Historical Research Agency, Maxwell, Ala, Disc A1722, 'Army Air Forces Evaluation Board, Eighth Air Force "Tactical Development August 1942-May 1945"', pp. 50-55; Stephen McFarland and Wesley Newton, *To Command the Sky: The Battle for Air Superiority over Germany, 1942-44* (Washington, DC, 1991), 141, 164-6.

206 Horst Boog et al., *Das Deutsche Reich und der Zweite Weltkrieg: Band 7: Das Deutsche Reich in der Defensive* (Stuttgart, 2001), 11; Richard Davis, *Carl A. Spaatz and the Air War in Europe* (Washington, DC, 1993), 322-6, 370-79; Murray, *Luftwaffe*, 215.

207 Boog et al., *Das Deutsche Reich unde der Zweite Weltkrieg: Band 7*, 293. 一百九十八架可用的轟炸機。

208 Günter Bischof and Rolf Steininger, 'Die Invasion aus der Sicht von Zeitzeugen', in Günter Bischof and Wolfgang Krieger (eds.), *Die Invasion in der Normandie 1944* (Innsbruck, 2001), 68.

209 Ian Gooderson, *A Hard Way to Make a War: The Italian Campaign in the Second World War* (London, 2008), 260; Jones, *Britain, The United States and the Mediterranean War*, 154-6.

210 Lorelli, *To Foreign Shores*, 187-8.

211 Jones, Britain, *The United States and the Mediterranean War*, 157.

212 Lorelli, *To Foreign Shores*, 188-90; Gooderson, *Hard Way to Make a War*, 268-71.

213 James Parton, *'Air Force Spoken Here': General Ira Eaker and the Command of the Air* (Bethesda, Md, 1986), 363-5.

214 Gooderson, *Hard Way to Make a War*, 271-8; Peter Caddick-Adams, *Monte Cassino: Ten Armies in Hell* (London, 2012), 211-12.

215 Caddick-Adams, *Monte Cassino*, 225-7; Halik Kochanski, *The Eagle Unbowed: Poland and*

180 Alex Danchev and Daniel Todman (eds.), *War Diaries 1939-1945: Lord Alanbrooke* (London, 2001), 458, 490, entries for 7 Oct., 3 Dec. 1943.

181 Keith Sainsbury, T*he Turning Point: Roosevelt, Stalin, Churchill, Chiang Kai-Shek, 1943* (Oxford, 1986), 288-96.

182 John Buckley, *Monty's Men: The British Army and the Liberation of Europe* (New Haven, Conn., 2013), 253-4.

183 Hough, *Island War*, 298-300; Waldo Heinrichs and Marc Gallicchio, *Implacable Foes: War in the Pacific 1944-1945* (New York, 2017), 160-63.

184 Douglas Delaney, 'The Eighth Army at the Gothic Line, August-September 1944: a study of staff compatibility and coalition command', *War in History*, 27 (2020), 288-90.

185 Wang Qisheng, 'The Battle of Hunan and the Chinese military's response to Operation Ichigō', in Peattie, Drea and van de Ven (eds.), *Battle for China*, 404-10; Hara Takeshi, 'The Ichigō Offensive', ibid., 392-5.

186 Rana Mitter, *China's War with Japan 1937-1945: The Struggle for Survival* (London, 2013), 327-9.

187 Hara, 'Ichigō Offensive', 399-401; Wang, 'Battle of Hunan', 410-12.

188 Christopher Bayly and Tim Harper, *Forgotten Armies: The Fall of British Asia 1941-1945* (London, 2004), 381-2, 388.

189 Srinath Raghavan, *India's War: The Making of Modern South Asia* (London, 2016), 427-8.

190 Taylor, *Generalissimo*, 280-86.

191 Mitter, *China's War with Japan*, 334-5; Peattie, *Drea and van de Ven* (eds.), Battle for China, 46.

192 Louis Allen and David Steeds, 'Burma: the longest war, 1941-45', in Dockrill (ed.), *Pearl Harbor to Hiroshima*, 114.

193 Lorelli, *To Foreign Shores*, 208-9.

194 Heinrichs and Gallicchio, *Implacable Foes*, 62-7.

195 Lorelli, *To Foreign Shores*, 234-5.

196 Richard Muller, 'Air war in the Pacific, 1941-1945', in John Olsen (ed.), *A History of Air Warfare* (Washington, DC, 2010), 69-70.

197 Heinrichs and Gallicchio, *Implacable Foes*, 103-8.

198 Hough, *Island War*, 245-6.

199 Heinrichs and Gallicchio, *Implacable Foes*, 115-23; Lorelli, *To Foreign Shores*, 243-7.

158 Fritz, *Ostkrieg*, 343.

159 Charles Sydnor, *Soldiers of Destruction: The SS Death's Head Division 1933-1945* (Princeton, NJ, 1977), 233-8.

160 Töppel, 'Legendenbildung', 381-5; Hill, *Red Army*, 450-52; Fritz, *Ostkrieg*, 349-50.

161 Valeriy Zamulin, 'Soviet troop losses in the Battle of Prochorovka, 10-16 July 1943', *Journal of Slavic Military Studies*, 32 (2019), 119-21.

162 Clark, *Kursk*, 402.

163 Töppel, 'Legendenbildung', 389-92; Clark, *Kursk*, 399-402.

164 Hill, *Red Army*, 454; Fritz, *Ostkrieg*, 367; Töppel, 'Legendenbildung', 396-9.

165 Fritz, *Ostkrieg*, 378.

166 Hill, *Red Army*, 466.

167 Alexander Werth, *Russia at War 1941-1945* (London, 1964), 752-4.

168 Mawdsley, *Thunder in the East*, 273-5.

169 Boris Sokolov, *Myths and Legends of the Eastern Front: Reassessing the Great Patriotic War* (Barnsley, 2019), x.

170 Glantz, *Colossus Reborn*, 60-62.

171 Stoler, *Allies and Adversaries*, 165-6; Theodore Wilson, 'Coalition: structure, strategy and statecraft', in Warren Kimball, David Reynolds and Alexander Chubarian (eds.), *Allies at War: The Soviet, American and British Experience 1939-1945* (New York, 1994), 98.

172 Robert Dallek, *Franklin D. Roosevelt: A Political Life* (London, 2017), 533; Jones, Britain, *The United States and the Mediterranean War*, 153.

173 Buchanan, *American Grand Strategy*, 159.

174 Sally Burt, 'High and low tide: Sino-American relations and summit diplomacy in the Second World War', *Diplomacy & Statecraft*, 29 (2018), 175-8.

175 Jay Taylor, *The Generalissimo: Chiang KaiShek and the Struggle for Modern China* (Cambridge, Mass., 2009), 247-8.

176 Valentin Berezhkov, *History in the Making: Memoirs of World War II Diplomacy* (Moscow, 1983), 282.

177 Ibid., 287; Keith Eubank, *Summit at Teheran* (New York, 1985), 350-51.

178 Wenzhao Tao, 'The China theatre and the Pacific war', in Dockrill (ed.), *Pearl Harbor to Hiroshima*, 137-41.

179 Taylor, *Generalissimo*, 256-61.

135 Pike, *Hirohito's War*, 680-91, 695.

136 Hough, *Island War*, 126.

137 Ibid., 146.

138 Ibid., 145.

139 Lorelli, *To Foreign Shores*, 117.

140 Ibid., 193-4.

141 Ibid., 193-204.

142 Kennedy, *The American People in World War II*, 162.

143 David Reynolds and Vladimir Pechatnov (eds.), *The Kremlin Letters: Stalin's Wartime Correspondence with Churchill and Roosevelt* (New Haven, Conn., 2018), 263-9, Churchill to Stalin, 20 June 1943; Stalin to Churchill, 24 June 1943.

144 Roberts, *Stalin's Wars*, 165-6.

145 Reynolds and Pechatnov, *Kremlin Letters*, 354; Roberts, *Stalin's Wars*, 180.

146 Reynolds and Pechatnov, *Kremlin Letters*, 269.

147 Mawdsley, *Thunder in the East*, 252-6.

148 Megargee, *Inside Hitler's High Command*, 193-4.

149 Fritz, *Ostkrieg*, 336-8.

150 Roman Töppel, 'Legendenbildung in der Geschichtsschreibung - Die Schlacht bei Kursk', *Militärgeschichtliche Zeitschrift*, 61 (2002), 373-4.

151 Valeriy Zamulin, 'Could Germany have won the Battle of Kursk if it had started in late May or the beginning of June 1943?', *Journal of Slavic Military Studies*, 27 (2014), 608-9; Lloyd Clark, *Kursk: The Greatest Battle* (London, 2011), 188-90.

152 Georgii Zhukov, *Reminiscences and Reflections: Volume II* (Moscow, 1985), 168-79; Konstantin Rokossovskii, *A Soldier's Duty* (Moscow, 1970), 184-90; Clark, *Kursk*, 211.

153 Töppel, 'Legendenbildung', 376-8; Fritz, *Ostkrieg*, 339-40.

154 Clark, *Kursk*, 199; Fritz, *Ostkrieg*, 343. 其中兩百輛是豹式，一百二十八輛是虎式。

155 William Spahr, *Zhukov: The Rise and Fall of a Great Captain* (Novato, Calif., 1993), 119-21.

156 Glantz, *The Role of Intelligence*, 100-103; Zhukov, *Reminiscences*, 180-83.

157 Hill, *Red Army*, 439-40; Von Hardesty and Ilya Grinberg, *Red Phoenix Rising: The Soviet Air Force in World War II* (Lawrence, Kans, 2012), 226 關於空軍的數字;Alexander Vasilevskii, 'Strategic planning of the Battle of Kursk', in *The Battle of Kursk* (Moscow, 1974), 73.略微不同的數字見Clark, *Kursk*, 204.

俘虜的人數存在著不同的估計數字，從二十二萬人到二十七萬五千人，但目前看來較高的數字較為可信。

112 Symonds, *World War II at Sea*, 423-4.

113 Jones, *Britain, The United States and the Mediterranean War*, 57-9; David Jablonsky, *War by Land, Sea and Air: Dwight Eisenhower and the Concept of Unified Command* (New Haven, Conn., 2010), 95-6.

114 Symonds, *World War II at Sea*, 424-5.

115 Alfred Chandler (ed.), T*he Papers of Dwight David Eisenhower. The War Years: IV* (Baltimore, Va, 1970), 1129, Eisenhower to Marshall, 13 May 1943.

116 Gooch, *Mussolini's War*, 378-80.

117 Symonds, *World War II at Sea*, 438-9; Stoler, *Allies and Adversaries*, 118.

118 Jones, *Britain, The United States and the Mediterranean War*, 62.

119 Gooch, *Mussolini's War*, 383.

120 Philip Morgan, *The Fall of Mussolini* (Oxford, 2007), 11-17, 23-6.

121 Eugen Dollmann, *With Hitler and Mussolini: Memoirs of a Nazi Interpreter* (New York, 2017), 219.

122 Helmut Heiber and David Glantz (eds.), *Hitler and his Generals: Military Conferences 1942-45* (London, 2002), 252, 255, Meeting of the Führer with von Kluge, 26 July 1943.

123 Megargee, *Inside Hitler's High Command,* 198; Gooch, *Mussolini's War*, 389, 404.

124 Elena Rossi, *Cefalonia: La resistenza, l'eccidio, il mito* (Bologna, 2016), 53-60, 113-15.

125 Lutz Klinkhammer, *L'occupazione tedesca in Italia, 1943-1945* (Turin, 1996), 48-54; Frederick Deakin, *Storia della repubblica di Salò*, 2 vols. (Turin, 1963), ii, 740-48.

126 Deakin, *Storia della repubblica di Salò*, ii, 766, 776-8, 817.

127 Jones, Britain, *The United States and the Mediterranean War*, 146-8.

128 Ibid., 150, Montgomery diary entry for 26 Sept. 1943.

129 Symonds, *World War II at Sea*, 454-8; Carlo D'Este, *Eisenhower: Allied Supreme Commander* (London, 2002), 452-3.

130 Lorelli, *To Foreign Shores*, 94-6.

131 Ibid., 163-4; *Symonds, World War II at Sea*, 488-9.

132 Lorelli, *To Foreign Shores*, 94-5, 98-9.

133 Symonds, *World War II at Sea*, 475.

134 Pike, *Hirohito's War*, 671-2, 695; Lorelli, *To Foreign Shores*, 156-61.

18, 133

93 *La Semaine*, 4 Feb. 1943, p. 6.

94 TNA, WO 193/856, Military attaché Ankara to the War Office, 23 July 1943.

95 Henrik Eberle and Matthias Uhl (eds.), *The Hitler Book: The Secret Dossier Prepared for Stalin* (London, 2005), 91, 130, 133.

96 Fabio De Ninno, 'The Italian Navy and Japan: the Indian Ocean, failed cooperation, and tripartite relations', *War in History*, 27 (2020), 231-40, 245.

97 Bernd Martin, 'The German-Japanese alliance in the Second World War', in Dockrill (ed.), *Pearl Harbor to Hiroshima*, 158-9.

98 Rotem Kowner, 'When economics, strategy, and racial ideology meet: inter-Axis connections in the wartime Indian Ocean', *Journal of Global History*, 12 (2017), 237-42; Bernd Martin, 'Japan und Stalingrad: Umorientierung vom Bündnis mit Deutschland auf "Grossostasien"', in Förster, *Stalingrad*, 242-6.

99 Jones, Britain, *The United States and the Mediterranean War*, 38-9.

100 Buchanan, *American Grand Strategy*, 72-4; Martin Thomas and Richard Toye, *Arguing about Empire: Imperial Rhetoric in Britain and France, 1882-1956* (Oxford, 2017), 184-6.

101 Jones, Britain, *The United States and the Mediterranean War*, 75-6.

102 Ibid., 33.

103 Buchanan, *American Grand Strategy*, 70.

104 Ibid., 76-80.

105 Ibid., 21; Stoler, *Allies and Adversaries*, 117; Richard Toye, *Churchill's Empire: The World that Made Him and the World He Made* (New York, 2010), 245-6.

106 Stoler, *Allies and Adversaries*, 168.

107 Marco Aterrano, 'Prelude to Casablanca: British operational planning for metropolitan Italy and the origins of the Allied invasion of Sicily, 1940-1941', *War in History*, 26 (2019), 498-507.

108 Steve Weiss, *Allies in Conflict: Anglo-American Strategic Negotiations 1938-1944* (London, 1996), 70-71.

109 Gooch, *Mussolini's War*, 342-5; Giorgio Rochat, *Le guerre italiane 1935-1943: Dall'impero d'Etiopia alla disfatta* (Turin, 2005), 358.

110 Jones, *Britain, The United States and the Mediterranean War*, 50-52.

111 Fennell, *Fighting the People's War*, 317-18; Megargee, *Inside Hitler's High Command*, 194.

71 Citino, *Death of the Wehrmacht*, 257.

72 Geoffrey Megargee, *Inside Hitler's High Command* (Lawrence, Kans, 2000), 181-7.

73 Alexander Statiev, *At War's Summit: The Red Army and the Struggle for the Caucasus Mountains in World War II* (Cambridge, 2018), 130-31, 264.

74 Roberts, *Stalin's Wars*, 142.

75 Evan Mawdsley, *Thunder in the East: The Nazi-Soviet War 1941-1945* (London, 2005), 205-7.

76 Alexander Hill, *The Red Army and the Second World War* (Cambridge, 2017), 392-3.

77 Stephen Fritz, *Ostkrieg: Hitler's War of Extermination in the East* (Lexington, Ky, 2011), 291-2.

78 Wegner, 'Vom Lebensraum zum Todesraum', 32.

79 Vasily Chuikov, *The Beginning of the Road: The Story of the Battle of Stalingrad* (London, 1963), 14-27, 93-102.

80 Fritz, *Ostkrieg*, 295.

81 Roberts, *Stalin's Wars*, 145-7.

82 Kurt Zeitzler, 'Stalingrad', in William Richardson and Seymour Frieden (eds.), *The Fatal Decisions* (London, 1956), 138.

83 Boog et al., *Das Deutsche Reich und der Zweite Weltkrieg: Band 6*, 995-7.

84 Hill, *Red Army*, 395-7; Roberts, *Stalin's Wars*, 151.

85 John Erickson, *The Road to Stalingrad* (London, 1975), 447-53; Glantz and House, *When Titans Clashed*, 133-4.

86 Williamson Murray, *Luftwaffe: Strategy for Defeat* (London, 1985), 141-4.

87 Fritz, *Ostkrieg*, 316.

88 Ibid., 319-20.

89 Ibid., 318-19.

90 Thomas Kohut and Jürgen Reulecke, '"Sterben wie eine Ratte, die der Bauer ertappt": Letzte Briefe aus Stalingrad', in Förster (ed.), *Stalingrad*, 464.

91 蘇聯損失的估計數字出自G. Krivosheev, Soviet Casualties and Combat Losses in the Twentieth Century (London, 1997), 124-8; 德國損失的估計數字出自Rüdiger Overmans, Deutsche militärische Verluste im Zweiten Weltkrieg (Munich, 2004), 279; 義大利損失的估計數字出自Gooch, Mussolini's War, 296.

92 David Glantz, 'Counterpoint to Stalingrad: Operation "Mars" (November-December 1942): Marshal Zhukov's greatest defeat', *Journal of Slavic Strategic Studies*, 10 (1997), 105-10, 117-

53 Richard Hammond, *Strangling the Axis: The Fight for Control of the Mediterranean during the Second World War* (Cambridge, 2020), 141-3.

54 Barr, *Pendulum of War*, 218-19.

55 Fennell, *Fighting the People's War*, 268; Citino, *Death of the Wehrmacht*, 213-14.

56 David French, *Raising Churchill's Army: The British Army and the War against Germany 1919-1945* (Oxford, 2000), 256.

57 Horst Boog et al., *Das Deutsche Reich und der Zweite Weltkrieg, Band 6: Der globale Krieg* (Stuttgart, 1990), 694.

58 French, *Raising Churchill's Army*, 243.

59 Peter Stanley, '"The part we played in this show": Australians and El Alamein', in Edwards (ed.), *El Alamein*, 60-66談澳洲的經驗。'"No model campaign"', 73-5, 86-8, 談紐西蘭師。

60 French, *Raising Churchill's Army*, 246-54; Fennell, *Fighting the People's War*, 276-8, 283-90.

61 Buchanan, 'A friend indeed?', 289-91.

62 Fennell, *Fighting the People's War*, 301; Ceva, *Storia delle Forze Armate in Italia*, 319-20; Boog et al., *Das Deutsche Reich und der Zweite Weltkrieg: Band 6*, 694, 提到英國皇家空軍在中東戰場擁有超過一千五百架飛機。

63 Barr, *Pendulum of War*, 276-7; Richard Carrier, 'Some reflections on the fighting power of the Italian Army in North Africa, 1940-1943', *War in History*, 22 (2015), 508-9, 516; Domenico Petracarro, 'The Italian Army in Africa 1940-1943: an attempt at historical perspective', *War & Society*, 9 (1991), 115-16.

64 Rick Stroud, *The Phantom Army of Alamein: The Men Who Hoodwinked Rommel* (London, 2012), 183-209. 這個佯攻計畫在第五章會有更詳細的說明。

65 Simon Ball, *Alamein* (Oxford, 2016), 16-22.

66 Fennell, *Fighting the People's War*, 308-12; Ball, *Alamein*, 37-41; Barr, *Pendulum of War*, 398-401.

67 Barr, Pendulum of War, 404; Ceva, *Storia delle Forze Armate in Italia*, 320; Ball, *Alamein*, 47; Gooch, *Mussolini's War*, 322.

68 Barr, *Pendulum of War*, 406-7.

69 David Glantz, *Colossus Reborn: The Red Army at War, 1941-1943* (Lawrence, Kans, 2005), 37.

70 Boog et al., *Das Deutsche Reich und der Zweite Weltkrieg: Band 6*, 965-6; Citino, Death of the Wehrmacht, 254.

2014), 48-9.

35 Hastings Ismay, *The Memoirs of Lord Ismay* (London, 1960), 279-80.

36 這段描述來自於官方歷史：Frank Hough, *The Island War: The United States Marine Corps in the Pacific* (Philadelphia, Pa, 1947), 41, 61, 84-5.

37 John Lorelli, *To Foreign Shores: U.S. Amphibious Operations in World War II* (Annapolis, Md, 1995), 43-4; Richard Frank, *Guadalcanal* (New York, 1990), 33-44.

38 David Ulbrich, *Preparing for Victory: Thomas Holcomb and the Making of the Modern Marine Corps, 1936-1943* (Annapolis, Md, 2011), 130-32.

39 Lorelli, *To Foreign Shores*, 46-50; Hough, *Island War*, 45-8.

40 Meirion Harries and Susie Harries, *Soldiers of the Sun: The Rise and Fall of the Imperial Japanese Army* (London, 1991), 339-40.

41 Symonds, *World War II at Sea*, 328-9.

42 Ibid., 366-71; Trent Hone, '"Give them hell": the US Navy's night combat doctrine and the campaign for Guadalcanal', *War in History*, 13 (2006), 188-95.

43 Frank, *Guadalcanal*, 559-61, 588-95.

44 Harries and Harries, *Soldiers of the Sun*, 341-2; Hough, *Island War*, 79-85; Frank, *Guadalcanal*, 611-13; Francis Pike, *Hirohito's War: The Pacific War 1941-1945* (London, 2016), 574-5. Frank提出的日軍死亡人數略微偏少，有三萬零三百四十三人。

45 Frank, *Guadalcanal*, 618-19

46 Ashley Jackson, *Persian Gulf Command: A History of the Second World War in Iran and Iraq* (New Haven, Conn., 2018), 254.

47 Glyn Harper, '"No model campaign": the Second New Zealand Division and the Battle of El Alamein, October-December 1942', in Jill Edwards (ed.), *El Alamein and the Struggle for North Africa: International Perspectives from the Twentyfirst Century* (Cairo, 2012), 88.

48 John Kennedy, *The Business of War: The War Narrative of Major-General Sir John Kennedy* (London, 1957), 251.

49 Gooch, *Mussolini's War*, 312-13.

50 Jonathan Fennell, *Fighting the People's War: The British and Commonwealth Armies and the Second World War* (Cambridge, 2019), 179-80.

51 Nigel Hamilton, *Monty: Master of the Battlefield 1942-1944* (London, 1983), 9; Harper, '"No model campaign"', 75.

52 Fennell, *Fighting the People's War*, 268-9.

2007), 102-8.

18 Wegner, 'Von Lebensraum zum Todesraum', 23-4; Citino, *Death of the Wehrmacht*, 108-14.

19 David Glantz, *The Role of Intelligence in Soviet Military Strategy in World War 2* (Novato, Calif., 1990), 49-51.

20 Citino, *Death of the Wehrmacht*, 266.

21 Walther Hubatsch, *Hitlers Weisungen für die Kriegführung 1939-1945* (Munich, 1965), 227-30.

22 Mikhail Heller and Aleksandr Nekrich, *Utopia in Power: The History of the Soviet Union from 1917 to the Present* (London, 1982), 391; David Glantz and Jonathan House, *When Titans Clashed: How the Red Army Stopped Hitler* (Lawrence, Kans, 1995), 121.

23 Joachim Wieder, *Stalingrad und die Verantwortung der Soldaten* (Munich, 1962), 45.

24 David Horner, 'Australia in 1942: a pivotal year', in Peter Dean (ed.), *Australia 1942: In the Shadow of War* (Cambridge, 2013), 18-20, 25.

25 Debi Unger and Irwin Unger, *George Marshall: A Biography* (New York, 2014), 173-6.

26 Mark Stoler, *Allies and Adversaries: The Joint Chiefs of Staff, The Grand Alliance and U.S. Strategy in World War II* (Chapel Hill, NC, 2000), 76-8.

27 Maury Klein, *A Call to Arms: Mobilizing America for World War II* (New York, 2013), 302-3; John Jeffries, *Wartime America: The World War II Home Front* (Chicago, Ill., 1996), 153-5; Sean Casey, *Cautious Crusade: Franklin D. Roosevelt, American Public Opinion and the War against Nazi Germany* (New York, 2001), 48-50. 從一九四一年十二月到一九四二年三月的民調顯示，平均有百分之六十二的民眾支持專注對付日本，百分之二十一則是德國。

28 David Roll, *The Hopkins Touch: Harry Hopkins and the Forging of the Alliance to Defeat Hitler* (New York, 2013), 183-4.

29 Ibid., 197-8.

30 David Kennedy, *The American People in World War II* (New York, 1999), 148-50.

31 Matthew Jones, *Britain, The United States and the Mediterranean War 1942-44* (London, 1996), 19.

32 Unger and Unger, *George Marshall*, 150-55, 171-2; Roll, *The Hopkins Touch*, 204-8.

33 Stoler, *Allies and Adversaries*, 88.

34 Kennedy, *The American People in World War II*, 153-4; Stoler, *Allies and Adversaries*, 79-85; Unger and Unger, *George Marshall*, 172-7; Roll, *The Hopkins Touch*, 214-21; Andrew Buchanan, *American Grand Strategy in the Mediterranean during World War II* (Cambridge,

Mittelmeerstrategie im Jahre 1943', *Militärgeschichtliche Mitteilungen*, 58 (1999), 66-77.

3 Boyd, *Hitler's Japanese Confidant*, 94.

4 John Gooch, *Mussolini's War: Fascist Italy from Triumph to Collapse 1935-1943* (London, 2020), 325.

5 Ikuhiko Hata, 'Admiral Yamamoto's surprise attack and the Japanese war strategy', in Saki Dockrill (ed.), *From Pearl Harbor to Hiroshima: The Second World War in Asia and the Pacific, 1941-45* (London, 1994), 66.

6 Sarah Paine, *The Wars for Asia 1911-1949* (Cambridge, 2012), 192; Hans van de Ven, *China at War: Triumph and Tragedy in the Emergence of Modern China 1937-1952* (London, 2017), 162; Edward Drea and Hans van de Ven, 'An overview of major military campaigns during the SinoJapanese War 1937-1945', in Mark Peattie, Edward Drea and Hans van de Ven (eds.), *The Battle for China: Essays on the Military History of the SinoJapanese War of 1937-1945* (Stanford, Calif., 2011), 38-43.

7 Ronald Lewin, *The Other Ultra: Codes, Ciphers, and the Defeat of Japan* (London, 1982), 85-106.

8 Craig Symonds, *World War II at Sea: A Global History* (New York, 2018), 283-92; J. Tach, 'A beautiful silver waterfall', in E. T. Wooldridge (ed.), *Carrier Warfare in the Pacific: An Oral History Collection* (Washington, DC, 1993), 58.

9 Symonds, *World War II at Sea*, 332-3, 345-6.

10 Lucio Ceva, *Storia delle Forze Armate in Italia* (Turin, 1999), 315-17.

11 Niall Barr, *Pendulum of War: The Three Battles of El Alamein* (London, 2004), 12-13.

12 Ibid., 16-21.

13 Andrew Buchanan, 'A friend indeed? From Tobruk to El Alamein: the American contribution to victory in the desert', *Diplomacy & Statecraft*, 15 (2004), 279-89.

14 Gabriel Gorodetsky (ed.), *The Maisky Diaries: Red Ambassador to the Court of St. James's 1932-1943* (New Haven, Conn., 2015), 442, entry for 3 July 1942.

15 Bernd Wegner, 'Vom Lebensraum zum Todesraum. Deutschlands Kriegführung zwischen Moskau und Stalingrad', in Jürgen Förster (ed.), *Stalingrad: Ereignis, Wirkung, Symbol* (Munich, 1992), 20-21.

16 Geoffrey Roberts, *Stalin's Wars: From World War to Cold War, 1939-1953* (New Haven, Conn., 2006), 123-4.

17 Robert Citino, *Death of the Wehrmacht: The German Campaigns of 1942* (Lawrence, Kans,

360 Frederick Chary, *The Bulgarian Jews and the Final Solution, 1940-1944* (Pittsburgh, Pa, 1972), 35-8, 41-4, 54-5, 58-9, 184-7; Beorn, *Holocaust in Eastern Europe*, 195-9.

361 Peter Staubenmaier, 'Preparation for genocide: the "Center for the Study of the Jewish Problem" in Trieste, 1942-44', *Holocaust and Genocide Research*, 31 (2017), 2-4.

362 Jonathan Steinberg, *All or Nothing: The Axis and the Holocaust 1941-43* (London, 1991), 54-61.

363 Liliana Picciotto, 'The Shoah in Italy: its history and characteristics', in Joshua Zimmerman (ed.), *Jews in Italy under Fascist and Nazi Rule, 1922-1945* (Cambridge, 2005), 211-19.

364 Liliana Picciotto, 'Italian Jews who survived the Shoah: Jewish selfhelp and Italian rescuers 1943-1945', *Holocaust and Genocide Studies*, 30 (2016), 20-28; Simon Levis Sullam, 'The Italian executioners: revisiting the role of Italians in the Holocaust', *Journal of Genocide Research*, 19 (2017), 21-7.

365 Gerlach, *Extermination of the European Jews*, 375-6.

366 Anne Grynberg, *Les camps de la honte: les internés juifs des camps français 1939-1944* (Paris, 1991), 151-3.

367 Michael Meyer, 'The French Jewish Statute of October 5 1940: a reevaluation of continuities and discontinuities of French anti-Semitism', *Holocaust and Genocide Studies*, 33 (2019), 13.

368 Ibid., 6-7, 15.

369 Julian Jackson, *France: The Dark Years, 1940-1944* (Oxford, 2001), 354-9.

370 Ibid., 362; *Gerlach, Extermination of the European Jews*, 95-6.

371 Orna Keren-Carmel, 'Another piece in the puzzle: Denmark, Nazi Germany, and the rescue of Danish Jewry', Holocaust Studies, 24 (2018), 172-82; Gerlach, *Extermination of the European Jews*, 301-3.

372 Simo Muir, 'The plan to rescue Finnish Jews in 1944', *Holocaust and Genocide Studies*, 30 (2016), 81-90.

373 Hugh Trevor-Roper (ed.), T*he Testament of Adolf Hitler: The Hitler-Bormann Documents* (London, 1959), 105, notes of 25 Apr. 1945

第三章　民族帝國的終結（1943-1945 年）

1 Carl Boyd, *Hitler's Japanese Confidant: General Ōshima Hiroshi and Magic Intelligence 1941-1945* (Lawrence, Kans, 1993), 72.

2 Gerhard Krebs, 'Gibraltar oder Bosporus? Japans Empfehlungen für eine deutsche

Shoah in Ukraine, 278-9.

342 Stephen Lehnstaedt, 'The Minsk experience: German occupiers and everyday life in the capital of Belarus', in Kay, Rutherford and Stahel (eds.), *Nazi Policy on the Eastern Front*, 244-5.

343 Corni, *Hitler's Ghettos*, 34-6.

344 Kruglov, 'Jewish losses in Ukraine', 275.

345 Berkhoff, *Harvest of Despair*, 75.

346 Matthäus and Bajohr (eds.), *Political Diary of Alfred Rosenberg*, 263-4.

347 Christian Gerlach, *The Extermination of the European Jews* (Cambridge, 2016), 84-8; Wolf, 'Wannsee Conference', 165-6, 167-8.

348 Bertrand Perz, 'The Austrian connection: the SS and police leader Odilo Globocnik and his staff in the Lublin district', *Holocaust and Genocide Studies*, 29 (2015), 400.

349 Bertrand Perz, 'The Austrian connection: the SS and police leader Odilo Globocnik and his staff in the Lublin district', *Holocaust and Genocide Studies*, 29 (2015), 400.

350 Gerlach, *Extermination of the European Jews*, 90.

351 Dieter Pohl, 'The murder of Ukraine's Jews under German military administration and in the Reich Commissariat Ukraine', in Brandon and Lower (eds.), *The Shoah in Ukraine*, 50-52.

352 Gruner, *Jewish Forced Labour*, 258-62, 270.

353 Frediano Sessi, *Auschwitz: Storia e memorie* (Venice, 2020), 279-80.

354 William Brustein and Amy Ronnkvist, 'The roots of anti-Semitism in Romania before the Holocaust', *Journal of Genocide Research*, 4 (2002), 212-19.

355 Dennis Deletant, 'Transnistria and the Romanian solution to the "Jewish question"', in Brandon and Lower (eds.), *The Shoah in Ukraine*, 157-8; Clark, 'Fascists and soldiers', 409-10, 417-21; Waitman Beorn, *The Holocaust in Eastern Europe: At the Epicentre of the Final Solution* (London, 2018), 185-7.

356 Deletant, 'Transnistria', 172-9.

357 Eduard Nižňanskí, 'Expropriation and deportation of Jews in Slovakia', in Beate Kosmola and Feliks Tych (eds.), *Facing the Nazi Genocide: Non-Jews and Jews in Europe* (Berlin, 2004), 210-23, 230.

358 Krisztian Ungváry, 'Robbing the dead: the Hungarian contribution to the Holocaust', in Kosmola and Tych (eds.), *Facing the Nazi Genocide*, 233-44; Pohl, 'The murder of Ukraine's Jews', 29-31.

359 Gerlach, *Extermination of the European Jews*, 114-15.

Europe', *Journal of Genocide Research*, 19 (2017), 241, 248-51; Siemens, '"Sword and plough"', 204.

323 Ingrao, *Promise of the East*, 108-14; Michael Wildt, *Generation des Unbedingten: Das Führungskorps des Reichssicherheitshauptamtes* (Hamburg, 2002), 663-5, 669-70.

324 http://www.holocaustresearchproject.org, Speech of the Reichsführer-SS at the SS Group Leader Meeting in Posen, 4 Oct. 1943, p. 16.

325 http://prorev.com/wannsee.htm, Wannsee Protocol, 20 Jan. 1941, p. 5.

326 Snyder, *Black Earth*, 5-8.

327 Wilhelm Treue, 'Hitlers Denkschrift zum Vierjahresplan, 1936', *Vierteljahrshefte für Zeitgeschichte*, 3 (1955), 204-5.

328 Peter Longerich, *The Unwritten Order: Hitler's Role in the Final Solution* (Stroud, 2001), 155.

329 Alon Confino, *A World without Jews: The Nazi Imagination from Persecution to Genocide* (New Haven, Conn., 2014), 195.

330 Domarus, *Reden und Proklamationen*, ii, 1866-7, speech of 26 Apr. 1942.（英文部分是作者自己的翻譯。）

331 Gustavo Corni, *Hitler's Ghettos: Voices from a Beleaguered Society 1939-1944* (London, 2002), 23-5.

332 Leni Yahil, *The Holocaust: The Fate of European Jewry 1932-1945* (New York, 1990), 164.

333 Wolf Gruner, *Jewish Forced Labour under the Nazis: Economic Needs and Racial Aims, 1938-1944* (Cambridge, 2006), 232-52.

334 Ullrich, *Hitler: Downfall*, 251-3.

335 Ibid., 267.

336 Lower, 'The *reibungslose* Holocaust?', 250.

337 Waitman Beorn, 'A calculus of complicity: the Wehrmacht, the antipartisan war, and the Final Solution in White Russia 1941-42', *Central European History*, 44 (2011), 311-13.

338 Christian Ingrao, *Believe and Destroy: Intellectuals in the SS War Machine* (Cambridge, 2013), 148-50.

339 Leonid Rein, 'The radicalization of anti-Jewish policies in Nazi-occupied Belarus', in Kay, Rutherford and Stahel (eds.), *Nazi Policy on the Eastern Front*, 228.

340 Walter Manoschek, *'Serbien ist judenfrei': Militärische Besatzungspolitik und Judenvernichtung in Serbien 1941/42* (Munich, 1993), 102-8.

341 Alexander Kruglov, 'Jewish losses in Ukraine, 1941-1944', in Brandon and Lower (eds.), *The*

306 Sergei Kudryashov, 'Labour in the occupied territory of the Soviet Union 1941-1944', in Overy, Otto and ten Cate (eds.), *Die 'Neuordnung Europas'*, 165-6; Schulte, 'Living standards and the civilian economy', 179-80.

307 Priemel, 'Scorched earth, plunder', 405-6.

308 Schulte, *German Army and Nazi Policies*, 96-7.

309 Gustavo Corni and Horst Gies, *Brot, Butter, Kanonen: Die Ernährungswirtschaft in Deutschland unter der Diktatur Hitlers* (Berlin, 1997), 553-4, 574.

310 Stephan Lehnstaedt, *Imperiale Polenpolitik in den Weltkriegen* (Osnabrück, 2017), 433.

311 Isabel Heinemann, '"Ethnic resettlement" and inter-agency cooperation in the Occupied Eastern Territories', in Feldman and Seibel (eds.), *Networks of Nazi Persecution*, 217-22; idem, '"Another type of perpetrator": the SS racial experts and forced population movements in the occupied regions', *Holocaust and Genocide Studies*, 15 (2001), 391-2.

312 Dietrich Beyrau and Mark Keck-Szajbel, 'Eastern Europe as "sub-Germanic space": scholarship on Eastern Europe under National Socialism', *Kritika*, 13 (2012), 694-5.

313 Barnes and Minca, 'Nazi spatial theory', 670-74; Ingrao, *Promise of the East*, 99-100, 144-8.

314 Lehnstaedt, *Imperiale Polenpolitik*, 447; on Moscow and Leningrad 'den Erdboden gleichzumachen', Arnold, 'Die Eroberung und Behandlung der Stadt Kiew', 27.

315 Ingrao, *Promise of the East*, 101.

316 Gerhard Wolf, 'The Wannsee Conference in 1942 and the National Socialist living space dystopia', *Journal of Genocide Research*, 17 (2015), 166; Andrej Angrick, 'Annihilation and labor: Jews and Thoroughfare IV in Central Ukraine', in Ray Brandon and Wendy Lower (eds.), *The Shoah in Ukraine: History, Testimony, Memorialization* (Bloomington, Ind., 2008), 208-11.

317 Markus Leniger, *Nationalsozialistische 'Volkstumsarbeit' und Umsiedlungspolitik 1933-1945* (Berlin, 2011), 89.

318 Ingrao, *Promise of the East*, 108-9.

319 Heiko Suhr, *Der Generalplan Ost: Nationalsozialistische Pläne zur Kolonisation Ostmitteleuropas* (Munich, 2008), 18-20; Lehnstaedt, *Imperiale Polenpolitik*, 450.

320 Daniel Siemens, '"Sword and plough": settling Nazi Stormtroopers in Eastern Europe, 1936-43', *Journal of Genocide Research*, 19 (2017), 200-204.

321 Kiernan, *Blood and Soil*, 452.

322 Geraldien von Frijtag Drabbe Künzel, '"Germanje": Dutch empire-building in Nazioccupied

Szejnmann (ed.), *Rethinking History, Dictatorship and War* (London, 2009), 134-6.

288 Berkhoff, *Harvest of Despair*, 48-9.

289 Grzegorz Rossoliński-Liebe, 'The "Ukrainian National Revolution" of 1941: discourse and practice of a fascist movement', *Kritika*, 12 (2011), 83, 93-106.

290 Matthäus and Bajohr (eds.), *Political Diary of Rosenberg*, 253-7.

291 Theo Schulte, *The German Army and Nazi Policies in Occupied Russia* (Oxford, 1989), 65-8.

292 Roland Clark, 'Fascists and soldiers: ambivalent loyalties and genocidal violence in wartime Romania', *Holocaust and Genocide Studies*, 31 (2017), 411.

293 Steinberg, 'Third Reich reflected', 615.

294 Theo Schulte, 'Living standards and the civilian economy in Belorussia', in Richard Overy, Gerhard Otto and Johannes Houwink ten Cate (eds.), *Die 'Neuordnung Europas': NS-Wirtschaftspolitik in den besetzten Gebieten* (Berlin, 1997), 176; Steinberg, 'Third Reich reflected', 635.

295 Wendy Lower, 'The reibungslose Holocaust? The German military and civilian implementation of the "Final Solution" in Ukraine, 1941-1944', in Gerald Feldman and Wolfgang Seibel (eds.), *Networks of Nazi Persecution: Bureaucracy, Business and the Organization of the Holocaust* (New York, 2005), 246-7.

296 Terry, 'How Soviet was Russian society?', 131; Kim Priemel, 'Occupying Ukraine: great expectations, failed opportunities, and the spoils of war, 1941-1943', *Central European History*, 48 (2015), 39.

297 Richard Overy, *Goering: The Iron Man*, 3rd edn (London, 2020), 131-2.

298 Kim Priemel, 'Scorched earth, plunder, and massive mobilization: the German occupation of Ukraine and the Soviet war economy', in Jonas Scherner and Eugene White (eds.), *Paying for Hitler's War: The Consequences of Nazi Hegemony for Europe* (Cambridge, 2016), 406-7.

299 Overy, *Goering*, 132-3.

300 Priemel, 'Occupying Ukraine', 37-9, 48, 50-52.

301 Eichholtz, *Deutsche Ölpolitik*, 450-60.

302 Priemel, 'Occupying Ukraine', 42-8.

303 Christoph Buchheim, 'Die besetzten Länder im Dienste der deutschen Kriegswirtschaft während des Zweiten Weltkrieges', *Vierteljahrshefte für Zeitgeschichte*, 34 (1986), 123, 143-5.

304 Arnold, 'Die Eroberung und Behandlung der Stadt Kiew', 36.

305 Ibid., 39.

answer to Standard Oil: the Continental Oil company and Nazi grand strategy 1940-1942', *Journal of Strategic Studies*, 37 (2014), 956-9.

272 Dieter Eichholtz, *Deutsche Ölpolitik im Zeitalter der Weltkriege: Studien und Dokumente* (Leipzig, 2010), 345-9.

273 Trifković, 'Rivalry between Germany and Italy', 884-7.

274 Rodogno, *Fascism's European Empire*, 232-40.

275 Nuremberg Trials, Case XI, Prosecution Document Book 113, pp. 1-3。一九四一年二月五日，戈林下令對洛林與盧森堡的煉鐵廠進行分配。

276 Patrick Nefors, *La collaboration industrielle en Belgique 1940-1945* (Brussels, 2006), 180-82, 223-5, 236-7.

277 Henry Picker (ed.), *Hitlers Tischgespräche im Führerhauptquartier* (Wiesbaden, 1984), 62, 69, entries for 1 Aug. and 8/9 Aug. 1941; Trevor-Roper (ed.), Hitler's Table Talk, 15, 33, 35, 68-8, entries for 27 July, 17 Sept. and 17 Oct. 1941.

278 Brendan Simms, *Hitler: Only the World was Enough* (London, 2019), 422-3.

279 Jürgen Matthäus and Frank Bajohr (eds.), *The Political Diary of Alfred Rosenberg and the Onset of the Holocaust* (Lanham, Md, 2015), 239, entry for 11 Apr. 1941.

280 Karel Berkhoff, *Harvest of Despair: Life and Death in Ukraine under Nazi Rule* (Cambridge, Mass., 2004), 50.

281 Klaus Arnold, 'Die Eroberung und Behandlung der Stadt Kiew durch die Wehrmacht im September 1941: zur Radikalisierung der Besatzungspolitik', *Militärgeschichtliche Mitteilungen*, 58 (1999), 35.

282 Ben Kiernan, *Blood and Soil: A World History of Genocide and Extermination from Sparta to Darfur* (New Haven, Conn., 2007), 422.

283 Elissa Mailänder Koslov, '"Going East": colonial experiences and practices of violence among female and male Majdanek camp guards (1941-44)', *Journal of Genocide Research*, 10 (2008), 567-70.

284 Johannes Enstad, *Soviet Russians under Nazi Occupation: Fragile Loyalties in World War II* (Cambridge, 2018), 51-3, 66-8.

285 Jonathan Steinberg, 'The Third Reich reflected: German civil administration in the occupied Soviet Union, 1941-4', *English Historical Review*, 110 (1995), 628.

286 Trevor-Roper (ed.), *Hitler's Table Talk*, 34, entry for 17 Sept. 1941.

287 Nicholas Terry, 'How Soviet was Russian society under Nazi occupation?', in Claus-Christian

254 Kratoska, *Japanese Occupation of Malaya*, 44-5; Joyce Lebra, *Japan's Greater East Asia Co-Prosperity Sphere in World War II: Selected Readings and Documents* (Kuala Lumpur, 1975), 92.

255 Tarling, *A Sudden Rampage*, 128.

256 Raghavan, *India's War*, 284-94; Kratoska, *Japanese Occupation of Malaya*, 104-8.

257 Tarling, *A Sudden Rampage*, 155-7; Joyce Lebra, 'Postwar Perspectives on the Greater East Asia Co-Prosperity Sphere', 34th Harmon Memorial Lecture, US Air Force Academy, Colorado Springs, 1991, 5-6.

258 Tarling, *A Sudden Rampage*, 167-72.

259 Mark, *Japan's Occupation of Java*, 271-2.

260 Nitz, 'Japanese military policy', 337-46.

261 Trevor Barnes and Claudio Minca, 'Nazi spatial theory: the dark geographies of Carl Schmitt and Walter Christaller', *Annals of the Association of American Geographers*, 103 (2013), 676-7; Timothy Snyder, *Black Earth: The Holocaust as History and Warning* (London, 2015), 144-5.

262 Wolfgang Benz, 'Typologie der Herrschaftsformen in den Gebieten unter deutschen Einfluss', in Wolfgang Benz, Johannes ten Cate and Gerhard Otto (eds.), *Die Bürokratie der Okkupation: Strukturen der Herrschaft und Verwaltung im besetzten Europa* (Berlin, 1998), 15-19.

263 Karen GramSkjoldager, 'The law of the jungle? Denmark's international legal status during the Second World War', *International History Review*, 33 (2011), 238-46.

264 Nicola Labanca, David Reynolds and Olivier Wieviorka, *La Guerre du désert 1940-1943* (Paris, 2019), 188-9, 193-7.

265 Rodogno, *Fascism's European Empire*, 36-8.

266 關於併吞的相關細節，見ibid., 9-10, 73-102.

267 Srdjan Trifković, 'Rivalry between Germany and Italy in Croatia, 1942-1943', *Historical Journal*, 31 (1995), 880-82, 904.

268 Alessandra Kersevan, *Lager italiani: Pulizia etnica e campi di concentramento fascisti per civili jugoslavi 1941-1943* (Rome, 2008), 100-103.

269 Rodogno, *Fascism's European Empire*, 168-71, 177-8, 357-9.

270 Jürgen Förster, 'Die Wehrmacht und die Probleme der Koalitionskriegführung', in Klinkhammer et al. (eds.), *Die 'Achse' im Krieg*, 113.

271 M. Pearton, *Oil and the Romanian State* (Oxford, 1971), 231; Anand Toprani, 'Germany's

235 Li Yuk-wai, 'The Chinese resistance movement in the Philippines during the Japanese occupation', *Journal of South East Asian Studies*, 23 (1992), 308-9.

236 Melber, *Zwischen Kollaboration und Widerstand*, 520.

237 Ibid., 521.

238 Li, 'The Chinese resistance movement', 312-15.

239 Ben Hillier, 'The Huk rebellion and the Philippines' radical tradition: a people's war without a people's victory', in Donny Gluckstein (ed.), *Fighting on All Fronts: Popular Resistance in the Second World War* (London, 2015), 325-33.

240 Melber, *Zwischen Kollaboration und Widerstand*, 545, 549-53.

241 Tarling, *A Sudden Rampage*, 152.

242 Kratoska, *Japanese Occupation of Malaya*, 223-44.

243 USSBS, *The Effects of Strategic Bombing on Japan's War Economy* (Washington, DC, 1946), 121, 190; Nicholas White, J. M. Barwise and Shakila Yacob, 'Economic opportunity and strategic dilemma in colonial development: Britain, Japan and Malaya's iron ore, 1920s to 1950s', *International History Review*, 42 (2020), 426-33.

244 Kratoska, *Japanese Occupation of Malaya*, 223, 241.

245 Robert Goralski and Russell Freeburg, *Oil and War: How the Deadly Struggle for Fuel in WWII Meant Victory or Defeat* (New York, 1987), 150-52; Daniel Yergin, *The Prize: The Epic Quest for Oil, Money, and Power* (New York, 1991), 355-66.

246 USSBS, *Effects of Strategic Bombing*, 135 (figures for fiscal years 1940/41 and 1944/5).

247 Gregg Huff and Sinobu Majima, 'The challenge of finance in South East Asia during the Second World War', *War in History*, 22 (2015), 192-7.

248 Ibid.; Paul Kratoska, '"Banana money": consequences of demonetization of wartime Japanese currency in British Malaya', *Journal of South East Asian Studies*, 23 (1992), 322-6.

249 Paul Kratoska (ed.), *Food Supplies and the Japanese Occupation in South East Asia* (London, 1998), 4-6.

250 Kratoska, *Japanese Occupation of Malaya*, 183-200.

251 Mark, *Japan's Occupation of Java*, 263-5.

252 Ju Zhifen, 'Labor conscription in North China 1941-1945', in Stephen MacKinnon, Diana Lary and Ezra Vogel (eds.), *China at War: Regions of China 1937-45* (Stanford, Calif., 2007), 217-19.

253 Tarling, *A Sudden Rampage*, 230, 238; Mark, *Japan's Occupation of Java*, 259-65.

Shanghai under Japanese Occupation (Cambridge, 2004), 67-8.

217 David Barrett, 'The Wang Jingwei regime, 1940-1945: continuities and disjunctures with Nationalist China', in David Barrett and Larry Shyu (eds.), *Chinese Collaboration with Japan, 1932-1945: The Limits of Accommodation* (Stanford, Calif., 2001), 104-12.

218 Timothy Brook, *Collaboration: Japanese Agents and Local Elites in Wartime China* (Cambridge, Mass., 2005), 35-8.

219 Ibid., 41-7.

220 Mark Peattie, 'Nanshin: the "Southward Advance" 1931-1941, as a prelude to the Japanese occupation of Southeast Asia', in Duus, Myers and Peattie (eds.), *The Japanese Wartime Empire*, 236-7.

221 Takuma Melber, *Zwischen Kollaboration und Widerstand: Die japanische Besatzung Malaya und Singapur (1942-1945)* (Frankfurt am Main, 2017), 186-9; Paul Kratoska, *The Japanese Occupation of Malaya 1941-1945* (London, 1998), 52-4.

222 Tarling, *A Sudden Rampage*, 84-5; Kratoska, *Japanese Occupation of Malaya*, 85-7.

223 Kiyoko Nitz, 'Japanese military policy towards French Indo-China during the Second World War: the road to *Meigo Sakusen* ', *Journal of South East Asian Studies*, 14 (1983), 331-3.

224 Melber, *Zwischen Kollaboration und Widerstand*, 189; Tarling, *A Sudden Rampage*, 127, 133-4.

225 Peter Duus, 'Imperialism without colonies: the vision of a Greater East Asia Co-prosperity Sphere', *Diplomacy & Statecraft*, 7 (1996), 58-9, 62, 68-9.

226 Ethan Mark, *Japan's Occupation of Java in the Second World War* (London, 2018), 116-19, 163.

227 Tarling, *A Sudden Rampage*, 127-8.

228 Mark, *Japan's Occupation of Java*, 1, 129-30.

229 Ibid., 232.

230 Ibid., 107-8.

231 Melber, *Zwischen Kollaboration und Widerstand*, 325-33; Kratoska, *Japanese Occupation of Malaya*, 94-7.

232 Tarling, *A Sudden Rampage*, 167-8.

233 Melber, *Zwischen Kollaboration und Widerstand*, 289.

234 Chong-Sik Lee, *Revolutionary Struggle in Manchuria: Chinese Communism and Soviet Interest 1922-1945* (Berkeley, Calif., 1983), 271, 291-4.

2009), 111-13.

200 Bayly and Harper, *Forgotten Armies*, 5-7; Kotani, *Japanese Intelligence*, 116-17.

201 Gerald Horne, *Race War: White Supremacy and the Japanese Attack on the British Empire* (New York, 2004), 72-4; Philip Snow, *The Fall of Hong Kong: Britain, China and the British Occupation* (New Haven, Conn., 2003), 66-72.

202 David Horner, 'Australia in 1942: a pivotal year', in Peter Dean (ed.), *Australia 1942: In the Shadow of War* (Cambridge, 2013), 18-19.

203 Craig Symonds, *World War Two at Sea: A Global History* (New York, 2018), 235-7.

204 Arthur Marder, M. Jacobsen and J. Horsfield, *Old Friends, New Enemies: The Royal Navy and the Imperial Japanese Navy, 1942-1945* (Oxford, 1990), 155-9; James Brown, *Eagles Strike: South African Forces in World War II, Vol. IV* (Cape Town, 1974), 388-400.

205 Horne, *Race War*, 217-18.

206 Neil Smith, *American Empire: Roosevelt's Geographer and the Prelude to Globalization* (Berkeley, Calif., 2004), 349-50; William Roger Louis, *Imperialism at Bay: The United States and the Decolonization of the British Empire 1941-1945* (Oxford, 1977), 173-6.

207 Simon Rofe, 'Pre-war postwar planning: the phoney war, the Roosevelt administration and the case of the Advisory Committee on Problems of Foreign Relations', *Diplomacy & Statecraft*, 23 (2012), 254-5, 258-9.

208 Louis, *Imperialism at Bay*, 149.

209 Roll, *The Hopkins Touch*, 188-9; M. Subrahmanyan, *Why Cripps Failed* (New Delhi, 1942), 5-11, 25.

210 Horne, *Race War*, 215-17.

211 Yasmin Khan, *The Raj at War: A People's History of India's Second World War* (London, 2015), 191; Kaushik Roy, *India and World War II: War, Armed Forces and Society, 1939-45* (New Delhi, 2016), 176.

212 Roy, *India and World War II*, 177-8; Raghavan, *India's War*, 272-4.

213 Khan, *The Raj at War*, 191.

214 Louis, *Imperialism at Bay*, 156-7, 181.

215 Matthew Jones, *Britain, the United States and the Mediterranean War 1942-44* (London, 1996), 223.

216 Mitter, *China's War with Japan*, 216-19; Timothy Brook, 'The Great Way government of Shanghai', in Christian Henriot and Wen Hsin Yeh (eds.), *In the Shadow of the Rising Sun:*

181 Tarling, *A Sudden Rampage*, 81-2.

182 Evan Mawdsley, *December 1941: Twelve Days that Began a World War* (New Haven, Conn., 2011), 230-34.

183 Tarling, *A Sudden Rampage*, 91-2; David Kennedy, *The American People in World War II: Freedom from Fear* (New York, 1999), 102-5.

184 Alan Warren, *Singapore 1942: Britain's Greatest Defeat* (London, 2002), 46, 301-2; Christopher Bayly and Tim Harper, *Forgotten Armies: The Fall of British Asia 1941-1945* (London, 2004), 146.

185 Warren, *Singapore 1942*, 272-4, 290-92; Richard Toye, *Churchill's Empire: The World that Made Him and the World He Made* (New York, 2010), 217-18.

186 Bayly and Harper, *Forgotten Armies*, 156.

187 Hans van de Ven, *China at War: Triumph and Tragedy in the Emergence of the New China 1937-1952* (London, 2017), 162-3; Tarling, *A Sudden Rampage*, 95-6.

188 William Grieve, *The American Military Mission to China, 1941-1942* (Jefferson, NC, 2014), 188-90.

189 Ibid., 108-16, 191.

190 Jay Taylor, *The Generalissimo: Chiang KaiShek and the Struggle for Modern China* (Cambridge, Mass., 2011), 190.

191 Van de Ven, *China at War*, 164; Grieve, *American Military Mission*, 196-7, 202.

192 Taylor, *Generalissimo*, 197-200.

193 Srinath Raghavan, *India's War: The Making of Modern South Asia, 1939-1945* (London, 2016), 209.

194 Rana Mitter, *China's War with Japan 1937-1945: The Struggle for Survival* (London, 2013), 256-61; Tarling, *A Sudden Rampage*, 98-100; Francis Pike, *Hirohito's War: The Pacific War 1941-1945* (London, 2016), 303.

195 Bayly and Harper, *Forgotten Armies*, 169, 177-8, 196-7; *Pike, Hirohito's War*, 299-300.

196 Mitter, *China's War with Japan*, 260.

197 Paine, *Wars for Asia*, 128.

198 Daniel Hedinger, 'Fascist warfare and the Axis alliance: from Blitzkrieg to total war', in Miguel Alonso, Alan Kramer and Javier Rodrigo (eds.), *Fascist Warfare 1922-1945: Aggression, Occupation, Annihilation* (Cham, Switzerland, 2019), 205-8.

199 Warren, *Singapore 1942*, 60; Ken Kotani, *Japanese Intelligence in World War II* (Oxford,

162 Sean Casey, *Cautious Crusade: Franklin D. Roosevelt, American Public Opinion and the War against Nazi Germany* (New York, 2001), 39.

163 Jonathan Marshall, *To Have and Have Not: Southeast Asian Raw Materials and the Origins of the Pacific War* (Berkeley, Calif., 1995), 36-41; Sidney Pash, 'Containment, rollback, and the origins of the Pacific War, 1933-1941', in Kurt Piehler and Sidney Pash (eds.), *The United States and the Second World War: New Perspectives on Diplomacy, War and the Home Front* (New York, 2010), 43-4.

164 Pash, 'Containment, rollback', 46-51; Sarah Paine, T*he Wars for Asia 1911-1949* (Cambridge, 2012), 175-82; Tarling, *A Sudden Rampage*, 71-3. Grew quotation in Joseph Grew, *Ten Years in Japan* (London, 1944), 257.

165 Hotta, *Japan 1941*, 4-7.

166 Krebs, 'Japan and the German-Soviet War', 550-51.

167 Tarling, *A Sudden Rampage*, 73-4; Sarah Paine, *The Japanese Empire: Grand Strategy from the Meiji Restoration to the Pacific War* (Cambridge, 2017), 147-8, 153.

168 Pash, 'Containment, rollback', 53-5, 57-8; Marshall, *To Have and Have Not*, 147-50.

169 Marshall, *To Have and Have Not*, 163.

170 Hotta, *Japan 1941*, 265-8.

171 Tarling, *A Sudden Rampage*, 77.

172 Krebs, 'Japan and the German-Soviet War', 558-9.

173 Alan Zimm, *Attack on Pearl Harbor: Strategy, Combat, Myths, Deceptions* (Philadelphia, Pa, 2011), 15.

174 Hotta, *Japan 1941*, 234-5; Chapman, 'Imperial Japanese Navy', 166.

175 Richard Hallion, 'The United States perspective', in Paul Addison and Jeremy Crang (eds.), *The Burning Blue: A New History of the Battle of Britain* (London, 2000), 101-2.

176 Zimm, *Attack on Pearl Harbor*, 151-4; Paine, *Wars for Asia*, 187-8.

177 Zimm, *Attack on Pearl Harbor*, 223-4, 228-9.

178 David Roll, *The Hopkins Touch: Harry Hopkins and the Forging of the Alliance to Defeat Hitler* (Oxford, 2015), 158.

179 Andrew Buchanan, *American Grand Strategy in the Mediterranean during World War II* (Cambridge, 2014), 23-4, 31-2; Mark Stoler, *Allies in War: Britain and America against the Axis Powers* (London, 2005), 42-5.

180 Debi Unger and Irwin Unger, *George Marshall: A Biography* (New York, 2014), 148-9.

148 Carl Boyd, *Hitler's Japanese Confidant: General Ōshima Hiroshi and Magic Intelligence 1941-1945* (Lawrence, Kans, 1993), 27-30.

149 Klaus Reinhardt, *Moscow-The Turning Point: The Failure of Hitler's Strategy in the Winter of 1941-42* (Oxford, 1992), 58.

150 Gerhard Krebs, 'Japan and the German-Soviet War', in Wegner (ed.), *From Peace to War*, 548-50, 554-5; John Chapman, 'The Imperial Japanese Navy and the north-south dilemma', in Erickson and Dilks (eds.), *Barbarossa*, 168-9, 177-9.

151 Warlimont, *Inside Hitler's Headquarters*, 207-9.

152 Eri Hotta, *Japan 1941: Countdown to Infamy* (New York, 2013), 6-7.

153 Hans Boberach (ed.), *Meldungen aus dem Reich: Die geheimen Lageberichte des Sicherheitsdienst der SS 1938-1945* (Herrsching, 1984), viii, 3073, report for 11 Dec. 1941; ix, 3101-2, report for 19 Dec. 1941; Will Boelcke (ed.), *The Secret Conferences of Dr. Goebbels 1939-1941* (London, 1967), 194, conference of 18 Dec. 1941.

154 *Fuehrer Conferences on Naval Affairs*, 245, Report by the C-in-C Navy to the Fuehrer, 12 Dec. 1941.

155 Eberle and Uhl, *The Hitler Book*, 79.

156 Ben-Ami Shillony, *Politics and Culture in Wartime Japan* (Oxford, 1981), 134-6, 142-5; Nicholas Tarling, *A Sudden Rampage: Japan's Occupation of Southeast Asia 1941-1945* (London, 2001), 127-8.

157 Friedrich Ruge, *Der Seekrieg: The German Navy's Story 1939-1945* (Annapolis, Md, 1957), 252-5.

158 Friedrich Ruge, *Der Seekrieg: The German Navy's Story 1939-1945* (Annapolis, Md, 1957), 252-5.

159 Dollmann, *With Hitler and Mussolini*, 204. 這個論點出自Tobias Jersak, 'Die Interaktion von Kriegsverlauf und Judenvernichtung: ein Blick auf Hitlers Strategie im Spätsommer 1941', *Historisches Zeitschrift*, 268 (1999), 345-60.

160 Christian Gerlach, 'The Wannsee Conference, the fate of the German Jews, and Hitler's decision in principle to exterminate all European Jews', *Journal of Modern History*, 70 (1998), 784-5. 關於十二月十二日的會議，見Martin Moll, 'Steuerungsinstrument im "Ämterchaos"? Die Tagungen der Reichs und Gauleiter der NSDAP', *Vierteljahreshefte für Zeitgeschichte*, 49 (2001), 240-43.

161 Tolischus, Tokyo Record, 30, citing speech to the Diet, 20 Jan. 1941.

Studies, 26 (2013), 465-7.

127 Johannes Hürter (ed.), A *German General on the Eastern Front: The Letters and Diaries of Gotthard Heinrici 1941-1942* (Barnsley, 2015), 68, letter of 6 July 1941.

128 Ibid., 73-4, letters of 1 and 3 Aug.; 78, letter of 28 Aug. 1941.

129 Hans Schröder, 'German soldiers' experiences during the initial phase of the Russian campaign', in Wegner (ed.), *From Peace to War*, 313.

130 Stahel, *Operation Barbarossa*, 182.

131 Dinardo, *Mechanized Juggernaut*, 45-9; Stahel, *Operation Barbarossa*, 183-5.

132 Dinardo, *Mechanized Juggernaut*, 53; Stahel, *Operation Barbarossa*, 234.

133 Fritz, *Ostkrieg*, 129-32.

134 Peter Longerich, *Hitler: A Biography* (Oxford, 2019), 753.

135 Dmitri Pavlov, *Leningrad 1941-1942: The Blockade* (Chicago, Ill., 1965), 75, 79, 84, 88; N. Kislitsyn and V. Zubakov, *Leningrad Does Not Surrender* (Moscow, 1989), 116-18. 一九四一年冬季期間圍城的死亡人數是一個估計值，但一般認為這個數字是根據目前可得的證據所能得出最接近的數字。見Richard Bidlack and Nikita Lomagin, *The Leningrad Blockade 1941-1944* (New Haven, Conn., 2012), 270-73.

136 Megargee, *Inside Hitler's High Command*, 135.

137 Domarus, *Reden und Proklamationen*, ii, 1758-67.

138 Jack Radey and Charles Sharp, 'Was it the mud?', *Journal of Slavic Military Studies*, 28 (2015), 663-5.

139 Ibid., 667-70.

140 Fritz, *Ostkrieg*, 161.

141 Klaus Reinhardt 'Moscow 1941: the turning point', in John Erickson and David Dilks (eds.), *Barbarossa: The Axis and the Allies* (Edinburgh, 1994), 218-19; Fritz, *Ostkrieg*, 189-90.

142 Fritz, *Ostkrieg*, 187-9.

143 Spahr, *Zhukov*, 74-5.

144 *Kriegstagebuch des Oberkommandos der Wehrmacht*, 5 vols. (Frankfurt am Main, 1961-3), i, 1120; statistics from Fritz, *Ostkrieg*, 192.

145 關於蘇軍的缺點，見Hill, *Red Army*, 302-3.

146 Christian Hartmann, *Operation Barbarossa: Nazi Germany's War in the East 1941-1945* (Oxford, 2015), 54-5.

147 Hürter (ed.), *A German General on the Eastern Front*, 126, letter of 2 Jan. 1942.

109 Glantz, *Stumbling Colossus*, 239-43; Christopher Andrew and O. Gordievsky, *KGB: The Inside Story* (London, 1990), 209-13; David Glantz, *The Role of Intelligence in Soviet Military Strategy in World War II* (Novato, Calif., 1990), 15-19.

110 這是個歷史悠久的論戰，見Klaus Schmider, 'No quiet on the Eastern Front: the Suvorov debate in the 1990s', *Journal of Slavic Military Studies*, 10 (1997), 181-94; V. Suvorov, 'Who was planning to attack whom in June 1941, Hitler or Stalin?', *Military Affairs*, 69 (1989).

111 R. H. McNeal, *Stalin: Man and Ruler* (New York, 1988), 238.

112 Georgii Zhukov, *Reminiscences and Reflections: Volume I* (Moscow, 1985), 217-29; Alexander Hill, *The Red Army and the Second World War* (Cambridge, 2017), 205-7.

113 Von Below, *At Hitler's Side*, 103.

114 J. Schecter and V. Luchkov (eds.), *Khrushchev Remembers: The Glasnost Tapes* (New York, 1990), 56.

115 Henrik Eberle and Matthias Uhl (eds.), *The Hitler Book: The Secret Dossier Prepared for Stalin* (London, 2005), 73; von Ribbentrop, *Memoirs*, 153.

116 W. J. Spahr, *Zhukov: The Rise and Fall of a Great Captain* (Novato, Calif., 1993), 43; A. G. Chor'kov, 'The Red Army during the initial phase of the Great Patriotic War', in Wegner (ed.), *From Peace to War*, 417-18.

117 Victor Kamenir, *The Bloody Triangle: The Defeat of Soviet Armor in the Ukraine, June 1941* (Minneapolis, Minn., 2008), 247-54.

118 Von Below, *At Hitler's Side*, 107.

119 Evan Mawdsley, *Thunder in the East: The Nazi-Soviet War 1941-1945* (London, 2005), 19.

120 Kamenir, *The Bloody Triangle*, 21-5.

121 Roberts, 'Planning for War', 1307; Chor'kov, 'Red Army', 416; R. Stolfi, *Hitler's Panzers East: World War II Reinterpreted* (Norman, Okla, 1991), 88-9.

122 James Lucas, *War on the Eastern Front: The German Soldier in Russia 1941-1945* (London, 1979), 31-3.

123 G. F. Krivosheev, *Soviet Casualties and Combat Losses in the Twentieth Century* (London, 1997), 96-7, 101.

124 TrevorRoper (ed.), *Hitler's Table Talk*, 17, 24, entries for 27 July, 8/9 Aug. 1941.

125 Megargee, *Inside Hitler's High Command*, 132-3.

126 Martin Kahn, 'From assured defeat to "the riddle of Soviet military success": AngloAmerican government assessments of Soviet war potential 1941-1943', *Journal of Slavic Military*

2; Alex Kay, '"The purpose of the Russian campaign is the decimation of the Slavic population by thirty million": the radicalization of German food policy in early 1941', in Alex Kay, Jeff Rutherford and David Stahel (eds.), *Nazi Policy on the Eastern Front, 1941: Total War, Genocide, and Radicalization* (Rochester, NY, 2012), 107-8.

95 Stahel, *Operation Barbarossa*, 114-16.

96 Oula Silvennoinen, 'Janus of the North? Finland 1940-44: Finland's road into alliance with Hitler', in John Gilmour and Jill Stephenson (eds.), *Hitler's Scandinavian Legacy* (London, 2013), 135-6.

97 Joumi Tilli, '"Deus Vult!": the idea of crusading in Finnish clerical rhetoric 1941-1944', *War in History*, 24 (2017), 364-5, 372-6.

98 Silvennoinen, 'Janus of the North?', 139-40.

99 Dennis Deletant, 'Romania', in David Stahel (ed.), *Joining Hitler's Crusade: European Nations and the Invasion of the Soviet Union, 1941* (Cambridge, 2018), 66-9.

100 Ibid., 9, 69-70.

101 Jan Rychlík, 'Slovakia', in Stahel (ed.), *Joining Hitler's Crusade*, 123-4; Ignác Ramsics, 'Hungary', ibid., 88-9, 92-5, 100-101.

102 Jürgen Förster, 'Freiwillige für den "Kreuzzug Europas" gegen den Bolschewismus', in Boog et al., *Das Deutsche Reich und der Zweite Weltkrieg: Band 4*, 908-9.

103 Thomas Schlemmer, *Invasori, non Vittime: La campagna italiana di Russia 1941-1943* (Rome, 2019), 9-12.

104 Von Below, *At Hitler's Side*, 111.

105 Alessandro Massignani, 'Die italienischen Streitkräfte unde der Krieg der "Achse"', in Lutz Klinkhammer, Amadeo Guerrazzi and Thomas Schlemmer (eds.), *Die 'Achse' im Krieg: Politik, Ideologie und Kriegführung 1939-1945* (Paderborn, 2010), 123-6, 135-7.

106 Eugen Dollmann, With Hitler and Mussolini: Memoirs of a Nazi Interpreter (New York, 2017), 192-3. Dollmann利用他當時寫下的文章記錄這些事件。

107 K. Arlt, 'Die Wehrmacht im Kalkul Stalins', in RolfDieter Müller and Hans-Erich Volkmann (eds.), *Die Wehrmacht: Mythos und Realität* (Munich, 1999), 107-9.

108 David Glantz, *Stumbling Colossus: The Red Army on the Eve of World War* (Lawrence, Kans, 1998), 95-6, 103-4; R. E. Tarleton, 'What really happened to the Stalin Line?', *Journal of Slavic Military Studies*, 6 (1993), 50; C. Roberts, 'Planning for war: the Red Army and the catastrophe of 1941', *Europe-Asia Studies*, 47 (1995), 1319.

77 Michael Bloch, *Ribbentrop* (London, 1992), 317.

78 Hugh Trevor-Roper (ed.), *Hitler's Table Talk 1941-1944: His Private Conversations* (London, 1973), 15, entry for 27 July 1941.

79 Stephen Fritz, *The First Soldier: Hitler as Military Leader* (New Haven, Conn., 2018), 132-8.

80 David Stahel, *Operation Barbarossa and Germany's Defeat in the East* (Cambridge, 2009), 47-53.

81 Megargee, *Inside Hitler's High Command*, 114-15.

82 Fritz, *First Soldier*, 151-2.

83 Warlimont, *Inside Hitler's Headquarters*, 140.

84 Jürgen Förster, 'Hitler turns East: German war policy in 1940 and 1941', in Bernd Wegner (ed.), *From Peace to War: Germany, Soviet Russia and the World, 1939-1941* (Oxford, 1997), 129; Andreas Hillgruber, 'The German military leaders' view of Russia prior to the attack on the Soviet Union', in Wegner (ed.), *From Peace to War*, 171-2, 180. 關於種族歧視的詞語，見Andrei Grinev, 'The evaluation of the military qualities of the Red Army in 1941-1945 by German memoirs and analytic materials', *Journal of Slavic Military Studies*, 29 (2016), 228-9.

85 Fritz, *First Soldier*, 124-5; Elke Fröhlich (ed.), *Die Tagebücher von Joseph Goebbels: Sämtliche Fragmente: Band 4* (Munich, 1987), 695, entry for 16 June 1941.

86 Stahel, *Operation Barbarossa*, 74.

87 R. L. Dinardo, *Mechanized Juggernaut or Military Anachronism? Horses and the German Army of WWII* (New York, 1991), 36-9.

88 Stahel, *Operation Barbarossa*, 78, 132-3.

89 Klaus Schüler, 'The eastern campaign as a transportation and supply problem', in Wegner (ed.), *From Peace to War*, 207-10.

90 F. Seidler and D. Zeigert, *Die Führerhauptquartiere: Anlagen und Planungen im Zweiten Weltkrieg* (Munich, 2000), 193-6; Warlimont, *Inside Hitler's Headquarters*, 162.

91 Johannes Kaufmann, *An Eagle's Odyssey: My Decade as a Pilot in Hitler's Luftwaffe* (Barnsley, 2019), 97.

92 Christian Ingrao, *The Promise of the East: Nazi Hopes and Genocide 1939-43* (Cambridge, 2019), 21-2, 99-101.

93 Horst Boog et al., *Das Deutsche Reich und der Zweite Weltkrieg: Band 4: Der Angriff auf die Sowjetunion* (Stuttgart, 1983), 129-35.

94 Stephen Fritz, *Ostkrieg: Hitler's War of Extermination in the East* (Lexington, Ky, 2011), 61-

59 Ibid., 107-9.

60 Ibid., 111-12, 130. 關於義大利人如何對待利比亞人，見Patrick Bernhard, 'Behind the battle lines: Italian atrocities and the persecution of Arabs, Berbers, and Jews in North Africa during World War II', *Holocaust and Genocide Studies*, 26 (2012), 425-46.

61 Nicholas Tamkin, 'Britain, the Middle East, and the "Northern Front" 1941-1942', *War in History*, 15 (2008), 316.

62 David Fieldhouse, *Western Imperialism in the Middle East 1914-1958* (Oxford, 2006), 325-6.

63 Stefanie Wichhart, 'Selling democracy during the second British occupation of Iraq, 1941-5', *Journal of Contemporary History*, 48 (2013), 515.

64 Ibid., 523.

65 Gerry Kearns, *Geopolitics and Empire: The Legacy of Halford Mackinder* (Oxford, 2009), 155.

66 W. H. Parker, Mackinder: *Geography as an Aid to Statecraft* (Oxford, 1982), 150-58; Geoffrey Sloan, 'Sir Halford J. Mackinder: the heartland theory then and now', in Colin Gray and Geoffrey Sloan (eds.), *Geopolitics, Geography and Strategy* (London, 1999), 154-5.

67 Geoffrey Sloan, *Geopolitics in United States Strategic Policy 1890-1987* (London, 1988), 31-6; Kearns, *Geopolitics and Empire*, 15-17.

68 Benjamin Madley, 'From Africa to Auschwitz: how German South West Africa incubated ideas and methods adopted and developed by the Nazis in Eastern Europe', *European History Quarterly*, 35 (2005), 432-4.

69 Andrew Gyorgy, *Geopolitics: The New German Science* (Berkeley, Calif., 1944), 207-8, 221.

70 Kearns, *Geopolitics and Empire*, 20; L. H. Gann, 'Reflections on the German and Japanese empires of World War II', in Peter Duus, Ramon Myers and Mark Peattie (eds.), *The Japanese Wartime Empire, 1931-1945* (Princeton, NJ, 1996), 338.

71 Volker Ullrich, *Hitler: Downfall 1939-45* (London, 2020), 145; Warlimont, *Inside Hitler's Headquarters*, 140.

72 Max Domarus, *Hitler: Reden und Proklamationen 1932-1945*, 3 vols., *Volume II, Untergang* (Munich, 1965), 1731, Hitler's Proclamation to the German People, 22 June 1941.

73 Warlimont, *Inside Hitler's Headquarters*, 139.

74 Von Ribbentrop, *Memoirs*, 153.

75 Ullrich, *Hitler: Downfall*, 145.

76 Albert Kesselring, *The Memoirs of Kesselring* (London, 1953), 87.

38 Ceva, 'Italia e Grecia', 201-2; Bragadin, *Italian Navy in World War II*, 42, 79.

39 Rochat, *Le guerre italiane*, 279-80. Ceva, 'Italia e Grecia', 提出的義大利死亡人數較多，有四萬人，其中有數千人因為凍傷與疾病而在撤退到後方後死去。這可以解釋為什麼死亡人數的統計有這麼大的差異。

40 Jack Greene and Alessandro Massignani, *The Naval War in the Mediterranean* (London, 1998), 103-7; Bragadin, *Italian Navy in World War II*, 44-6.

41 Bragadin, *Italian Navy in World War II*, 90-95.

42 關於未能攻占的黎波里，見Klaus Schmider, 'The Mediterranean in 1940-1941: crossroads of lost opportunities?', War & Society, 15 (1997), 27-8.

43 Schreiber, Stegmann and Vogel, *Germany and the Second World War: Volume III*, 92-5. 關於行動指揮，見Rochat, *Le guerre italiane*, 268-77.

44 Richard Carrier, 'Some reflections on the fighting power of the Italian Army in North Africa, 1940-1943', *War in History*, 22 (2015), 508-14.

45 Schreiber, Stegelmann and Vogel, *Germany and the Second World War: Volume III*, 454-6.

46 Walter Warlimont, *Inside Hitler's Headquarters 1939-45* (London, 1964), 128.

47 John Kennedy, *The Business of War: The War Narratives of Major-General Sir John Kennedy* (London, 1957), 72-5.

48 Vergani, *Ciano*, 100.

49 Kennedy, *Business of War*, 101-3.

50 Nicolson, *Diaries and Letters*, 161, entry for 4 Apr. 1941; Daniel Todman, *Britain's War: Into Battle 1937-1941* (London, 2016), 565.

51 Ashley Jackson, *Persian Gulf Command: A History of the Second World War in Iran and Iraq* (New Haven, Conn., 2018), 56-7.

52 Jeffrey Herf, *Nazi Propaganda for the Arab World* (New Haven, Conn., 2009), 60-61.

53 Jackson, *Persian Gulf Command*, 88.

54 Ibid., 99.

55 Ibid., 94-104; Herf, *Nazi Propaganda*, 57-8, 61.

56 Walther Hubatsch (ed.), *Hitlers Weisungen für die Kriegführung 1939-1945* (Munich, 1965), 139-41, 'Weisung Nr. 30: Mittlerer Orient'; 151-5, 'Weisung Nr. 32: Vorbereitungen für die Zeit nach Barbarossa'.

57 Herf, *Nazi Propaganda*, 36-9.

58 David Motadel, *Islam and Nazi Germany's War* (Cambridge, Mass., 2014), 84-9.

Die Errichtung der Hegemonie auf dem europäischen Kontinent (Stuttgart, 1979), 402-4.

21 C. B. A. Behrens, *Merchant Shipping and the Demands of War* (London, 1955), 325. 一九四一年，英國擁有將近一千七百萬噸糧食與進口原料庫存。

22 John Darwin, *The Empire Project: The Rise and Fall of the British World-System 1830-1970* (Cambridge, 2009), 510-11.

23 Warren Kimball, '"Beggar my neighbor": America and the British interim finance crisis 1940-41', *Journal of Economic History*, 29 (1969), 758-72; *idem* (ed.), *Churchill & Roosevelt: The Complete Correspondence*, 3 vols. (London, 1984), i, 139, Churchill memorandum, 1 Mar. 1941.

24 Nigel Nicolson (ed.), *Harold Nicolson: Diaries and Letters 1939-45* (London, 1967), 144-5, letter to W. B. Jarvis.

25 Orio Vergani, *Ciano: una lunga confessione* (Milan, 1974), 97.

26 Davide Rodogno, *Fascism's European Empire: Italian Occupation During the Second World War* (Cambridge, 2006), 38, diary entry by General Bongiovanni.

27 Mario Cervi, *Storia della Guerra di Grecia, ottobre 1940-aprile 1941* (Milan, 1986), 51.

28 Vergani, *Ciano*, 88.

29 Marco Bragadin, *The Italian Navy in World War II* (Annapolis, Md, 1957), 28-9; Simon Ball, *The Bitter Sea* (London, 2009), 52-3.

30 Lucio Ceva, 'Italia e Grecia 1940-1941. Una guerra a parte', in Bruna Micheletti and Paolo Poggio (eds.), *L'Italia in guerra 1940-43* (Brescia, 1991), 190; Burgwyn, *Mussolini Warlord*, 38-9.

31 Ceva, 'Italia e Grecia', 191-2.

32 Cervi, *Storia della Guerra di Grecia*, 40, 51-2; Ball, *Bitter Sea*, 50-52; Giorgio Rochat, *Le guerre italiane 1935-1943: Dall'impero d'Etiopia alla disfatta* (Turin, 2005), 261.

33 Ceva, 'Italia e Grecia', 192; Rodogno, *Fascism's European Empire*, 29-30.

34 Mario Luciolli, *Mussolini e l'Europa: la politica estera fascista* (Florence, 2009), 220 (first published in 1945).

35 Ceva, 'Italia e Grecia', 193-201; Rochat, *Le guerre italiane*, 262-3, 274.

36 Bragadin, *Italian Navy in World War II*, 41-2; Gerhard Schreiber, Bernd Stegmann and Detlef Vogel, *Germany and the Second World War: Volume III: The Mediterranean, South-east Europe and North Africa, 1939-1941* (Oxford, 1995), 426-9.

37 Leland Stowe, *No Other Road to Freedom* (London, 1942), 182-3.

nazionalsocialista di integrazione monetaria europea 1939-1945 (Milan, 2011), 116-17, 121, 167-9.

5 Geoffrey Megargee, *Inside Hitler's High Command* (Lawrence, Kans, 2000), 90-91; Nicolaus von Below, *At Hitler's Side: The Memoirs of Hitler's Luftwaffe Adjutant 1937-1945* (London, 2001), 72-3.

6 關於這些協商，最佳的說明見Norman Goda, *Tomorrow the World: Hitler, Northwest Africa, and the Path toward America* (College Station, Tex., 1998). 也可見H. James Burgwyn, *Mussolini Warlord: Failed Dreams of Empire 1940-1943* (New York, 2012), 22-9.

7 Gabriel Gorodetsky, *Grand Delusion: Stalin and the German Invasion of Russia* (New Haven, Conn., 1999), 17-18.

8 Joachim von Ribbentrop, *The Ribbentrop Memoirs* (London, 1954), 149-52.

9 Von Below, *At Hitler's Side*, 74-5.

10 Sönke Neitzel, *Der Einsatz der deutschen Luftwaffe über dem Atlantik und der Nordsee 1939-1945* (Bonn, 1995), 55-6, 68.

11 Christopher Bell, *Churchill and Sea Power* (Oxford, 2013), 215.

12 W. J. R. Gardner, *Decoding History: The Battle of the Atlantic and Ultra* (Basingstoke, 1999), 177; Marc Milner, *The Battle of the Atlantic* (Stroud, 2005), 40, 46.

13 Milner, *Battle of the Atlantic*, 40-41; Bell, *Churchill and Sea Power*, 216, 224.

14 Milner, *Battle of the Atlantic*, 43-4.

15 估計數字出自Arnold Hague, T*he Allied Convoy System 1939-1945: Its Organization, Defence and Operations* (London, 2000), 23-5, 107-8.

16 Ralph Erskine, 'Naval Enigma: a missing link', *International Journal of Intelligence and CounterIntelligence*, 3 (1989), 497-9.

17 Richard Overy, *The Bombing War: Europe 1939-1945* (London, 2013), 84-5; Percy Schramm (ed.), *Kriegstagebuch/OKW: Band 1, Teilband 1* (Augsburg, 2007), 76, entry for 14 Sept. 1940.

18 BA-MA, RL2 IV/27, 'Grossangriffe bei Nacht gegen Lebenszentren Englands, 12.8.1940-26.6.41'.

19 TsAMO, f.500, o. 725168, d. 110, Luftwaffe Operations Staff report on British targets and air strength, 14 Jan. 1941; F*uehrer Conferences on Naval Affairs, 1939-1945* (London, 1990), 179, 'Basic Principles of the Prosecution of the War against British War Economy'.

20 Michael Postan, *British War Production* (London, 1957), 484-5; Klaus Maier, Horst Rohde, Bernd Stegmann and Hans Umbreit, *Das Deutsche Reich und der Zweite Weltkrieg: Band II:*

315 TNA, AIR 16/432, Home Security intelligence summary, 'Operations during the Night of 5/6 September'.

316 Ibid., reports for 24/25, 25/26 and 28/29 Aug. 1940. 第一晚，倫敦有三個自治市被轟炸，第二晚五個，第三晚十一個。

317 Overy, *The Bombing War*, 83-4; Fröhlich (ed.), *Tagebücher: Sämtliche Fragmente*, iv, 309.

318 Allport, *Browned Off and BloodyMinded*, 68.

319 David French, *Raising Churchill's Army: The British Army and the War against Germany 1919-1945* (Oxford, 2000), 185, 189-90; Alex Danchev and Daniel Todman (eds.), *War Diaries: Lord Alanbrooke, 1939-1945* (London, 2001), 108, entry for 15 Sept. 1940.

320 TNA, AIR 8/372, minute by chief of the air staff, 22 May 1940; Cripps to War Cabinet, 26 June 1940; Foreign Office minute for Churchill, 3 July 1940.

321 TNA, INF 1/264, Home Intelligence, Summary of daily reports, 4 Sept. 1940.

322 Virginia Cowles, *Looking for Trouble* (London, 1941), 448-9, 452.

323 Warlimont, *Inside Hitler's Headquarters*, 114.

324 Ibid., 115-7; von Below, *At Hitler's Side*, 72

第二章　帝國的幻夢與現實（1940-1943 年）

1 F. C. Jones, *Japan's New Order in East Asia* (Oxford, 1954), 469. 這段文字譯自《三國同盟條約》德文版。原文是用英文寫成，寫的是「每個民族都有自己適當的地方」而非德文的「每個民族都應取得其應得的空間」。德文版使用「空間」一詞，使得新秩序明顯具有領土的性質。

2 Galeazzo Ciano, *Diario 1937-1943*, ed. Renzo de Felice (Milan, 1998), 466-7; William Shirer, *Berlin Diary: The Journal of a Foreign Correspondent 1934-1941* (London, 1941), 417-20, entry for 27 Sept. 1940.

3 關於英文版本，見*Akten der deutschen auswärtigen Politik: Band XI:I* (Göttingen, 1964), 153-4, von Mackensen to the German Foreign Office, 24 Sept. 892 notes to pp. 124-1351940, and 140-41, von Ribbentrop to von Mackensen, 24 Sept. 1944; Otto Tolischus, *Tokyo Record* (London, 1943), 30 (speech of 27 Jan. 1941).

4 Horst Kahrs, 'Von der "Grossraumwirtschaft" zur "Neuen Ordnung"', in Kahrs et al., *Modelle für ein deutschen Europa: Ökonomie und Herrschaft im Grosswirtschaftsraum* (Berlin, 1992), 17-22; Gustavo Corni, *Il sogno del 'grande spazio': Le politiche d'occupazione nell'europa nazista* (Rome, 2005), 61-8; Paolo Fonzi, *La moneta nel grande spazio: Il progetto*

294 Elke Fröhlich (ed.), *Die Tagebücher von Joseph Goebbels: Sämtliche Fragmente*, 4 vols. (Munich: K. G. Saur, 1987), iv, 221, 227, entries for 28 June, 4 July 1940. 關於「居間調停人」，見Karina Urbach, *Go-Betweens for Hitler* (Oxford, 2015).

295 Domarus, *Reden und Proklamationen*, ii, 1537-8, Halder's notes of meeting at the Berghof, 13 July 1940; von Below, *At Hitler's Side*, 67-8.

296 Gerwin Strobl, *The Germanic Isle: Nazi Perceptions of Britain* (Cambridge, 2000), 84, 92-4.

297 Domarus, *Reden und Proklamationen*, ii, 1557-8.

298 Fröhlich (ed.), *Tagebücher: Sämtliche Fragmente*, iv, 246-7, entry for 20 July 1940.

299 Colville, *Fringes of Power*, 234, entry for 24 July 1940.

300 Fröhlich (ed.), *Tagebücher: Sämtliche Fragmente*, iv, 250, entry for 24 July 1940.

301 Walter Hubatsch (ed.), *Hitlers Weisungen für die Kriegführung* (Frankfurt am Main, 1962), 71-2, Directive No. 16.

302 Von Below, *At Hitler's Side*, 68-9, entry for 21 July 1940.

303 Domarus, *Reden und Proklamationen*, ii, 1561, 哈爾德將軍與元首開會的報告，1940年7月21日。

304 Toye, *Lloyd George and Churchill*, 376.

305 Domarus, *Reden und Proklamationen*, ii, 1561; Fröhlich (ed.), *Tagebücher: Sämtliche Fragmente*, iv, 249.

306 BA-MA, I Fliegerkorps, 'Gedanken über die Führung des Luftkrieges gegen England', 24 July 1940. 關於德國的準備，見Horst Boog, 'The Luftwaffe's assault', in Addison and Crang, *Burning Blue*, 40-41.

307 Bell, *Churchill and Sea Power*, 199.

308 Overy, *The Bombing War*, 251-2.

309 TNA, AIR 16/212, No. 11 Group Operational Orders, 'Measures to Counter an Attempted German Invasion, Summer 1940', 8 July 1940, p. 2.

310 AHB, 'Battle of Britain: Despatch by Sir Hugh Dowding', 20 Aug. 1940, 569.

311 Hubatsch (ed.), *Hitlers Weisungen für die Kriegführung*, 75-6; AHB, German Translations, vol. 1, VII/21, OKW directive 'Operation Sea Lion', 1 Aug. 1940.

312 TNA, PREM 3/29 (3), Fighter Command Order of Battle, 6 Sept. 1940.

313 TNA, AIR 22/72, report on German propaganda, Aug. 1940.

314 Percy Schramm (ed.), *Kriegstagebuch/OKW: Band 1, Teilband 1* (Augsburg, 2007), 59-60, entry for 3 Sept. 1940.

274 William Roger Louis, *Imperialism at Bay: The United States and the Decolonization of the British Empire, 1941-1945* (Oxford, 1977), 158, 175-7; Neil Smith, *American Empire: Roosevelt's Geographer and the Prelude to Globalization* (Berkeley, Calif., 2003), 353-5.

275 Guy Vanthemsche, *Belgium and the Congo 1885-1980* (Cambridge, 2012), 122-6, 130.

276 Jonathan Helmreich, *United States Relations with Belgium and the Congo, 1940-1960* (Newark, NJ, 1998), 25-40.

277 Jennifer Foray, *Visions of Empire in the Nazi-Occupied Netherlands* (Cambridge, 2012), 3-5.

278 Ibid., 50-51, 54, 109-15.

279 Ibid., 50-53; Tarling, *A Sudden Rampage*, 66-8.

280 Marcel Boldorf, 'Grenzen des nationalsozialistischen Zugriffs auf Frankreichs Kolonialimporte (1940-1942)', *Vierteljahresschrift für Wirtschafts-Sozialgeschichte*, 97 (2010), 148-50.

281 Ageron, 'Vichy, les Français et l'Empire', 123-4, 128-9; Frederick Quinn, *The French Overseas Empire* (Westport, Conn., 2000), 219-20.

282 Tarling, *A Sudden Rampage*, 53-4; Martin Thomas, *The French Empire at War 1940-45* (Manchester, 1998), 45-6.

283 Charmley, *Lord Lloyd*, 246-7.

284 Tombs and Tombs, *That Sweet Enemy*, 561, 572-3.

285 Ibid., 562-3; Christopher Bell, *Churchill and Sea Power* (Oxford, 2013), 197-9; Raymond Dannreuther, *Somerville's Force H: The Royal Navy's Gibraltar-based Fleet, June 1940 to March 1942* (London, 2005), 28-34.

286 Martin Thomas, 'Resource war, civil war, rights war: factoring empire into French North Africa's Second World War', *War in History*, 18 (2011), 225-48.

287 Varley, 'Entangled enemies', 155-6.

288 Quinn, *French Overseas Empire*, 221-2; Thomas, *French Empire at War*, 52-8.

289 Robert Frank, 'Vichy et les Britanniques 1940-41: double jeu ou double langage?', in Azéma and Bédarida (eds.), *Le Régime de Vichy et les Français*, 144-8. 關於達卡，見Thomas, *French Empire at War*, 75-6; Bell, *Churchill and Sea Power*, 209.

290 Foray, *Visions of Empire*, 93, 103.

291 Varley, 'Entangled enemies', 155-8.

292 Ciano, *Diario*, 449, 452, entries for 2 July, 16 July 1940.

293 Max Domarus, *Hitler: Reden und Proklomationen 1932-1945*, 3 vols. *Volume II, Untergang* (Munich, 1965), 1538.

Britain's Finest Hour May-September 1940 (London, 2011), 80, 123, 126, entries for 5 June, 17 June and 18 June 1940. 也可見Richard Toye, *The Roar of the Lion: The Untold Story of Churchill's World War II Speeches* (Oxford, 2013), 51-9.

256 John Charmley, *Lord Lloyd and the Decline of the British Empire* (London, 1987), 251.

257 John Ferris and Evan Mawdsley, 'The war in the West', in *idem* (eds.), *The Cambridge History of the Second World War: Volume I: Fighting the War* (Cambridge, 2015), 350.

258 Richard Toye, *Lloyd George and Churchill: Rivals for Greatness* (London, 2007), 342, 363-9, 380; Antony Lentin, *Lloyd George and the Lost Peace: From Versailles to Hitler, 1919-1940* (Basingstoke, 2001), 121-7.

259 Self, *Neville Chamberlain*, 433.

260 Richard Hallion, 'The American perspective', in Addison and Crang (eds.), *The Burning Blue*, 83-4.

261 Richard Overy, *The Bombing War: Europe 1939-1945* (London, 2013), 252-4.

262 Toye, *Roar of the Lion*, 54.

263 Richard Toye, *Churchill's Empire: The World that Made Him and the World He Made* (New York, 2010), 203-4.

264 Jackson, *The British Empire and the Second World War*, 21-3.

265 Parsons, *The Second British Empire*, 108-9; K. Fedorowich, 'Sir Gerald Campbell and the British High Commission in wartime Ottawa, 1938-40', *War in History*, 19 (2012), 357-85; Toye, *Churchill's Empire*, 209; Jonathan Vance, *Maple Leaf Empire: Canada, Britain, and Two World Wars* (Oxford, 2012), 149-50, 179; Darwin, *The Empire Project*, 495-7.

266 Clair Wills, *The Neutral Island: A History of Ireland during the Second World War* (London, 2007), 41-8; Toye, *Churchill's Empire*, 196-7, 207.

267 Raghavan, *India's War*, 13-16, 38-9, 52-60, 69-70.

268 Dilks (ed.), *Diaries of Sir Alexander Cadogan*, 311, entry for 5 July 1940; Tarling, A Sudden Rampage, 54-5.

269 Morewood, *British Defence of Egypt*, 174-7, 193-8.

270 Ageron, 'Vichy, les Français et l'Empire', 122.

271 Schmokel, *Dream of Empire*, 144-54.

272 Gerhard Schreiber, Bernd Stegemann and Detlef Vogel, *Germany and the Second World War: Volume III* (Oxford, 1995), 282-8; Schmokel, *Dream of Empire*, 140-44.

273 Donald Nuechterlein, *Iceland: Reluctant Ally* (Ithaca, NY, 1961), 23-36.

237 Galeazzo Ciano, *Diario* 1937-1943, ed. Renzo di Felice (Milan, 1998), 429, 435, 442, entries for 13 May, 28 May, 10 June 1940.

238 Rodogno, *Fascism's European Empire*, 25-6. Ciano, Diario, 444, entry for 18/19 June 1940.

239 Ciano, *Diario*, 443, entry for 18/19 June 1940.

240 Ragache, 'La bataille continue!', 143-4.

241 Rochat, *Le guerre italiane*, 248-50.

242 Karine Varley, 'Entangled enemies: Vichy, Italy and collaboration', in Ludivine Broch and Alison Carrol (eds.), *France in an Era of Global War, 1914-1945: Occupation Politics, Empire and Entanglements* (Basingstoke, 2014), 153-5; Rodogno, *Fascism's European Empire*, 26-7. 關於德國的條件，見Thomas Laub, *After the Fall: German Policy in Occupied France 1940-1944* (Oxford, 2010), 36-9.

243 Roberts, 'Stalin's wartime vision of the peace', 236-7.

244 Ciano, *Diario*, 443, entry for 18/19 June 1940.

245 Randolph Churchill (ed.), I*nto Battle: Speeches by the Right Hon. Winston S. Churchill* (London, 1941), 255-6, 259.

246 John Colville, *The Fringes of Power: Downing Street Diaries 1939-1955: Volume 1 1939-October 1941* (London, 1985), 267, entry for 20 Aug. 1940.

247 Gorodetsky, *Maisky Diaries*, 304, entry for 20 Aug. 1940.

248 Ibid., 287, entry for 17 June 1940.

249 Hastings Ismay, *Memoirs* (London, 1960), 153.

250 James (ed.), *The Diaries of Sir Henry Channon*, 261-2.

251 Srinath Raghavan, *India's War: The Making of Modern South Asia, 1939-1945* (London, 2016), 47-8.

252 關於蘇聯的觀點，見Sergei Kudryashov, 'The Soviet perspective', in Paul Addison and Jeremy Crang (eds.), *The Burning Blue: A New History of the Battle of Britain* (London, 2000), 71-2. 關於法國的觀點，見Robert Tombs and Isabelle Tombs, *That Sweet Enemy: Britain and France* (London, 2007), 10, 571-3.

253 Colville, *Fringes of Power*, 176, entry for 6 June 1940.

254 Robert Self, *Neville Chamberlain: A Biography* (Aldershot, 2006), 434; 關於邱吉爾的引文，見Spears, *Assignment to Catastrophe*, 70, 他提到邱吉爾曾說，「光靠我們自己就能打敗德國人」。

255 Paul Addison and Jeremy Crang (eds.), *Listening to Britain: Home Intelligence Reports on*

214 Von Below, *At Hitler's Side*, 57.

215 Frieser, *Blitzkrieg Legend*, 107-12.

216 Ibid., 161.

217 Jackson, *Fall of France*, 45-7.

218 David Dilks (ed.), *The Diaries of Sir Alexander Cadogan 1938-1945* (London, 1971), 284, entry for 16 May; Spears, *Assignment to Catastrophe*, 150.

219 Megargee, *Inside Hitler's High Command*, 85.

220 Hugh Sebag-Montefiore, *Dunkirk: Fight to the Last Man* (London, 2006), 3.

221 Max Schiaron, 'La Bataille de France, vue par le haut commandement français', in Ricalens and Poyer (eds.), *L'Armistice de juin 1940*, 3-5.

222 Stephen Roskill, *Hankey: Man of Secrets, Volume III 1931-1963* (London, 1974), 477-8.

223 Claude Huan, 'Les capacités de transport maritime', in Ricalens and Poyer (eds.), *L'Armistice de juin 1940*, 37-8.

224 Frieser, *Blitzkrieg Legend*, 301-2.

225 Allport, *Browned Off and Bloody-Minded*, 55-6.

226 Sebag-Montefiore, *Dunkirk*, 250-53.

227 Paul Gaujac, 'L'armée de terre française en France et en Afrique du Nord', in Ricalens and Poyer (eds.), *L'Armistice de juin 1940*, 15-16.

228 Huan, 'Les capacités de transport maritime', 38-9. 關於波蘭士兵，見Kochanski, *The Eagle Unbowed*, 212-16.

229 Jacques Belle, 'La volonté et la capacité de défendre l'Afrique du Nord', in Ricalens and Poyer (eds.), *L'Armistice de juin 1940*, 150-57; Gaujac, 'L'armée de terre française', 20-22.

230 Schiaron, 'La Bataille de France', 7-8.

231 Ibid., 9-11; Elisabeth du Réau, 'Le débat de l'armistice', in Ricalens and Poyer (eds.), *L'Armistice de juin 1940*, 65-9.

232 Schiaron, 'La Bataille de France', 11-12; Jackson, *Fall of France*, 143.

233 Gilles Ragache, 'La bataille continue!', in Ricalens and Poyer (eds.), *L'Armistice de juin 1940*, 142-5.

234 Rochat, *Le guerre italiane*, 239.

235 Gooch, *Mussolini and His Generals*, 494-8, 508-11; Robert Mallett, *Mussolini and the Origins of the Second World War, 1933-1940* (Basingstoke, 2003), 214-17.

236 Gooch, *Mussolini and His Generals*, 510.

17; Thomas Munch-Petersen, 'Britain and the outbreak of the Winter War', in Robert Bohn et al. (eds.), *Neutralität und totalitäre Aggression: Nordeuropa und die Grossmächteim Zweiten Weltkrieg* (Stuttgart, 1991), 87-9; John Kennedy, The Business of War (London, 1957), 47-8.

200 TNA, PREM 1/437, Reynaud to Chamberlain and Lord Halifax, 25 Mar. 1940.

201 TNA, PREM 1/437, memorandum for the prime minister, 'Possibilities of Allied Action against the Caucasus', March 1940, p. 3. 行動的詳細內容，見C. O. Richardson, 'French plans for Allied attacks on the Caucasus oil fields January-April 1940', *French Historical Studies*, 8 (1973), notes to pp. 88-103 889130-53.

202 Edward Spears, *Assignment to Catastrophe* (London, 1954), 102-6; Jackson, *Fall of France*, 82-4.

203 Walter Warlimont, *Inside Hitler's Headquarters 1939-45* (London, 1964), 66-72.

204 *Fuehrer Conferences on Naval Affairs*, 63-7, 80-84.

205 Maier et al., *Das Deutsche Reich und der Zweite Weltkrieg: Band II*, 212-17; British Air Ministry, *The Rise and Fall of the German Air Force* (London, 1983), 60-63.

206 Maier et al., *Das Deutsche Reich und der Zweite Weltkrieg: Band II*, 224.

207 Robert Rhodes James (ed.), *The Diaries of Sir Henry Channon* (London, 1993), 244-50, entries for 7, 8, 9 May 1940.

208 Frieser, *Blitzkrieg Legend*, 36-48. 空中兵力的統計數據依照特定天數與預備分類上可服役的程度而有所差異。Patrick Facon, *L'Armée de l'Air dans la tourmente: La Bataille de France 1939-1940* (Paris, 1997), 151-69, 得出了相當不同的數字：盟軍有五千五百二十四架飛機，德軍有三千九百五十九架飛機。也可見Ernest May, *Strange Victory: Hitler's Conquest of France* (New York, 2000), 479, 提到雙方轟炸機與戰鬥機的數量：德軍有兩千七百七十九架，盟軍有五千一百三十三架。

209 Frieser, *Blitzkrieg Legend*, 45; Facon, *L'Armée de l'Air*, 169, 205; Jackson, *Fall of France*, 15-17.

210 Jackson, *Fall of France*, 21-5. 關於德軍因為利用馬匹拖運輜重而產生的大排長龍的現象，見Richard Dinardo, *Mechanized Juggernaut or Military Anachronism? Horses and the German Army of WWII* (Mechanicsburg, Pa, 2008), 24-6.

211 Quétel, *L'impardonnable défaite*, 246.

212 Frieser, *Blitzkrieg Legend*, 93.

213 Henri Wailly, 'La situation intérieure', in Philippe Ricalens and Jacques Poyer (eds.), *L'Armistice de juin 1940: Faute ou necessité?* (Paris, 2011), 48-9.

1939.

185 Brian Bond, *France and Belgium 1939-1940* (London, 1990), 40-41, 49-51, 58-9.

186 Martin Alexander, '"Fighting to the last Frenchman?" Reflections on the BEF deployment to France and the strains in the Franco-British alliance, 1939-1940', in Joel Blatt (ed.), *The French Defeat of 1940: Reassessments* (Providence, RI, 1998), 323-6; Bond, *France and Belgium*, 76-7.

187 Quétel, *L'impardonnable défaite*, 237; Robert Desmond, *Tides of War: World News Reporting 1931-1945* (Iowa City, Iowa, 1984), 93.

188 Gallup (ed.), *International Opinion Polls*, 22, 30.

189 Quétel, *L'impardonnable défaite*, 246; Alan Allport, *Browned Off and Bloody-Minded: The British Soldier Goes to War 1939-1945* (New Haven, Conn., 2015), 44.

190 Talbot Imlay, 'France and the Phoney War 1939-1940', in Boyce (ed.), *French Foreign and Defence Policy*, 265-6.

191 TNA, WO 193/144, War Office Memorandum for the Supreme War Council, 15 Dec. 1939; Director of Military Operations report, 'Operational Considerations affecting Development of Equipment for Land Offensive', 12 Apr. 1940.

192 Richard Overy, 'Air Power, Armies, and the War in the West, 1940', 32nd Harmon Memorial Lecture, US Air Force Academy, Colorado Springs, 1989, 1-2.

193 Guillen, 'Franco-Italian relations in flux', 160-61.

194 Morewood, *British Defence of Egypt*, 139-47.

195 Macri, *Clash of Empires in South China*, 195-201, 214-15.

196 Geoffrey Roberts, 'Stalin's wartime vision of the peace, 1939-1945', in Timothy Snyder and Ray Brandon (eds.), *Stalin and Europe: Imitation and Domination 1928-1953* (New York, 2014), 234-6; Martin Kahn, *Measuring Stalin's Strength during Total War* (Gothenburg, 2004), 87-9.

197 TNA, WO 193/144, War Office memorandum 'Assistance to Finland', 16 Dec. 1939 ('we cannot recommend that we should declare war on Russia'); Kahn, *Measuring Stalin's Strength*, 90-92.

198 Gabriel Gorodetsky (ed.), *The Maisky Diaries: Red Ambassador at the Court of St James's, 1932-1943* (New Haven, Conn., 2015), 245, entry for 12 Dec. 1939.

199 Patrick Salmon, 'Great Britain, the Soviet Union, and Finland', in John Hiden and Thomas Lane (eds.), *The Baltic and the Outbreak of the Second World War* (Cambridge, 1991), 116-

World War', *War & Society*, 19 (2001), 93-4.

167 Thomas, *French Empire between the Wars*, 314-25; Martin Thomas, 'Economic conditions and the limits to mobilization in the French Empire 1936-1939', *Historical Journal*, 48 (2005), 482-90.

168 Hucker, 'French public attitudes', 442, 446; George Gallup (ed.), *The Gallup International Public Opinion Polls: Great Britain, 1937-1975* (New York, 1976), 10, 16, 21.

169 Richard Overy, *The Morbid Age: Britain and the Crisis of Civilization between the Wars* (London, 2009), 21-2.

170 Neilson, *Britain, Soviet Russia*, 314-15.

171 TNA, PREM 1/331a, note on Italian proposals, 2 Sept. 1939.

172 Brian Bond (ed.), *Chief of Staff: The Diaries of Sir Henry Pownall: Volume One* (London, 1972), 221.

173 TNA, PREM 1/395, translation of Hitler speech of 6 Oct. 1939 for the prime minister, p. 18.

174 Winkler, *The Age of Catastrophe*, 670-71.

175 Quétel, *L'impardonnable défaite*, 216-17.

176 Maurois, *Why France Fell*, 73.

177 Speer, *Inside the Third Reich*, 163.

178 Megargee, *Inside Hitler's High Command*, 76; Nicolaus von Below, *At Hitler's Side: The Memoirs of Hitler's Luftwaffe Adjutant 1937-1945* (London, 2001), 40-41.

179 TNA, PREM 1/395, Lord Halifax, draft response to Hitler, 8 Oct. 1939; Churchill to Chamberlain, 9 Oct. 1939; minute for Chamberlain from Alexander Cadogan (Foreign Office), 8 Oct. 1939.

180 Willi Boelcke (ed.), *The Secret Conferences of Dr. Goebbels 1939-1943* (London, 1967), 6, directive of 16 Dec. 1939; *Fuehrer Conferences on Naval Affairs 1939-1945* (London, 1990), 60, Conference of Department Heads, 25 Nov. 1939.

181 Megargee, *Inside Hitler's High Command*, 76.

182 Karl-Heinz Frieser, The Blitzkrieg Legend: The 1940 Campaign in the West (Annapolis, Md, 2012), 63-8; Mungo Melvin, Manstein: Hitler's Greatest General (London, 2010), 136-7, 142, 149-51, 154-5; von Below, At Hitler's Side, 40-41.

183 Martin Alexander, 'The fall of France, 1940', *Journal of Strategic Studies*, 13 (1990), 13-21; Julian Jackson, *The Fall of France: The Nazi Invasion of 1940* (Oxford, 2003), 75-6.

184 TNA, PREM 1/437, press communiqué on meeting of the Supreme War Council, 15 Nov.

NJ, 1977), 159, 223; Joe Maiolo, *Cry Havoc: The Arms Race and the Second World War 1931-1941* (London, 2010), 99-101.

153 Morewood, *British Defence of Egypt*, 1, 95-6, 180-86.

154 Franco Macri, *Clash of Empires in South China: The Allied Nations' Proxy War with Japan, 1935-1941* (Lawrence, Kans, 2012), 119-20, 154-7; Ashley Jackson, *The British Empire and the Second World War* (London, 2006), 17-19.

155 Eugenia Kiesling, '"If it ain't broke, don't fix it": French military doctrine between the wars', *War in History*, 3 (1996), 215-18; Robert Doughty, *The Seeds of Disaster: The Development of French Army Doctrine, 1919-39* (Mechanicsburg, Pa, 1985), 95-105, 108-10.

156 Thomas, *French Empire between the Wars*, 312-13, 323-5, 333-4.

157 Morewood, *British Defence of Egypt*, 37-48.

158 Peter Jackson, *France and the Nazi Menace: Intelligence and Policy Making 1933-1939* (Oxford, 2000), 289-96.

159 Hans Groscurth, *Tagebuch eines Abwehroffiziers* (Stuttgart, 1970), 124. 對於慕尼黑會議的這個觀點，見Overy, 'Germany and the Munich Crisis', 193-210.

160 *Akten zur deutschen Auswärtigen Politik*, Series D, vol. 2, 772, minutes of meeting between Hitler and Horace Wilson, 27 Sept. 1938; Wacław Je̜drzejewicz (ed.), *Diplomat in Berlin, 1933-1939: Papers and Memoirs of Józef Lipski* (New York, 1968), 425, letter from Lipski to Josef Beck.

161 H. Michaelis and E. Schraepler (eds.), *Ursachen und Folgen vom deutschen Zusammenbruch 1918 bis 1945. Vol. 12: Das sudetendeutsche Problem* (Berlin, 1976), 438-40, Fritz Wiedemann über seine Eindrücke am 28 Sept. 1938.

162 Groscurth, *Tagebuch*, 128, entries for 28, 30 Sept. 1938.

163 André Maurois, *Why France Fell* (London, 1941), 21-2.

164 Jean Levy and Simon Pietri, *De la République à l'État français 1930-1940: Le chemin de Vichy* (Paris, 1996), 160-61.

165 TNA, AIR 9/105, chiefs of staff, 'British Strategical Memorandum, March 20 1939', pp. 6-7. 關於共同作戰計畫，見William Philpott and Martin Alexander, 'The Entente Cordiale and the next war: AngloFrench views on future military cooperation, 1928-1939', *Intelligence and National Security*, 13 (1998), 68-76.

166 John Darwin, *The Empire Project: The Rise and Fall of the British World-System, 1830-1970* (Cambridge, 2009), 494-7; Christopher Waters, 'Australia, the British Empire and the Second

139 Matthew Hughes, *Britain's Pacification of Palestine: The British Army, the Colonial State and the Arab Revolt, 1936-1939* (Cambridge, 2019), 377-84.

140 League Against Imperialism, 'The British Empire', July 1935, 4-5.

141 Martin Thomas, *The French Empire between the Wars: Imperialism, Politics and Society* (Manchester, 2005), 226-32; Timothy Parsons, *The Second British Empire: In the Crucible of the Twentieth Century* (Lanham, Md, 2014), 86-96.

142 Claude Quétel, *L'impardonnable défaite* (Paris, 2010), 206-7.

143 TNA, AIR 9/8, Air Staff memorandum, 15 Jan. 1936; Air Ministry (Plans) to Deputy Chief of Air Staff, 24 Sept. 1936.

144 綏靖主義的歷史研究，見Brian McKercher, 'National security and imperial defence: British grand strategy and appeasement 1930-1939', *Diplomacy & Statecraft*, 19 (2008), 391-42; Sidney Aster, 'Appeasement: before and after revisionism', ibid., 443-80.

145 例見Martin Thomas, 'Appeasement in the late Third Republic', *Diplomacy & Statecraft*, 19 (2008), 567-89.

146 例見Pierre Guillen, 'Franco-Italian relations in flux, 1918-1940', in Robert Boyce (ed.), *French Foreign and Defence Policy, 1918-1940: The Decline and Fall of a Great Power* (London, 1998), 149-61; Greg Kennedy, '1935: a snapshot of British imperial defence in the Far East', in Greg Kennedy and Keith Neilson (eds.), *Far-Flung Lines: Essays on Imperial Defence in Honour of Donald Mackenzie Schurman* (London, 1996), 190-210; Thomas, 'Appeasement', 578-91.

147 Sidney Paish, 'Containment, rollback, and the origins of the Pacific War, 1933-1941', in Kurt Piehler and Sidney Paish (eds.), *The United States and the Second World War: New Perspectives on Diplomacy, War and the Home Front* (New York, 2010), 42-3, 45.

148 Orlando Pérez, 'Panama: nationalism and the challenge to canal security', in Thomas Leonard and John Bratzel (eds.), *Latin America during World War II* (New York, 2006), 65-6.

149 Neill Lochery, *Brazil: The Fortunes of War* (New York, 2014), 39-40, 61-2, 70.

150 Sean Casey, *Cautious Crusade: Franklin D. Roosevelt, American Public Opinion and the War against Nazi Germany* (New York, 2001), 23.

151 Chamberlain Papers, University of Birmingham, NC 18/1/1108, Chamberlain to his sister, Ida, 23 July 1939.

152 George Peden, 'Sir Warren Fisher and British rearmament against Germany', *English Historical Review*, 94 (1979), 43-5; Robert Shay, *British Rearmament in the Thirties* (Princeton,

125 Furber, 'Near as far in the colonies', 562-3; Robert van Pelt, 'Bearers of culture, harbingers of destruction: the *mythos* of the Germans in the East', in Richard Etlin (ed.), *Art, Culture and Media under the Third Reich* (Chicago, Ill., 2002), 100-102, 127-9; Kopp, 'Arguing the case for a colonial Poland', in Langbehn and Salama (eds.), *German Colonialism*, 146-8, 155-7.

126 Christian Ingrao, *The Promise of the East: Nazi Hopes and Genocide 1939-43* (Cambridge, 2019), 5.

127 Isabel Heinemann, '"Another type of perpetrator": the SS racial experts and forced population movements in the occupied regions', *Holocaust and Genocide Studies*, 15 (2001), 391-2; Michael Burleigh, *Germany Turns Eastwards: A Study of Ostforschung in the Third Reich* (Cambridge, 1988), 159-60, 162-3; Baranowski, *Nazi Empire*, 243-52.

128 近期關於諾門罕戰役的描述，見Alistair Horne, *Hubris: The Tragedy of War in the Twentieth Century* (London, 2015), 133-56.

129 Keith Neilson, *Britain, Soviet Russia and the Collapse of the Versailles Order, 1919-1939* (Cambridge, 2005), 328-9.

130 Ibid., 257-61.

131 London School of Economics archive, National Peace Council papers, 2/5, minutes of Executive Committee, 13 Mar., 17 Apr. 1939.

132 Josef Konvitz, 'Représentations urbaines et bombardements stratégiques, 1914-1945', *Annales*, 44 (1989), 823-47.

133 Daniel Hucker, 'French public attitudes towards the prospect of war in 1938-39: "pacifism" or "war anxiety"?', *French History*, 21 (2007), 439, 441.

134 Gerald Lee, '"I see dead people": air-raid phobia and Britain's behaviour in the Munich Crisis', *Security Studies*, 13 (2003), 263.

135 Lawrence Pratt, *East of Malta, West of Suez: Britain's Mediterranean Crisis 1936-1939* (Cambridge, 1975), 3.

136 Ibid., 239-40.

137 Hucker, 'French public attitudes', 442-4; Donald Watt, 'British domestic politics and the onset of war', in Comité d'Histoire de la Deuxième Guerre Mondiale, *Les relations franco-brittaniques de 1935 à 1939* (Paris, 1975), 257-8; Charles-Robert Ageron, 'Vichy, les Français et l'Empire', in JeanPierre Azéma and François Bédarida (eds.), *Le Régime de Vichy et les Français* (Paris, 1992), 122.

138 Donald Low, *Eclipse of Empire* (Cambridge, 1991), 11, 29.

109 Ibid., 7, 24-5, 27.

110 Winfried Baumgart, 'Zur Ansprache Hitlers vor den Führern der Wehrmacht am 22 August 1939', *Vierteljahreshefte für Zeitgeschichte*, 19 (1971), 303.

111 Elke Fröhlich (ed.), *Die Tagebücher von Joseph Goebbels: Band 7: Juli 1939-März 1940* (Munich, 1998), 87, entry for 1 Sept. 1939; Christian Hartmann, *Halder: Generalstabschef Hitlers 1938-1942* (Paderborn, 1991), 139.

112 關於軍事平衡，見Klaus Maier, Horst Rohde, Bernd Stegmann and Hans Umbreit, *Das Deutsche Reich und der Zweite Weltkrieg: Band II: Die Errichtung der Hegemonie auf dem europäischen Kontinent* (Stuttgart, 1979), 102-3, 111.

113 Halik Kochanski, *The Eagle Unbowed: Poland and the Poles in the Second World War* (London, 2012), 84-5.

114 Ibid., 84; Maier et al., *Das Deutsche Reich und der Zweite Weltkrieg: Band II*, 133. 蘇聯數字見Alexander Hill, 'Voroshilov's "lightning" war - the Soviet invasion of Poland, September 1939', *Journal of Slavic Military Studies*, 27 (2014), 409.

115 關於空軍，見Caius Bekker, *The Luftwaffe War Diaries* (London, 1972), 27-78, 466.

116 Jürgen Zimmerer, 'The birth of the *Ostland* out of the spirit of colonialism: a postcolonial perspective on the Nazi policy of conquest and extermination', *Patterns of Prejudice*, 39 (2005), 197-8.

117 Furber, 'Near as far in the colonies', 552, 570. 關於殖民典範，見Shelley Baranowski, *Nazi Empire: German Colonialism and Imperialism from Bismarck to Hitler* (Cambridge, 2011), 237-9.

118 M. Riedel, *Eisen und Kohle für das Dritte Reich* (Göttingen, 1973), 275-6, 301-2; Kochanski, *The Eagle Unbowed*, 100.

119 Catherine Epstein, *Model Nazi: Arthur Greiser and the Occupation of Western Poland* (Oxford, 2010), 135-7, 140.

120 Lora Wildenthal, *German Women for Empire, 1884-1945* (Durham, NC, 2001), 197-8.

121 Rossino, *Hitler Strikes Poland*, 10-13; Edward Westermann, *Hitler's Police Battalions: Enforcing Racial War in the East* (Lawrence, Kans, 2005), 124-8.

122 Jürgen Matthäus, Jochen Böhler and Klaus-Michael Mallmann, *War, Pacification, and Mass Murder 1939: The Einsatzgruppen in Poland* (Lanham, Md, 2014), 2-7.

123 Ibid., 20.

124 Timothy Snyder, *Bloodlands: Europe between Hitler and Stalin* (London, 2010), 126-8.

91 Colonel Hossbach, 'Minutes of the conference in the Reich Chancellery, November 5 1937', *Documents on German Foreign Policy*, Ser. D, vol. I, (London, 1954), 29-39.

92 Geoffrey Megargee, *Inside Hitler's High Command* (Lawrence, Kans, 2000), 41-8.

93 Bryant, *Prague in Black*, 29-45; Alice Teichova, 'Instruments of economic control and exploitation: the German occupation of Bohemia and Moravia', in Richard Overy, Gerhard Otto and Johannes Houwink ten Cate (eds.), *Die 'Neuordnung' Europas: NS-Wirtschaftspolitik in den besetzten Gebiete* (Berlin, 1997), 84-8. 也可見Winkler, *Age of Catastrophe*, 658-60.

94 Teichova, 'Instruments of economic control', 50-58.

95 詳細內容見Ralf Banken, *Edelmetallmangel und Grossraubwirtschaft: Die Entwicklung des deutschen Edelmetallsektors im 'Dritten Reich', 1933-1945* (Berlin, 2009), 287-91, 399-401.

96 Overy, *War and Economy*, 147-51.

97 Ibid., 319-21; Teichova, 'Instruments of economic control', 89-92.

98 Bryant, *Prague in Black*, 121-8.

99 Teichova, 'Instruments of economic control', 103-4.

100 Roman Ilnytzkyi, *Deutschland und die Ukraine 1934-1945*, 2 vols. (Munich, 1958), i., 21-2.

101 抱持這個觀點最力的是Gerhard Weinberg, *The Foreign Policy of Hitler's Germany: Starting World War II, 1937-1939* (Chicago, Ill., 1980), and Adam Tooze, *The Wages of Destruction: The Making and Breaking of the Nazi Economy* (London, 2006), 332-5, 662-5. 不同的觀點見Overy, *War and Economy*, 221-6.

102 Overy, *War and Economy*, 238-9.

103 IWM, Mi 14/328 (d), OKW minutes of meeting of War Economy Inspectors, 21 Aug. 1939; OKW, Wehrmachtteile Besprechung, 3 Sept. 1939.

104 Richard Overy, *1939: Countdown to War* (London, 2009), 31-40.

105 Hildegard von Kotze (ed.), *Heeresadjutant bei Hitler 1938-1945: Aufzeichnungen des Majors Engel* (Stuttgart, 1974), 60, entry for 29 August; IWM, FO 645, Box 156, testimony of Hermann Göring taken at Nuremberg, 8 Sept. 1945, pp. 2, 5.

106 引自John Toland, *Adolf Hitler* (New York, 1976), 571.

107 Vejas Liulevicius, 'The language of occupation: vocabularies of German rule in Eastern Europe in the World Wars', in Robert Nelson (ed.), *Germans, Poland, and Colonial Expansion in the East* (New York, 2009), 130-31.

108 Alexander Rossino, *Hitler Strikes Poland: Blitzkrieg, Ideology, and Atrocity* (Lawrence, Kans, 2003), 6-7.

73 Fischer, *Albania at War*, 5-7; Moseley, *Mussolini's Shadow*, 51-2.

74 Nicholas Doumanis, *Myth and Memory in the Mediterranean: Remembering Fascism's Empire* (London, 1997), 41-4.

75 Fischer, *Albania at War*, 17-20.

76 Ibid., 20, 35, 37-40, 90-91; Moseley, *Mussolini's Shadow*, 53-5; Rodogno, *Fascism's European Empire*, 59-60.

77 Albert Speer, *Inside the Third Reich* (London, 1970), 72.

78 Christian Leitz, 'Arms as levers: matériel and raw materials in Germany's trade with Romania in the 1930s', *International History Review*, 19 (1997), 317, 322-3.

79 Pierpaolo Barbieri, *Hitler's Shadow Empire: Nazi Economics and the Spanish Civil War* (Cambridge, Mass., 2015), 180-82, 260.

80 Treue, 'Denkschrift Hitlers', 204-5, 206.

81 BAB, R261/18, 'Ergebnisse der Vierjahresplan-Arbeit, Stand Frühjahr 1942', 對一九三六年之後的計畫活動做了摘要介紹。

82 Richard Overy, *War and Economy in the Third Reich* (Oxford, 1994), 20-21.

83 Manfred Weissbecker, '"Wenn hier Deutsche wohnten": Beharrung und Veränderung im Russlandbild Hitlers und der NSDAP', in Hans-Erich Volkmann (ed.), *Das Russlandbild im Dritten Reich* (Cologne, 1994), 9.

84 Milan Hauner, 'Did Hitler want a world dominion?', *Journal of Contemporary History*, 13 (1978), 15-32.

85 'Colloquio del ministro degli esteri, Ciano, con il cancelliere del Reich, Hitler', 24 October 1936, in *I documenti diplomatici italiani, 8 serie, vol v, 1 settembre-31 dicembre 1936* (Rome, 1994), 317.

86 Bernhard, 'Borrowing from Mussolini', 623-5.

87 Wolfe Schmokel, *Dream of Empire: German Colonialism, 1919-1945* (New Haven, Conn., 1964), 21-2, 30-32; Willeke Sandler, *Empire in the Heimat: Colonialism and Public Culture in the Third Reich* (New York, 2018), 3, 177-83.

88 Robert Gordon and Dennis Mahoney, 'Marching in step: German youth and colonial cinema', in Eric Ames, Marcia Klotz and Lora Wildenthal (eds.), *Germany's Colonial Pasts* (Lincoln, Nebr., 2005), 115-34.

89 Linne, *Deutschland jenseits des Äquators?*, 39.

90 CCAC, Christie Papers, 180/1, 'Notes of a conversation with Göring', 3 Feb. 1937, pp. 53-4.

war" in Malta', *Modern Italy*, 13 (2008), 7-12; Deborah Paci, *Corsica fatal, malta baluardo di romanità: irredentismo fascista nel mare nostrum (1922-1942)* (Milan, 2015), 16-19, 159-67.

57 Matteo Dominioni, *Lo sfascio dell'impero: gli italiani in Etiopia 1936-1941* (Rome, 2008), 9-10; Sbacchi, *Ethiopia under Mussolini*, 15-18.

58 Steer, *Caesar in Abyssinia*, 135-6, 139; Sbacchi, *Ethiopia under Mussolini*, 16-18.

59 Angelo Del Boca, *I gas di Mussolini* (Rome, 1996), 76-7, 139-41, 148. 一百零三次攻擊中，使用了兩百八十一枚芥子氣炸彈與三百二十五枚光氣炸彈。

60 關於這場戰爭，見Labanca, *Oltremare*, 189-92; Giorgio Rochat, *Le guerre italiane 1935-1943* (Turin, 2005), 48-74; Sbacchi, *Ethiopia under Mussolini*, 25-8.

61 死亡人數出自Sbacchi, *Ethiopia under Mussolini*, 33.

62 Labanca, *Oltremare*, 200-202; Sbacchi, *Ethiopia under Mussolini*, 36-7.

63 Giulia Barrera, 'Mussolini's colonial race laws and state-settler relations in Africa Orientale Italiana', *Journal of Modern Italian Studies*, 8 (2003), 429-30; Fabrizio De Donno, '"La Razza Ario-Mediterranea": Ideas of race and citizenship in colonial and Fascist Italy, *1885-1941', Interventions: International Journal of Postcolonial Studies*, 8 (2006), 404-5.

64 John Gooch, *Mussolini and His Generals: The Armed Forces and Fascist Foreign Policy, 1922-1940* (Cambridge, 2007), 253.

65 Vera Zamagni, 'Italy: How to win the war and lose the peace', in Harrison (ed.), *The Economics of World War II*, 198; Rochat, *Le guerre italiane*, 139. 衣索比亞戰爭軍費有不同的估計數字，根據不同的標準，可以列入戰爭費用與戰後平定地方費用的支出也隨之不同，這裡的金額差異介於五百七十億里拉到七百五十三億里拉之間。

66 Haile Larebo, *The Building of an Empire: Italian Land Policy and Practice in Ethiopia* (Trenton, NJ, 2006), 59-60.

67 Sbacchi, *Ethiopia under Mussolini*, 98-100; De Grand, 'Mussolini's follies', 133; Haile Larebo, 'Empire building and its limitations. Ethiopia (1935-1941)', in Ruth Ben-Ghiat and Mia Fuller (eds.), *Italian Colonialism* (Basingstoke, 2005), 88-90.

68 Barrera, 'Mussolini's colonial race laws', 432-4. 6

69 Alexander Nützenadel, *Landwirtschaft, Staat und Autarkie: Agrarpolitik im faschistischen Italien (1922-1943)* (Tübingen, 1997), 144, 317, 394.

70 Rochat, *Le guerre italiane*, 117-21.

71 De Grand, 'Mussolini's follies', 128-9; Rodogno, *Fascism's European Empire*, 46-7.

72 De Donno, 'La Razza Ario-Mediterranea', 409.

economy', 160.

39 Yoshiro Miwa, *Japan's Economic Planning and Mobilization in Wartime, 1930s-1940s* (Cambridge, 2015), 62-4; Nakamura and Odaka (eds.), *Economic History of Japan*, 47-51; Akira Hari, 'Japan: guns before rice', in Mark Harrison (ed.), *The Economics of World War II: Six Great Powers in International Comparison* (Cambridge, 1998), 283-7.

40 Hans van de Ven, *China at War: Triumph and Tragedy in the Emergence of the New China 1937-1952* (London, 2017), 58-64.

41 Ibid., 66-70; Paine, *Wars for Asia*, 128-9.

42 Rana Mitter, *China's War with Japan 1937-1945: The Struggle for Survival* (London, 2013), 73-4.

43 Van de Ven, *China at War*, 68-76; Odd Arne Westad, *Restless Empire: China and the World since 1750* (London, 2012), 256-7.

44 Paine, *Wars for Asia*, 128-9.

45 Hans van de Ven, *War and Nationalism in China, 1925-1945* (New York, 2003), 194-5.

46 Paine, *Wars for Asia*, 181-2.

47 Mitter, *China's War with Japan*, 128-35; 關於南京大屠殺，見Iris Chang, *The Rape of Nanking: The Forgotten Holocaust of World War II* (New York, 1997), chs. 3-4.

48 Van de Ven, *War and Nationalism*, 221-6.

49 Diana Lary, *The Chinese People at War: Human Suffering and Social Transformation, 1937-1945* (Cambridge, 2010), 60-62; Mitter, *China's War with Japan*, 158-61.

50 Paine, *Wars for Asia*, 134-5, 140-42; Mark Peattie, Edward Drea and Hans van de Ven (eds.), *The Battle for China: Essays on the Military History of the Sino-Japanese War of 1937-1945* (Stanford, Calif., 2011), 34-5.

51 Dagfinn Gatu, *Village China at War: The Impact of Resistance to Japan, 1937-1945* (Copenhagen, 2007), 415-17.

52 Paine, *Wars for Asia*, 165-7.

53 MacGregor Knox, *Common Destiny: Dictatorship, Foreign Policy and War in Fascist Italy and Nazi Germany* (Cambridge, 2000), 69.

54 Morewood, *British Defence of Egypt*, 32-45; Labanca, *Oltremare*, 184-8.

55 Alberto Sbacchi, *Ethiopia under Mussolini: Fascism and the Colonial Experience* (London, 1985), 13-14; Morewood, *British Defence of Egypt*, 25-7.

56 Claudia Baldoli, 'The "northern dominator" and the Mare Nostrum: Fascist Italy's "cultural

and the United States, 1931-1936 (London, 1996), chs. 6-7.

21 Otto Tolischus, *Tokyo Record* (London, 1943), 32.

22 George Steer, *Caesar in Abyssinia* (London, 1936), 401.

23 Malcolm Muggeridge (ed.), *Ciano's Diplomatic Papers* (London, 1948), 301-2.

24 Drea, *Japan's Imperial Army*, 182-6.

25 Wilhelm Treue, 'Denkschrift Hitlers über die Aufgaben eines Vierjarhresplan', *Vierteljahreshefte für Zeitgeschichte*, 3 (1954), 204-6.

26 Kathleen Burke, 'The lineaments of foreign policy: the United States and a "New World Order", 1919-1939', *Journal of American Studies*, 26 (1992), 377-91.

27 G. Bruce Strang, 'Imperial dreams: the Mussolini-Laval Accords of January 1935', *The Historical Journal*, 44 (2001), 807-9.

28 Richard Overy, 'Germany and the Munich Crisis: a mutilated victory?', *Diplomacy & Statecraft*, 10 (1999), 208-11.

29 Susan Pedersen, *The Guardians: The League of Nations and the Crisis of Empire* (Oxford, 2015), 289-90, 291-2.

30 Paine, *Wars for Asia*, 25.

31 Benito Mussolini, 'Politica di vita' [*Il popolo d'Italia*, 11 Oct. 1935] in *Opera Omnia di Benito Mussolini*: vol. XXVII (Florence, 1959), 163-4.

32 Chad Bryant, *Prague in Black: Nazi Rule and Czech Nationalism* (Cambridge, Mass., 2007), 41-4.

33 Kristin Kopp, 'Arguing the case for a colonial Poland', in Volker Langbehn and Mohammad Salama (eds.), *German Colonialism: Race, the Holocaust and Postwar Germany* (New York, 2011), 150-51; David Furber, 'Near as far in the colonies: the Nazi occupation of Poland', *International History Review*, 26 (2004), 541-51.

34 James Crowley, 'Japanese army factionalism in the early 1930s', *Journal of Asian Studies*, 21 (1962), 309-26.

35 Drea, *Japan's Imperial Army*, 183-6; Tarling, *A Sudden Rampage*, 40-43.

36 詳見Paine, Wars for Asia, 34-40; Takafusa Nakamura, 'The yen bloc, 1931-1941', in Duus, Myers and Peattie (eds.), *Japanese Wartime Empire*, 1789.

37 Paine, *Wars for Asia*, 15.

38 Takafusa Nakamura and Kōnosuke Odaka (eds.), *Economic History of Japan 1914-1945* (Oxford, 1999), 49-51; Paine, *Wars for Asia*, 24-30; Myers, 'Creating a modern enclave

8 CCAC, Christie Papers, 180/1/4, 'Notes of a conversation with Göring' by Malcolm Christie (former British air attaché, Berlin): 'Wir wollen ein Reich' [Christie's emphasis].

9 Aurel Kolnai, *The War against the West* (London, 1938), 609.

10 De Grand, 'Mussolini's follies', 136; Davide Rodogno, *Fascism's European Empire: Italian Occupation during the Second World War* (Cambridge, 2006), 44-6.

11 Gerhard Weinberg (ed.), *Hitler's Second Book* (New York, 2003), 174.

12 Young, *Japan's Total Empire*, 101-6, 116-32.

13 Rainer Zitelmann, *Hitler: The Politics of Seduction* (London, 1999), 206-7; 關於反西方主義，見Heinrich Winkler, *The Age of Catastrophe: A History of the West, 1914-1945* (New Haven, Conn., 2015), 909-12.

14 Patrick Bernhard, 'Borrowing from Mussolini: Nazi Germany's colonial aspirations in the shadow of Italian expansionism', *Journal of Imperial and Commonwealth History*, 41 (2013), 617-18; Ray Moseley, *Mussolini's Shadow: The Double Life of Count Galeazzo Ciano* (New Haven, Conn., 1999), 52.

15 Nicola Labanca, *Oltremare: Storia dell'espansione coloniale Italiana* (Bologna, 2002), 328-9; De Grand, 'Mussolini's follies', 133-4. 到了一九三五年，義大利帝國的海外領土提供的貨物只占義大利本土進口的百分之四點八。關於阿爾巴尼亞，見Bernd Fischer, *Albania at War, 1939-1945* (London, 1999), 5-6.

16 Ramon Myers, 'Creating a modern enclave economy: the economic integration of Japan, Manchuria and North China, 1932-1945', in Peter Duus, Ramon Myers and Mark Peattie (eds.), *The Japanese Wartime Empire, 1931-1945* (Princeton, NJ, 1996), 148; Paine, *Wars for Asia*, 13-15, 23; Tarling, *A Sudden Rampage*, 27-8.

17 Karsten Linne, *Deutschland jenseits des Äquators? Die NS-Kolonialplanungen für Afrika* (Berlin, 2008), 39.

18 CCAC, Christie Papers, 180/1/5, 'Notes from a conversation with Göring', 3 Feb. 1937, p. 51.

19 Weinberg (ed.), *Hitler's Second Book*, 16-18, 162. 關於德國經濟思想的變遷，見Horst Kahrs, 'Von der "Grossraumwirtschaft" zur "Neuen Ordnung"', in Kahrs et al., *Modelle für ein deutsches Europa: Ökonomie und Herrschaft im Grosswirtschaftsraum* (Berlin, 1992), 9-10, 12-14; E. Teichert, *Autarkie und Grossraumwirtschaft in Deutschland*, 1930-1939 (Munich, 1984), 261-8. 關於希特勒的經濟思想，見Rainer Zitelmann, *Hitler: Selbstverständnis eines Revolutionärs* (Hamburg, 1989), 195-215.

20 關於這點，見Patricia Clavin, The *Failure of Economic Diplomacy: Britain, Germany, France*

and the Collapse of Globalization (Basingstoke, 2012), esp. 425-8.

79 Laak, *Über alles in der Welt*,127-8.

80 Boyce, *Great Interwar Crisis*, 299.

81 Jim Tomlinson, 'The Empire/Commonwealth in British economic thinking and policy', in Thompson (ed.), *Britain's Experience of Empire*, 219-20; Thomas, *French Empire between the Wars*, 93-8.

82 Takafusa Nakamura and Kōnosuke Odaka (eds.), *Economic History of Japan 1914-1955* (Oxford, 1999), 33-7.

83 Paine, *Wars for Asia*, 22-3; Fletcher, *Search for a New Order*, 40-42.

84 關於德國的例證，見Horst Kahrs, 'Von der "Grossraumwirtschaft" zur "Neuen Ordnung"', in *idem* (ed.), *Modelle für ein deutschen Europa: Ökonomie und Herrschaft im Grosswirtschaftsraum* (Berlin, 1992), 9-13.

85 Joyce Lebra, *Japan's Greater East Asia Co-Prosperity Sphere in World War II: Selected Readings and Documents* (Oxford, 1975), 74-5.

86 'Report on the work of the Central Committee to the Seventeenth Congress of the CPSU, 26 January 1934', in Joseph Stalin, *Problems of Leninism* (Moscow, 1947), 460.

第一章　民族帝國與全球危機（1931-1940 年）

1 引自Louise Young, *Japan's Total Empire: Manchuria and the Culture of Wartime Imperialism* (Berkeley, Calif., 1998), 57-8.

2 Ibid., 39-41; Sarah Paine, *The Wars for Asia, 1911-1949* (Cambridge, 2012), 13-15; Edward Drea, *Japan's Imperial Army: Its Rise and Fall, 1853-1945* (Lawrence, Kans, 2009), 167-9.

3 A. de Grand, 'Mussolini's follies: fascism and its imperial and racist phase', *Contemporary European History*, 13 (2004), 137.

4 Young, *Japan's Total Empire*, 146-7.

5 Nicholas Tarling, *A Sudden Rampage: The Japanese Occupation of Southeast Asia, 1941-1945* (London, 2001), 28.

6 見Michael Geyer, '"There is a land where everything is pure: its name is land of death": some observations on catastrophic nationalism', in Greg Eghigian and Matthew Berg (eds.), *Sacrifice and National Belonging in Twentieth-Century Germany* (College Station, Tex., 2002), 120-41.

7 Steven Morewood, *The British Defence of Egypt 1935-1940: Conflict and Crisis in the Eastern Mediterranean* (London, 2005), 25-6.

64 Greg Eghigian, 'Injury, fate, resentment, and sacrifice in German political culture, 1914-1939', in G. Eghigian and M. Berg (eds.), *Sacrifice and National Belonging in Twentieth-Century Germany* (College Station, Tex., 2002), 91-4.

65 Dirk van Laak, *Über alles in der Welt: Deutscher Imperialismus im 19. und 20. Jahrhundert* (Munich, 2005), 107; Shelley Baranowski, *Nazi Empire: German Colonialism and Imperialism from Bismarck to Hitler* (Cambridge, 2011), 154-5.

66 Wolfe Schmokel, *Dream of Empire: German Colonialism, 1919-1945* (New Haven, Conn., 1964), 18-19.

67 Christian Rogowski, '"Heraus mit unseren Kolonien!" Der Kolonialrevisionismus der Weimarer Republik und die "Hamburger Kolonialwoche" von 1926', in Kundrus (ed.), *Phantasiereiche*, 247-9.

68 Uta Poiger, 'Imperialism and empire in twentieth-century Germany', *History and Memory*, 17 (2005), 122-3; Laak, *Über alles in der Welt*, 109-10; Schmokel, *Dream of Empire*, 2-3, 44-5; Andrew Crozier, 'Imperial decline and the colonial question in Anglo-German relations 1919-1939', *European Studies Review*, 11 (1981), 209-10, 214-17.

69 David Murphy, *The Heroic Earth: Geopolitical Thought in Weimar Germany, 1918-1933* (Kent, Ohio, 1997), 16-17; Woodruff Smith, *The Ideological Origins of Nazi Imperialism* (New York, 1986), 218-20.

70 Murphy, *The Heroic Earth*, 26-30; Smith, *Ideological Origins*, 218-24; Laak, *Über alles in der Welt*, 116-19.

71 Herb, *Under the Map of Germany*, 77.

72 Ibid., 52-7, 108-10

73 Vejas Liulevicius, *The German Myth of the East: 1800 to the Present* (Oxford, 2009), 156.

74 Pedersen, *The Guardians*, 199-202; 關於去殖民化，見Laak, *Über alles in der Welt*, 120. 這個詞的創設者是經濟學家伯恩（Moritz Julius Bonn）。

75 Fletcher, *The Search for a New Order*, 40-41; Hosoya Chihiro, 'Britain and the United States', 5-6, 7-10.

76 Knox, *Common Destiny*, 121-2, 126-8.

77 Labanca, *Oltremare*, 138-9, 149-52, 173-5; A. de Grand, 'Mussolini's follies: Fascism and its imperial and racist phase', *Contemporary European History*, 13 (2004), 128-32; Gooch, *Mussolini and His Generals*, 123-6.

78 近期對這場危機的最佳說明提出了這個觀點，見Robert Boyce, *The Great Interwar Crisis*

47 Ibid., 2-3, 77-83.

48 Ibid., 24-6.

49 Wilder, 'Framing Greater France', 204-5; Thomas, *French Empire between the Wars*, 31-4.

50 Thomas, *French Empire between the Wars*, 94-8, 103.

51 Henri Cartier, *Comment la France 'civilise' ses colonies* (Paris, 1932), 5-6, 24.

52 Sèbe, 'Exalting imperial grandeur', 36-8; Thomas, *French Empire between the Wars*, 199-202.

53 Brad Beaven, *Visions of Empire: Patriotism, Popular Culture and the City, 1870-1939* (Manchester, 2012), 150-51, 164; Matthew Stanard, 'Interwar pro-Empire propaganda and European colonial culture: towards a comparative research agenda', *Journal of Contemporary History*, 44 (2009), 35.

54 William Fletcher, *The Search for a New Order: Intellectuals and Fascism in Prewar Japan* (Chapel Hill, NC, 1982), 31-2; Dickinson, 'The Japanese Empire', 203-4; John Darwin, *After Tamerlane: The Global History of Empire since 1405* (London, 2007), 396-8; Hosoya Chihiro, 'Britain and the United States in Japan's view of the international system, 1919-1937', in Ian Nish (ed.), *Anglo-Japanese Alienation 1919-1952: Papers of the Anglo-Japanese Conference on the History of the Second World War* (Cambridge, 1982), 4-6.

55 Tarling, *A Sudden Rampage*, 26.

56 Sarah Paine, *The Wars for Asia 1911-1949* (Cambridge, 2012), 15-16; Jonathan Clements, *Prince Saionji: Japan. The Peace Conferences of 1919-23 and their Aftermath* (London, 2008), 131-6.

57 Fletcher, *Search for a New Order*, 29-33, 42; Tarling, *A Sudden Rampage*, 25-7; Paine, *Wars for Asia*, 21-2; Young, *Japan's Total Empire*, 35-8.

58 MacGregor Knox, *Common Destiny: Dictatorship, Foreign Policy and War in Fascist Italy and Nazi Germany* (Cambridge, 2000), 114-15.

59 Bosworth and Finaldi, 'The Italian Empire', 41.

60 Spencer Di Scala, *Vittorio Orlando: Italy: The Peace Conferences of 1919-23 and their Aftermath* (London, 2010), 140-41, 170-71.

61 Claudia Baldoli, *Bissolati immaginario: Le origini del fascism cremonese* (Cremona, 2002), 50-53; Mulligan, *The Great War for Peace*, 269, 275-7, 281.

62 Di Scala, *Vittorio Orlando*, 156-7, 173.

63 見John Gooch, *Mussolini and His Generals: The Armed Forces and Fascist Foreign Policy, 1922-1940* (Cambridge, 2007), 62-8.

Occupation in World War I (Cambridge, 2000), 63-72.

35 出自Jones, 'The German Empire', 59, 轉引自Andrew Donson, 'Models for young nationalists and militarists: German youth literature in the First World War', *German Studies Review*, 27 (2004), 588.

36 Paddock, 'Creating an oriental "Feindbild"', 230; Vejas Liulevicius, 'The language of occupation: vocabularies of German rule in Eastern Europe in the World Wars' in Nelson (ed.), *Germans, Poland, and Colonial Expansion*, 122-30.

37 引自Darwin, The Empire Project, 313. 關於非洲，見Jones, 'The German Empire', 69-70.

38 Robert Gerwarth and Erez Manela, 'Introduction', in *idem* (eds.), *Empires at War*, 8-9; Philip Murphy, 'Britain as a global power', in Andrew Thompson (ed.), Britain's *Experience of Empire in the Twentieth Century* (Oxford, 2012), 39-40.

39 Richard Fogarty, 'The French Empire', in Gerwarth and Manela (eds.), *Empires at War*, 109, 120-21. Berny Sèbe, 'Exalting imperial grandeur: the French Empire and its metropolitan public', in MacKenzie (ed.), *European Empires and the People*, 34提出更多的數字，徵召的士兵有六十萬七千人。

40 Erez Manela, *The Wilsonian Moment: Self-determination and the International Origins of Anticolonial Nationalism* (Oxford, 2007), 23-4, 43-4; Trygve Throntveit, 'The fable of the Fourteen Points: Woodrow Wilson and national self-determination', *Diplomatic History*, 35 (2011), 446-9, 454-5.

41 Manela, *The Wilsonian Moment*, 37; Marcia Klotz, 'The Weimar Republic: a postcolonial state in a still colonial world', in Ames, Klotz and Wildenthal (eds.), *Germany's Colonial Pasts*, 139-40.

42 Edward Drea, *Japan's Imperial Army: Its Rise and Fall, 1853-1945* (Lawrence, Kans, 2009), 142-5. 關於歐洲對布爾什維克主義的恐懼，見Robert Gerwarth and John Horne, 'Bolshevism as fantasy: fear of revolution and counterrevolutionary violence, 1917-1923', in *idem* (eds.), *War in Peace: Paramilitary Violence in Europe after the Great War* (Oxford, 2012), 40-51.

43 Manela, *The Wilsonian Moment*, 59-65, 89-90.

44 引自Manela, *The Wilsonian Moment*, 149.

45 Ibid., 60-61.

46 詳見Susan Pedersen, *The Guardians: The League of Nations and the Crisis of Empire* (Oxford, 2015), 1-4, 29-32.

(2008), 132-5.

20 Young, *Japan's Total Empire*, 89-90.

21 Daniel Immerwahr, 'The Greater United States: territory and empire in U. S. history', *Diplomatic History*, 40 (2016), 377-81.

22 數字出自Parsons, *Second British Empire*, 32.

23 Finaldi, '"The peasants did not think of Africa"', 214; 也可見Lorenzo Veracini, 'Italian colonialism through a settler colonial studies lens', *Journal of Colonialism and Colonial History*, 19 (2018), 2 提到義大利人對比了他們的「無產階級」帝國主義與「貴族」和「資產階級」帝國主義。

24 Labanca, *Oltremare*, 104-17.

25 Richard Bosworth and Giuseppe Finaldi, 'The Italian Empire', in Gerwarth and Manela (eds.), *Empires at War*, 35; Finaldi, '"The peasants did not think of Africa"', 210-11; Labanca, *Oltremare*, 123-4.

26 近年來，分析一九一四年的最佳作品是Christopher Clark, *The Sleepwalkers: How Europe Went to War in 1914* (London, 2012); Margaret MacMillan, *The War that Ended Peace: How Europe Abandoned Peace for the First World War* (London, 2013).

27 相關討論見Robert Gerwarth and Erez Manela, 'The Great War as a global war', *Diplomatic History*, 38 (2014), 786-800.

28 William Mulligan, *The Great War for Peace* (New Haven, Conn., 2014), 91-2, 104-6; Bosworth and Finaldi, 'The Italian Empire', 40-43; Labanca, *Oltremare*, 117-27.

29 詳見Jones 'German Empire', 63-4.

30 Dickinson, 'The Japanese Empire', 199-201; Nicholas Tarling, *A Sudden Rampage: The Japanese Occupation of Southeast Asia, 1941-1945* (London, 2001), 24-6.

31 John Darwin, *The Empire Project: The Rise and Fall of the British World System, 1830-1970* (Cambridge, 2009), 315-18; David Fieldhouse, *Western Imperialism and the Middle East, 1914-1958* (Oxford, 2006), 47-51.

32 Jones, 'German Empire', 62; 德國在敵對帝國內部策動叛亂的計畫，詳見Jennifer Jenkins, 'Fritz Fischer's "Programme for Revolution": implications for a global history of Germany in the First World War', *Journal of Contemporary History*, 48 (2013), 399-403; David Olusoga, *The World's War* (London, 2014), 204-7, 224-8.

33 Fieldhouse, *Western Imperialism*, 57-60.

34 Vejas Liulevicius, *War Land on the Eastern Front: Culture, National Identity and German*

10 Benjamin Madley, 'From Africa to Auschwitz: how German South West Africa incubated ideas and methods adopted and developed by the Nazis in Eastern Europe', *European History Quarterly*, 35 (2005), 432-4; Guntram Herb, *Under the Map of Germany: Nationalism and Propaganda 1918-1945*(London, 1997), 50-51.

11 Timothy Parsons, *The Second British Empire: In the Crucible of the Twentieth Century* (Lanham, Md, 2014), 8; Troy Paddock, 'Creating an oriental "Feindbild"', *Central European History*, 39 (2006), 230.

12 Madley, 'From Africa to Auschwitz', 440.

13 關於帝國的概念觀點，有用的討論見Pascal Grosse, 'What does German colonialism have to do with National Socialism? A conceptual framework', in Eric Ames, Marcia Klotz and Lora Wildenthal (eds.), *Germany's Colonial Pasts*(Lincoln, Nebr., 2005), 118-29.

14 Martin Thomas, *The French Empire between the Wars: Imperialism, Politics and Society* (Manchester, 2005), 1; Wilder, 'Framing Greater France', 205; Parsons, *Second British Empire*, 5, 83-4.

15 Giuseppe Finaldi, '"The peasants did not think of Africa": empire and the Italian state's pursuit of legitimacy, 1871-1945', in John MacKenzie (ed.), *European Empires and the People: Popular Responses to Imperialism in France, Britain, the Netherlands, Germany and Italy* (Manchester, 2011), 214.

16 Kundrus, *Moderne Imperialisten*, 32-7; Bernhard Gissibl, 'Imagination and beyond: cultures and geographies of imperialism in Germany, 1848-1918', in MacKenzie (ed.), *European Empires and the People*, 175-7.

17 Kristin Kopp, 'Constructing racial difference in colonial Poland', in Ames, Klotz and Wildenthal (eds.), *Germany's Colonial Pasts*, 77-80; Bley, 'Der Traum von Reich?', 57-8; Kristin Kopp, 'Arguing the case for a colonial Poland', in Volker Langbehn and Mohammad Salama (eds.), *German Colonialism: Race, the Holocaust and Postwar Germany* (New York, 2011), 148-51; 'deepest barbarism' in Matthew Fitzpatrick, *Purging the Empire: Mass Expulsions in Germany, 1871-1914* (Oxford, 2015), 103.

18 Kopp, 'Constructing racial difference', 85-9; Gissibl, 'Imagination and beyond', 162-3, 169-77.

19 Robert Nelson, 'The Archive for Inner Colonization, the German East and World War I', in *idem* (ed.), *Germans, Poland, and Colonial Expansion to the East* (New York, 2009), 65-75. 也可見Edward Dickinson, 'The German Empire: an empire?', *History Workshop Journal*, 66

and Won (New York, 2019). 關於軍事結果的辯論，一個令人耳目一新的新看法是Phillips O'Brien, *How the War was Won* (Cambridge, 2015).

4 Reto Hofmann and Daniel Hedinger, 'Axis Empires: towards a global history of fascist imperialism', *Journal of Global History*, 12 (2017), 161-5. 也可見Daniel Hedinger, 'The imperial nexus: the Second World War and the Axis in global perspective', ibid., 185-205.

5 關於第一次世界大戰及其對帝國的影響，見Robert Gerwarth and Erez Manela, 'The Great War as a global war', *Diplomatic History*, 38 (2014), 786-800; Jane Burbank and Frederick Cooper, 'Empires after 1919: old, new, transformed', *International Affairs*, 95 (2019), 81-100.

6 關於「軍事」史的局限，見Stig Förster激勵人心的演說, 'The Battlefield: Towards a Modern History of War', German Historical Institute, London, 2007 Annual Lecture, and Jeremy Black, *Rethinking World War Two: The Conflict and its Legacy* (London, 2015).

序章　鮮血與廢墟：帝國戰爭的年代

1 Leonard Woolf, *Imperialism and Civilization* (London, 1928), 17.

2 Ibid., 9-12.

3 Birthe Kundrus, *Moderne Imperialisten: Das Kaiserreich im Spiegel seiner Kolonien* (Cologne, 2003), 28. 也可見Helmut Bley, 'Der Traum vom Reich? Rechtsradikalismus als Antwort auf gescheiterte Illusionen im deutschen Kaiserreich 1900-1938', in Birthe Kundrus (ed.), *Phantasiereiche: zur Kulturgeschichte des deutschen Kolonialismus* (Frankfurt am Main, 2003), 56-67.

4 Nicola Labanca, *Oltremare: Storia dell'espansione coloniale Italiana* (Bologna, 2002), 57.

5 Louise Young, *Japan's Total Empire: Manchuria and the Culture of Wartime Imperialism* (Berkeley, Calif., 1998), 12-13, 22-3; Frederick Dickinson, 'The Japanese Empire', in Robert Gerwarth and Erez Manela (eds.), *Empires at War 1911-1923* (Oxford, 2014), 198-200.

6 「民族帝國」的觀念受到廣泛討論。特別見Gary Wilder, 'Framing Greater France between the wars', *Journal of Historical Sociology*, 14 (2000), 198-202 and Heather Jones, 'The German Empire', in Gerwarth and Manela (eds.), *Empires at War*, 56-7.

7 Birthe Kundrus, 'Die Kolonien - "Kinder des Gefühls und der Phantasie"', in *idem* (ed.), *Phantasiereiche*, 7-18.

8 Paul Crook, *Darwinism, War and History* (Cambridge, 1994), 88-9. 也可見Mike Hawkins, *Social Darwinism in European and American Thought 1860-1945* (Cambridge, 1997), 203-15.

9 Friedrich von Bernhardi, *Germany and the Next War* (London, 1914), 18.

上冊注釋

AHB	Air Historical Branch, Northolt, Middlesex
BAB	Bundesarchiv-Berlin
BA-MA	Bundesarchiv-Militärarchiv, Freiburg
CCAC	Churchill College Archive Centre, Cambridge
IWM	Imperial War Museum, Lambeth, London
LC	Library of Congress, Washington, DC
NARA	National Archives and Records Administration, College Park, MD
TNA	The National Archives, Kew, London
TsAMO	Central Archive of the Russian Ministry of Defence, Podolsk
UEA	University of East Anglia, Norwich
USMC	United States Marine Corps
USSBS	United States Strategic Bombing Survey

前言

1 Frederick Haberman (ed.), *Nobel Lectures: Peace, 1926-1950* (Amsterdam, 1972), 318.

2 Christopher Browning, *Ordinary Men: Reserve Police Battalion 101 and the Final Solution in Poland* (London, 1992). 也可見Richard Overy, '"Ordinary men", extraordinary circumstances: historians, social psychology, and the Holocaust', *Journal of Social Issues*, 70 (2014), 515-30.

3 見近期的 Gordon Corrigan, *The Second World War: A Military History* (London, 2010), Antony Beevor, *The Second World War* (London, 2013), Max Hastings, *All Hell Let Loose: The World at War 1939-1945* (London, 2011) and Andrew Roberts, *The Storm of War: A New History of the Second World War* (London, 2009). 比較不那麼聚焦於軍事的優秀作品有Gerhard Weinberg, *A World at Arms: A Global History of World War II* (Cambridge, 1994), Evan Mawdsley, *World War Two: A New History* (Cambridge, 2012)與Gordon Wright的經典研究, *The Ordeal of Total War, 1939-1945* (New York, 1968); 更近期的作品有Andrew Buchanan, *World War II in Global Perspective: A Short History* (Hoboken, NJ, 2019) and Victor Hanson, *The Second World Wars: How the First Great Global Conflict was Fought*

Beyond

71

世界的啟迪

二戰

帝國黃昏與扭轉人類命運的戰爭（上）

Blood and Ruins: The Last Imperial War, 1931-1945

作者	李察・奧弗里（Richard Overy）
譯者	黃煜文
名詞審訂	揭仲
責任編輯	洪仕翰
校對	李鳳珠、魏秋綢
表格協力	鄭司律
內頁排版	宸遠彩藝
封面設計	莊謹銘
行銷企劃	張偉豪
總編輯	洪仕翰

出版	衛城出版 / 遠足文化事業股份有限公司
發行	遠足文化事業股份有限公司（讀書共和國出版集團）
地址	231 新北市新店區民權路 108-3 號 8 樓
電話	02-22181417
傳真	02-22180727
法律顧問	華洋法律事務所　蘇文生律師
印刷	呈靖彩藝有限公司
初版一刷	2024 年 9 月
初版三刷	2025 年 2 月
定價	1850 元（全套三冊不分售） 1930 元（限量書盒版）

ISBN	978-626-7376-62-1（全套：平裝） 978-626-7376-56-0（PDF） 978-626-7376-55-3（EPUB）

ACRO POLIS
衛城出版

Email acropolismde@gmail.com
Facebook www.facebook.com/acrolispublish

國家圖書館出版品預行編目(CIP)資料

二戰：帝國黃昏與扭轉人類命運的戰爭 / 李察.奧弗里(Richard Overy)著；黃煜文譯. -- 初版. -- 新北市：衛城出版，遠足文化事業股份有限公司, 2024.09
冊；　公分. -- (Beyond ; 71)(世界的啟迪)
譯自 : Blood and ruins : the last imperial war, 1931-1945
ISBN 978-626-7376-59-1(上冊 : 平裝). --
ISBN 978-626-7376-60-7(中冊 : 平裝). --
ISBN 978-626-7376-61-4(下冊 : 平裝). --
ISBN 978-626-7376-62-1(全套 : 平裝)

1. 第二次世界大戰

712.84　　113009532